O Herói Perdido

RICK RIORDAN

O Herói Perdido

OS HERÓIS DO OLIMPO – LIVRO UM

Tradução de Rodrigo Peixoto

TÍTULO ORIGINAL
The Lost Hero

REVISÃO
Clarissa Peixoto
Elisa Nogueira
Umberto Figueiredo Pinto

DIAGRAMAÇÃO
Editoriarte

ARTE DE CAPA
Joann Hill
Ilustração: © 2010 John Rocco

ADAPTAÇÃO DE CAPA
Julio Moreira

CIP-BRASIL. CATALOGAÇÃO-NA-FONTE
SINDICATO NACIONAL DOS EDITORES DE LIVROS, RJ

R452h

Riordan, Rick, 1964-
O herói perdido / Rick Riordan ; tradução Rodrigo Peixoto. - Rio de Janeiro : Intrínseca, 2011.
(Os heróis do Olimpo ; v.1)

Tradução de: The Lost Hero
ISBN 978-85-8057-008-3

1. Hera (Divindade grega) - Literatura infantojuvenil. 2. Gaia (Divindade grega) - Literatura infantojuvenil. 3. Mitologia grega - Literatura infantojuvenil. 4. Literatura infantojuvenil americano. I. Peixoto, Rodrigo. II. Título. III. Série.

11-0436. CDD: 028.5
CDU: 087.5

[2011]

EDITORA INTRÍNSECA LTDA.
Av. das Américas, 500, bloco 12, sala 303
22640-904 – Barra da Tijuca
Rio de Janeiro – RJ
Tel. / Fax.: (21) 3206-7400
www.intrinseca.com.br

Para Haley e Patrick, sempre os primeiros a ouvir as histórias.
Sem eles, não existiria Acampamento Meio-Sangue.

I

JASON

Mesmo antes de ser eletrocutado, Jason estava tendo um dia péssimo.

Ele acordou no banco de trás de um ônibus escolar, sem saber muito bem onde estava, de mãos dadas com uma menina que não conhecia. Essa não era necessariamente a parte péssima. A menina era bonita, mas Jason não sabia quem ela era nem o que ele estava fazendo ali. Ele se levantou e esfregou os olhos, tentando pensar.

Alguns jovens estavam espalhados pelos assentos à frente, ouvindo seus iPods, conversando ou dormindo. Todos pareciam ter mais ou menos a idade dele... quinze anos? Dezesseis? Certo, isso era assustador. Ele não sabia qual era a própria idade.

O ônibus barulhento seguia por uma estrada esburacada. Do lado de fora das janelas, sob o céu claro e azul, estava o deserto. Jason tinha quase certeza de que não morava no deserto. Tentou recorrer à memória... à última coisa de que se lembrava...

A menina apertou a mão dele.

— Jason, você está bem?

Ela vestia uma calça jeans desbotada, botas de caminhada e um casaco de *snowboarding* de fleece. Os cabelos castanhos, cor de chocolate, tinham um corte repicado e assimétrico, com uma trança fina de cada lado. Ela não usava maquiagem, como se tentasse não chamar atenção — o que não funcionava. Era realmente linda. Seus olhos pareciam mudar de cor, como um caleidoscópio... marrom, azul e verde.

Jason soltou a mão dela.

— É, eu não...

Na parte da frente do ônibus, um professor gritou:

— Certo, *cupcakes*, atenção!

Era obviamente um treinador de educação física. Ele usava um boné enfiado na cabeça e a única coisa visível eram os olhos pequenos e brilhantes, como contas. Tinha um cavanhaque ralo e o rosto azedo, como se tivesse comido algo estragado. O peito e os braços bronzeados estavam marcados por baixo da camisa polo laranja vivo. A calça de náilon e os tênis Nike eram incrivelmente brancos. Tinha um apito pendurado no pescoço e um megafone na cintura. Seria uma figura bastante assustadora se não medisse só um metro e meio. Quando ele ficou de pé no corredor, um dos alunos gritou:

— Levante-se, treinador Hedge!

— Eu ouvi isso! — retrucou ele, procurando no ônibus o ofensor.

Seus olhos se fixaram em Jason e sua expressão ficou mais severa.

Jason sentiu um calafrio na espinha. Tinha certeza de que o treinador notara que ele não deveria estar ali. Chamaria Jason e perguntaria o que estava fazendo naquele ônibus — e o garoto não fazia ideia do que responder.

Mas o treinador olhou para outro lado e pigarreou.

— Vamos chegar em cinco minutos! Fiquem com seus pares. Não percam suas folhas de exercícios. Caso algum de vocês, meus *cupcakes*, cause qualquer problema nessa excursão, eu, pessoalmente, os mandarei de volta ao *campus* do jeito mais penoso.

Ele apanhou um bastão de beisebol e fez de conta que batia um *home run*.

Jason olhou para a menina a seu lado.

— Ele pode falar assim com a gente?

Ela deu de ombros.

— Ele sempre fala assim. Estamos na Escola da Vida Selvagem. "Onde as crianças são os animais."

Falou como se aquilo fosse uma piada antiga entre os dois.

— Algo está errado — disse Jason. — Eu não deveria estar aqui.

O menino à frente dele virou-se e sorriu.

— Certo, Jason. Todos nós somos inocentes! Eu não fugi seis vezes. Piper não roubou um BMW.

A menina corou.

— Eu não roubei aquele carro, Leo!

— Ah, esqueci, Piper. Qual era mesmo a história? Você convenceu o vendedor a emprestá-lo a você? — Leo ergueu as sobrancelhas para Jason como quem diz: *Dá para acreditar nela?*

Leo parecia um elfo do Papai Noel, só que latino, com cabelos castanhos e encaracolados, orelhas pontudas, uma alegre cara de bebê e um sorrisinho maldoso que deixava logo claro que não era seguro deixá-lo perto de fósforos ou objetos afiados. Seus dedos longos e ágeis não paravam quietos — tamborilavam no assento, colocavam o cabelo atrás das orelhas, mexiam nos botões do casaco camuflado. Ou ele era naturalmente hiperativo ou tinha tomado açúcar e cafeína suficientes para matar um búfalo de ataque cardíaco.

— Seja como for — disse Leo. — Espero que esteja com sua folha de exercícios, pois a minha eu usei como canudo na guerra de cuspe outro dia. Por que está me olhando assim? Alguém rabiscou meu rosto de novo?

— Eu não conheço você — respondeu Jason.

Leo abriu um sorriso amarelo.

— Claro que não. E eu não sou seu melhor amigo. Sou um clone do mal.

— Leo Valdez! — gritou o treinador Hedge, lá da frente. — Algum problema por aí?

Leo piscou para Jason e disse:

— Veja isso.

Depois se virou:

— Sinto muito, treinador! Não consigo escutá-lo bem. Poderia usar o megafone, por favor?

O treinador Hedge soltou um grunhido, como se estivesse satisfeito por ter uma desculpa para fazer aquilo. Puxou da cintura o megafone e continuou dando instruções, mas sua voz parecia a do Darth Vader. Os garotos gargalharam. Ele tentou mais uma vez, mas o megafone soltou: "A vaca faz *mu*!"

Todos riram, e o treinador baixou o aparelho com raiva.

— Valdez!

Piper conteve o riso.

— Meu Deus, Leo. Como você fez isso?

Leo tirou da manga uma pequena chave Phillips.

— Sou um cara especial.

— Gente, falando sério — implorou Jason. — O que estou fazendo aqui? Para onde estamos indo?

Piper franziu as sobrancelhas.

— Jason, você está brincando?

— Não! Eu não tenho a menor ideia…

— Ah, claro que ele está brincando — disse Leo. — Está tentando revidar aquela história do creme de barbear na gelatina, certo?

Jason ficou olhando para ele, sem entender.

— Não, acho que ele está falando sério — disse Piper, tentando pegar mais uma vez a mão de Jason, que a afastou.

— Sinto muito — disse Jason. — Eu não… Eu não consigo…

— Pronto! — gritou o treinador lá da frente. — A fileira de trás acaba de se oferecer para lavar a louça do almoço!

Os outros jovens comemoraram.

— Sensacional — murmurou Leo.

Mas os olhos de Piper continuaram em Jason, como se ela não conseguisse decidir se estava magoada ou preocupada.

— Você bateu com a cabeça ou algo assim? Não sabe mesmo quem somos?

Jason deu de ombros, sem saber o que fazer.

— É pior que isso. Não sei quem *eu* sou.

O ônibus os deixou na porta de uma grande construção de reboco avermelhado, que parecia um museu, no meio do nada. Talvez fosse isso mesmo: o Museu Nacional de Lugar Nenhum, pensou Jason. Um vento frio soprava no deserto. Jason não tinha prestado atenção ao que vestia, mas aquilo não estava nem perto de protegê-lo direito do frio: jeans, tênis, camiseta roxa e um agasalho fino, preto.

— Então, vamos a um curso intensivo para quem sofre de amnésia — disse Leo em tom solícito, o que deu a Jason a impressão de que aquilo não ia ajudar em nada. — Nós frequentamos a "Escola da Vida Selvagem". — Leo fez sinais de aspas com os dedos. — Isso significa que somos "garotos malvados". Sua família, a justiça ou sei lá quem decidiu que você criava problemas demais. Por isso, você foi mandado para esta adorável prisão... quer dizer, "internato"... em Armpit, Nevada, onde você aprende coisas valiosas para a vida ao ar livre, como correr dezesseis quilômetros por campos de cactos ou tecer chapéus com margaridas! E, como prêmio, fazemos excursões "educativas" com o treinador Hedge, que mantém a ordem usando um bastão de beisebol. Está se lembrando de tudo agora?

— Não — respondeu Jason, olhando apreensivo para os outros jovens: uns vinte, talvez. Quase a metade era formada por meninas.

Não pareciam criminosos implacáveis, mas Jason ficou pensando no que teriam feito para ser enviados a uma escola para delinquentes, e por que ele próprio estava ali.

Leo revirou os olhos.

— Você quer mesmo seguir com esse joguinho, né? Certo. Nós três entramos aqui juntos, este ano. Somos muito unidos. Você faz tudo o que eu digo, me dá sua sobremesa, faz minhas tarefas...

— Leo! — disse Piper.

— O.k., ignore a última parte. Mas nós *somos* amigos. Bem... Piper é um pouco mais que sua amiga, nas últimas semanas...

— Leo, pare! — disse Piper, com o rosto vermelho.

Jason também podia notar seu rosto queimando. Achava que lembraria caso estivesse saindo com uma menina como aquela.

— Ele está com amnésia ou algo do tipo — disse Piper. — Precisamos avisar a alguém.

Leo debochou.

— A quem? Ao treinador? Ele vai tentar resolver o problema dando uma pancada na cabeça de Jason.

O treinador estava à frente do grupo, gritando ordens e apitando na tentativa de mantê-los em fila; mas não parava de olhar para Jason e fazer cara feia.

— Leo, Jason precisa de ajuda — insistiu Piper. — Ele deve ter sofrido uma concussão ou...

— E aí, Piper? — Um dos garotos se aproximou enquanto eles entravam no museu, enfiou-se entre Jason e Piper e derrubou Leo no chão. — Não fique conversando com esses manés. Você é meu par, lembra?

O cara novo tinha cabelos pretos cortados como os do Super-Homem, era bronzeado e tinha dentes tão brancos que deveriam ter uma placa de advertência: NÃO OLHE DIRETAMENTE PARA ESSES DENTES. PERIGO DE CEGUEIRA PERMANENTE. Estava com um agasalho dos Dallas Cowboys, jeans e botas, e sorria como se fosse um presente de Deus para todas as meninas delinquentes desse mundo. De cara, Jason não gostou dele.

— Saia daqui, Dylan — disse Piper. — Eu não pedi para ser seu par.

— Ah, não mesmo. Mas hoje é seu dia de sorte! — disse Dylan, dando o braço a Piper e conduzindo-a à entrada do museu.

Ela deu uma última olhada por cima do ombro, como se pedisse socorro.

Leo se levantou do chão e se ajeitou.

— Odeio esse cara. — Ele ofereceu o braço a Jason, como se fosse para entrarem juntos. — "Eu sou Dylan, sou *cool*, queria namorar comigo mesmo, mas não sei como! Por que, então, você não me namora? Que sortuda!"

— Leo — disse Jason —, você é esquisito.

— É, você sempre diz isso. — Leo sorriu. — Mas, se não se lembra de mim, quer dizer que posso repetir todas as minhas piadas velhas. Vamos!

Jason chegou à conclusão de que se aquele era mesmo seu melhor amigo, a vida que tinha era realmente louca; mas seguiu Leo para dentro do museu.

Eles caminharam pelo prédio, parando algumas vezes para que o treinador desse explicações com o megafone, que vez ou outra deixava a voz dele como a de um Lorde Sith ou soltava frases aleatórias, como "O porco faz *oinc*".

Leo não parava de tirar porcas, parafusos e limpadores de cachimbo dos bolsos do casaco camuflado, mexendo em tudo aquilo como se tivesse de manter as mãos ocupadas o tempo todo.

Jason estava distraído demais para prestar atenção às exposições, que eram sobre o Grand Canyon e a tribo hualapai, que cuidava do museu.

Algumas garotas ficaram olhando para Piper e Dylan e dando risinhos. Jason deduziu que aquele era o grupinho das mais populares. Elas combinavam seus jeans e camisetas cor-de-rosa e usavam maquiagem suficiente para uma festa de Halloween.

Uma delas disse:

— Ei, Piper, é a sua tribo que manda nesse lugar? Você entra de graça se fizer a dança da chuva?

As outras riram. Até mesmo o suposto parceiro de Piper, Dylan, reprimiu um sorriso. As mangas do casaco escondiam as mãos de Piper, mas Jason podia jurar que ela estava com os punhos cerrados.

— Meu pai é cherokee — disse ela —, não é hualapai. Mas é claro que você precisaria de mais alguns neurônios para entender a diferença, Isabel.

Isabel arregalou os olhos, surpresa, e ficou parecendo uma coruja megamaquiada.

— Ah, me desculpe... Sua *mãe* é que era dessa tribo? Oops, puxa... Você não conheceu sua mãe.

Piper foi na direção dela, mas antes que começassem a brigar o treinador gritou:

— Parem, vocês aí! Deem bom exemplo ou vou pegar o bastão de beisebol!

O grupo seguiu para a exposição seguinte, mas as meninas continuaram fazendo comentários sobre Piper.

— É bom estar de volta à reserva? — uma delas perguntou, em tom doce.

— Papai devia estar bêbado demais para trabalhar — disse outra, com falsa preocupação. — Por isso ela virou cleptomaníaca.

Piper ignorou aquilo, mas Jason estava pronto para bater nelas. Podia não se lembrar de Piper ou de quem ele próprio era, mas odiava gente má.

Leo agarrou o braço dele.

— Fique calmo. Piper não gosta que a gente se meta em suas brigas. Além do mais, se essas meninas descobrissem a verdade sobre o pai dela iriam se curvar gritando: "Não, a gente não vale a pena."

— Por quê? O que tem o pai dela?

Leo sorriu como se não acreditasse.

— Você só pode estar brincando. Não lembra mesmo que o pai da sua namorada...

— Olhe, bem que eu gostaria, mas se não me lembro nem *dela*, não vou me lembrar do pai.

Leo assobiou.

— Tudo bem. Precisamos *mesmo* conversar quando voltarmos ao alojamento.

Chegaram ao final do salão de exposições, onde grandes portas de vidro conduziam a uma varanda.

— O.k., *cupcakes* — anunciou o treinador Hedge. — Vocês estão prestes a ver o Grand Canyon. Tentem não estragar tudo. A passarela de vidro se chama Skywalk e aguenta o peso de setenta aviões tipo jumbo, então vocês, seus pesos-pena, estarão seguros. Se possível, tentem não empurrar o colega lá embaixo, senão vou ter mais trabalho.

O treinador abriu as portas e todos foram para o lado de fora. O Grand Canyon se estendia à frente deles, ao vivo e em cores. Avançando sobre o precipício, uma passarela em forma de ferradura, feita de vidro, que permitia olhar lá embaixo.

— Nossa — disse Leo. — Isso é demais.

Jason concordou. Mesmo com a amnésia e a sensação de que não deveria estar ali, era impossível não ficar impressionado.

O *canyon* era muito mais profundo e extenso do que aparentava em qualquer foto. Eles estavam tão alto que os pássaros voavam sob seus pés. Mais de 1.200 metros lá embaixo, na base da parede de pedra, um rio serpenteava. Nuvens de tempestade tinham surgido enquanto eles estavam dentro no museu, lançando sobre os penhascos sombras que pareciam rostos enraivecidos. Em todas as direções, até onde os olhos podiam alcançar, Jason via desfiladeiros vermelhos e cinza cortando o deserto, como se algum deus louco os tivesse traçado à faca.

Ele sentiu uma fisgada de dor nos olhos. *Deuses loucos*... Que ideia era essa? Parecia que tinha chegado perto de algo importante... Algo que deveria saber. Teve também a inconfundível sensação de que estava em perigo.

— Tudo bem? — perguntou Leo. — Não vai se debruçar e vomitar, né? Eu devia ter trazido a minha câmera.

Jason agarrou o guarda-corpo da passarela. Estava tremendo, suando, mas não tinha nada a ver com a altura. Ele piscou, e a dor nos olhos diminuiu.

— Tudo bem — disse, finalmente. — Só estou com um pouco de dor de cabeça.

Um trovão ribombou no céu. O vento frio quase o jogou para o lado.

— Isso não pode ser seguro — Leo completou, e olhou para as nuvens franzindo o rosto. — Tem uma tempestade bem acima de nós, mas em volta o céu está limpo. Que estranho, não?

Jason olhou para o alto e viu que Leo tinha razão. Um círculo escuro de nuvens pairava logo acima deles, e o restante do céu, em todas as direções, estava perfeitamente claro. Jason teve um mau pressentimento.

— Muito bem, *cupcakes*! — gritou o treinador Hedge. Ele franziu a testa ao olhar para a tempestade, como se ela o preocupasse também. — Acho que devemos encurtar nossa visita, então, mãos à obra! Lembrem-se, frases completas!

O trovão ribombou mais uma vez, e a cabeça de Jason começou a doer novamente. Sem saber por que, ele colocou a mão no bolso da calça e tirou uma moeda — um círculo dourado do tamanho de uma moeda de cinquenta *cents*, porém mais grosso e irregular. De um lado estava estampada a figura de um machado, do outro, o rosto de um homem, com uma coroa de louros. A inscrição dizia algo como IVLIVS.

— Nossa, isso é ouro? — perguntou Leo. — E você escondendo de mim?

Jason guardou a moeda, imaginando como estaria com aquilo e por que tinha a impressão de que em breve precisaria usá-la.

— Não é nada, só uma moeda.

Leo deu de ombros. Talvez sua mente fosse tão agitada quanto suas mãos.

— Vai, duvido que tenha coragem de cuspir lá embaixo.

Eles não se preocuparam muito com a folha de exercícios. Primeiro, porque Jason estava distraído demais, por conta da tempestade e da confusão pela qual estava passando. Depois, porque ele não fazia ideia de como “nomear as três rochas sedimentárias observadas” ou “descrever dois exemplos de erosão”.

Leo não ajudava em nada. Estava muito ocupado construindo um helicóptero com seus limpadores de cachimbo.

— Olhe isso — disse, lançando o helicóptero.

Jason imaginou que aquilo cairia, mas as hélices realmente giraram e a engenhoca voou até o meio do *canyon* antes de perder força e despencar em espiral no vazio.

— Como fez isso? — perguntou Jason.

Leo deu de ombros.

— Teria ficado mais legal se eu tivesse alguns elásticos.

— Diga a verdade: nós somos mesmo amigos?

— Até onde sei, sim.

— Tem certeza? Qual foi a primeira vez que nos vimos? Sobre o que conversamos?

— Foi... — Leo franziu a testa. — Não lembro direito. Tenho DÉFICIT DE ATENÇÃO, cara. Não dá para esperar que eu guarde detalhes.

— Mas eu não lembro *nada* sobre você. Não me lembro de ninguém daqui. E se...

— Se você tiver razão e todos estiverem errados? — perguntou Leo. — Acha mesmo que apareceu aqui esta manhã, do nada, e que todos temos lembranças falsas sobre você?

Uma voz na cabeça de Jason disse: *É exatamente isso o que eu acho*. Mas parecia loucura. Todos o conheciam, todos agiam como se ele fosse parte da turma... exceto o treinador Hedge.

— Pegue a folha de exercícios — disse Jason, entregando o papel a Leo. — Volto já.

Antes que Leo pudesse protestar, Jason atravessou a passarela.

Só os alunos estavam naquele lugar. Talvez fosse muito cedo para turistas, ou quem sabe o mau tempo os tivesse espantado. Os internos da Escola da Vida Selvagem estavam distribuídos em duplas pela passarela. A maioria brincava ou conversava. Alguns jogavam moedas lá embaixo. A uns quinze metros, Piper tentava preencher a folha de exercícios, mas Dylan, seu parceiro idiota, ficava dando em cima dela, colocando o braço em seus ombros e lançando um sorriso tão branco que poderia cegá-la. Ela tentava afastá-lo, e quando viu Jason, olhou-o como quem diz: *Por favor, estrangule esse cara*.

Com um gesto, Jason pediu a ela que esperasse um pouco. Ele foi até o treinador Hedge, que estava apoiado no taco de beisebol, estudando as nuvens de tempestade.

— Foi você que fez isso? — perguntou o treinador.

Jason deu um passo atrás.

— Fiz o quê?

O treinador olhou para ele, os olhos pequenos como contas cintilando sob a aba do boné.

— Não brinque comigo, menino. O que está fazendo aqui e por que está atrapalhando meu trabalho?

— Você quer dizer... que *não* me conhece? — perguntou Jason. — Não sou um de seus alunos?

— Eu nunca o vi antes — respondeu Hedge.

Jason ficou tão aliviado que teve vontade de chorar. Finalmente, não estava ficando louco. Ele estava *mesmo* no lugar errado.

— Olhe só, senhor, não sei como vim parar aqui. Simplesmente acordei no ônibus escolar. Tudo o que sei é que não deveria estar neste lugar.

— Isso mesmo. — E a voz grave de Hedge baixou para um murmúrio, como se ele estivesse contando um segredo. — Você tem muito poder sobre a Névoa, garoto, pois todos aqui pensam que o conhecem, mas a mim você não pode enganar. Estou farejando monstros há dias. Sabia que havia alguém infiltrado, mas você não tem cheiro de monstro. Tem cheiro de meio-sangue. Então... quem é você e de onde veio?

A maior parte do que o treinador disse não fazia sentido, mas Jason decidiu responder honestamente.

— Não sei quem sou. Não me lembro de nada. Você precisa me ajudar.

O treinador estudou seu rosto, como se tentasse ler seus pensamentos.

— Certo — ele murmurou. — Você está sendo sincero.

— É claro que estou! E que história é essa de monstros e meio-sangue? São códigos ou o quê?

O treinador Hedge franziu a testa. Parte de Jason ficou pensando se aquele cara não seria apenas louco. Mas a outra parte sabia que não era bem assim.

— Olhe, garoto, não sei quem você é. Só sei *o que* é, e isso significa problemas. Agora tenho que proteger três de vocês, e não dois. Você é a encomenda especial?

— Do que está falando?

Hedge olhou para a tempestade. As nuvens estavam mais densas e escuras, pairando bem em cima da passarela.

— Esta manhã recebi uma mensagem do acampamento. Disseram que um destacamento estava a caminho. Viriam buscar uma encomenda especial, mas não me deram mais detalhes. Pensei comigo mesmo: Tudo bem. Os dois de quem estou cuidando são bastante poderosos, mais velhos que a maioria. Sei que estão sendo perseguidos. Farejo um monstro no grupo. Imagino que, por isso, o acampamento esteja tão apressado em resgatá-los. Mas aí *você* aparece do nada. Então... é você a encomenda especial?

A dor nos olhos de Jason ficou mais intensa. *Meio-sangue. Acampamento. Monstros.* Ele continuava sem saber do que o treinador Hedge estava falando, mas as palavras fizeram sua cabeça doer, como se sua mente tentasse encontrar informações que deveriam estar ali, mas não estavam.

Jason perdeu o equilíbrio, e o treinador segurou-o. Mesmo sendo baixinho, Hedge tinha mãos de ferro.

— Cuidado, *cupcake*. Você disse que não se lembra de nada, certo? O.k. Vou ter de vigiar mais um até que o pessoal chegue. Vamos deixar que o diretor resolva isso.

— Que diretor? Que acampamento? — perguntou Jason.

— Apenas fique sentado. Os reforços chegarão a qualquer momento. Tomara que nada aconteça antes...

Um relâmpago tomou conta do céu. O vento batia furioso. Folhas de exercício voaram para o Grand Canyon e a passarela sacudiu. Os jovens gritaram, tropeçando e agarrando-se ao guarda-corpo.

— Eu devia falar alguma coisa — resmungou Hedge, então gritou ao megafone: — Todos para dentro! A vaca faz *mu*! Saiam da passarela!

— Acho que ouvi você dizer que essa coisa era segura! — gritou Jason, tentando falar mais alto que o vento.

— Em circunstâncias normais — ele afirmou. — E esse não é o caso. Venha!

II

JASON

A TEMPESTADE SE TRANSFORMOU EM um pequeno furacão. Nuvens em forma de funil se aproximavam da passarela como tentáculos de uma água-viva monstruosa.

Os meninos gritavam e corriam para o prédio. O vento carregava cadernos, casacos, bonés e mochilas. Jason deslizava no chão escorregadio.

Leo perdeu o equilíbrio e quase caiu por cima do guarda-corpo, mas Jason agarrou seu casaco e o puxou de volta.

— Obrigado, cara! — gritou Leo.

— Andem, andem, andem! — dizia o treinador.

Piper e Dylan mantinham as portas abertas, chamando os outros alunos para dentro. O casaco de Piper sacudia para todos os lados, os cabelos pretos batendo no rosto. Jason imaginou que ela devia estar morrendo de frio, mas parecia calma e confiante — dizia aos demais que tudo terminaria bem, encorajando-os a continuar andando.

Jason, Leo e o treinador Hedge corriam na direção deles, mas era como andar em areia movediça. O vento parecia estar contra eles, puxando-os para trás.

Dylan e Piper conseguiram empurrar mais um aluno para dentro, depois as portas escaparam de suas mãos e bateram com força, fechando o caminho para a passarela.

Piper puxava as maçanetas, os meninos que estavam dentro empurravam o vidro, mas as portas pareciam presas.

— Dylan, ajude! — gritou Piper.

Dylan ficou parado, com um sorriso idiota, o agasalho dos Cowboys sacudindo ao vento, como se ele de repente estivesse gostando da tempestade.

— Sinto muito, Piper — ele respondeu. — Cansei de ajudar.

Ele girou o punho e Piper foi atirada para trás, bateu contra as portas e caiu na passarela de vidro.

— Treinador — disse Jason —, deixe-me ir!

— Jason, Leo, fiquem atrás de mim — ordenou Hedge. — Essa guerra é minha. Eu deveria saber que era ele o nosso monstro.

— O quê? — perguntou Leo. Uma folha de exercícios atingiu seu rosto, mas ele a afastou. — Que monstro?

O boné do treinador voou, e no alto de seus cabelos cacheados havia dois galos — como os que surgem nos personagens de desenho animado quando algo bate em sua cabeça. Ele ergueu o taco de beisebol... que não era mais um taco normal. De alguma forma, transformara-se em um cajado de galho de árvore, ainda com brotos e folhas.

Dylan abriu um sorriso psicótico.

— Ah, pare com isso, *treinador*. Deixe o menino me atacar! Afinal de contas, você está ficando muito velho para isso. Não foi por esse motivo que o *aposentaram* nessa escola estúpida? Estive em sua turma o semestre inteiro e você nem notou. Está perdendo o faro, vovô.

O treinador deixou escapar um som raivoso, como um animal balindo.

— Acabou, *cupcake*. Você já era.

— Acha que pode proteger três meios-sangues de uma vez, velhinho? — perguntou Dylan, zombando. — Boa sorte.

Dylan apontou para Leo e uma nuvem em forma de funil se materializou em volta do garoto, que voou da passarela como se tivesse sido empurrado. De alguma forma, ele conseguiu girar no ar e se chocar contra a parede do *canyon*. Deslizou, procurando agarrar-se onde podia. Finalmente segurou-se em uma rocha estreita, uns quinze metros abaixo da passarela, e ficou pendurado ali, pelos dedos.

— Socorro! — gritou. — Uma corda, por favor. Uma corda, qualquer coisa.

O treinador praguejou e deixou seu cajado com Jason.

— Não sei quem você é, menino, mas espero que seja bom. Mantenha aquela *coisa* ocupada — disse, apontando para Dylan — enquanto eu resgato Leo.

— Resgatar como? — perguntou Jason. — Vai voar?

— Voar não, escalar — disse Hedge tirando os sapatos, o que quase matou Jason do coração. O treinador não tinha pés. Tinha cascos, cascos de bode. O que significava que aquelas coisas na cabeça dele não eram galos. Eram chifres.

— Você é um fauno — disse Jason.

— *Sátiro!* — repreendeu Hedge. — Faunos são romanos. Mas falemos sobre isso mais tarde.

Hedge pulou o guarda-corpo da passarela. Fincou os cascos na parede do *canyon*. Ele descia o penhasco com uma agilidade incrível, firmando os cascos em cavidades do tamanho de um selo postal e driblando as rajadas de vento que tentavam atingi-lo, seguindo em direção a Leo.

— Isso não é fofo? — disse Dylan a Jason. — Agora é a sua vez, rapaz.

Jason atirou o cajado. Parecia um gesto inútil, com ventos tão fortes, mas o pedaço de galho foi bem na direção de Dylan, inclusive fazendo uma curva quando ele tentou se esquivar, e acertou sua cabeça com tanta força que ele caiu de joelhos.

Piper não estava tão atordoada quanto parecia. Seus dedos agarraram o cajado, que rolara até ela, mas antes que pudesse usá-lo Dylan se levantou. Sangue — sangue *dourado* — escorria pela testa dele.

— Boa tentativa, rapaz — disse ele, olhando para Jason. — Mas vai precisar melhorar.

A passarela tremeu. Fissuras finas como fios de cabelo surgiram no vidro. Dentro do museu, outros alunos pararam de sacudir as portas. Deram um passo atrás, observando a cena horrorizados.

O corpo de Dylan se desfez em fumaça, como se suas moléculas tivessem se desintegrado. Tinha o mesmo rosto, o mesmo sorriso branco e brilhante, mas seu corpo era feito de vapor negro, os olhos eram fagulhas elétricas em uma nuvem viva. Ele abriu as asas de vapor e voou acima da passarela. Se os anjos pudessem ser maus, teriam exatamente aquela aparência, pensou Jason.

— Você é um *ventus* — disse Jason, sem saber por que conhecia aquela palavra. — Um espírito da tempestade.

A gargalhada de Dylan soou como um tornado arrancando um telhado.

— Fico feliz por ter esperado, semideus. Leo e Piper eu conheço há semanas. Poderia tê-los matado a qualquer momento. Mas minha senhora disse que um terceiro chegaria. Ela me dará uma grande recompensa por sua morte!

Outros dois funis de vento aproximaram-se e tocaram Dylan, um em cada lado, transformando-se em *venti* — jovens fantasmagóricos com asas de fumaça e olhos que faiscavam.

Piper continuou deitada, fingindo-se atordoada, agarrada ao cajado. Seu rosto estava pálido, mas ela olhou para Jason, determinada, e ele entendeu a mensagem: *Distraia-os. Vou atacá-los pelas costas.*

Linda, inteligente *e* violenta. Jason adoraria lembrar que aquela era sua namorada.

Jason cerrou os punhos, preparando-se para a luta, mas não teve chance.

Dylan ergueu a mão e arcos de eletricidade se formavam entre seus dedos. Uma carga elétrica atingiu o peito de Jason.

Bum! Jason caiu de costas. Na boca, o gosto de papel-alumínio queimado. Ele levantou a cabeça e viu que suas roupas soltavam fumaça. O raio correu por seu corpo e explodiu o calçado do pé esquerdo. Os dedos ficaram pretos com a fuligem.

Os espíritos da tempestade sorriam. Ventos sopravam. Piper gritava, mas tudo soava baixo e distante.

Pelo canto dos olhos, Jason viu o treinador Hedge subindo pelo penhasco com Leo nas costas. Piper estava de pé, balançando desesperadamente o cajado na tentativa de atingir os dois espíritos da tempestade ao lado de Dylan, que brincavam com ela. O cajado os atingia, mas era como se eles não estivessem ali. E Dylan, um tornado negro com olhos e asas, assomou sobre Jason.

— Pare — disse o garoto, levantando-se sem equilíbrio, sem conseguir decidir quem estava mais surpreso: ele ou os espíritos da tempestade.

— Como você está vivo? — perguntou Dylan, franzindo a testa. — Aquela descarga seria capaz de matar vinte homens!

— Minha vez — disse Jason.

Ele enfiou a mão no bolso e tirou a moeda de ouro. Deixou-se levar pelo instinto, jogando a moeda para o alto como se já tivesse feito aquilo milhares de vezes. Pegou-a na palma da mão e, de repente, estava segurando uma espada — uma perigosa arma de fio duplo, afiadíssima. Seus dedos encaixavam-se perfeitamente na empunhadura. Tudo era feito de ouro: punho, lâmina e haste.

Dylan rosnou e recuou. Olhou os dois companheiros e gritou:

— E então? Matem-no!

Os outros espíritos da tempestade não pareceram muito felizes com a ordem, mas voaram na direção de Jason, os dedos carregados de eletricidade.

Jason esquivou-se do primeiro. Golpeou-o com a espada e sua forma esfumaçada se desintegrou. O segundo desferiu um raio, mas a espada de Jason absorveu a carga elétrica. O garoto atacou. Um movimento rápido e o espírito dissolvia-se em pó dourado.

Dylan resmungou, indignado. Olhava para baixo como se esperasse que seus companheiros retomassem suas formas, mas o pó dourado foi espalhado pelo vento.

— Isso é impossível! *Quem* é você, meio-sangue?

Piper estava tão chocada que deixou cair o cajado.

— Jason, como...?

Foi quando o treinador chegou à passarela de vidro e pôs Leo no chão, como um saco de farinha.

— Espíritos, respeitem-me! — urrou Hedge, flexionando os braços curtos. Ele olhou ao redor e notou que Dylan estava sozinho. — Maldição! — disse a Jason. — Não deixou nada para mim, garoto? Eu gosto de desafios!

Leo se levantou, respirando com dificuldade. Parecia completamente humilhado e as mãos sangravam de tanto agarrar-se às pedras.

— Ei, treinador Superbode ou seja lá o que você for... Acabei de despencar na droga do Grand Canyon! Chega de desafios!

Dylan sibilava, mas Jason percebeu o medo em seus olhos.

— Vocês não têm ideia de quantos inimigos despertaram, meios-sangues. Minha senhora vai destruir *todos* os semideuses. *Não há como* vocês ganharem essa guerra!

No alto, a tempestade explodiu com toda a força. As rachaduras da passarela se multiplicavam. Colunas de chuva despencavam, e Jason lutava para manter o equilíbrio.

Um buraco se abriu entre as nuvens: um vórtice que dançava em tons de preto e prata.

— Minha senhora me chama de volta! — gritou Dylan, feliz. — E você, semideus, virá comigo.

Ele avançou até Jason, mas Piper o atacou pelas costas. O monstro era constituído de fumaça, mas Piper conseguiu agarrá-lo. Os dois caíram. Leo, Jason e o treinador tentaram alcançá-los, mas o espírito urrou, raivoso, e lançou uma torrente que atirou todos para trás. Jason e Hedge caíram sentados. A espada de Jason deslizou no vidro da passarela. Leo bateu com a parte de trás da cabeça e se encolheu, confuso e gemendo. Piper levou a pior. Com o golpe, ela se soltou das costas de Dylan e foi de encontro ao guarda-corpo da passarela, de onde escorregou e ficou dependurada no abismo, segurando-se apenas com uma das mãos.

Jason ia na direção dela, mas Dylan gritou:

— Fico com esse aqui!

Ele agarrou o braço de Leo e começou a subir, levando junto o menino quase inconsciente. O redemoinho de tempestade se acelerou, sugando-os como um aspirador de pó.

— Socorro! — gritou Piper. — Alguém me ajude!

Então escorregou, gritando enquanto caía.

— Jason, vá! — gritou Hedge. — Salve Piper!

O treinador avançou no espírito com um legítimo golpe de "kung-bode-fu": com um coice, livrou Leo, que caiu no chão sem se ferir. Mas Dylan agarrou os braços do treinador, que tentou acertá-lo com uma cabeçada, depois o chutou e o chamou de *cupcake*. Os dois subiam cada vez mais rápido.

O treinador gritou mais uma vez:

— Salve Piper! Eu resolvo isso aqui!

Então o sátiro e o espírito da tempestade giraram e desapareceram nas nuvens.

Salvá-la?, pensou Jason. *Ela caiu!*

Mas o instinto novamente o venceu. Ele correu em direção ao guarda-corpo pensando: *Devo ser louco*. E saltou.

* * *

Jason não tinha medo de altura. Seu medo era se estatelar no *canyon*, 1.200 metros lá embaixo. Pensou que o máximo que conseguiria com aquilo tudo era morrer junto com Piper, então encolheu os braços e mergulhou de cabeça. As paredes do canyon passavam por ele como a imagem acelerada de um filme. Parecia que sua pele ia desgrudar do rosto.

Num instante ele estava junto a Piper, que caía vertiginosamente. Agarrou a cintura dela e fechou os olhos, esperando pela morte. Piper gritava. O vento zunia nos ouvidos de Jason. Ele imaginou como seria morrer. Provavelmente, não seria bom. Desejou que de algum modo não chegassem ao fundo.

De repente, o vento parou. O grito de Piper se transformou num arquejo sufocado. Jason imaginou que deveriam estar mortos, mas não tinha sentido nenhum impacto.

— Ja... Jason — disse Piper.

Ele abriu os olhos. Não estavam caindo. Flutuavam no ar, centenas de metros acima do rio.

Jason abraçou Piper com força, e ela moveu o corpo para abraçá-lo também. Estavam frente a frente, nariz com nariz. O coração dela batia com força, Jason podia sentir através da roupa.

Seu hálito cheirava a canela.

— Como você... — ela disse.

— Não sei — Jason respondeu. — Acho que eu saberia se fosse capaz de voar...

Depois, pensou: *Mas não sei nem mesmo quem sou.*

Ele pensou em subir. Piper comemorou com um grito ao notar que os dois se elevavam alguns metros. Não estavam exatamente flutuando, percebeu Jason, que sentia algo empurrando seus pés, como se os dois se equilibrassem em cima de um gêiser.

— O ar está nos ajudando — disse Jason.

— Então diga que ajude mais! Que tire a gente daqui!

Jason olhou para baixo. Depois para cima. A chuva parara. As nuvens já não assustavam tanto, mas ainda havia raios e trovões. Nada garantia que os espíritos tivessem ido embora de vez. Ele não sabia o que acontecera ao treinador Hedge. E deixara Leo lá em cima, quase inconsciente.

— Precisamos ajudá-los — disse Piper, como se pudesse ler os pensamentos de Jason. — Você conseguiria...

— Vamos ver.

Jason mentalizou o comando "Alto" e imediatamente eles subiram.

Viajar no vento poderia ser divertido em outras circunstâncias, mas Jason estava completamente em choque. Assim que chegaram à passarela, correram até Leo.

Piper virou-o de lado e ele gemeu. O casaco estava ensopado pela chuva. Os cabelos encaracolados estavam cheios de brilho dourado, por ele ter rolado na poeira de monstro. Mas, pelo menos, não estava morto.

— Bode... feio... e idiota... — murmurou.

— Para onde ele foi? — perguntou Piper.

Leo apontou para cima.

— Não voltou mais. Por favor, diga que *não* foi ele que salvou minha vida.

— Sim. Duas vezes — respondeu Jason.

Leo gemeu mais alto.

— O que aconteceu? O cara do tornado, a espada dourada... Eu bati com a cabeça. É isso, não é? Estou tendo alucinações?

Jason se esquecera da espada. Caminhou até onde ela estava e a pegou de volta. A lâmina tinha o peso ideal. Com um gesto rápido ele girou o cabo entre as mãos e, durante o giro, a espada voltou a se transformar em moeda e pousou na palma de sua mão.

— Claro — disse Leo. — Alucinações, com certeza.

Piper tremia dentro das roupas ensopadas.

— Jason, aquelas coisas...

— *Venti* — ele disse. — Espíritos da tempestade.

— Certo. Mas você agiu como... se já tivesse visto tudo aquilo antes. *Quem é* você?

Ele balançou a cabeça.

— É isso o que estou tentando dizer: eu não sei.

A tempestade se dissipou. Os outros jovens da Escola da Vida Selvagem olhavam através da porta, aterrorizados. Os seguranças tentavam abrir as fechaduras, mas não conseguiam.

— O treinador disse que deveria proteger três pessoas — lembrou Jason. — Acho que estava falando de nós.

— E aquela coisa em que Dylan se transformou... — disse Piper, tremendo. — Meu Deus, não acredito que ele *dava em cima* de mim. E nos chamou de... o quê? *Semideuses?*

Leo deitou-se de costas, olhando para o céu. Não parecia ter pressa de se levantar.

— Não sei o que quer dizer "semi", mas não estou me sentindo muito "deus", não. E vocês?

Seguiram-se alguns estalos, como galhos se partindo, e as rachaduras na Skywalk começaram a aumentar.

— Temos que sair daqui — disse Jason. — Talvez, se nós...

— O.k. — interrompeu Leo. — Olhem para cima e me digam se o que estou vendo são cavalos voadores.

Num primeiro momento, Jason imaginou que Leo tivesse *mesmo* batido a cabeça com força, mas depois viu uma sombra escura descendo a leste. Lenta demais para ser um avião, mas muito grande para ser um pássaro. Quando a coisa se aproximou, ele notou que eram animais alados: cinza, de quatro patas, iguais a cavalos, exceto por terem asas com seis metros de envergadura. Carregavam uma espécie de caixa brilhante, com duas rodas: uma carruagem.

— Reforços. Hedge me disse que os reforços viriam ao nosso encontro.

— Reforços? — perguntou Leo, levantando-se. — Isso soa mal...

— E para *onde* vão nos levar? — questionou Piper.

Jason ficou observando a carruagem pousar do outro lado da passarela. Os cavalos voadores recolheram as asas e cavalgaram agitados sobre o vidro, como se notassem que aquilo estava a ponto de rachar. Havia dois adolescentes na carruagem — uma menina loura e alta, talvez um pouco mais velha que Jason, e um garoto forte, de cabeça raspada, com o rosto que parecia uma pilha de tijolos. Os dois usavam jeans e camiseta laranja, com escudos pendurados nas costas. A garota desceu antes mesmo que a carruagem parasse. Sacou uma faca e correu na direção do grupo de Jason. Enquanto isso, o menino freava os cavalos.

— Onde ele está? — perguntou a menina.

Os olhos cinza eram furiosos e um tanto assustados.

— Quem? — perguntou Jason.

Ela franziu a testa, como se aquela resposta fosse inaceitável. Depois virou-se para Piper e Leo:

— E Gleeson? Onde está seu protetor, Gleeson Hedge?

O primeiro nome do treinador era Gleeson? Jason teria achado graça, se a manhã não tivesse sido tão louca e assustadora. Gleeson Hedge: técnico de futebol americano, homem-bode, protetor de semideuses. Claro. Por que não?

Leo pigarreou.

— Ele foi levado por uma espécie de... tornado.

— *Venti* — disse Jason. — Espíritos da tempestade.

A menina loura ergueu uma das sobrancelhas.

— Você quer dizer *anemoi thuellai*? É esse o termo grego. Quem é você? O que aconteceu?

Jason fez o melhor que pôde para explicar, mas era complicado encarar aqueles intensos olhos cinzentos. No meio da história, o garoto da carruagem se aproximou. Ficou parado, olhando para eles, de braços cruzados. Tinha um arco-íris tatuado no bíceps, o que era estranho.

Quando Jason terminou a história, a menina loura não pareceu satisfeita.

— Não, não, não! Ela me *disse* que ele estaria aqui. Disse que se eu viesse, encontraria a resposta.

— Annabeth — grunhiu o careca. — Veja isso. — Ele apontou para os pés de Jason.

Jason não prestara muita atenção, mas continuava sem o calçado do pé esquerdo, que fora destruído pelo raio. Ele não sentia nada diferente, mas seu pé parecia uma concha de caracol.

— O menino de um sapato só. Ele é a resposta.

— Não, Butch — a menina insistiu. — Não pode ser ele. Eu fui enganada. — Ela olhava para o céu, como se algo estivesse errado. — O que você quer de mim? — gritou. — O que fez com ele?

A passarela tremeu, os cavalos relincharam com urgência.

— Annabeth — disse o careca —, precisamos ir embora. Levamos esses três ao acampamento e lá resolvemos tudo. Os espíritos da tempestade podem voltar.

Ela ficou irritada por um instante.

— Certo. — Ela encarou Jason um tanto ressentida. — Resolvemos isso mais tarde.

Annabeth deu meia-volta e caminhou até a carruagem.

Piper balançou a cabeça.

— Qual é o problema *dela*? O que está acontecendo?

— Sinceramente... — concordou Leo.

— Precisamos tirar vocês daqui — disse Butch. — Explico tudo no caminho.

— Não vou a lugar nenhum com *ela* — disse Jason, apontando para a loura. — Parece decidida a me matar.

Butch hesitou.

— Annabeth está bem. Dê a ela um desconto. Ela teve uma visão de que deveria vir aqui, encontrar um cara de um sapato só. E isso seria a resposta para seu problema.

— Que problema? — perguntou Piper.

— Ela está procurando um de nossos campistas, desaparecido há três dias — disse Butch. — Está louca de preocupação, e esperava encontrá-lo aqui.

— Quem? — perguntou Jason.

— O namorado dela. Um cara chamado Percy Jackson.

III

PIPER

Após uma manhã com espíritos de tempestade, homens-bode e namorados sumidos, Piper deveria estar enlouquecida. Mas, na verdade, tudo o que sentia era medo.

Está começando, pensou. Exatamente como no sonho.

Ela se sentou na parte de trás da carruagem, com Leo e Jason, enquanto o garoto careca, Butch, segurava as rédeas, e a menina loura, Annabeth, ajustava um aparelho de navegação feito de bronze. Sobrevoaram o Grand Canyon e seguiram para leste, o vento gelado atravessando o casaco de Piper. Atrás deles, mais nuvens de tempestade se formavam.

A carruagem dava guinadas e sacudia, não tinha cinto de segurança e a parte de trás era aberta. Piper imaginou se Jason a resgataria mais uma vez, caso caísse. Aquela fora a parte mais perturbadora da manhã — não por Jason saber voar, mas por tê-la levado em seus braços, mesmo sem lembrar quem ela era.

Durante todo aquele semestre Piper tentara se aproximar, fazer Jason perceber que ela era mais que uma amiga. Finalmente, conseguiu fazer com que ele a beijasse. As últimas semanas tinham sido as melhores de sua vida. E depois, três noites atrás, aquele sonho destruíra tudo — uma voz terrível, trazendo notícias terríveis. Não contara nada a ninguém, nem mesmo a Jason.

Agora, ela já não tinha mais nem *ele*. Era como se alguém tivesse apagado a memória de Jason, e ela estava presa num *replay* horroroso. Tinha vontade de gritar. Ele estava de pé bem a seu lado: aqueles olhos azuis como o céu, o cabelo louro bem curto, aquela cicatriz fofa no lábio superior. Fazia cara de bonzinho, gentil, mas sua expressão esteve o tempo todo um pouco triste. E ele simplesmente olhava para o horizonte, como se nem ao menos a notasse.

Enquanto isso, Leo estava sendo chato, como sempre:

— Isso é tão legal! — Ele cuspiu uma pena de pégaso que entrara em sua boca. — Para onde estamos indo?

— Um lugar seguro — respondeu Annabeth. — O *único* lugar seguro para pessoas como nós. O Acampamento Meio-Sangue.

— Meio-Sangue? — Piper ficou imediatamente atenta. Odiava esse tipo de palavra. Já fora chamada muitas vezes de meio-sangue, mestiça: meio cherokee, meio branca, e nunca de modo elogioso. — Isso é alguma brincadeira de mau gosto?

— Ela quer dizer que somos semideuses — disse Jason. — Metade deuses, metade mortais.

Annabeth olhou para trás.

— Você parece saber muitas coisas, Jason. Sim, somos semideuses. Minha mãe é Atena, deusa da sabedoria. Butch é filho de Íris, deusa do arco-íris.

Leo engasgou.

— Sua mãe é a deusa do arco-íris?

— Algum problema? — perguntou Butch.

— Não, não — respondeu Leo. — Arco-íris. Muito másculo.

— Butch é nosso melhor cavaleiro — disse Annabeth. — E se dá muito bem com os pégasos.

— Arco-íris, pôneis... — murmurou Leo.

— Vou jogar você para fora dessa carruagem — avisou Butch.

— Semideuses — disse Piper. — Você está querendo dizer que pensa que é... Que pensa que nós somos...

Um raio cortou o céu. A carruagem sacudiu, e Jason gritou:

— A roda da esquerda está em chamas!

Piper olhou para trás. Era verdade, a roda estava em chamas, labaredas brancas subiam pela lateral da carruagem.

O vento ficou mais forte. Piper olhou mais uma vez para trás e notou silhuetas negras se formando nas nuvens, mais espíritos da tempestade se aproximando da carruagem — estes, porém, se pareciam mais com cavalos que com anjos.

Ela começou a perguntar:

— Por que esses são...

— *Anemoi* surgem em formas diferentes — disse Annabeth. — Algumas vezes como humanos, outras como garanhões, depende do quanto estejam caóticos. Segurem-se. Isso vai ser complicado.

Butch manejou as rédeas. Os pégasos aceleraram e a carruagem ficou indistinta. O estômago de Piper se revirou. Sua visão ficou turva. Quando tudo voltou ao normal, estavam em um lugar completamente diferente.

Um oceano gelado e cinzento se estendia à esquerda. À direita, campos cobertos de neve, estradas e bosques. Bem abaixo deles havia um vale verde, como uma ilha de primavera, cercado por colinas nevadas e pela água, ao norte. Piper viu algumas construções parecidas com antigos templos gregos, uma mansão azul, um lago e uma parede de escalada, aparentemente em chamas. Porém, antes de poder realmente processar tudo o que via, as rodas voltaram a seus lugares e a carruagem desceu do céu.

Annabeth e Butch tentaram manter o controle. Os pégasos se esforçavam para estabilizar a carruagem, mas pareciam exaustos pela arrancada anterior, e aguentar a carruagem e o peso de cinco pessoas estava sendo demais.

— O lago! — gritou Annabeth. — Vão para o lago!

Piper lembrou-se de algo que seu pai certa vez lhe dissera: cair do alto em uma superfície com água era tão ruim quanto cair no cimento.

E então... *Bum!*

O pior impacto foi o do frio. Piper estava embaixo d'água, tão desorientada que não sabia em que direção estava a superfície.

Só teve tempo de pensar uma coisa: *Que jeito mais idiota de morrer*. Então surgiram rostos na escuridão verde — meninas com longos cabelos pretos e olhos amarelos e brilhantes, que sorriram para ela, agarraram-na pelos ombros e a arrastaram para cima.

Elas a deixaram na margem, tossindo e tremendo. Bem próximo, Butch estava de pé no lago, tirando dos pégasos os arreios destruídos. Felizmente, os cavalos pareciam bem, mas batiam as asas e espalhavam água para todos os lados.

Jason, Leo e Annabeth já estavam fora do lago, cercados por crianças que lhes ofereciam cobertores e faziam perguntas. Alguém pegou Piper pelos braços e a ajudou a ficar de pé. Aparentemente, era normal que pessoas caíssem naquele lago, pois um grupo de campistas surgiu com o que pareciam gigantescos sopradores de folhas, feitos de bronze, e jogaram ar quente em Piper. Em cerca de dois segundos suas roupas estavam secas.

Eram pelo menos vinte campistas por ali — o mais jovem talvez com nove anos e o mais velho com dezoito ou dezenove —, todos vestindo camisetas laranja, iguais à de Annabeth. Piper olhou para a água e viu aquelas meninas estranhas logo abaixo da superfície, os cabelos flutuando na correnteza. Elas acenaram, como se dissessem "até mais", e foram para o fundo. Um segundo depois tudo o que restava da carruagem foi atirado para fora do lago e caiu ali perto, fazendo um barulho de coisa molhada.

— Annabeth! — gritou um garoto com arco e flecha nas costas, que abria caminho na multidão. — Eu disse que você podia pegar a carruagem *emprestada*, não que podia destruí-la.

— Will, desculpe-me — disse Annabeth. — Vou consertá-la, prometo.

Will fez cara feia para a carruagem arruinada. Depois, avaliou Piper, Leo e Jason.

— São esses? Eles têm bem mais que treze anos. Por que ainda não foram reclamados?

— Reclamados? — perguntou Leo.

Antes que Annabeth pudesse explicar, Will perguntou:

— Algum sinal de Percy?

— Não — admitiu ela.

Os campistas ficaram mudos. Piper não tinha ideia de quem seria o tal Percy, mas seu desaparecimento parecia algo importante.

Outra menina deu um passo à frente — alta, asiática, com cabelo preto e cacheado, muitas joias e maquiagem perfeita. De alguma forma, conseguia fazer com que a combinação jeans e camiseta laranja parecesse algo bastante glamoroso. Ela deu uma olhada em Leo, depois fixou os olhos em Jason, como se ele merecesse mais atenção, e finalmente torceu o nariz ao olhar para Piper, como se ela fosse um *burrito* de uma semana atrás resgatado de um latão de lixo.

Piper conhecia esse tipo de garota. Já lidara com muitas assim na Escola da Vida Selvagem e em todos os outros colégios idiotas para onde o pai a mandava. Imediatamente, viu que seriam inimigas.

— Certo — disse a menina. — Só espero que eles valham a confusão.

Leo bufou.

— Nossa, obrigado. Quem somos nós, seus novos bichinhos de estimação?

— Não duvido — disse Jason. — Que tal algumas respostas antes de começarem a nos julgar... Do tipo: que lugar é esse, por que estamos aqui, quanto tempo vamos ficar?

Piper estava pensando nas mesmas perguntas, mas foi tomada por uma onda de ansiedade. *Valham a confusão*. Se aquelas pessoas soubessem de seu sonho... Eles não faziam ideia do...

— Jason — disse Annabeth. — Prometo que vamos responder a suas perguntas. E, Drew — disse ela, franzindo a testa para a menina glamorosa —, todos os semideuses valem a pena. Mas admito que a viagem não rendeu o que eu esperava.

— Ei — disse Piper —, não pedimos para sermos trazidos para cá.

Drew respirou fundo.

— E ninguém *quer* vocês aqui, querida. Seu cabelo está sempre assim, parecendo um texugo morto?

Piper deu um passo à frente, pronta para bater nela, mas Annabeth disse:

— Piper, pare.

Ela obedeceu. Não tinha nem um pouco de medo de Drew, mas Annabeth parecia alguém de quem não gostaria de ser inimiga.

— Precisamos fazer com que nossos recém-chegados se sintam bem-vindos — disse Annabeth, lançando mais um olhar duro a Drew. — Cada um terá um guia, que vai lhes mostrar o acampamento. Espero que hoje à noite, ao redor da fogueira, eles sejam reclamados.

— Alguém pode me explicar o que quer dizer ser *reclamado*? — perguntou Piper.

De repente, ouviu-se um arquejo coletivo. Os campistas deram um passo atrás. Num primeiro momento, Piper imaginou ter feito algo errado, mas depois notou que o rosto de todos eles estava banhado em uma estranha luz vermelha, como se alguém tivesse acendido uma tocha atrás dela. Virou-se e quase perdeu o fôlego.

Pairando no alto da cabeça de Leo havia uma resplandecente imagem holográfica: um martelo flamejante.

— Isso — disse Annabeth — é ser reclamado.

— O que foi que eu fiz? — Leo virou-se de costas para o lago, depois olhou para cima e soltou um grito. — Meu cabelo está pegando fogo? — Ele se abaixava, mas o símbolo acompanhava o movimento, subindo e descendo como se quisesse escrever algo com as chamas em sua cabeça.

— Isso não deve ser nada bom — murmurou Butch. — A maldição...

— Butch, cale-se — disse Annabeth. — Leo, você acaba de ser reclamado...

— Por um deus — interrompeu Jason. — Esse é o símbolo de Vulcano, não é?

Todos os olhares se voltaram para ele.

— Jason — disse Annabeth, com cautela —, como você sabe disso?

— Não sei muito bem...

— Vulcano? — perguntou Leo. — Eu nem ao menos GOSTO de *Star Trek*. Do que você está falando?

— Vulcano é o nome romano de Hefesto — disse Annabeth —, o deus dos ferreiros e do fogo.

O martelo flamejante desapareceu, mas Leo continuava se esquivando, como se temesse que a coisa o estivesse seguindo.

— Deus *do quê*? Quem?

Annabeth virou-se para o menino com o arco.

— Will, você poderia levar Leo para um *tour* no acampamento? Apresente-o a seus colegas do chalé 9.

— Claro, Annabeth.

— O que é o chalé 9? — perguntou Leo. — Eu não sou um Vulcano!

— Vamos, sr. Spock, vou explicar tudo. — Will colocou uma das mãos no ombro de Leo e o guiou em direção aos chalés.

Annabeth voltou sua atenção para Jason. Normalmente, Piper não gostava de ver outras garotas observando seu namorado, mas Annabeth parecia não ligar para o fato de que Jason era bonito. Estudava-o como se ele fosse um complicado projeto arquitetônico. Finalmente, ela disse:

— Mostre seu braço.

Piper notou para o que ela olhava, e seus olhos se arregalaram.

Jason tirara o casaco depois de cair no lago, deixando os braços à mostra, e na parte interna do antebraço direito havia uma tatuagem. Como Piper nunca vira aquilo? Já olhara para os braços de Jason milhares de vezes. A tatuagem não poderia ter aparecido *do nada*, e era bem escura, impossível não percebê-la: várias linhas retas, como um código de barras, e no alto uma águia e as letras SPQR.

— Nunca vi marcas assim — disse Annabeth. — Onde fez isso?

Jason sacudiu a cabeça.

— Já estou ficando cansado de repetir isso, mas não sei.

Os outros campistas se aproximaram, tentando olhar a tatuagem. As marcas pareceram deixar todos *bem* zangados... Quase como uma declaração de guerra.

— Parecem ter sido queimadas na sua pele — notou Annabeth.

— E foram mesmo — disse Jason. Depois contraiu o corpo, como se a cabeça doesse. — Quer dizer, eu acho. Mas não lembro.

Ninguém disse nada. Claramente, os campistas tinham Annabeth como a líder. Estavam esperando seu veredito.

— Ele precisa ir diretamente a Quíron — decidiu Annabeth. — Drew, você pode...

— Claro — respondeu ela, dando o braço a Jason. — Por aqui, querido. Vou levá-lo ao nosso diretor. Ele é um cara... *interessante*. — Depois lançou a Piper um olhar complacente, e levou Jason na direção da grande casa azul na colina.

Todos começaram a se dispersar, até que restaram apenas Annabeth e Piper.

— Quem é Quíron? — perguntou Piper. — Jason está metido em algum problema?

Annabeth hesitou.

— Boa pergunta, Piper. Venha comigo, eu vou lhe mostrar o lugar. Precisamos ter uma conversa.

IV

PIPER

Piper logo percebeu que Annabeth não estava de corpo e alma no passeio.

Ela falou sobre todas as coisas incríveis que o acampamento oferecia — prática mágica de arco e flecha, passeios de pégaso, a parede de lava, lutas com monstros —, mas sem nenhum entusiasmo, como se sua cabeça estivesse longe dali. Apontou para o pavilhão descoberto que dava vista para Long Island. (Sim, Long Island, Nova York. Eles viajaram até *muito longe* naquela carruagem.) Annabeth explicou que o Acampamento Meio-Sangue era sobretudo um acampamento de férias, mas que alguns campistas ficavam ali o ano inteiro, e eram tantos chegando que o lugar agora estava sempre lotado, mesmo no inverno.

Piper ficou imaginando quem comandava o acampamento, e como eles sabiam que ela e os amigos deveriam estar ali. Pensou se teria de ficar lá o tempo inteiro ou se iria se sair bem nas atividades. Alguém pode ser reprovado em luta com monstros? Várias dúvidas tomaram conta de sua cabeça, mas, vendo o humor de Annabeth, resolveu ficar calada.

Ao subirem uma colina nos limites do acampamento, Piper virou-se e deparou com uma vista incrível do vale: grandes bosques a noroeste, uma linda praia, um riacho, o lago de canoagem, campos verdejantes e os chalés — um bizarro conjunto de construções dispostas em semicírculo de um jeito que formava a letra grega ômega (Ω), com um gramado no centro e dois anexos nas extremidades.

Piper contou vinte chalés. Um era dourado, outro, prateado. Um tinha grama no telhado. Outro era vermelho vivo, coberto de arame farpado. Havia um todo preto, com tochas de chamas verdes na entrada.

Tudo aquilo parecia um mundo à parte, bem diferente das colinas nevadas e dos campos lá fora.

— O vale está protegido do olhar dos mortais — disse Annabeth. — Como você pode ver, o clima também é controlado. Cada chalé representa um deus grego, e neles vivem os filhos desses deuses.

Ela observava Piper como se tentasse avaliar como a garota estava recebendo aquelas novidades.

— Quer dizer que minha mãe é uma deusa?

Annabeth fez que sim.

— Você está aceitando tudo isso muito bem.

Piper não podia dizer por quê. Não podia admitir que tudo aquilo só confirmava as sensações estranhas que experimentava havia anos, as discussões com o pai sobre não terem fotos da mãe em casa e por que ele nunca dissera exatamente como ou por que ela os abandonara. Porém, acima de tudo isso, confirmava o sonho que a avisara de que aquilo aconteceria. *Logo a encontrarão, semideusa,* ressoou a tal voz. *Quando acontecer, siga nossas orientações. Coopere, e seu pai poderá sobreviver.*

A respiração de Piper falhou.

— Acho que, depois de tudo o que aconteceu esta manhã, é um pouco mais fácil acreditar. Então, quem é minha mãe?

— Vamos saber em breve — respondeu Annabeth. — Você tem o quê... Quinze anos? Os deuses devem reclamar seus filhos aos treze. É esse o trato.

— Trato?

— Eles fizeram uma promessa no verão passado... Bem, é uma longa história... Mas eles se comprometeram a não mais ignorar seus filhos semideuses, a reclamá-los quando eles completassem treze anos. Algumas vezes demora um pouco mais, mas você mesma viu que Leo chegou e logo foi identificado. Deve acontecer com você a qualquer momento. Hoje à noite, na fogueira, aposto que teremos um sinal.

Piper imaginou como seria ter um machado de fogo no alto da cabeça. Ou, com a pouca sorte que tinha, talvez fosse algo ainda mais constrangedor. Um vombate flamejante, talvez. Seja lá quem fosse sua mãe, Piper não tinha motivos para imaginar que ela ficaria orgulhosa ao reclamar uma garota cleptomaníaca com tantos problemas.

— Por que aos treze anos?

— Quanto mais velhos vocês ficam — disse Annabeth —, mais facilmente são notados pelos monstros, que vão tentar matá-los. Isso normalmente começa por volta dos treze anos. Então, enviamos protetores às escolas, para encontrá-los e trazê-los ao acampamento antes que seja tarde demais.

— Como o treinador Hedge?

Annabeth fez que sim.

— Ele... É um sátiro. Metade homem, metade bode. Eles trabalham para o acampamento, procuram semideuses, protegem-nos e os trazem para cá quando chega o momento.

Piper não duvidava de que Hedge fosse metade bode. Ela o vira comer. Nunca gostara muito dele, mas não conseguia acreditar que ele sacrificara a vida para protegê-los.

— O que aconteceu com ele? — perguntou Piper. — Quando entramos nas nuvens ele... Ele se foi para sempre?

— É difícil dizer — respondeu Annabeth, com expressão de pesar. — Os espíritos da tempestade... são complicados de vencer. Mesmo nossas melhores armas, o bronze celestial, vão simplesmente atravessá-los, a menos que sejam pegos de surpresa.

— A espada de Jason os transformou em pó — lembrou Piper.

— Ele teve sorte, então. Se você acerta em cheio um monstro, consegue fazê-lo se desintegrar e envia sua essência de volta ao Tártaro.

— Tártaro?

— Um grande abismo no Mundo Inferior, de onde vêm os piores monstros. Uma espécie de poço sem fundo com todo o mal. De qualquer maneira, uma vez desintegrados, normalmente é preciso meses, ou mesmo anos, até que ganhem forma outra vez. Mas, como esse espírito da tempestade, o tal Dylan, escapou... Bem... na verdade, não vejo por que ele deixaria seu treinador vivo. E Hedge, afinal de contas, era um protetor. Conhecia os riscos. Sátiros não têm alma mortal. Ele vai reencarnar em uma árvore, uma flor ou algo do tipo.

Piper tentou imaginar o treinador como um irritado arbusto de amor-perfeito. Sentiu-se ainda pior.

Olhou os chalés lá embaixo, e uma sensação ruim a invadiu. Hedge havia morrido para que ela chegasse ali a salvo. O chalé de sua mãe estava em algum lugar no vale, o que queria dizer que tinha irmãos e irmãs, mais pessoas a quem trairia. *Faça o que dissermos*, a tal voz lhe falara. *Ou as consequências serão dolorosas.* Ela escondeu as mãos sob os braços cruzados, tentando fazê-las parar de tremer.

— Vai ficar tudo bem — prometeu Annabeth. — Você tem amigos aqui. Já vivemos muita coisa estranha. Sabemos o que está sentindo.

Duvido, pensou Piper.

— Fui expulsa de cinco escolas nos últimos cinco anos — disse ela. — Meu pai já não sabe onde me matricular.

— Só cinco? — Annabeth não parecia estar debochando. — Piper, todos nós fomos tachados de problemáticos. Eu fugi de casa aos sete anos.

— Sério?

— Sério. A maioria de nós é diagnosticada como portadora de dislexia ou de transtorno do déficit de atenção e hiperatividade, ou as duas coisas...

— Leo tem TDAH — disse Piper.

— Claro. Isso é porque somos programados para o combate. Somos rebeldes, impulsivos... Não nos saímos bem entre as crianças normais. Você precisa ver quantas encrencas Percy... — O rosto dela ficou sério. — Nós, semideuses, temos má fama. Você se encrencou com o quê?

Normalmente, ao ouvir uma pergunta dessas Piper começava uma briga, mudava de assunto ou tentava distrair a outra pessoa. Mas, sem saber por quê, resolveu contar a verdade.

— Eu roubo coisas — disse. — Bem, não é exatamente *roubar*...

— Sua família é pobre?

Piper sorriu com amargura.

— Nem um pouco. Eu fazia isso... Não sei por quê. Para chamar atenção, acho. Meu pai nunca tinha tempo para mim, a menos que eu estivesse em apuros.

Annabeth assentiu.

— Entendo. Mas você disse que não roubava exatamente. O que fazia?

— Sabe... Ninguém acredita em mim. A polícia, os professores, até mesmo as pessoas de quem eu roubava: ficavam constrangidas, negavam tudo. Mas a verdade é que eu não roubo. Só peço as coisas às pessoas. E eles me dão. Mesmo o BMW conversível. Eu pedi, só isso. E o vendedor disse: "Claro, leve." Depois ele percebeu o que tinha feito, acho. E então a polícia foi atrás de mim.

Piper parou um instante. Estava acostumada a ser chamada de mentirosa. Porém, quando olhou para cima, Annabeth fazia que sim com a cabeça.

— Interessante. Se seu *pai* fosse um deus, eu diria que você é filha de Hermes, deus dos ladrões. Ele é muito persuasivo. Mas seu pai é mortal...

— Bastante... — ela concordou.

Annabeth sacudiu a cabeça, parecendo confusa.

— Não sei, então. Se tivermos sorte, sua mãe a reclamará ainda esta noite.

Piper quase desejava que isso não acontecesse. Se sua mãe fosse uma deusa, saberia de seu sonho? Saberia o que pediram a ela? Piper se perguntou se os deuses do Olimpo castigavam com raios seus filhos mais malvados, ou se talvez os aprisionavam no Mundo Inferior.

Annabeth a observava. Piper chegou à conclusão de que deveria ser mais cuidadosa dali em diante. Se alguém descobrisse seu segredo...

— Vamos — disse Annabeth, finalmente. — Preciso ver uma coisa.

Caminharam um pouco mais, até uma gruta perto do topo da colina. O chão era coberto de ossos e antigas espadas. Tochas flanqueavam a entrada, fechada com uma cortina de veludo vermelho com bordados de cobras. Lembrava um esquisito teatro de marionetes.

— O que tem lá dentro? — perguntou Piper.

Annabeth deu uma espiada, então soltou um suspiro e fechou as cortinas.

— Agora, nada. O lugar é de uma amiga. Estou esperando por ela há alguns dias, mas até agora, nada.

— Sua amiga mora numa gruta?

Annabeth quase sorriu.

— Na verdade, a família dela tem um condomínio de luxo no Queens, e ela estuda em um educandário para moças em Connecticut. Mas, quando está aqui no acampamento, mora na gruta, sim. Ela é nosso oráculo, é capaz de prever o futuro. Acho que poderá me ajudar a...

— Encontrar Percy — adivinhou Piper.

Toda a energia de Annabeth pareceu ter ido embora, como se ela já tivesse suportado aquilo por tempo demais. Ela se sentou numa pedra e sua expressão demonstrava tanta dor que Piper sentiu-se mal por estar ali, olhando.

Ela se obrigou a virar para o outro lado. Seus olhos pousaram no topo da colina, dominado por um solitário pinheiro. Algo brilhava no galho mais baixo. Parecia uma toalha de banho dourada e felpuda.

Não, não era uma toalha de banho. Era uma pele de carneiro.

Certo, pensou Piper. Acampamento grego. O.k. Eles têm uma réplica do Velocino de Ouro.

Depois ela percebeu a base da árvore. Num primeiro momento, pensou que houvesse vários cabos púrpura a envolvendo. Mas os cabos tinham escamas de réptil, patas com garras e cabeça de cobra, com olhos amarelos e narinas que soltavam fumaça.

— Aquilo... É um dragão — murmurou ela. — E aquele... É o Velocino de Ouro de verdade?

Annabeth balançou a cabeça positivamente, mas era nítido que não estava prestando atenção ao que Piper dizia. Seus ombros se curvaram. Ela esfregou o rosto e respirou fundo.

— Desculpe-me. Estou um pouco cansada.

— Parece prestes a desmoronar. Há quanto tempo está procurando seu namorado?

— Três dias, seis horas e mais ou menos doze minutos.

— E não tem ideia do que aconteceu com ele?

Annabeth fez que não, triste.

— Estávamos animados porque nossas férias de verão tinham começado mais cedo. Nós nos encontramos no acampamento terça-feira, e imaginávamos que teríamos três semanas juntos. Ia ser ótimo. Mas, após a fogueira, ele... Ele me deu um beijo de boa-noite, foi para o chalé e, na manhã seguinte, tinha desaparecido. Procuramos em todo o acampamento. Entramos em contato com a mãe dele. Tentamos achá-lo de todo jeito. E nada. Ele sumiu.

Piper estava pensando: *Três dias atrás*. A mesma noite em que ela teve o tal sonho.

— Há quanto tempo estão juntos?

— Desde agosto. Dezoito de agosto.

— Quase a mesma época em que conheci Jason — disse Piper. — Mas só estamos juntos há algumas semanas.

— Piper, falando nisso... Talvez seja melhor você se sentar aqui...

Piper sabia onde aquela conversa terminaria. Sentiu uma onda de pânico invadir seu corpo, como se seus pulmões se enchessem de água.

— Olhe, eu sei que Jason pensa... Pensa que *apareceu* na escola hoje, do nada. Mas não é verdade. Eu o conheço há quatro meses.

— Piper — disse Annabeth, chateada. — Isso é a Névoa.

— O quê?

— N-é-v-o-a. Uma espécie de véu que separa o mundo dos mortais e o mundo mágico. As mentes mortais não conseguem processar coisas estranhas como deuses e monstros, então, a Névoa constrói realidade. Faz os mortais enxergarem tudo de uma forma que *consigam* entender... É como se seus olhos simplesmente não notassem esse vale, por exemplo. Ou talvez olhassem para o dragão e vissem um amontoado de cabos.

Piper engoliu em seco.

— Não. Você mesma disse que não sou uma mortal qualquer. Sou uma semideusa.

— Até semideuses podem ser afetados. Já vi isso acontecer muitas vezes. Os monstros se infiltram em lugares como escolas, por exemplo, fazendo-se passar por humanos, e todos *acham* que se lembram daquela pessoa. Juram que ela sempre esteve por perto. A Névoa pode influenciar a memória, ou mesmo criar lembranças que nunca aconteceram...

— Mas Jason não é um monstro! — insistiu Piper. — É um humano, ou um semideus, ou seja lá como queira chamar. Minhas lembranças não são falsas. São *muito* reais. A vez em que colocamos fogo na calça do treinador Hedge. E quando Jason e eu vimos um meteoro do telhado do alojamento e eu finalmente consegui que o bobo me beijasse...

Piper divagava, narrando para Annabeth todo o semestre na Escola da Vida Selvagem. Gostara de Jason desde a primeira vez que o vira. Ele era muito legal com ela, muito paciente, conseguia até mesmo aturar a hiperatividade e as piadas idiotas de Leo. Ele a aceitava como era, não julgava as besteiras que já tinha feito.

Os dois haviam passado horas conversando, olhando as estrelas e... finalmente... tinham dado as mãos. E isso tudo *não* podia ser mentira.

Annabeth contraiu os lábios.

— Piper, tenho que admitir que suas memórias são mais detalhadas que as da maioria, e não sei o porquê disso. Mas, se você o conhece tão bem...

— Conheço!

— Então, de onde ele é?

Piper sentiu-se como se tivesse levado um soco entre os olhos.

— Ele deve ter me contado, mas...

— Já tinha notado a tatuagem dele? Já o ouviu falando qualquer coisa sobre pais, amigos, colégios anteriores?

— Eu... Eu não sei, mas...

— Piper, qual é o sobrenome dele?

A mente de Piper ficou em branco. Ela não sabia o sobrenome de Jason. Como era possível?

Piper começou a chorar. Sentia-se completamente idiota, mas sentou-se na pedra ao lado de Annabeth e caiu em prantos. Aquilo já era demais. Será que *todas* as coisas boas na sua vida estúpida e miserável tinham de ser tiradas dela?

Sim, fora a resposta do seu sonho. *Sim, a menos que faça exatamente o que dissermos.*

— Ei — disse Annabeth. — Vamos resolver isso, o.k.? Jason agora está aqui. Quem sabe? Talvez as coisas deem certo entre vocês.

Não é provável, pensou Piper. Não se o sonho for verdade. Mas ela não podia contar isso.

Limpou uma lágrima do rosto.

— Você me trouxe aqui para que ninguém me visse chorando, não é?

Annabeth encolheu os ombros.

— Achei que ia ser difícil para você. Sei o que é perder o namorado.

— Mas continuo sem poder acreditar... *Sei* que tivemos algo. E agora acabou, ele nem mesmo me reconhece. Se ele realmente apareceu hoje, do nada, o que isso significa? Como ele chegou lá? Por que não se lembra de nada?

— Boas perguntas — disse Annabeth. — Espero que Quíron possa esclarecer tudo isso. Mas, por enquanto, precisamos acomodar você. Está pronta para voltar?

Piper olhou para o estranho conjunto de chalés no vale... Seu novo lar, uma família que iria compreendê-la... e que em pouco tempo seria apenas mais um bando de gente a quem ela desapontaria, mais um lugar de onde seria expulsa. *Você vai trair todos eles por nós*, a voz avisara. *Ou perderá tudo.*

Ela não tinha escolha.

— Sim — mentiu. — Estou pronta.

No gramado central, um grupo de campistas estava jogando basquete. Lançavam a bola de modo impressionante. Nada escapava do aro. Cestas de três pontos caíam automaticamente.

— O chalé de Apolo — disse Annabeth. — Adoram se exibir com projéteis, flechas, bolas de basquete.

Elas passaram por um fogareiro que ficava no centro de tudo, e dois meninos lutavam com espadas.

— As lâminas cortam mesmo? — perguntou Piper. — Não é perigoso?

— Corta essa... — respondeu Annabeth. — Ah, sinto muito. Péssimo trocadilho. Meu chalé é aquele lá. Número 6.

Ela indicou com a cabeça uma construção cinza, com uma coruja entalhada no alto da porta, que estava aberta. Piper viu estantes de livros, um mostruário de armas e uma daquelas lousas digitais que se tem em salas de aula. Duas garotas desenhavam um mapa, que parecia um diagrama de batalha.

— Falando em espadas — disse Annabeth —, venha.

Piper e ela contornaram o chalé até um grande galpão de metal que parecia feito para guardar ferramentas de jardinagem. Annabeth abriu a porta, mas não era bem *isso* que havia lá dentro — a menos que alguém quisesse declarar guerra à própria plantação de tomates. O galpão estava repleto de todo tipo de armas, de espadas e lanças a tacos, como o do treinador Hedge.

— Todo semideus precisa de uma arma — disse Annabeth. — Hefesto confecciona as melhores, mas também temos uma boa seleção aqui. Atena é sinônimo de estratégia: encontrar a arma perfeita para a pessoa certa. Vamos ver...

Piper não estava muito no clima para uma tarde de compras de apetrechos mortíferos, mas sabia que a garota estava tentando ser gentil. Annabeth lhe ofereceu uma espada enorme, que Piper mal conseguia erguer.

— Não — as duas disseram em uníssono.

Annabeth avançou um pouco mais no galpão e trouxe outra coisa.

— Uma espingarda? — perguntou Piper.

— Uma Mossberg 500 — disse Annabeth, engatilhando a arma como se aquilo não fosse nada demais. — Não se preocupe. Não fere humanos. Está adaptada para disparar bronze celestial, e por isso só mata monstros.

— Hum... Não sei se faz meu estilo — disse Piper.

— É... — concordou Annabeth. — Muito espalhafatosa.

Ela colocou a espingarda de volta no lugar e começou a procurar em uma prateleira de balestras medievais, quando, num canto, algo chamou a atenção de Piper.

— O que é isso? Uma faca?

Annabeth pegou a tal faca e limpou a poeira da bainha. Aquilo parecia não ver a luz do dia havia séculos.

— Não sei, Piper. — Annabeth pareceu desconfortável. — Não acho que vá querer essa. Espadas são sempre melhores.

— Você usa uma faca.

Piper apontava para a arma presa ao cinto de Annabeth.

— Sim, mas... — Annabeth deu de ombros. — Bem, se é isso o que você quer, dê uma olhada.

A bainha era de couro preto, com fecho em bronze. Nada extravagante, nada espalhafatosa. O cabo de madeira lustrosa cabia perfeitamente na mão de Piper. Ao desembainhar a faca, ela encontrou uma lâmina triangular de quarenta e cinco centímetros, e o bronze brilhava tanto que parecia ter sido polido no dia anterior. Estava extremamente afiada. Piper ficou surpresa ao se ver refletida na lâmina. Parecia mais velha, mais séria, e menos assustada do que se sentia.

— É perfeita para você — disse Annabeth. — Esse tipo de adaga chama-se *parazônio*. Era sobretudo cerimonial, carregada por oficiais de alta patente dos exércitos gregos. Denotava poder e riqueza, mas também era capaz de proporcionar bastante segurança numa luta.

— Gosto dela — disse Piper. — Mas por que você disse que não seria boa escolha?

Annabeth suspirou.

— Essa arma tem uma longa história. A maioria das pessoas teria medo de escolhê-la. A primeira dona... Bem, as coisas não terminaram bem para ela. Seu nome era Helena.

Piper assimilou o que escutava.

— Espere, você está falando *daquela* Helena? A de Troia?

Annabeth fez que sim.

De repente, Piper teve a sensação de que deveria estar usando luvas cirúrgicas para tocar naquilo.

— E a arma de Helena de Troia simplesmente está aqui, no seu galpão?

— Estamos rodeadas de artefatos da Grécia Antiga — disse Annabeth. — Isso não é um museu. Armas assim foram feitas para serem usadas. São nossa herança como semideuses. Esta foi um presente de casamento de Menelau, o primeiro marido de Helena. Ela chamava a adaga de Katoptris.

— E o que significa?

— Espelho. Vidro em que se olhar — disse Annabeth. — Provavelmente, porque Helena só usasse para isso mesmo. Acho que a adaga nunca esteve numa batalha.

Piper voltou a olhar para a lâmina. Por um momento o próprio reflexo a ficou encarando, mas depois a imagem mudou. Ela viu chamas, e uma face grotesca, que parecia entalhada numa rocha. Ouviu a mesma gargalhada de seu sonho. Viu seu pai acorrentado a uma estaca, em frente a uma fogueira.

Ela deixou a adaga cair no chão.

— Piper? — Annabeth se dirigiu aos garotos de Apolo que estavam na quadra. — Um médico! Preciso de ajuda aqui!

— Não, eu... Eu estou bem — Piper conseguiu dizer.

— Tem certeza?

— Sim. Eu só... — Ela precisava se controlar. Com dedos trêmulos, pegou a adaga. — Está sendo um pouco demais para mim. Aconteceu tanta coisa hoje... Mas quero ficar com a adaga, se não for problema.

Annabeth hesitou. Depois fez um sinal para que o pessoal de Apolo fosse embora.

— Tudo bem, se é isso o que quer... Mas você ficou pálida demais. Imaginei que estivesse tendo uma convulsão ou algo assim.

— Estou bem — ela afirmou, mas seu coração permanecia disparado. — Tem algum telefone aqui no acampamento? Posso ligar para o meu pai?

Os olhos cinzentos de Annabeth eram quase tão perturbadores quanto a lâmina da adaga. Ela parecia estar calculando milhares de possibilidades, tentando decifrar os pensamentos de Piper.

— Não podemos ter telefone aqui — disse. — Para a maioria dos semideuses, usar celulares é quase o mesmo que disparar um sinal avisando aos monstros onde você está. Mas... Eu tenho um — disse, tirando um telefone do bolso. — É meio contra as regras, então esse vai ser o nosso segredo...

Piper pegou o aparelho, agradecida, tentando evitar que suas mãos tremessem. Afastou-se de Annabeth e virou-se para a área comum.

Ligou para o número particular do pai, mesmo sabendo o que aconteceria. Caixa postal. Estava tentando havia três dias, desde que tivera aquele sonho. Na Escola da Vida Selvagem só se permitia o uso de telefone uma vez ao dia, e ela tentara todas as tardes, sem sucesso.

Relutante, discou outro número. A assistente do pai atendeu imediatamente.

— Escritório do senhor McLean.

— Jane — disse Piper, trincando os dentes. — Onde está meu pai?

A assistente ficou em silêncio por um momento, provavelmente imaginando se poderia desligar.

— Piper, eu achava que era proibido telefonar da escola.

— Talvez eu não esteja na escola — disse Piper. — Posso ter fugido para viver entre as criaturas selvagens.

— Sei... — Jane não parecia nada preocupada. — Vou dizer a ele que ligou.

— Onde ele está?

— Fora.

— Você não sabe onde ele está, certo? — Piper falou mais baixo, torcendo para que Annabeth não estivesse escutando. — Quando vai ligar para a polícia, Jane? Ele pode estar em perigo.

— Piper, não vamos transformar isso num circo para a mídia. Tenho certeza de que ele está bem. Ele desaparece, às vezes. E sempre volta.

— Então é verdade. Você *não* sabe...

— Preciso ir, Piper. Divirta-se na escola.

A linha ficou muda. Piper praguejou. Voltou para junto de Annabeth e devolveu o telefone.

— Nada? — perguntou Annabeth.

Piper não respondeu. Não confiava em si mesma, poderia acabar chorando mais uma vez.

Annabeth olhou para o visor do telefone e hesitou.

— Seu sobrenome é McLean? Desculpe, sei que não é da minha conta, mas acho que conheço esse nome...

— É um nome comum.

— É, deve ser. O que seu pai faz?

— Ele é formado em artes — respondeu Piper automaticamente. — É um artista cherokee.

Era a resposta de sempre. Não que fosse mentira, mas também não era toda a verdade. A maioria das pessoas, quando ouvia isso, imaginava seu pai vendendo artesanato numa barraca de beira de estrada dentro de uma reserva indígena. Bonequinhos do Touro Sentado, colares de contas, esse tipo de coisas.

— Ah... — Annabeth guardou o telefone, mas não parecia convencida. — Você está bem? Vamos em frente?

Piper prendeu sua nova adaga à cintura e prometeu a si mesma que mais tarde, quando estivesse sozinha, tentaria descobrir como manejar aquilo.

— Claro — respondeu. — Quero ver tudo.

Todos os chalés eram legais, mas Piper não se identificou com nenhum deles. Nenhum sinal de fogo — um vombate ou o que fosse — apareceu sobre sua cabeça.

O chalé 8 era todo prateado e brilhava como uma lua.

— Ártemis? — perguntou ela.

— Você conhece mitologia grega? — perguntou Annabeth.

— Li alguma coisa quando meu pai trabalhava num projeto, ano passado.

— Achei que ele trabalhasse com arte cherokee.

Piper conteve um palavrão.

— Ah, claro. Mas, sabe, ele faz outras coisas também — devolveu ela, achando que tinha posto tudo a perder: McLean, mitologia grega. Felizmente, Annabeth parecia não ter ligado uma coisa a outra.

— Seja como for — continuou Annabeth —, Ártemis é a deusa da lua, da caça. Mas não tem campistas ali. A deusa é uma eterna donzela, não tem filhos.

— Ah...

Piper ficou um tanto desapontada. Ela sempre gostara das histórias de Ártemis, e imaginou que a deusa seria uma mãe legal.

— Bem, mas *existem* as Caçadoras de Ártemis — acrescentou Annabeth. — Elas nos visitam, às vezes. Não são filhas da deusa, são suas servas... Um bando de garotas imortais que se aventuram juntas por aí, caçando monstros e coisas do tipo.

Piper se animou:

— Parece bem legal. Mas elas se tornam imortais?

— A menos que morram em combate ou quebrem seus votos, sim. Já disse que são obrigadas a abrir mão dos garotos? Nada de namoro... Nunca. Por toda a eternidade.

— Ah — disse Piper. — Então esqueça.

Annabeth sorriu. Por um momento, pareceu quase feliz, e Piper imaginou que em tempos melhores poderia ser legal tê-la como amiga.

Nem pense nisso, disse Piper a si mesma. Você não vai fazer amigos por aqui. Não quando descobrirem tudo.

Passaram pelo chalé seguinte, o número 10, decorado como a casa da Barbie, com cortinas de renda, porta cor-de-rosa e vasinhos de cravos nas janelas. Na entrada, o cheiro de perfume quase deixou Piper tonta.

— Nossa! É para cá que as supermodelos vêm quando morrem?

Annabeth abriu um sorriso maldoso.

— É o chalé de Afrodite. Deusa do amor. Drew é a conselheira-chefe.

— Já imaginava — disse Piper.

— Elas não são tão ruins. A conselheira anterior era ótima.

— O que aconteceu com ela?

Annabeth ficou séria.

— Melhor seguirmos em frente.

Elas deram uma olhada nos outros chalés, e Piper ficou ainda mais deprimida. Pensou se não seria filha de Deméter, deusa da agricultura. Não, pois matara todas as plantas das quais já cuidara. Atena seria legal. Ou talvez Hécate, a deusa da magia. Mas isso não importava. Mesmo ali, onde todos deveriam encontrar um pai ou mãe perdido, Piper sabia que, no fim, seria uma menina rejeitada. Não estava muito ansiosa pelo momento da fogueira.

— No começo eram só os doze olimpianos — explicou Annabeth. — Deuses à esquerda, deusas à direita. Mas no último ano incluímos novos chalés para outros deuses que não têm trono no Olimpo: Hécate, Hades, Íris...

— O que são os dois chalés maiores, no final? — perguntou Piper.

Annabeth franziu o rosto.

— Zeus e Hera. Rei e rainha dos deuses.

Piper seguiu naquela direção, e Annabeth foi atrás, apesar de não parecer muito animada. O chalé de Zeus parecia a sede de um banco. Revestido de mármore branco, com grandes colunas na frente e reluzentes portas de bronze com raios decorando seus brasões.

Hera tinha um chalé menor, mas no mesmo estilo, exceto pelas portas, cujos brasões tinham o desenho de penas de pavão e reluziam em várias cores.

Ao contrário dos outros, que eram barulhentos e estavam abertos, em plena atividade, os chalés de Zeus e Hera pareciam fechados e silenciosos.

— Estão vazios? — perguntou Piper.

Annabeth fez que sim, e disse:

— Zeus ficou muito tempo sem ter filhos. Na verdade, foi quase isso. Zeus, Poseidon e Hades, os mais velhos entre os deuses-irmãos, são chamados de os Três Grandes. Sua prole é muito poderosa e perigosa. Nos últimos setenta anos, mais ou menos, eles tentaram evitar ter filhos semideuses.

— *Tentaram* evitar?

— Algumas vezes... Bem, eles trapacearam. Eu tenho uma amiga, Thalia Grace, que é filha de Zeus. Mas ela abandonou a vida no acampamento para se tornar uma Caçadora de Ártemis. Meu namorado, Percy, é filho de Poseidon. E tem também um menino que aparece às vezes, Nico... filho de Hades. Exceto esses, não há semideuses filhos dos Três Grandes. Pelo menos, não que se saiba.

— E Hera? — perguntou Piper, olhando as portas com penas de pavão.

Aquele chalé a incomodava, embora ela não soubesse por quê.

— A deusa do casamento — disse Annabeth, em tom decididamente controlado, como se tentasse conter um comentário maldoso. — Ela não teve filhos com ninguém, exceto Zeus. Então, nada de semideuses. É um chalé honorário.

— Você não gosta dela — observou Piper.

— É uma longa história — admitiu Annabeth. — Imaginei que tivéssemos feito as pazes, mas quando Percy desapareceu tive uma visão esquisita na qual ela apareceu.

— Pedindo a você que fosse nos buscar. E você imaginou que Percy estaria lá.

— Talvez seja melhor não tocar nesse assunto — disse Annabeth. — Não tenho nada de bom a dizer sobre Hera nesse momento.

— Mas quem vem aqui? — perguntou Piper, olhando para baixo.

— Ninguém. É um chalé honorário, como eu disse. Ninguém vem para cá.

— Alguém veio, sim.

Piper apontou para uma pegada na empoeirada soleira da porta. Por instinto, ela empurrou as portas, que facilmente se abriram.

Annabeth deu um passo atrás.

— Ah, Piper, não sei se deveríamos...

— Estamos aqui para fazer coisas perigosas, certo? — perguntou ela, e depois entrou no chalé.

O chalé de Hera não era um lugar onde Piper gostaria de viver. Era frio como um freezer, e um círculo de colunas brancas rodeava uma estátua central da deusa, de três metros de altura, vestida com uma longa toga dourada e sentada em um trono. Piper sempre imaginou as estátuas gregas brancas, com olhos vazios, mas aquela tinha uma pintura bastante viva, quase humana, exceto pelo tamanho. Seus olhos penetrantes pareciam seguir Piper.

Aos pés da deusa o fogo ardia em um braseiro de bronze. Piper ficou imaginando quem o alimentava, já que o chalé ficava sempre vazio. Havia um falcão de pedra pousado no ombro de Hera, e na mão ela levava um bastão com uma flor de lótus na ponta. Seu cabelo preto estava arrumado em uma trança. O rosto era sorridente, mas os olhos, frios e calculistas, como se ela dissesse: *A mãe é quem melhor sabe. Não se ponha em meu caminho ou terei de pisar em você.*

Não havia mais nada no chalé. Camas, móveis, banheiro, janelas, nada daquilo que se usa em uma casa. Como deusa do lar e do casamento, Hera tinha um chalé que mais parecia uma tumba.

Não, aquela não era sua mãe. *Disso* Piper tinha certeza. Não fora atraída até ali por algum *bom* sentimento, mas sim porque sentira mais medo. Seu sonho — o terrível ultimato que recebera — tinha algo a ver com aquele chalé.

Ela ficou imóvel. Não estavam sozinhas. Atrás da estátua, em um pequeno altar nos fundos, havia uma figura de pé, coberta por um xale preto. Apenas as mãos estavam visíveis, com a palma virada para cima. Parecia estar recitando algo, como uma oração ou um feitiço.

Annabeth perdeu o fôlego.

— Rachel?

A garota virou-se. Baixou o xale, revelando cabelos ruivos fartos e encaracolados e um rosto sardento, que não combinavam em nada com a seriedade do chalé ou com o pano escuro. Parecia ter uns dezessete anos, uma adolescente completamente normal, vestindo blusa verde e jeans surrados, rabiscados com marca-texto. Apesar do chão frio, estava descalça.

— Ei! — disse a garota, correndo para dar um abraço em Annabeth. — Sinto muito. Vim o mais rápido que pude!

Elas conversaram por alguns minutos sobre o namorado de Annabeth e a falta de notícias, até que finalmente Annabeth lembrou-se de Piper, que estava ali, de pé e sem graça.

— Que falta de educação a minha! — desculpou-se Annabeth. — Rachel, esta é Piper, uma das meios-sangues que resgatamos hoje. Piper, esta é Rachel Elizabeth Dare, nosso oráculo.

— A amiga que mora na gruta — disse Piper.

— Sim, sou eu — respondeu Rachel, sorrindo.

— Então você é um oráculo? Pode predizer o futuro?

— Na verdade, é o futuro que vem ao meu encontro de vez em quando — disse Rachel. — Eu faço profecias. O espírito do oráculo me sequestra vez ou outra e diz coisas importantes, que não fazem sentindo para ninguém. Mas, sim, as profecias falam do futuro.

— Ah — disse Piper, trocando o peso do corpo de um pé para o outro. — Legal.

Rachel riu.

— Não se preocupe. Todos acham isso um pouco assustador. Até eu mesma. Mas, normalmente, sou inofensiva.

— Você é uma semideusa?

— Não. Sou apenas uma mortal.

— Então o que você... — perguntou Piper, movendo a mão, mostrando o lugar.

O sorriso de Rachel desapareceu. Ela olhou para Annabeth, depois, de volta para Piper.

— Foi só um pressentimento. Algo sobre esse chalé e o desaparecimento de Percy. Tudo está ligado, de algum jeito. Aprendi a seguir meus pressentimentos, especialmente no último mês, já que os deuses estão calados.

— Calados? — perguntou Piper.

Rachel franziu a testa para Annabeth.

— Você ainda não disse nada a ela?

— Já ia dizer. Piper, no último mês... Bem, é normal que os deuses não conversem muito com os filhos, mas, normalmente, podemos esperar algumas mensagens uma hora ou outra. Alguns de nós chegam até mesmo a visitar o Olimpo. Eu passei praticamente todo o semestre no Empire State.

— O quê?

— É lá que fica a entrada para o Monte Olimpo, hoje em dia.

— Ah — disse Piper. — Claro. Por que não?

— Annabeth estava projetando novamente o Olimpo, destruído na Guerra com os titãs — explicou Rachel. — Ela é uma arquiteta incrível. Você deveria ver o bufê de saladas...

— Enfim — disse Annabeth —, há um mês o Olimpo está calado. Ninguém sabe a razão. É como se os deuses tivessem se fechado. Nem minha mãe responde às minhas preces, e o diretor do acampamento, Dioniso, foi chamado de volta.

— O diretor é o deus... do vinho?

— Sim, é uma...

— Longa história — adivinhou Piper. — Certo. Vá em frente.

— É isso — disse Annabeth. — Os semideuses continuam sendo reclamados, mas é só isso. Nenhuma mensagem, nenhuma visita, nenhum sinal de que os deuses estejam ao menos nos escutando. É como se algo tivesse acontecido, algo *realmente* ruim. E então Percy desapareceu.

— E Jason apareceu na nossa excursão — disse Piper —, desmemoriado.

— Quem é Jason? — perguntou Rachel.

— Meu... — Piper interrompeu-se antes de dizer "namorado", mas ficou com um aperto no peito. — Meu amigo. Mas, Annabeth, você disse que teve uma visão de Hera?

— Isso — respondeu Annabeth. — Foi a primeira comunicação de um deus em um mês, e justo Hera, a menos solícita, fez contato logo comigo, a semideusa de quem ela menos gosta. Disse que eu descobriria o que aconteceu a Percy se fosse até a Skywalk, no Grand Canyon, e procurasse pelo garoto de um calçado só. Em vez de Percy, encontrei os semideuses que trouxemos, e o cara de um sapato só era Jason. Não faz sentido...

— Algo ruim está acontecendo — concordou Rachel.

Ela olhou para Piper, que sentiu uma vontade enorme de contar-lhes seu sonho, de confessar que *sabia* o que estava acontecendo, pelo menos em parte, e que o "algo ruim" estava apenas começando.

— Meninas — disse ela —, eu... Eu preciso...

Antes que pudesse continuar, o corpo de Rachel se contraiu. Os olhos começaram a brilhar com uma luminosidade verde, e ela agarrou Piper pelos ombros.

Piper tentou se afastar, mas as mãos de Rachel pareciam grampos de aço.

Liberte-me, ouviu-se. Mas aquela não era a voz de Rachel. Parecia de uma mulher mais velha, falando de algum lugar distante, como se o som ecoasse por um longo encanamento. *Liberte-me, Piper McLean, ou a terra nos tragará. Faça isso no solstício.*

O chalé começou a girar. Annabeth tentou separar as duas garotas, mas não conseguiu. Uma névoa verde as envolveu, e Piper já não sabia se estava acordada ou sonhando. A estátua gigante da deusa pareceu levantar-se do trono. Inclinou-se na direção de Piper, o olhar atravessando-a. Abriu a boca, e seu hálito tinha um perfume terrivelmente intenso. Falava com aquela mesma voz: *Nossos inimigos se mexem. O flamejante é apenas o primeiro. Curve-se à sua vontade e o rei dele se reerguerá, dominando todos nós. LIBERTE-ME!*

Os joelhos de Piper fraquejaram, e tudo ficou preto.

V

LEO

O PASSEIO DE LEO PELO acampamento estava indo muito bem até que ele soube do dragão.

O garoto do arco, Will Solace, parecia ser um cara bem legal. Tudo o que mostrava a Leo era tão incrível que deveria ser proibido. Embarcações gregas de guerra, reais, atracadas na praia e, às vezes, usadas para lutas com flechas em chamas e explosivos? Que fofo! Aulas de artes e ofícios onde se podia fazer esculturas com cinzéis e maçaricos? Leo sentia vontade de pedir: *Alguém me inclui nisso!* Os bosques eram guardados por monstros perigosos, e ninguém deveria visitá-los sozinho? Legal! E o acampamento ainda era lotado de garotas bonitas. Leo não entendia muito bem aquela história de parentes de deuses, mas esperava que isso não significasse que ele era primo de todas aquelas garotas. Isso seria uma droga. De qualquer jeito, queria poder ver mais uma vez aquelas meninas que viviam embaixo d'água, no lago. Definitivamente, valeria a pena se afogar por elas.

Will mostrou-lhe os chalés, o pavilhão de refeições e a arena de combates.

— Vou ter uma espada? — perguntou Leo.

Will olhou-o como se achasse a ideia ruim.

— Você, provavelmente, vai fazer sua própria espada, já que está no chalé 9.

— Sei, e o que é aquela história de... Vulcano?

— Não costumamos chamar os deuses por seus nomes romanos — respondeu Will. — Os nomes originais são gregos. Seu pai é Hefesto.

— Festo? — Leo já ouvira aquilo, mas ainda estava perdido. — Parece mais o deus dos caubóis.

— *He*-festo — corrigiu Will. — Deus dos ferreiros e do fogo.

Leo já ouvira isso também, mas estava tentando não pensar nessas coisas. Deus do fogo... sério? Considerando o que acontecera à sua mãe, parecia uma brincadeira de mau gosto.

— Agora entendo o martelo flamejante sobre minha cabeça — disse. — Isso é bom ou ruim?

Will demorou um pouco para responder.

— Você foi reclamado quase imediatamente. O que é sempre um bom sinal.

— Mas o cara do arco-íris e do pônei, o Butch... falou sobre uma maldição.

— Ah... Olhe, isso não é nada. Desde que o último conselheiro-chefe do chalé 9 morreu...

— Morreu? Tipo, dolorosamente?

— Melhor que seus companheiros de chalé lhe contem essa história.

— O.k., e onde eles *estão*? Meu conselheiro-chefe não deveria estar fazendo esse *tour* comigo?

— Ele... hum... não pode. Você vai descobrir por quê — disse Will, indo na frente para que Leo não perguntasse mais nada.

— Maldições e mortes — Leo falou sozinho. — Está ficando cada vez melhor.

Leo tinha atravessado metade do gramado quando viu sua antiga babá. E ela *não* era exatamente o tipo de pessoa que ele esperava encontrar em um acampamento de semideuses.

Leo parou.

— O que aconteceu? — perguntou Will.

Tía Callida... Era esse o nome dela, mas Leo não a via desde que ele tinha cinco anos. E lá estava ela, de pé, à sombra de um grande chalé branco no final do gramado, olhando para ele. Usava seu vestido de viúva de linho preto e um xale da mesma cor cobria seus cabelos. Seu rosto continuava o mesmo: pele coriácea e penetrantes olhos negros. Suas mãos ressequidas pareciam garras. Parecia muito mais velha, mas não era nada diferente da imagem guardada por Leo.

— Aquela senhora... O que ela está fazendo aqui?

— Que senhora? — perguntou Will, tentando seguir o olhar de Leo.

— A *única* senhora, cara. Aquela vestida de preto. Quantas senhoras você está vendo por aqui?

Will franziu a testa.

— Você teve um dia muito longo, Leo. A Névoa ainda pode estar pregando peças em sua mente. Que tal irmos direto para o seu chalé?

Leo quis protestar, mas quando olhou mais uma vez para o tal chalé branco *Tía* Callida já não estava por lá. Leo tinha *certeza* de que ela estivera ali. Era como se, ao pensar na mãe, tivesse trazido a babá de volta do passado.

O que não era nada bom, pois *Tía* Callida havia tentado matar Leo.

— Só estava brincando com você, cara.

Leo tateou algumas engrenagens e alavancas que guardava nos bolsos e começou a remexer tudo aquilo, para acalmar os nervos. Não poderia deixar que todos no acampamento pensassem que estava louco. Pelo menos não mais louco do que realmente era.

— Vamos ver o chalé 9 — disse. — Estou a fim de uma boa maldição.

Por fora, o chalé de Hefesto parecia um grande *trailer* com reluzentes paredes de metal e janelas também de metal. A entrada parecia a porta de um cofre de banco, circular e muito espessa, e abria com a ajuda de várias engrenagens metálicas e pistões hidráulicos que soltavam fumaça.

Leo assobiou.

— Essa gente é bem *steampunk*, hein?

Lá dentro, o chalé parecia deserto. Beliches de aço estavam encostados às paredes como se fossem camas dobráveis *high-tech*. Cada um tinha um painel de controle digital, luzes LED piscando, lâmpadas brilhantes e engrenagens que as uniam. Leo deduziu que cada campista tinha uma combinação própria para abrir sua cama, e que atrás delas deveria haver algum vão para guardar suprimentos e, talvez, algumas armadilhas para evitar visitas inesperadas. Ou pelo menos era assim que Leo as teria construído. Um mastro descia do segundo andar, ainda que, pelo lado de fora, o chalé não *parecesse* ter mais de um andar. E uma escada em caracol levava a uma espécie de porão. As paredes estavam repletas de todos os tipos de ferramentas elétricas que Leo podia imaginar, além de uma variedade de facas, espadas e outros instrumentos de destruição. Havia também uma grande mesa de trabalho cheia de sucata de metal — parafusos, ferrolhos, arruelas, pregos, rebites e milhares de outras peças de máquinas. Leo sentiu uma vontade enorme de meter tudo nos bolsos. Ele adorava aquele tipo de coisa. Mas precisaria de centenas de casacos para guardar tudo aquilo.

Dando uma olhada rápida, imaginou estar de volta à loja de ferragens da mãe. A não ser pelas armas, claro... mas as ferramentas, as pilhas de sucata, o cheiro de graxa e de metal, as engrenagens quentes. Ela iria adorar aquele lugar.

Tentou afastar aquele pensamento. Não gostava de memórias tristes. *Siga em frente* — era esse seu lema. Não fique remoendo o passado. Não fique no mesmo lugar por muito tempo. É a única forma de vencer a tristeza.

Pegou uma coisa da parede:

— Um cortador de grama? O que um deus do fogo faria com isso?

— Você ficaria surpreso — disse uma voz nas sombras.

No fundo da sala, um dos beliches estava ocupado. Uma cortina escura, de tecido camuflado, se abriu, e Leo pôde ver o garoto que, segundos antes, estava encoberto. Era difícil dizer como ele era, pois seu corpo estava inteiramente engessado. Tinha toda a cabeça enfaixada, exceto o rosto, inchado e ferido. Ele parecia uma múmia que havia levado uma surra.

— Sou Jake Mason — disse o garoto. — Deveria apertar sua mão, mas...

— Tudo bem. Não se levante.

O menino abriu um sorriso, depois fez uma careta, como se sentisse dor só por mover o rosto. Leo ficou imaginando o que poderia ter acontecido com ele, mas teve medo de perguntar.

— Seja bem-vindo ao chalé 9 — disse Jake. — Há quase um ano não chega ninguém novo. Eu sou o conselheiro-chefe, por enquanto.

— Por enquanto? — perguntou Leo.

Will Solace pigarreou e disse:

— Onde estão todos, Jake?

— Lá embaixo, nas fornalhas — respondeu ele, nostálgico. — Estão trabalhando no... você sabe, aquele problema.

— Ah. E você tem uma cama vaga para Leo? — disse Will, mudando de assunto.

Jake olhou para Leo, estudando-o.

— Você acredita em maldições, Leo? Em fantasmas?

Acabei de ver minha babá do mal, *Tía* Callida, pensou ele. Ela devia estar morta, após tantos anos. E todos os dias me lembro de minha mãe na sua loja em chamas. Não me venha falar em fantasmas, cara.

Mas, em voz alta, respondeu:

— Fantasmas? Pfff. Não... Tudo bem. Um espírito da tempestade me jogou do Grand Canyon hoje, mas, você sabe, tudo dentro do esperado, certo?

Jake fez que sim.

— Que bom, pois você ficará com a melhor cama do chalé: a de Beckendorf.

— Espere, Jake — disse Will. — Tem certeza?

— Beliche 1-A, por favor — gritou Jake.

Todo o chalé tremeu. Uma área circular do chão moveu-se em espiral, como se fosse a lente de uma câmera fotográfica se abrindo, e uma enorme cama saiu lá de dentro. A estrutura de bronze tinha *video game* embutido onde seria o pé da cama, um sistema de rádio estéreo na cabeceira, uma geladeira com porta de vidro na base e vários painéis de controle nas laterais.

Leo pulou na cama e deitou-se com os braços embaixo da cabeça.

— Acho que posso aguentar.

— Quando desce ela se transforma em um quarto privativo — disse Jake.

— Ah, maravilha — disse Leo. — Então nos vemos mais tarde. Vou descer para a Caverna do Leo. Que botão devo apertar?

— Como assim? — disse Will Solace. — Vocês têm quartos privativos por aqui?

Jake teria sorrido caso as feridas não doessem tanto.

— Temos muitos segredos, Will. Vocês, de Apolo, não podem ficar com toda a diversão. Nossos campistas vêm escavando um sistema de túneis sob o chalé 9 há quase um século. Ainda não encontramos o final. De qualquer forma, Leo, se você não se importar em dormir na cama de um homem morto, ela é sua.

De repente, Leo não queria mais ficar deitado. Sentou-se, sem tocar em nenhum botão.

— O conselheiro-chefe que morreu? Esta cama era dele?

— Sim — disse Jake. — Charles Beckendorf.

Leo imaginou lâminas emergindo do colchão ou talvez uma granada debaixo do travesseiro.

— Ele não, tipo, morreu *nesta* cama, certo?

— Não — respondeu Jake. — Ele morreu na Guerra dos Titãs, no verão passado.

— A Guerra dos Titãs — Leo repetiu —, que não tem *nada* a ver com esta maravilhosa cama?

— Os titãs — disse Will, como se Leo fosse um idiota — eram uns caras grandes e poderosos que governavam o mundo antes dos deuses. Tentaram voltar no verão passado. O líder, Cronos, construiu um novo palácio no Monte Tam, na Califórnia. Seus exércitos avançaram até Nova York e quase destruíram o Monte Olimpo. Vários semideuses morreram tentando detê-los.

— Isso não deve ter saído nos jornais, imagino — disse Leo.

Parecia uma pergunta válida, mas Will balançou a cabeça, descrente.

— Você não ouviu falar na erupção do Monte Santa Helena, ou nas terríveis tempestades por todo o país, ou naquele edifício que caiu em Saint Louis?

Leo deu de ombros. No último verão, ele estava fugindo de uma nova família adotiva. Mas um policial o encontrou no Novo México, e a justiça o enviou ao reformatório mais próximo: a Escola da Vida Selvagem.

— Acho que eu estava um pouco ocupado na época.

— Não importa — disse Jake. — Você teve sorte de escapar dessa. A verdade é que Beckendorf foi um dos primeiros a cair, e desde então...

— Este chalé está amaldiçoado — supôs Leo.

Jake não respondeu. Mas seu corpo estava completamente engessado, e isso já era uma boa resposta. Leo começou a notar pequenos detalhes que não vira antes — uma marca de explosão na parede, um rastro no chão, que poderia ser óleo... ou sangue. Espadas quebradas e máquinas destruídas nos cantos, talvez abandonadas por frustração. Aquele lugar parecia não dar *muita* sorte.

Jake suspirou, triste.

— Bem, preciso dormir um pouco. Espero que goste daqui, Leo. Costumava ser... um lugar bem legal.

Ele fechou os olhos, e a cortina camuflada caiu sobre a cama.

— Vamos, Leo — disse Will. — Vou levar você até as forjas.

Enquanto saíam, Leo olhou para trás, para a sua nova cama, e quase conseguiu imaginar o conselheiro morto sentado nela — outro fantasma que não o deixaria em paz.

VI

LEO

— COMO ELE MORREU? — perguntou Leo. — Digo, Beckendorf.

Will Solace seguiu em frente, e disse:

— Explosão. Beckendorf e Percy Jackson explodiram um navio cheio de monstros. Beckendorf não resistiu.

Aquele nome mais uma vez: Percy Jackson, o namorado desaparecido de Annabeth. Parecia estar envolvido em tudo por ali, pensou Leo.

— Então, Beckendorf era bem popular. Quer dizer... antes de morrer.

— Ele era incrível — respondeu Will. — A morte dele foi um golpe duro para todos no acampamento. Jake... transformou-se em conselheiro-chefe em meio à guerra. Assim como eu, na verdade. E fez o melhor que pôde, mas nunca quis ser líder. Ele gosta de construir coisas. Então, após a batalha, tudo começou a dar errado. As bigas do chalé 9 explodiram. Os autômatos saíram de controle. As invenções começaram a funcionar mal. Parecia uma espécie de maldição, e logo as pessoas começaram a chamar assim mesmo: a Maldição do Chalé 9. Depois, Jake sofreu o acidente...

— Que tem algo a ver com o problema que ele mencionou — supôs Leo.

— Eles estão tentando resolver — disse Will, sem entusiasmo. — Chegamos.

As forjas pareciam uma locomotiva a vapor que se chocara ao Partenon grego, e agora ambos eram uma coisa só. Colunas de mármore branco acompanhavam as paredes de metal. A fumaça saía por uma elaborada chaminé, entalhada com desenhos de deuses e monstros. A construção ficava às margens de um riacho, com vários moinhos de água fazendo girar as engrenagens de bronze. Leo ouviu o rugir das máquinas, do fogo e de martelos batendo em bigornas.

Eles entraram, e alguns meninos e meninas que trabalhavam em vários projetos ficaram paralisados. O barulho diminuiu, restando apenas o ronronar da caldeira e o *click-click-click* de engrenagens e alavancas.

— Pessoal — disse Will —, este é seu novo irmão: Leo... Hum, qual é mesmo o seu sobrenome?

— Valdez — ele respondeu, dando uma olhada nos campistas.

Seria mesmo parente de todos eles? Seus primos vinham de famílias numerosas, mas ele sempre teve apenas a mãe... até que ela morreu.

Os meninos e as meninas se aproximaram, cumprimentaram Leo e se apresentaram. Uma massa de nomes: Shane, Christopher, Nyssa, Harley (isso mesmo, como a moto). Leo sabia que nunca conseguiria guardar todos. Eram muitos. Enlouquecedor.

Nenhum deles se parecia. Tinham rostos diferentes, tons de pele diferentes, cor de cabelos, peso. Ninguém jamais diria: *Ei, olha, essa é a prole de Hefesto!* Mas todos tinham mãos fortes, grossas, cheias de calos e sujas de graxa. Mesmo o pequeno Harley, que não devia ter mais de oito anos, parecia capaz de lutar seis *rounds* com Chuck Norris sem derramar uma gota de suor.

E todos tinham um rosto muito sério. Seus ombros eram curvados, como se a vida tivesse sido muito dura com eles. Vários pareciam abatidos fisicamente. Leo notou duas tipoias, algumas bengalas, um tapa-olho, seis ataduras e uns sete mil band-aids.

— Certo — disse Leo. — Ouvi dizer que este é o chalé da diversão!

Ninguém riu. Todos ficaram olhando para ele.

Will Solace bateu no ombro de Leo.

— Vou deixar vocês sozinhos, para que se conheçam melhor. Alguém poderia levar Leo para o jantar quando chegar a hora?

— Eu posso — disse uma das meninas.

Nyssa, Leo conseguiu lembrar. Vestia calças cáqui, uma camiseta apertada, que marcava os músculos dos braços, e uma bandana vermelha sobre os cabelos escuros e embaraçados. Exceto pelo band-aid com um *smiley* no queixo, parecia uma heroína de filmes de ação, pronta para agarrar uma arma a qualquer momento e começar a atirar em alienígenas.

— Legal — disse Leo. — Sempre quis ter uma irmã que pudesse me vencer.

Nyssa não sorriu.

— Vamos, piadista. Vou lhe mostrar tudo por aqui.

Leo estava familiarizado com tudo aquilo. Ele crescera rodeado por ferramentas e graxa. Sua mãe costumava brincar dizendo que a primeira chupeta dele foi uma chave de roda. Mas ele nunca vira nada parecido com as forjas do acampamento.

Um dos garotos estava fazendo um machado de combate e testava a lâmina em um bloco de concreto. A cada golpe, o machado cortava um pedaço do concreto, como se fosse queijo fresco. Mas o menino não parecia satisfeito e voltava a afiar a lâmina.

— O que ele está pensando em abater com isso? — Leo perguntou a Nyssa. — Um navio de guerra?

— Impossível saber. Mesmo o bronze celestial...

— É esse o metal?

Ela fez que sim.

— Extraído do próprio Monte Olimpo. Muito raro. Mas, seja como for, isso costuma desintegrar monstros só com um toque, mas os mais poderosos às vezes têm couraças bem duras. Os Dracos, por exemplo...

— Dragões?

— É uma espécie similar. Você vai aprender a diferença nas aulas de luta com monstros.

— Aula de lutas com monstros. O.k. Acho que já sou faixa preta nisso.

Ela não esboçou nem um sorriso. Leo torcia para que ela não fosse assim tão séria o tempo todo. O lado paterno de sua família tinha que ter um *pouco* de senso de humor, certo?

Eles passaram por um grupo de garotos que construíam um brinquedo de corda de bronze. Ou pelo menos era o que parecia. Era um centauro de 15 centímetros — metade homem, metade cavalo —, armado com um miniarco. Um dos campistas girou o rabo do centauro e ele ganhou vida. Galopou pela mesa, gritando: "Morra, mosquito! Morra, mosquito!", disparando flechas em tudo ao redor.

Aparentemente, isso já acontecera antes, pois todos sabiam que deviam atirar-se ao chão, menos Leo. Seis flechas do tamanho de alfinetes ficaram presas à sua camisa antes que um campista pegasse um martelo e fizesse o centauro em pedaços.

— Droga de maldição! — disse o campista, levantando o martelo no ar. — Eu só queria um matador de insetos mágico! Será pedir muito?

— Ai! — disse Leo.

Nyssa tirou as flechas de sua camisa.

— Você está bem. Vamos em frente antes que reconstruam aquilo.

Leo esfregou o peito enquanto caminhavam.

— Isso acontece muitas vezes?

— Ultimamente, tudo o que construímos vai para o lixo — disse Nyssa.

— Culpa da maldição?

Nyssa franziu a testa.

— Eu não acredito em maldições. Mas *algo* está errado. E se não descobrirmos o que aconteceu com o dragão, vai ficar ainda pior.

— Dragão? — Leo esperava que ela estivesse falando sobre um minidragão, talvez um que matasse baratas, mas algo lhe dizia que não teria tanta sorte.

Nyssa o levou até um mapa pendurado na parede, que estava sendo estudado por duas meninas. O mapa mostrava o acampamento — um semicírculo, com Long Island na margem norte, bosques a oeste, chalés a leste e uma cadeia de colinas ao sul.

— Ele só pode estar nas colinas — disse a primeira menina.

— *Já demos* uma olhada por lá — argumentou a segunda. — Os bosques seriam o melhor esconderijo.

— Mas já colocamos armadilhas...

— Esperem aí — disse Leo. — Vocês perderam um dragão? Um dragão *de verdade*?

— Na verdade, é um dragão de bronze — respondeu Nyssa. — Mas, sim, é um autômato de tamanho real, com movimentos. O chalé de Hefesto o construiu anos atrás. Mas ele esteve perdido nos bosques até alguns verões atrás, quando

Beckendorf o encontrou aos pedaços e o reconstruiu. Ele tem ajudado a proteger o acampamento, mas, hum, é um pouco imprevisível.

— Imprevisível — repetiu Leo.

— Ele perde o controle e destrói chalés, cospe fogo nas pessoas, tenta comer os sátiros.

— Isso é muito imprevisível.

Nyssa concordou.

— Beckendorf era o único que conseguia domá-lo. Mas ele morreu, e o dragão foi piorando. Até que ficou completamente louco e fugiu. Às vezes volta, destrói alguma coisa e foge novamente. O que todos querem é que nós o encontremos e que ele seja destruído...

— Destruído? — perguntou Leo. — Vocês têm um dragão de bronze em tamanho natural e querem *destruí-lo*?

— Ele cospe fogo — explicou Nyssa. — É mortal e está fora de controle.

— Mas é um dragão! Cara, isso é incrível. Não podem tentar conversar com ele, controlá-lo?

— Já tentamos. Jake Mason tentou. E você viu o resultado.

Leo pensou em Jake, com o corpo todo engessado, sozinho em seu beliche.

— Mas...

— Não temos outra opção. — Nyssa virou-se para as outras meninas. — Vamos tentar colocar mais armadilhas nos bosques... aqui, aqui e aqui. E, dentro delas, trinta litros de óleo de motor.

— O dragão bebe isso? — perguntou Leo.

— Bebe — disse Nyssa, pesarosa. — Costumava gostar de óleo de motor com um pouquinho de molho tabasco, antes de ir para a cama. Caso caia na armadilha, poderíamos usar *sprays* de ácidos, que devem derreter sua couraça... Depois entraríamos com cortadores de metal... e terminaríamos o trabalho.

Elas pareciam tristes. Leo notou que não queriam matar o dragão.

— Meninas — ele disse. — Tem que existir outra saída.

Nyssa parecia duvidar, mas outros campistas pararam o que estavam fazendo para escutar a conversa.

— O quê, por exemplo? — um deles perguntou. — Aquela coisa cospe fogo. Não podemos nem nos aproximar.

Fogo, pensou Leo. Quantas coisas poderia contar a eles sobre fogo... Mas tinha de ser cuidadoso, mesmo em se tratando de seus irmãos e irmãs. *Especialmente* se teria de morar com eles.

— Bem... — Leo hesitou um momento. — Hefesto é o deus do fogo, certo? Nenhum de vocês tem resistência ao fogo ou algo assim?

Ninguém reagiu como se fosse loucura, o que já era uma vantagem, mas Nyssa balançou a cabeça, séria.

— Essa é uma habilidade dos ciclopes, Leo. Nós, os semideuses, filhos de Hefesto... somos apenas habilidosos com as mãos. Somos construtores, artesãos, forjadores de armas... coisas assim.

Leo deixou cair os ombros.

— Ah...

Um dos meninos lá atrás disse:

— Bem, há *muito* tempo...

— Certo, claro — disse Nyssa. — Há muito tempo, alguns filhos de Hefesto nasciam com poder sobre o fogo. Mas tal habilidade era muito, muito rara. E sempre perigosa. Nenhum semideus com tal poder nasceu nos últimos séculos. O último... — Ela olhou para uma das meninas, pedindo ajuda.

— Em 1666 — continuou a garota. — Um menino chamado Thomas Faynor. Ele começou o Grande Incêndio de Londres, que destruiu boa parte da cidade.

— Certo — disse Nyssa. — Quando um filho de Hefesto como esse aparece, normalmente significa que uma catástrofe está a ponto de acontecer. E não precisamos de mais catástrofes.

Leo tentou manter sua expressão neutra, o que não era nada fácil.

— Acho que entendo. Que pena. Se conseguíssemos resistir às chamas, poderíamos nos aproximar do dragão.

— Mas ele nos mataria com suas garras e presas — disse Nyssa. — Ou simplesmente pisaria na gente. Não, precisamos destruí-lo. Confie em mim, se alguém *pudesse* imaginar outra saída...

Ela não terminou a frase, mas Leo entendeu a mensagem. Aquele era o grande teste do chalé. Se eles pudessem fazer algo que apenas Beckendorf faria, se conseguissem subjugar o dragão sem ter de destruí-lo, talvez a maldição terminasse. Mas não tinham nenhuma ideia. Qualquer campista que pensasse em algo seria transformado em herói.

Uma trombeta de concha soou a distância. Os campistas começaram a reunir suas ferramentas e projetos. Leo não notara que estava ficando tarde, mas olhou pelas janelas e viu que o sol se punha. Seu TDAH fazia isso, às vezes. Se estava chateado, uma aula de cinquenta minutos parecia durar seis horas. Se estava interessado em algo, como conhecer um acampamento de semideuses, as horas passavam voando e o dia terminava num piscar de olhos.

— Hora do jantar — disse Nyssa. — Vamos, Leo.

— Para o pavilhão, certo? — perguntou ele.

Ela fez que sim.

— Vão indo na frente — disse Leo. — Você pode... me dar um segundo?

Nyssa hesitou. Depois sua expressão ficou mais suave.

— Claro. Sei que é muita coisa para processar. Eu me lembro do meu primeiro dia. Venha quando estiver pronto. Mas não toque em nada. Quase todos os projetos aqui podem matar você se não tomar cuidado.

— Não vou tocar em nada — ele prometeu.

Seus colegas de chalé saíram das forjas. Em pouco tempo Leo ficou sozinho, com os sons dos pistões, das rodas-d'água e de maquininhas estalando.

Ele olhou para o mapa do acampamento — para os locais onde seus novos irmãos colocariam armadilhas para o dragão. Estava tudo errado. O plano era equivocado.

Muito disperso, ele pensou. E também perigoso.

Estendeu uma das mãos e ficou observando os dedos. Eram longos e finos, diferentes dos dedos dos demais filhos de Hefesto. Leo nunca fora um menino grande nem o mais forte. Mas sobrevivera em bairros violentos, escolas difíceis e lares adotivos complicados usando o que sabia fazer melhor. Era o palhaço da turma, o bobo da corte, pois cedo aprendeu que quem finge não ter medo normalmente não recebe os golpes. Mesmo o menino mais malvado esquece do palhaço, tolera suas brincadeiras e o mantém por perto para rir um pouco. Além do mais, o humor é sempre uma boa saída para a dor. E, caso não funcione, existe sempre um plano B. Fugir. Quantas vezes for preciso.

E *havia* um plano C, mas ele prometera a si mesmo que não voltaria a usá-lo.

Ele sentiu muita vontade de tentar naquele momento. Era algo que não fazia desde o acidente, desde a morte de sua mãe.

Leo estendeu os dedos e sentiu-os tremer, como se estivessem acordando. Eles formigaram. Depois surgiram as chamas, labaredas vermelhas e ardentes que dançavam na palma de sua mão.

VII

JASON

Logo que Jason viu a casa, soube que seria um homem morto.

— Aqui estamos! — disse Drew, animada. — A Casa Grande, quartel-general do acampamento.

O lugar não parecia ameaçador, apenas uma mansão antiga pintada de azul-claro com acabamentos em branco. A varanda que a rodeava tinha espreguiçadeiras, uma mesa de carteado e uma cadeira de rodas. Sinos dos ventos pareciam ninfas se tornando árvores enquanto giravam. Jason podia imaginar idosos passando suas férias de verão ali, sentados na varanda e tomando suco de ameixa enquanto observavam o pôr do sol. Ainda assim, as janelas pareciam encará-lo com olhos raivosos. A porta da frente escancarada parecia pronta para engoli-lo. Na parte mais alta do telhado um cata-vento no formato de uma águia de bronze girou com o vento e apontou diretamente na direção do garoto, como se lhe dissesse para dar a meia-volta.

Cada molécula do corpo de Jason lhe dizia que aquele era um território inimigo.

— Eu *não* devia estar aqui — ele disse.

Drew deu-lhe o braço.

— Ah, por favor. Você fica *perfeito* aqui, querido. Acredite em mim. Eu já vi muitos heróis.

Drew tinha cheiro de Natal — uma estranha combinação de pinha e noz--moscada. Jason se perguntava se ela sempre tinha aquele cheiro ou se seria uma espécie de perfume especial para a época. Seu delineador pink de olhos era perturbador. Sempre que ela piscava, Jason sentia vontade de olhar para ela. Talvez o usasse para isso mesmo, para realçar seus calorosos olhos castanhos. Era uma menina bonita. Disso não havia dúvida. Mas fazia Jason sentir-se desconfortável.

Ele afastou o braço, gentilmente.

— Sabe, eu agradeço...

— É aquela menina? — perguntou Drew. — Ah, por favor, *não* me diga que a Rainha da Lixeira é sua namorada.

— Você quer dizer Piper? Bem...

Jason não sabia muito bem o que responder. Ele não achava que já tivesse visto Piper antes, mas sentia-se estranhamente culpado com a situação. Sabia que não deveria estar ali. Não deveria ser amigo daquelas pessoas, muito menos namorar uma delas. Mas, ainda assim... Piper estava segurando sua mão quando ele acordou naquele ônibus. Ela tinha certeza de que era sua namorada. Fora corajosa na passarela de vidro, lutando contra os *venti*, e quando Jason a agarrou em pleno ar, e ficaram cara a cara, foi impossível evitar a vontade de beijá-la. Mas não seria correto. Ele não conhecia nem mesmo a própria história. Não poderia brincar com as emoções de outra pessoa daquele jeito.

Drew revirou os olhos.

— Vou ajudá-lo a se decidir, querido. Você pode se dar muito melhor. Um garoto com a sua aparência e seu talento óbvio...

No entanto, ela não o olhava. Estava observando algum ponto acima de sua cabeça.

— Você está esperando por um sinal — ele comentou. — Como o que surgiu na cabeça de Leo.

— O quê? Não! Bem... estou. Quer dizer, pelo que soube, você é muito poderoso, certo? Vai ser importante no acampamento, então imagino que seu pai ou sua mãe logo o reclamará. Adoro ver esse tipo de coisa. Quero estar ao seu lado! Quem é o deus: seu pai ou sua mãe? Por favor, diga que não é sua mãe... Eu odiaria se você fosse filho de *Afrodite*.

— Por quê?

— Porque você seria meu meio-irmão, bobo. E não podemos namorar um companheiro de chalé. Droga!

— Mas todos os deuses são parentes, certo? — perguntou Jason. — Sendo assim, todos aqui são primos ou algo parecido, não?

— Você é tão fofo! Querido, o parentesco entre os deuses não conta, exceto se um deles for seu pai ou sua mãe. Assim, qualquer pessoa de outro chalé... pode ser um alvo. Então, quem é o deus: seu pai ou sua mãe?

Como sempre, Jason não sabia a resposta. Olhou para cima, mas não via qualquer sinal brilhante em sua cabeça. No alto da Casa Grande o cata-vento ainda apontava na sua direção, e a águia de bronze parecia dizer: *Vá embora, menino, fuja enquanto ainda pode.*

Ele ouviu passos no portal principal. Não... não eram passos... era um *galope.*

— Quíron! — chamou Drew. — Este é Jason. Ele é totalmente incrível.

Jason recuou tão rápido que quase tropeçou. Na varanda estava um homem montado em um cavalo. Na verdade, ele não estava montado no cavalo: o homem era parte do animal. Da cintura para cima era humano, com cabelos castanhos ondulados e barba bem-aparada. Vestia uma camiseta onde se lia: *Melhor Centauro do Mundo*, e levava um arco e flecha nas costas. Sua cabeça ficava tão no alto que ele tinha de curvar-se para não bater nas lâmpadas, pois da cintura para baixo era um cavalo branco.

Quíron sorriu para Jason. Depois a cor desapareceu de seu rosto.

— Você... — Os olhos do centauro se arregalaram como os de um animal encurralado. — Você deveria estar morto.

Quíron obrigou Jason — na verdade, *convidou*, mas soou como uma ordem — a entrar na casa. Depois disse a Drew que voltasse a seu chalé, o que pareceu não agradá-la.

O centauro trotou até a cadeira de rodas que havia na varanda. Livrou-se do seu arco e flecha e aproximou-se de costas da cadeira, que se abriu como a caixa de um mágico. Quíron cuidadosamente levantou as patas traseiras e começou a se espremer num espaço muito pequeno para seu tamanho. Jason imaginou o aviso de marcha a ré de um caminhão — *bip, bip, bip* — enquanto a metade inferior do corpo do centauro desaparecia e a cadeira se fechava, deixando surgirem falsas pernas humanas sob um cobertor, o que o fazia parecer um mortal comum em uma cadeira de rodas.

— Siga-me — ele ordenou. — Temos limonada.

A sala de estar parecia engolida por uma floresta tropical. Parreiras tomavam conta das paredes e do teto, o que Jason achou um pouco estranho. Ele não imaginava que esse tipo de planta pudesse crescer ali dentro, especialmente no inverno, mas aquelas tinham folhas verdes e estavam repletas de cachos de uvas vermelhas.

Sofás de couro rodeavam uma lareira de pedra, acesa. Em um canto, um velho fliperama de PacMan fazia barulhos e piscava. Nas paredes, várias máscaras — as de sorriso/choro do teatro grego, máscaras do carnaval de Nova Orleans, máscaras venezianas com plumas e narizes grandes e aduncos, máscaras africanas feitas de madeira. As vinhas se retorciam por suas bocas e pareciam línguas de folhas. Algumas máscaras tinham cachos de uvas saindo pelo buraco dos olhos.

O mais estranho de tudo era a cabeça empalhada de um leopardo no alto da lareira. Parecia muito real, e seus olhos pareciam seguir os movimentos de Jason. Depois, o bicho rosnou, e o coração de Jason quase pulou do peito.

— Seymour — disse Quíron —, Jason é um amigo. Comporte-se.

— Essa coisa está viva! — disse Jason.

Quíron remexeu no bolso lateral de sua cadeira de rodas e encontrou um pacote de salsichas. Jogou uma para o leopardo, que a agarrou e lambeu os beiços.

— Peço que me perdoe pela decoração — disse Quíron. — Tudo isso foi um presente de nosso antigo diretor antes de ele ser chamado de volta ao Monte Olimpo. Imaginou que nos ajudaria a nos lembrar dele. O sr. D tinha um estranho senso de humor.

— Sr. D — disse Jason. — Dioniso?

— A-hã — disse Quíron, servindo a limonada. Suas mãos estavam um pouco trêmulas. — Quanto a Seymour, bem, o sr. D o encontrou em um brechó em Long Island. O leopardo é o animal sagrado do sr. D, você sabe, e ele ficou estarrecido ao notar que alguém fora capaz de empalhar uma criatura tão nobre. Por isso, decidiu devolver-lhe a vida, pensando que viver sendo uma cabeça presa numa parede era melhor que nada. Devo dizer que, no final das contas, trata-se de um destino melhor que o que foi dado a seu antigo dono.

Seymour mostrou seus caninos e farejou o ar, como se buscasse mais salsichas.

— Se ele é apenas uma cabeça — disse Jason —, para onde vai a comida?

— Melhor não perguntar — disse Quíron. — Por favor, sente-se.

Jason tomou um pouco de limonada, mesmo com o estômago revirado. Quíron acomodou-se na cadeira de rodas e tentou sorrir, mas Jason notou que era um sorriso forçado. Os olhos daquele velho homem eram profundos e escuros como um poço.

— Então, Jason, você se importaria em me contar... hum... de onde veio?

— Eu também gostaria de saber.

Jason contou-lhe toda a história, desde quando acordou no ônibus até a aterrissagem forçada no lago do acampamento Meio-Sangue. Não via motivo para esconder os detalhes, e Quíron era um bom ouvinte. Não demonstrava qualquer reação, apenas mexia a cabeça, encorajando-o a contar mais.

Quando Jason terminou a história, o velho homem tomou sua limonada.

— Entendo — disse Quíron. — E você deve ter algumas perguntas a me fazer.

— Só uma — admitiu Jason. — O que você queria dizer quando falou que eu deveria estar morto?

Quíron o observou, preocupado, como se esperasse que Jason se desfizesse em chamas.

— Meu rapaz, você sabe o que significam essas marcas no seu braço? A cor da sua camiseta? Você se lembra de alguma coisa?

Jason olhou a tatuagem de seu antebraço: SPQR, a águia, doze linhas retas.

— Não. Não me lembro de nada.

— Você sabe onde está? — perguntou Quíron. — Sabe o que é este lugar, sabe quem sou eu?

— Você é Quíron, o centauro — disse Jason. — Imagino que seja o mesmo das velhas histórias, que costumava treinar os heróis gregos, como Hércules. Este é um acampamento para semideuses, filhos dos deuses do Olimpo.

— Então você acredita que tais deuses ainda existem?

— Sim — respondeu Jason imediatamente. — Quer dizer, não acho que deveríamos *adorá-los* ou fazer sacrifícios com galinhas por eles, mas eles ainda existem porque são uma parte poderosa da civilização. Eles mudam de país em país à medida que os centros de poder se alternam... da mesma forma como partiram da Grécia Antiga para Roma.

— *Eu não poderia ter explicado melhor.* — Algo no tom de voz de Quíron havia mudado. — *Então, você já sabe que os deuses são reais. E você já foi reclamado, certo?*

— *Talvez* — disse Jason. — *Mas não tenho certeza.*

Seymour, o leopardo, fez um barulho com as narinas.

Quíron esperou, e Jason notou o que acontecera. O centauro falara em outra língua e Jason entendera, respondendo automaticamente no mesmo idioma.

— *Quis erat...* — Jason titubeou, e fez um esforço mental para falar em inglês: — O que foi isso?

— Você sabe falar latim — disse Quíron. — A maioria dos semideuses reconhece algumas frases, claro. Está no seu sangue, mas não tanto quanto o grego clássico. Ninguém fala latim fluentemente sem prática.

Jason tentou entender o que ele dizia, mas faltavam muitas peças no quebra-cabeça de sua memória. Ainda sentia como se não pertencesse àquele lugar. Era algo errado... e perigoso. Mas pelo menos Quíron não o estava ameaçando. O centauro estava preocupado com ele, cuidando de sua segurança.

O fogo refletiu nos olhos de Quíron, dando a impressão de uma dança raivosa.

— Eu fui mestre do seu xará, você sabe, do Jason original: Jasão. Ele teve um caminho duro. Vi muitos heróis surgirem e desaparecerem. Houve finais felizes. Mas, na maioria das vezes, não. O que me deixa com o coração partido, pois a cada vez que um dos meus pupilos morre, é como se eu perdesse um filho. Mas você... você não é como nenhum dos meus pupilos. Sua presença aqui pode ser um desastre.

— Obrigado — disse Jason. — Você deve ser um professor muito inspirador.

— Sinto muito, meu rapaz. Mas é verdade. Eu imaginava que após o êxito com Percy...

— Percy Jackson, você quer dizer. O namorado de Annabeth, o desaparecido.

Quíron fez que sim.

— Esperava que após o acontecido na Guerra dos Titãs, quando ele salvou o Monte Olimpo, poderíamos ter um pouco de paz. Finalmente eu saborearia o triunfo, um final feliz, e talvez uma aposentadoria tranquila. Mas deveria saber melhor do que ninguém... O último capítulo se aproxima, assim como já aconteceu anteriormente. O pior ainda está por vir.

No canto da sala o fliperama fez um barulho, como se um PacMan tivesse acabado de morrer.

— O.k. — disse Jason. — Então, estamos no último capítulo, e o pior está por vir. Parece divertido, mas não podemos voltar à parte onde eu deveria ter morrido? Não gosto dessa parte.

— Receio que não posso explicar, meu rapaz. Jurei pelo rio Estige e por tudo o que é sagrado que nunca... — Quíron franziu a testa. — Mas você está aqui, o que viola o juramento. Isso também não deveria ser possível. Eu não entendo. Quem faria isso? Quem...

Seymour, o leopardo, rugiu. Sua boca ficou parada, entreaberta. O fliperama parou de fazer barulho. A lareira já não crepitava e as chamas ficaram sólidas, como vidros vermelhos. As máscaras olharam para Jason, com seus grotescos olhos de uvas e as línguas de folhas de parreira.

— Quíron, o que está acontecendo? — perguntou Jason.

O velho centauro também estava paralisado. Jason pulou do sofá, mas Quíron continuava olhando para o mesmo ponto, com a boca entreaberta. Seus olhos não piscavam. Seu peito não se movia.

Jason, disse uma voz.

Por um momento terrível Jason pensou que o leopardo estivesse falando. Então, uma fumaça escura saiu da boca do animal, e algo pior veio à mente do garoto: os *espíritos da tempestade*.

Ele agarrou a moeda de ouro que tinha no bolso. Com um movimento rápido, ela se transformou em espada.

A fumaça escura ganhou a forma de uma mulher vestida com roupas pretas. Seu rosto estava encapuzado, mas os olhos brilhavam no escuro. Nos ombros, uma pele de cabra. Jason não tinha certeza de como sabia que aquilo era pele de cabra. Mas ele sabia, e entendeu que era algo importante.

Você atacaria a sua patrona?, perguntou a mulher. E sua voz ecoava na cabeça de Jason. *Abaixe a espada.*

— Que é você — ele perguntou. — Como você...

Nosso tempo é limitado, Jason. Minha prisão fica mais poderosa a cada hora. Precisei de um mês para reunir energia suficiente a fim de conseguir perpetrar a mais simples magia através de suas amarras. Consegui trazê-lo aqui, mas agora tenho pouco tempo, e ainda menos poder. Talvez seja a última vez que falo com você.

— Você está na prisão? — Jason decidiu não baixar a espada. — Eu não conheço você; não é minha patrona.

Você me conhece, sim, ela insistiu. *Eu o conheço desde quando nasceu.*

— Eu não lembro, não me lembro de nada.

Não, você não se lembra. E isso também era necessário. Há muito tempo, seu pai me ofereceu a sua vida como presente para aplacar minha fúria. Ele o nomeou Jason, como meu mortal favorito. Você me pertence.

— Espere aí — disse Jason. — Eu não pertenço a ninguém.

Agora chegou o momento de pagar a sua dívida, ela continuou. *Encontre minha prisão. Liberte-me, ou o rei deles se erguerá da terra e eu serei destruída. Você nunca recuperará sua memória.*

— Isso é uma ameaça? Você *roubou* minha memória?

Você tem até o pôr do sol no solstício, Jason. Quatro curtos dias. Não me decepcione.

A mulher de preto se dissolveu, e a fumaça entrou pela boca do leopardo.

Tudo voltou ao normal. O rugido de Seymour se transformou em outro som, como se ele tivesse engolido uma bola de pelos. O fogo voltou à lareira, o fliperama funcionava outra vez e Quíron disse:

— ...quem ousaria trazê-lo aqui?

— Provavelmente a mulher que estava na fumaça — disse Jason.

Quíron olhou para cima, surpreso.

— Você não estava sentado? O que é essa espada na sua mão?

— Odeio ter que dizer isso, mas acho que o seu leopardo acabou de engolir uma deusa.

Ele contou a Quíron sobre a visita que fez o tempo parar, sobre a figura enevoada que desapareceu na boca de Seymour.

— Minha nossa... Isso explica muita coisa — murmurou Quíron.

— Então, por que você não me explica algumas delas? — pediu Jason. — Por favor.

Antes que Quíron pudesse falar, ouviram-se passos do lado de fora, na varanda. A porta da frente se abriu, e Annabeth e outra menina, ruiva, entraram carregando Piper. A cabeça de Piper pendia, como se ela estivesse inconsciente.

— O que aconteceu? — perguntou Jason. — O que aconteceu com ela?

— O chalé de Hera — disse Annabeth, sem fôlego, como se tivessem corrido por todo o caminho. — Visão. Ruim.

A menina ruiva olhou para cima, e Jason notou que ela havia chorado.

— Eu acho... — disse ela, engasgando. — Acho que eu talvez a tenha matado.

VIII

JASON

Jason e a menina de cabelos ruivos, que se apresentou como Rachel, deitaram Piper no sofá enquanto Annabeth atravessou correndo o hall para pegar um kit de primeiros socorros. Piper ainda respirava, mas estava desacordada. Parecia estar em uma espécie de coma.

— Temos que salvá-la — insistia Jason. — Deve haver uma maneira, certo?

Vendo-a tão pálida, respirando com dificuldade, Jason sentiu uma vontade enorme de protegê-la. Talvez realmente não a conhecesse. Talvez ela não fosse sua namorada. Mas eles haviam sobrevivido juntos ao Grand Canyon. Haviam passado por aquilo juntos. Ele a havia deixado sozinha por um pequeno espaço de tempo, e *isso* tinha acontecido.

Quíron pôs a mão na testa de Piper e franziu o rosto:

— A mente dela está em um estado muito frágil. Rachel, o que aconteceu?

— É o que eu gostaria de saber — ela respondeu. — Logo que cheguei ao acampamento, tive uma previsão sobre o chalé de Hera. Entrei no chalé. Annabeth e Piper chegaram logo depois. Nós conversamos e então... eu perdi a consciência. Annabeth disse que falei com uma voz que não era a minha.

— Uma profecia? — perguntou Quíron.

— Não. O espírito de Delfos se manifestou. Eu sei como é isso. Era como se um poder distante tentasse falar usando o meu corpo.

Annabeth surgiu com uma bolsa de couro. Ajoelhou-se ao lado de Piper.

— Quíron, o que aconteceu lá... eu nunca vi nada parecido. Já ouvi a voz de profecia de Rachel. Mas era diferente. Parecia uma mulher mais velha. Ela agarrou os ombros de Piper e então disse que...

— Que a libertasse de uma prisão? — perguntou Jason.

Annabeth o encarou.

— Como você sabe?

Quíron fez um gesto colocando os três dedos sobre o coração, como se fosse uma proteção contra o mal.

— Jason, conte tudo a elas. Annabeth, a bolsa de medicamentos, por favor.

Quíron deu alguns remédios a Piper, fazendo-a engolir, enquanto Jason explicava o que tinha acontecido quando a sala foi congelada... e surgiu aquela mulher na fumaça escura que dizia ser sua patrona.

Quando terminou, ninguém disse nada, o que o deixou ainda mais ansioso.

— Isso acontece com frequência? Telefonemas sobrenaturais de prisioneiros exigindo que alguém os liberte?

— Sua patrona — disse Annabeth. — Não era uma deusa, sua mãe?

— Não, ela disse *patrona*. E também que meu pai ofereceu minha vida para ela.

Annabeth franziu a testa.

— Nunca ouvi nada parecido antes. Você disse que o espírito da tempestade, lá na passarela de vidro, trabalhava para algum senhor que lhe ditava ordens, certo? Poderia ser essa mulher que você viu, essa mulher que brinca com a sua mente?

— Acho que não — respondeu Jason. — Se fosse uma inimiga, por que pediria minha ajuda? Ela está presa. E preocupada com um inimigo que poderá ganhar poder. Algo sobre um rei que se elevaria da terra no solstício...

Annabeth virou-se para Quíron.

— Não pode ser Cronos. Por favor, diga que não é ele.

O centauro tinha uma cara horrível. Segurou o pulso de Piper, checando seus batimentos.

No final, disse:

— Não é Cronos. Essa ameaça acabou. Mas...

— Mas o quê? — perguntou Annabeth.

Quíron fechou a maleta de medicamentos.

— Piper precisa descansar. Conversaremos sobre isso mais tarde.

— Ou agora mesmo — disse Jason. — Senhor Quíron, você me disse que a maior ameaça estava por vir. O último capítulo. Poderia ser algo pior que o exército de titãs?

— Oh! — disse Rachel, em voz baixa. — A tal mulher só pode ser Hera. Claro. Seu chalé, sua voz. E ela mostrou-se a Jason no mesmo momento.

— Hera? — disse Annabeth, com um rugido mais alto que o de Seymour. — *Ela* tomou conta do seu corpo? E fez isso com Piper?

— Acho que Rachel tem razão — disse Jason. — Aquela mulher parecia uma deusa. E vestia um... manto de pele de cabra. É um símbolo de Juno, certo?

— É mesmo? — perguntou Annabeth. — Nunca ouvi falar sobre isso.

Quíron fez que sim, relutante.

— Um símbolo de Juno, o aspecto romano de Hera, em seu estado mais selvagem. O manto de pele de cabra era um símbolo do exército romano.

— Então Hera está presa? — perguntou Rachel. — Quem poderia ter feito isso com a rainha dos deuses?

Annabeth cruzou os braços.

— Bem, sejam eles quem forem, deveríamos agradecer. Se puderam calar a boca de Hera...

— Annabeth — Quíron advertiu —, Hera ainda é uma deusa do Olimpo. De muitas maneiras, é ela quem mantém a família dos deuses unidos. Se ela foi mesmo presa e corre o risco de ser destruída, isso poderia abalar as fundações do mundo. Acabar com a estabilidade do Olimpo, o que nunca é bom, mesmo em épocas tranquilas. E se Hera pediu ajuda a Jason...

— Certo — disse Annabeth. — Bem, nós sabemos que os titãs podem capturar um deus, certo? Atlas capturou Ártemis há alguns anos. E nas antigas histórias os deuses capturavam uns aos outros o tempo todo. Mas algo pior que um titã...?

Jason olhou para a cabeça do leopardo. Seymour passava a língua nos beiços, como se a deusa tivesse um gosto muito melhor do que salsicha.

— Hera disse estar tentando livrar-se da prisão há um mês.

— O mesmo tempo que o Olimpo está fechado — disse Annabeth. — Os deuses devem saber que algo ruim está para acontecer.

— Mas por que ela usou sua energia para me trazer aqui? — perguntou Jason. — Ela sequestrou minha memória, me colocou naquela excursão da Escola da Vida Selvagem e enviou uma visão para você ir me buscar. Por que sou tão importante? Por que ela não envia um pedido de ajuda aos outros deuses, por que não avisa a eles onde está e pede que a resgatem?

— Os deuses precisam de heróis para fazer suas vontades aqui na Terra — disse Rachel. — É assim, não é? Os destinos estão sempre interceptados por semideuses.

— Isso é verdade — disse Annabeth —, mas Jason tem razão. Por que ele? Por que roubar sua memória?

— E Piper está envolvida de alguma maneira — disse Rachel. — Hera lhe enviou uma mensagem: *Liberte-me*. Sabe, Annabeth, isso deve ter algo a ver com o desaparecimento de Percy.

Annabeth pousou os olhos em Quíron.

— Por que você está tão quieto, Quíron? O que é isso que está acontecendo?

O rosto do centauro parecia ficar mais velho a cada minuto. As linhas ao redor dos seus olhos estavam mais profundas.

— Minha querida, não posso ajudá-la nesse caso. Sinto muito.

Annabeth piscou.

— Você nunca... *nunca* escondeu uma informação de mim. Mesmo a última grande profecia...

— Estarei no meu escritório. — A voz do centauro era pesada. — Preciso de um tempo para pensar antes do jantar. Rachel, você pode dar uma olhada na menina? Chame Argos para levá-la à enfermaria, se preferir. E, Annabeth, você deveria conversar com Jason. Conte a ele sobre... sobre os deuses gregos e romanos.

— Mas...

O centauro se virou em sua cadeira de rodas e seguiu pelo corredor. Os olhos de Annabeth ficaram furiosos. Ela murmurou algo em grego, e Jason percebeu que não era exatamente um elogio ao centauro.

— Sinto muito — disse Jason. — Acho que estando aqui... não sei. Acho que estraguei tudo vindo ao acampamento. Não sei como. Quíron disse que fez uma promessa e que não poderia falar sobre isso.

— Que promessa? — perguntou Annabeth. — Eu nunca o vi agir assim. E por que me pediria que contasse a você sobre os deuses...

A voz de Annabeth sumiu. Aparentemente, só agora ela percebera a espada de Jason sobre a mesa de centro. Tocou a lâmina com cuidado, como se temesse que estivesse quente.

— É de ouro? — perguntou. — Você se lembra onde a encontrou?

— Não — respondeu Jason. — Como eu já disse, não me lembro de nada.

Annabeth fez que sim, como se acabasse de ter uma ideia, um plano desesperado.

— Caso Quíron não ajude, precisaremos encontrar uma saída sozinhos. Isso significa... chalé 15. Rachel, você pode ficar de olho em Piper?

— Claro — prometeu Rachel. — Boa sorte para vocês dois.

— Um momento — disse Jason. — O que tem no chalé 15?

Annabeth parou o que fazia, depois disse:

— Talvez uma forma de trazer sua memória de volta.

Eles foram na direção da nova ala de chalés, no canto sudoeste do acampamento. Alguns chalés eram bonitos, com paredes brilhantes e tochas acesas, mas o chalé 15 não era nada espetacular. Parecia uma casa rural antiga, com paredes de taipa e teto de palha. Na porta, havia uma guirlanda com flores vermelhas. Papoulas vermelhas, pensou Jason, mesmo sem saber muito bem como chegara a tal conclusão.

— Você acha que este é o chalé do meu pai? — ele perguntou.

— Não — respondeu Annabeth. — Este é o chalé de Hipnos, o deus do sono.

— Então, por que...

— Você se esqueceu de tudo — ela disse. — Se há alguém que pode ajudá-lo a recuperar a memória, esse alguém é Hipnos.

Lá dentro, mesmo sendo quase hora do jantar, três crianças dormiam sob uma pilha de cobertores. Um calor agradável emanava da lareira. Acima dela havia um galho de árvore, e dele pingava um líquido branco em várias tinas. Jason ficou com vontade de deixar cair uma gota nos dedos e experimentar, mas não o fez.

De algum lugar vinha a música suave de um violino. O ar cheirava a roupa recém-lavada. O chalé era tão calmo e aconchegante que os olhos de Jason começaram a pesar. Um cochilo parecia numa ideia excelente. Ele estava exausto. Havia várias camas vazias, todas com travesseiros de penas, lençóis limpos, edredons macios e...

— Acorde! — Annabeth cutucou Jason.

Jason piscou. Notou que seus joelhos começavam a fraquejar.

— O chalé 15 faz isso com todo mundo — avisou Annabeth. — Este lugar é mais perigoso que o chalé de Ares. Lá, pelo menos, sempre sabemos onde estão as minas terrestres.

— Minas terrestres?

Ela se aproximou de uma das crianças que dormia e bateu no seu ombro, dizendo:

— Clovis! Acorde!

O menino parecia um bezerrinho. Tinha um tufo de cabelo no topo da cabeça em forma de cone, um rosto de traços fortes e pescoço gordo. Seu corpo era sólido, mas os braços eram delicados, como se nunca tivessem levantado nada mais pesado do que um travesseiro.

— Clovis! — ela repetiu, sacudindo-o com mais força e depois batendo em sua testa, seis vezes.

— O quê...? — ele respondeu, sentando-se na cama e esfregando os olhos. Bocejou alto, e Annabeth e Jason fizeram o mesmo.

— Pare com isso! — disse Annabeth. — Precisamos da sua ajuda.

— Eu estava dormindo.

— Você *sempre* está dormindo.

— Boa noite.

Antes que ele voltasse a dormir, Annabeth puxou seu travesseiro da cama.

— Isso não é justo — resmungou Clovis. — Devolva.

— Primeiro nos ajude — disse Annabeth. — Depois você pode dormir.

Clovis suspirou. Seu hálito cheirava a leite quente.

— Certo. Qual o problema?

Annabeth lhe explicou o problema de Jason. Várias vezes teve que estalar os dedos diante do nariz de Clovis, para mantê-lo acordado.

Ele devia estar realmente interessado, pois quando Annabeth terminou de falar ele não caiu imediatamente no sono. Na verdade, levantou-se e se espreguiçou, depois piscou para Jason.

— Então você não se lembra de nada, hein?

— Tudo o que tenho são impressões — respondeu Jason. — Sensações, como...

— O quê? — perguntou Clovis.

— Como de saber que não deveria estar aqui. Neste acampamento. E de estar em perigo.

— Hum. Feche os olhos.

Jason olhou para Annabeth, mas ela fez que sim.

Jason tinha medo de terminar dormindo em um daqueles beliches para sempre, mas fechou os olhos. Seus pensamentos se perdiam, como se mergulhasse em um lago escuro.

A próxima coisa de que se lembra foi de abrir os olhos com um estalo. Estava sentado em uma cadeira, em frente à lareira, com Clovis e Annabeth ajoelhados ao seu lado.

— ... calma, está tudo bem — disse Clovis.

— O que aconteceu? — perguntou Jason. — Quanto tempo...

— Só alguns minutos — respondeu Annabeth. — Mas foi tenso. Você quase se dissolveu.

Jason esperava que ela não estivesse falando em sentido *literal*, mas sua expressão era solene.

— Normalmente — disse Clovis —, as memórias são perdidas por uma boa razão. Ficam logo abaixo da superfície, como os sonhos, e com um bom sono posso trazê-las de volta. Mas isso...

— Lete? — perguntou Annabeth.

— Não — respondeu Clovis. — Nem mesmo Lete.

— Lete? — perguntou Jason.

Clovis apontou para o galho de árvore acima da lareira, que vertia pingos de líquido branco.

— Estamos falando sobre o rio Lete, do Mundo Inferior. Ele dissolve as memórias, limpa nossas mentes de forma permanente. Este galho é de um álamo do Mundo Inferior, mergulhado no Lete. É o símbolo do meu pai, Hipnos. Lete não é um bom lugar no qual nadar.

Annabeth concordou.

— Percy esteve lá uma vez. Disse que o rio era poderoso o suficiente para apagar a mente de um titã.

Jason ficou feliz por não ter experimentado o tal líquido.

— Mas... não é esse o meu problema?

— Não — disse Clovis. — Sua mente não foi limpa, suas memórias não foram apagadas. Elas foram roubadas.

O fogo crepitou. Gotas de água do Lete caíram nas tinas. Um dos filhos de Hipnos murmurou alguma coisa, dormindo... algo sobre um pato.

— Roubada? — quis saber Jason. — Como?

— Um deus — respondeu Clovis. — Só mesmo um deus teria tanto poder.

— Disso nós sabemos — respondeu Jason. — Foi Juno. Mas como ela fez isso, e por quê?

— Juno? — perguntou Clovis, alongando o pescoço.

— Ele quer dizer Hera — respondeu Annabeth. — Por alguma razão, Jason prefere os nomes romanos.

— Hum... — disse Clovis.

— O quê? — perguntou Jason. — Isso significa alguma coisa?

— Hum... — repetiu Clovis, e dessa vez Jason notou que ele estava roncando.

— Clovis! — gritou Jason.

— O quê? O quê? — disse ele, os olhos lutando para permanecerem abertos. — Estávamos falando sobre travesseiros, certo? Não, sobre deuses. Eu me lembro. Gregos e romanos. Claro, isso pode ser importante.

— Mas são os mesmos deuses — disse Annabeth. — Apenas com nomes diferentes.

— Não exatamente — disse Clovis.

Jason inclinou-se para a frente, não muito desperto.

— O que você quer dizer com "não exatamente"?

— Bem... — disse Clovis, bocejando. — Alguns deuses são apenas romanos. Como Jano, ou Pomona. Porém, mesmo entre os deuses gregos maiores... não são apenas os seus nomes que mudam quando eles vão para Roma. Sua aparência também. E seus atributos. Eles até mesmo desenvolvem personalidades um pouco diferentes.

— Mas... — Annabeth gaguejou. — Tudo bem, talvez as pessoas os vejam de maneira diferente através dos séculos. Mas isso não altera suas identidades.

— Claro que sim — disse Clovis, começando a adormecer, e Jason estalou os dedos diante de seu rosto.

— Já vou, mãe! — ele gritou. — Quer dizer... Sim, estou acordado. Então, hum, personalidades. Os deuses mudam para refletir as culturas nas quais estão inseridos. Você sabe disso, Annabeth. Quer dizer, hoje em dia, Zeus gosta de ternos bem-cortados, *reality shows* e daquele restaurante chinês na rua 28 Leste, certo? Também era assim nos tempos da Roma Antiga, e os deuses foram romanos quase tanto tempo quanto foram gregos. O Império Romano foi muito longo, durou séculos. Então, claro que eles mantêm algo do caráter daquela época.

— Faz sentido — disse Jason.

Annabeth balançou a cabeça, confusa.

— Mas como você sabe disso tudo, Clovis?

— Ah, eu passo muito tempo sonhando. Em sonho vejo os deuses o tempo todo... sempre de formas diferentes. Os sonhos são fluidos, você sabe. Podemos estar em vários lugares ao mesmo tempo, sempre mudando de identidade. É mais ou menos como ser um deus, na verdade. Recentemente, por exemplo, sonhei estar num show do Michael Jackson, e em seguida estava no palco *com* o Michael Jackson, e, então, cantávamos um dueto, mas eu não conseguia me lembrar da letra de "The Girl Is Mine". Sério, que vergonha, eu...

— Clovis — interrompeu Annabeth. — Vamos voltar a Roma?

— Ah, claro, Roma. Nós chamamos os deuses pelos seus nomes gregos, pois são os nomes originais. Mas dizer que o seu aspecto romano é o mesmo não é verdade. Em Roma eles se tornaram mais bélicos. Não se misturavam tanto com os mortais. Eram mais duros, mais poderosos... eram os deuses de um império.

— Uma espécie de lado negro dos deuses? — perguntou Annabeth.

— Não exatamente — Clovis respondeu. — Eles cultivavam a disciplina, a honra, a força...

— Características positivas, então — disse Jason, e pela mesma razão sentiu vontade de conversar com os deuses romanos, embora não tivesse certeza de por que aquilo era importante para ele. — Quer dizer, a disciplina é importante, certo? Por isso Roma durou tanto tempo.

Clovis lhe lançou um olhar curioso.

— Isso é verdade. Mas os deuses romanos não eram muito amigáveis. Meu pai, Hipnos, por exemplo... ele não fazia muito mais que dormir na Grécia. Mas em Roma o chamavam Somnus. E ele gostava de matar as pessoas que não estivessem atentas em seus trabalhos. Caso dormissem na hora errada... *bum*...

nunca mais acordavam. Ele matou o capitão de Eneias quando navegavam voltando de Troia.

— Que cara legal — disse Annabeth. — Mas ainda assim não entendo o que isso tem a ver com Jason.

— Nem eu — disse Clovis. — Mas se Hera roubou a memória de Jason, só ela poderá trazê-la de volta. E caso eu tenha que me encontrar com a rainha dos deuses, espero que ela esteja com um humor mais Hera do que Juno. Posso voltar a dormir agora?

Annabeth olhou para o galho acima da lareira, pingando água do rio Lete. Ela parecia muito preocupada, tanto que Jason ficou imaginando se não estaria com vontade de beber um pouco daquele líquido para esquecer-se dos problemas. Mas Annabeth se levantou e devolveu o travesseiro a Clovis.

— Obrigada, Clovis. Nos vemos no jantar.

— Eles podem servir o meu no quarto? Estou muito...

Clovis dormiu imediatamente, com o traseiro para cima e o rosto enfiado no travesseiro.

— Ele não vai morrer sufocado? — perguntou Jason.

— Ele vai ficar bem — disse Annabeth. — Mas estou começando a acreditar que você, *sim,* está envolvido em um grave problema.

IX

PIPER

Piper sonhou com seu último dia com o pai.

Eles estavam numa praia próxima a Big Sur, na Califórnia, descansando depois de surfar. A manhã tinha sido perfeita, mas Piper sabia que logo algo ruim ia acontecer — eles seriam atacados por uma terrível horda de *paparazzi* ou talvez por um grande tubarão-branco. A sorte de Piper não duraria para sempre.

Até aquele momento, no entanto, eles tinham tido ondas perfeitas, um céu nublado e um oceano inteiro só para os dois. Seu pai havia descoberto aquele lugar escondido, alugado uma *villa* de frente para o mar *e também* as propriedades vizinhas, e, de alguma forma, conseguira manter tudo em segredo. Se ele ficasse ali por muito tempo, Piper sabia que os fotógrafos o encontrariam. Sempre o encontravam.

— Ótimo trabalho, Pipes. — Ele abriu o sorriso pelo qual ficara famoso: dentes perfeitos, furinho no queixo e um brilho nos olhos escuros que sempre faz as mulheres gritarem e pedirem que ele autografe seus corpos com caneta de tinta permanente. (*Por que não cuidam das suas vidas*?, Piper sempre pensava.) Seus cabelos negros e curtos brilhavam com a água salgada. — Você está melhorando muito seu *hang-ten*.

Piper ficava vermelha de orgulho, mas suspeitava que seu pai estava apenas sendo legal. Ela ainda passava grande parte do tempo caindo. É preciso um talento especial para conseguir equilibrar-se bem em uma prancha de surfe. Seu *pai* era um surfista nato — o que não fazia muito sentido, já que ele tivera uma infância pobre em Oklahoma, a quilômetros de distância do mar. Ele era incrível nos tubos. Piper teria desistido há muito tempo, se não fosse pelo fato de que, surfando, podia passar mais horas ao lado do pai. Não havia muitas outras maneiras de conseguir isso.

— Quer um sanduíche? — ele perguntou, remexendo a cesta de piquenique preparada por seu chefe de cozinha, Arno. — Vamos ver: peru com molho pesto, pasta de caranguejo com wasabi e... ah, o especial de Piper. Manteiga de amendoim com geleia.

Ela pegou o sanduíche, mesmo com o estômago muito revirado para comer qualquer coisa. Sempre pedia o mesmo. Em primeiro lugar, porque era vegetariana. Desde o dia em que passaram na frente de um matadouro em Chino e o cheiro do lugar quase a fizera vomitar. Mas havia ainda outro motivo. Manteiga de amendoim com geleia era um sanduíche simples, do tipo que todas as crianças comem. Ela preferiria que seu pai o tivesse preparado, não um chefe francês que enrolava o sanduíche em papel dourado, usando uma vela dessas que soltam estrelinhas em vez de um palito comum.

Por que nada podia ser simples? Era por isso que não aceitava as roupas caras que seu pai sempre queria comprar para ela, os sapatos de marcas famosas, as idas ao salão de beleza. Ela mesma cortava os cabelos, com uma tesoura de plástico do Garfield, deixando-os propositalmente tortos. Preferia usar tênis velhos, jeans, camiseta e seu velho agasalho de neve, quando praticavam *snowboard*.

E odiava aqueles colégios esnobes que seu pai imaginava serem adequados para ela. Vivia sendo expulsa. Mas ele sempre encontrava uma nova escola.

No dia anterior, ela cometera seu maior crime, "pedindo emprestado" um BMW em uma loja. Ela *tinha* de se superar sempre, pois era cada vez mais complicado chamar a atenção do pai.

Agora ela estava arrependida. Seu pai ainda não sabia de nada.

Pensou em contar-lhe aquela manhã. Mas ele a surpreendera com o passeio, e ela não foi capaz de estragar tudo. Era a primeira vez que passavam um dia juntos em cerca de três meses.

— O que foi? — ele perguntou, ao passar-lhe o refrigerante.

— Pai, tem uma coisa...

— Vamos lá, Pipes. Esse rosto tão sério. Está preparada para Três Perguntinhas Básicas?

Eles brincavam daquilo há anos: era a forma encontrada pelo pai de entrar em contato com ela rapidamente. Podiam fazer três perguntas um ao outro. Nada que passasse dos limites, mas as respostas tinham de ser honestas. Fora isso, o pai jurara não interferir na sua vida. O que era fácil, já que ele nunca estava por perto.

Piper sabia que grande parte das crianças odiaria esse tipo de brincadeira. Mas ela gostava. Era como surfar: não era nada fácil, mas a fazia sentir que efetivamente tinha um pai.

— Primeira pergunta — ela disse: — Mãe?

Não era surpresa. Esse assunto estava sempre em questão.

Seu pai deu de ombros, resignado.

— O que quer saber, Piper? Eu já lhe contei... ela desapareceu. Não sei por que motivo nem para onde foi. Depois que você nasceu, ela simplesmente foi embora. Nunca mais tive notícias dela.

— Você acha que ela ainda está viva?

Não era uma pergunta muito boa, pois seu pai poderia responder que não sabia. Mas, ainda assim, ela queria ouvir uma resposta.

Ele ficou olhando para as ondas.

— Tom, seu avô — disse, finalmente —, costumava repetir que quem caminha muito tempo em direção ao pôr do sol chega ao País dos Fantasmas, onde se pode falar com a morte. Ele disse também que antigamente era possível trazer os mortos de volta, mas que os homens destruíram essa possibilidade. Bem, é uma longa história.

— Como a Terra dos Mortos, dos gregos — Piper se lembrou. — Que também era no oeste. E Orfeu... que tentou trazer a esposa de volta.

Seu pai fez que sim. Um ano antes, tivera seu grande papel, como um antigo rei grego. Piper o ajudara nas pesquisas... um monte de histórias sobre pessoas se transformando em pedra, sendo queimadas em lagos de lava. Eles se divertiram muito lendo juntos, e a vida de Piper não parecia tão ruim. Por algum tempo, sentiu-se mais próxima do pai. Porém, como tudo o que é bom, isso não durou nada.

— Há muitas semelhanças entre os gregos e os cherokees — ele concordou. — Pense no que o seu avô diria caso nos visse aqui, agora, sentados no extremo oeste. Ele provavelmente pensaria que somos fantasmas.

— Então você está dizendo que acredita nessas histórias? Você acha que mamãe está morta?

Os olhos do pai se encheram de lágrimas, e Piper notou toda a tristeza por trás deles. Piper entendeu por que as mulheres se sentiam tão atraídas por ele. À primeira vista, ele parecia um homem confiante e rude, mas seus olhos guardavam muita tristeza. Elas queriam entender o por quê. Queriam reconfortá-lo, e nunca conseguiam. Ele já tinha dito a Piper que isso era coisa dos cherokees: todos guardavam uma tristeza interior, herança de gerações de dor e sofrimento. Mas Piper sempre imaginou que fosse algo mais que isso.

— Não acredito nessas histórias — ele disse. — São divertidas de serem contadas, mas se eu realmente acreditasse no País dos Fantasmas, em espíritos de animais ou em deuses gregos... acho que não conseguiria dormir à noite. Sempre busquei um culpado...

Um culpado pela morte do vovô Tom, que morreu de câncer de pulmão, pensou Piper, antes que seu pai ficasse famoso e tivesse dinheiro para ajudá-lo. Por sua mãe, a única mulher que ele amou na vida, e que o abandonou sem nem mesmo um bilhete de despedida, deixando-o com uma filha recém-nascida para criar. Ele tinha muito sucesso, mas ainda não era feliz.

— Não sei se ela está viva — respondeu seu pai. — Mas acho que poderia muito bem estar no País dos Fantasmas, Piper. Não há possibilidade de que ela volte. Se eu acreditasse no contrário... Não sei se conseguiria aguentar.

Atrás deles a porta de um carro se abriu. Piper virou-se e seu coração quase parou de bater. Jane caminhava na direção deles usando seu terninho, afundando na areia com seus saltos altos, e com um *palmtop* nas mãos. O olhar dela era meio chateado, meio triunfante, e Piper sabia que ela estivera em contato com a polícia.

Por favor, caia, Piper pediu. *Caso exista algum espírito animal ou deus grego que possa ajudar, faça com que Jane caia no chão. Não estou pedindo que se machuque muito, mas que fique mal o resto do dia, por favor.*

Mas Jane continuou avançando.

— Pai — disse Piper, rapidamente. — Aconteceu uma coisa ontem...

Mas ele também tinha visto Jane. E já assumira sua postura profissional. Ela não estaria ali se não fosse um assunto sério. Um estúdio havia telefonado, cancelando um projeto, ou, então, Piper havia aprontado novamente.

— Vamos falar sobre isso, Piper — ele prometeu. — Mas preciso ver o que Jane veio fazer aqui. Você sabe como ela é.

Sim, Piper sabia. Seu pai caminhou pela areia, indo ao encontro de Jane. Piper não escutava o que diziam, mas nem precisava. Era boa em ler o rosto das pessoas. Jane contou detalhes sobre o carro roubado, apontando algumas vezes para Piper, como se ela fosse um bicho de estimação que tivesse acabado de fazer cocô no tapete.

O entusiasmo e a energia do seu pai desapareceram. Ele fez um gesto para que Jane o esperasse, depois voltou para perto de Piper. Ela não podia olhá-lo nos olhos... era como se tivesse traído sua confiança.

— Você disse que ia tentar, Piper.

— Pai, eu odeio aquela escola. Não aguento. Queria contar sobre o BMW, mas...

— Eles expulsaram você — seu pai falou. — Um carro, Piper? Você vai fazer dezesseis anos no ano que vem. Eu poderia comprar o carro que você quisesse. Como pôde...

— Você quer dizer que *Jane* compraria um carro para mim? — perguntou Piper. Ela não aguentou. Estava explodindo de raiva. — Pai, escute um momento. Não quero ficar esperando para poder fazer três perguntas idiotas. Quero ir a uma escola normal. Quero que *você* vá à reunião de pais, e não Jane. Ou me eduque em casa! Aprendi muito enquanto estudávamos juntos sobre a Grécia. Podíamos fazer isso sempre! Podíamos...

— Não faça isso comigo — ele falou. — Sou o melhor pai que posso, Piper. Já conversamos sobre isso.

Não, ela pensou. *Você interrompeu essa conversa. Por anos.*

O pai suspirou.

— Jane conversou com a polícia, e conseguiu fazer um acordo. A concessionária não vai dar queixa, mas você precisa concordar em ir para um colégio interno em Nevada. Especializado em problemas... em crianças com problemas complicados.

— É isso o que sou — disse Piper, com voz trêmula. — Um problema.

— Piper... você disse que tentaria. Você me decepcionou. Não sei mais o que fazer.

— Faça qualquer coisa. Mas faça você mesmo! Não deixe que Jane cuide de tudo por você. Não pode simplesmente me mandar para longe.

O pai de Piper olhou para a cesta de piquenique. Seu sanduíche estava ali, intocado, embrulhado numa folha de papel dourado. Tinham planejado uma tarde inteira de surfe, mas estava tudo acabado.

Piper não podia acreditar que ele realmente faria o que Jane estava dizendo. Não daquela vez. Não quando o assunto era tão importante quanto um colégio interno.

— Vá falar com ela — disse seu pai. — Jane tem os detalhes.

— Pai...

Ele olhou para outro lado, para o mar, como ao longe enxergasse o País dos Fantasmas. Piper prometera a si mesma que não iria chorar. Seguiu em direção a Jane, que sorria friamente e tinha uma passagem de avião nas mãos. Como sempre, ela já organizara tudo. Piper era apenas mais um problema que Jane poderia riscar de sua lista de tarefas naquele dia.

O sonho de Piper mudou.

Ela estava parada no topo de uma montanha, à noite, com as luzes da cidade brilhando lá embaixo. À sua frente, uma fogueira acesa. As chamas de cor púrpura pareciam lançar mais sombras que luz, mas o calor era tão intenso que suas roupas estavam quentes.

— É o seu segundo aviso — disse uma voz, num tom tão poderoso que fez a terra tremer. Piper já ouvira a mesma voz antes, em seus sonhos. Tentou convencer-se a não ficar assustada, o que piorou a situação.

Por trás da fogueira um rosto enorme surgiu na escuridão. Parecia flutuar acima das chamas, mas Piper sabia que devia estar conectado a um corpo também muito grande. As feições cruéis pareciam ter sido entalhadas em pedra. Não tinha aspecto de vivo, exceto por seus penetrantes olhos brancos, como diamantes brutos, e seu horrível emaranhado de *dreadlocks*, trançados com ossos humanos. A figura sorriu, e Piper tremeu.

— Você vai fazer o que eu mandar — disse o gigante. — Vai levar a tarefa adiante. Faça o que for preciso, e talvez saia viva. Caso contrário...

Ele fez um gesto para um dos lados da fogueira. O pai de Piper estava dependurado, inconsciente, amarrado a uma estaca.

Ela tentou gritar. Queria chamar pelo pai e implorar ao gigante que o libertasse, mas sua voz não saía.

— Vou ficar observando — disse o gigante. — Caso sirva a mim, vocês dois sobreviverão. Você tem a palavra de Encélado. Mas se falhar... bem, eu dormi por um milênio, jovem semideusa. E estou com *muita* fome. Falhe, e eu comerei muito bem.

O gigante rugiu, com uma risada. A terra tremeu. Um buraco se abriu sob os pés de Piper, e ela caiu na escuridão.

Piper acordou como se tivesse sido pisoteada por uma trupe de sapateadores irlandeses. Seu peito doía, e ela mal podia respirar. Abaixou-se e segurou o cabo da faca que Annabeth lhe dera: Katoptris, a arma de Helena de Troia.

Então o Acampamento Meio-Sangue não havia sido um sonho.

— Como está se sentindo? — alguém perguntou.

Piper tentou focar o olhar. Estava deitada numa cama com uma cortina branca de um lado, como se fosse uma enfermaria. Aquela garota ruiva, Rachel Dare, estava sentada ao seu lado. Na parede, encontrou o pôster com a caricatura de um sátiro que se parecia muito com o treinador Hedge, com um termômetro na boca. E uma frase: *Não fique de bode por causa da doença!*

— Onde...? — Mas a voz de Piper falhou ao ver um menino parado à porta.

Parecia um típico surfista da Califórnia... forte e bronzeado, louro, usando bermuda e camiseta. Mas tinha centenas de olhos azuis por todo o corpo: pelos braços, pelas pernas e por todo o rosto. Tinha olhos até nos pés, que a observavam através das tiras da sandália.

— Esse é Argos — disse Rachel —, nosso chefe da segurança. Ele está apenas, bem... de olho em tudo...

Argos fez que sim. E o olho em seu queixo piscou.

— Onde...? — Piper tentou perguntar mais uma vez, mas sentia como se sua boca estivesse cheia de algodão.

— Você está na Casa Grande — disse Rachel. — Na administração do acampamento. Nós a trouxemos aqui quando você desmaiou.

— Você me agarrou — lembrou-se Piper. — A voz de Hera...

— Sinto muito por isso — disse Rachel. — Acredite em mim, *não* era minha intenção ser possuída. Quíron a curou com um pouco de néctar...

— Néctar?

— A bebida dos deuses. Em pequenas quantidades, é capaz de curar semideuses... mas, caso não cure... os transforma em cinzas.

— Ah, que divertido.

Rachel inclinou-se na cadeira.

— Você se lembra de sua visão?

Piper ficou confusa por um momento, pensando que Rachel estivesse se referindo ao seu sonho com o gigante. Depois notou que ela falava sobre o que acontecera no chalé de Hera.

— Há algo de errado com a deusa — disse Piper. — Ela me pediu que eu a libertasse, como se estivesse presa. Mencionou que a terra nos comeria, e algo sobre o solstício.

Num canto da sala, um som de trovão ribombou no peito de Argos. Seus olhos estremeceram todos de uma vez.

— Hera criou Argos — explicou Rachel. — Ele é muito sensível à sua segurança. Estamos tentando fazer com que não chore, porque, da última vez que isso aconteceu... bem, causou uma inundação.

Argos fungou. E pegou um monte de lenços de papel na mesa ao lado da cama, e começou a enxugar os olhos espalhados por todo o corpo.

— Então... — Piper tentou não olhar enquanto Argos secava as lágrimas de seus cotovelos. — O que aconteceu com Hera?

— Não sabemos ao certo — respondeu Rachel. — A propósito, Annabeth e Jason estiveram aqui para ver você. Jason não queria deixá-la sozinha, mas Annabeth teve uma ideia... algo que poderia restaurar a memória dele.

— Isso... isso é ótimo.

Jason estivera ali por ela? Ela desejou que estivesse consciente naquele momento. Mas, se ele recuperasse a memória, seria uma coisa boa? Ela ainda tinha esperanças de que os dois realmente se conhecessem antes. Não queria que o relacionamento deles fosse apenas um truque da Névoa.

Prepare-se, disse a si mesma. Se tiver de salvar seu pai, não importará se Jason gostasse dela ou não. Ele poderá mesmo odiá-la. Todos a odiariam.

Olhou para a faca cerimonial pousada ao seu lado. Annabeth disse tratar-se de um sinal de poder e status, mas poucas vezes usada em batalhas. Muito espetáculo, mas pouca substância. Uma farsa, assim como Piper. E seu nome era Katoptris, ou seja, espelho. Não ousaria tomá-la mais uma vez nas mãos, pois não queria ver seu reflexo nela.

— Não se preocupe — disse Rachel, tocando seu braço. — Jason parece ser um cara legal. Ele também teve uma visão, muito parecida com a sua. Seja lá o que for que estiver acontecendo com Hera... eu acho que vocês terão de trabalhar juntos.

Rachel sorriu, como se fossem boas notícias, mas Piper ficou ainda mais nervosa. Imaginou que tal desafio — fosse ele qual fosse — envolveria muita gente. Rachel parecia estar dizendo a ela: *Boas notícias! Seu pai vai ser sequestrado por um gigante canibal e você trairá o menino por quem está apaixonada. Isso não é maravilhoso?*

— Ei — disse Rachel. — Não chore. Você vai entender tudo.

Piper limpou os olhos, tentando se controlar. Ela não era assim. Costumava ser dura na queda... roubava carros, desestruturava os colégios caros de Los Angeles. E lá estava ela, chorando como um bebê.

— Você sabe o que estou sendo obrigada a enfrentar?

Rachel deu de ombros.

— Sei que é uma escolha difícil, e suas opções não são as melhores do mundo. Como eu disse, às vezes tenho premonições. Mas você será reclamada hoje, na fogueira. Tenho quase certeza disso. Quando souber de que deusa é filha, tudo ficará mais claro.

Mais claro, pensou Piper, mas não necessariamente melhor.

E sentou-se na cama. Sua testa doía como se alguém tivesse lhe cravado um alfinete entre os olhos. *É impossível trazer sua mãe de volta*, dissera seu pai. Mas, aparentemente, aquela noite, sua mãe poderia reclamá-la. E pela primeira vez Piper não tinha certeza se queria realmente que isso acontecesse.

— Espero que seja Atena — disse, levantando os olhos, com medo de que Rachel fizesse uma piada, mas o oráculo apenas sorriu.

— Piper, eu não a repreendo. Acho que Annabeth deseja o mesmo que você. Vocês são muito parecidas.

A comparação fez Piper sentir-se ainda mais culpada.

— Outro pressentimento? Você não sabe nada sobre mim.

— Você ficaria surpresa.

— Está dizendo isso porque é um oráculo, certo? Deve se manter misteriosa.

Rachel sorriu.

— Não vou ficar contando meus segredos por aí, Piper. E não se preocupe, tudo vai terminar bem... embora talvez não como você tenha planejado.

— Ouvir isso não faz com que eu me sinta melhor.

Em algum ponto, a distância, uma trombeta de concha soou. Argos soltou um resmungo e abriu a porta.

— Jantar? — perguntou Piper.

— Você estava dormindo na hora do jantar — respondeu Rachel. — Chegou a hora da fogueira. Vamos lá, para descobrir quem você é.

X

PIPER

A IDEIA DA FOGUEIRA NO acampamento aterrorizava Piper. Fazia com que ela se lembrasse daquela enorme fogueira com chamas púrpura de seu sonho, e de seu pai preso a uma estaca.

E o que ela encontrou era quase tão terrível quanto aquela imagem: as pessoas cantavam. As arquibancadas do anfiteatro tinham sido construídas no sopé de uma colina, de frente para uma fogueira rodeada de pedras. Cinquenta ou sessenta crianças estavam alinhadas em filas, agrupadas sob diferentes bandeiras.

Piper notou que Jason estava bem na frente, ao lado de Annabeth. Leo também estava por perto, sentando junto a campistas com aspectos de fortões, sob uma bandeira prateada com um martelo como brasão. À frente da fogueira, de pé, meia dúzia de campistas com violões e umas harpas estranhas parecendo muito antigas — seriam liras? — cantavam uma música sobre peças de armaduras, sobre como a avó deles se preparava para a guerra. Todos cantavam com eles, fazendo gestos em direção às tais peças de armaduras e brincando. Devia ser a coisa mais estranha que Piper já vira na vida... aquele tipo de música de acampamento que todo mundo tem vergonha de cantar no dia a dia mas que, à noite, com todos cantando juntos, vira uma brincadeira divertida. À medida que a energia dos participantes aumentava, as chamas também ganhavam intensidade, passando de vermelhas a alaranjadas e, depois, a douradas.

Finalmente, a música terminou, com uma grande salva de palmas. Um homem montando um cavalo trotou. Pelo menos foi o que Piper *pensou*: à luz da fogueira, parecia ser um homem montando um cavalo. Depois ela notou que se tratava de um centauro, com a parte inferior do corpo com a forma de um cavalo branco e a superior com a forma de um homem de meia-idade, com cabelos cacheados e barba bem-aparada. Na mão brandia um espeto com *marshmallows* tostados.

— Muito bem! E vamos dar as boas-vindas aos nossos novos companheiros. Eu sou Quíron, diretor de atividades do acampamento, e estou muito feliz por vocês terem chegado aqui vivos, e com a maior parte dos órgãos intactos. Em pouco tempo iremos ao que importa, mas primeiro...

— Que tal capturar a bandeira? — alguém gritou. E meninos sentados sob uma bandeira vermelha, que tinha como emblema uma cabeça de javali, ficaram agitados.

— Certo — disse o centauro. — Sei que o chalé de Ares está ansioso para voltar aos bosques, aos nossos jogos habituais.

— E matar pessoas! — um deles gritou.

— No entanto — disse Quíron —, até que o dragão seja controlado, isso é impossível. Chalé 9, temos notícias sobre esse assunto?

Ele se virou para o grupo de Leo. O garoto piscou para Piper e fingiu atirar nela, usando os dedos para imitar uma arma. A menina sentada ao lado de Leo se levantou, parecendo desconfortável. Vestia uma jaqueta militar, muito parecida com a dele, e seus cabelos estavam cobertos por uma bandana vermelha.

— Estamos trabalhando nisso.

Mais murmúrios.

— Como, Nyssa? — perguntou um filho de Ares.

— Duro, muito duro — ela respondeu.

Nyssa sentou-se e seguiram-se gritos e reclamações, que fizeram a chama da fogueira ficar caótica. Quíron bateu com seu casco nas pedras da fogueira — *bang, bang, bang* — e o acampamento ficou em silêncio.

— Precisamos ser pacientes. — disse Quíron. — Por enquanto, temos coisas mais importantes a discutir.

— Percy? — alguém sugeriu. E o fogo ficou ainda mais revolto, mas Piper não precisava olhar para as chamas para sentir a ansiedade em todos.

Quíron fez um gesto em direção a Annabeth. Ela respirou fundo e levantou-se.

— Não encontrei Percy — disse ela. Sua voz falhou ao pronunciar o nome dele. — Ele não estava no Grand Canyon, como eu imaginei. Mas não vamos desistir. Temos equipes em todas as partes. Grover, Tyson, Nico, as Caçadoras de Ártemis... todos estão buscando por ele. *Vamos encontrá-lo*. Mas acho que Quíron está falando sobre outra coisa. Um novo desafio.

— É sobre a Grande Profecia, não é? — gritou uma menina.

Todos viraram os rostos. A voz veio de um grupo sentado na parte de trás, com uma bandeira rosa enfeitada com uma pomba. Estavam conversando entre eles e não prestavam muita atenção até que a sua líder se levantou. Era Drew.

Todos pareciam surpresos. Aparentemente, Drew não falava em público com muita frequência.

— Drew? — disse Annabeth. — O que você quer dizer?

— Ah, *vamos*... — disse Drew, balançando as mãos, como se a verdade fosse óbvia. — O Olimpo está fechado. Percy desapareceu. Hera aparece para você em uma visão, que volta com três novos semideuses em um só dia. Quer dizer, algo estranho está acontecendo. A Grande Profecia começou, certo?

Piper murmurou a Rachel:

— Sobre o que ela está falando? Grande Profecia?

Depois notou que todos também olhavam para Rachel.

— E aí? — perguntou Drew. — Você é o oráculo. Começou ou não?

Os olhos de Rachel pareciam assustados à luz da fogueira. Piper tinha medo de que ela começasse a dizer coisas estranhas mais uma vez, como uma deusa louca, mas Rachel deu um passo à frente, tranquila, e disse a todos:

— Sim, a Grande Profecia começou.

Um pandemônio foi desencadeado.

Piper olhou para Jason. Ele moveu os lábios, sem emitir som, perguntando: *Você está bem?* Ela fez que sim e esboçou um sorriso, depois olhou para o outro lado. Era duro vê-lo e não poder estar junto dele.

Quando o falatório finalmente cessou, Rachel deu mais um passo à frente e os mais de cinquenta semideuses afastaram-se. Como se uma mortal ruiva e magrinha fosse mais perigosa que todos eles juntos.

— Para todos que ainda não ouviram — disse Rachel —, a Grande Profecia foi minha primeira previsão. Ela ocorreu em agosto. E diz mais ou menos isto:

> "Sete meios-sangues responderão ao chamado.
> Em tempestade ou fogo, o mundo terá acabado..."

Jason se levantou. Seus olhos estavam agitados, como se tivesse acabado de sofrer uma descarga elétrica.

Até mesmo Rachel parecia assustada.

— Jason...? — ela disse. — O quê...

— *Ut cum spiritu postrema sacramentum dejuremus* — ele entoou. — *Et hostes ornamenta addent ad ianuam necem.*

Um silêncio desconfortável tomou conta do grupo. Piper via em seus rostos que vários tentavam traduzir aquelas palavras. Sabia que era latim, mas não sabia por que o seu — ela esperava — futuro namorado de repente começara a falar como um padre católico.

— Você acaba... de terminar a profecia — murmurou Rachel. — *Um juramento a manter como um alento final/ E inimigos com armas às Portas da Morte, afinal.* Como você...

— Eu conheço esses versos — disse Jason, colocando as mãos na cabeça. — Não sei como, mas *conheço* a profecia.

— Em latim, ainda por cima — disse Drew. — Lindo *e* inteligente.

Ouviram-se risinhos vindos do chalé de Afrodite. Meu Deus, pensou Piper, que bando de perdedores. Mas isso não aliviou a tensão. A fogueira emanava uma caótica e nervosa chama verde.

Jason sentou-se, parecendo estar envergonhado, mas Annabeth colocou uma das mãos no seu ombro e murmurou algo positivo. Piper sentiu uma pitada de ciúme. Quem deveria estar ao lado dele, confortando-o, era *ela*.

Rachel Dare ainda parecia um pouco perdida. Olhou para Quíron, em busca de ajuda, mas o centauro estava parado, em silêncio, como se observasse uma peça teatral que não podia ser interrompida: uma tragédia que terminaria com a morte de várias pessoas no palco.

— Bem — disse Rachel, tentando retomar a compostura. — Então, esta é a Grande Profecia. Tínhamos a esperança de que demorasse anos para se realizar, mas temo que esteja começando agora mesmo. Não posso provar nada. É apenas uma sensação. E, como disse Drew, algo estranho está começando. Os sete semideuses, sejam eles quem forem, ainda não se reuniram. Mas sinto que alguns deles estão aqui esta noite. Outros, não.

Os campistas começaram a murmurar, observando uns aos outros, nervosos, até que uma voz sonolenta no meio deles disse:

— Estou aqui! Ah... vocês estavam fazendo a chamada?

— Volte a dormir, Clovis — alguém gritou, e vários campistas riram.

— Seja como for — disse Rachel —, não sabemos o que a Grande Profecia significa. Não sabemos que tipo de desafio os semideuses enfrentarão. Porém, como a *primeira* Grande Profecia anunciou a Guerra dos Titãs, imaginamos que a *segunda* dirá respeito a algo, no mínimo, tão ruim quanto.

— Ou pior — murmurou Quíron.

Ele talvez não quisesse que os demais escutassem, mas escutaram. A fogueira ficou imediatamente púrpura, escura, da mesma cor que aparecia nos sonhos de Piper.

— O que *sabemos* — disse Rachel — é que a primeira parte já começou. Um grande problema surgiu e precisamos resolvê-lo. Hera, a rainha dos deuses, foi pega.

Um silêncio de choque tomou conta de todos. Depois os cinquenta semideuses começaram a falar ao mesmo tempo.

Quíron bateu com o casco na pedra novamente, mas Rachel teve de esperar um pouco para recuperar a atenção dos ouvintes.

Contou-lhes sobre o acidente no Grand Canyon: sobre como Gleeson Hedge sacrificou-se quando os espíritos da tempestade surgiram, avisando que aquilo seria apenas o início. Aparentemente, eles serviam a uma grande senhora que pretendia destruir todos os semideuses.

Depois Rachel contou o desmaio de Piper no chalé de Hera. Piper tentou manter uma expressão calma, mesmo notando Drew, que ao fundo do anfiteatro fingia desmaiar, enquanto seus amigos riam. Finalmente, Rachel falou sobre a visão de Jason na Casa Grande. A mensagem de Hera enviada para ele era muito parecida com a de Piper. Com uma única diferença: *Curve-se à sua vontade, e o rei dele se reerguerá, dominando todos nós*. Hera *sabia* sobre a ameaça do gigante. Porém, se o que dizia era verdade, por que avisou a Jason e expôs Piper como agente do inimigo?

— Jason — disse Rachel. — Hum... Você se lembra do seu sobrenome?

Ele parecia pensar, mas depois balançou a cabeça.

— Vamos chamá-lo apenas de Jason, então — disse Rachel. — Está claro que a própria Hera enviou um desafio para você.

Rachel hesitou, como se desse a Jason a oportunidade de virar as costas para seu destino. Os olhos de todos estavam sobre ele. Era muita pressão, Piper imaginou que não aguentaria estar em seu lugar. Mas Jason parecia bravo e determinado. Finalmente, trincou a mandíbula e assentiu:

— É verdade.

— Você deve salvar Hera e prevenir um grande mal — disse Rachel —, uma espécie de rei está se erguendo. Por motivos que ainda não entendemos, isso deve acontecer no solstício de inverno, daqui a apenas quatro dias.

— É o dia do conselho dos deuses — disse Annabeth. — Se eles *ainda* não sabem que Hera está desaparecida, notarão sua ausência nesse momento. E provavelmente começarão a brigar, acusando uns aos outros de tê-la sequestrado. É o que normalmente fazem.

— O solstício de inverno — disse Quíron — também é o momento de maior escuridão. Os deuses se reúnem nesse dia, como os mortais também sempre fizeram, porque há muita força em jogo. No dia do solstício a magia do mal ganha força. A magia *antiga*, mais antiga que os deuses. É o dia em que tudo... sai do lugar.

O tom de Quíron era absolutamente sinistro, como se ele se referisse a um crime grave, e não a algo normal.

— O.k. — disse Annabeth, olhando para o centauro. — Valeu. Seja lá o que estiver acontecendo, eu concordo com Rachel. Jason foi escolhido para liderar essa missão, então...

— Por que ele ainda não foi reclamado? — gritou um representante do chalé de Ares. — Se ele é tão importante...

— Ele já foi reclamado — disse Quíron. — Há muito tempo. Jason, mostre a eles.

Num primeiro momento, Jason não entendeu. Mas deu um passo à frente, nervoso, e Piper notou o quanto ele estava lindo com seus cabelos louros brilhando à luz da fogueira, as feições nobres como as de uma estátua romana. Olhou para Piper, e ela meneou a cabeça, encorajando-o, e fez o gesto de quem joga uma moeda para o alto.

Jason remexeu no bolso. Ele lançou uma moeda no ar e, quando a agarrou novamente, estava segurando uma lança: uma lança de ouro, de um metro de comprimento, com uma ponta afiada em um dos lados.

Os outros semideuses engoliram em seco. Rachel e Annabeth deram um passo atrás, para afastar-se da ponta, que parecia cortante como um furador de gelo.

— Mas não era... — Annabeth hesitou. — Imaginei que fosse uma espada.

— Hum, algumas vezes cresce um pouco mais, eu acho — disse Jason. — A mesma moeda, uma arma mais longa...

— Cara, eu quero uma dessas! — gritou alguém do chalé de Ares.

— É melhor que a lança elétrica de Clarisse, Lamer! — concordou um colega de seus irmãos.

— Elétrica... — murmurou Jason, pensando que seria uma boa ideia. — Afastem-se.

Annabeth e Rachel entenderam a mensagem. Jason levantou a lança e um trovão estourou no céu. Os pelos dos braços de Piper se eriçaram. O raio caiu, atingindo a fogueira com a força de um míssil de artilharia.

Quando a fumaça se dissipou e o eco nos ouvidos de Piper diminuiu de intensidade, todos no acampamento pareciam chocados, cobertos de cinzas, olhando para o local onde tudo fora incendiado. Cinzas caíam como chuva em todas as partes. Um toco em chamas havia caído bem ao lado do local onde Clovis dormia. Ele nem se mexera.

Jason baixou a arma, dizendo:

— Hum... sinto muito.

Quíron limpou as cinzas de sua barba. E deixou um som escapar da garganta, como se todos os seus medos se confirmassem.

— Foi um pouco exagerado, talvez, mas deu para entender sua mensagem. E acho que sabemos quem é o seu pai.

— Júpiter — disse Jason. — Quero dizer, Zeus. O senhor dos céus.

Piper não aguentou e sorriu. Fazia todo o sentido. O deus mais poderoso, o pai de todos os grandes heróis dos mitos antigos... ninguém mais poderia ser o pai de Jason.

Aparentemente, os outros campistas não tinham tanta certeza. O caos reinava por ali, com todo mundo fazendo perguntas, até Annabeth erguer uma das mãos.

— Calma aí! Como ele pode ser filho de Zeus? Os Três Grandes... eles fizeram um pacto de não ter filhos mortais... Como não descobrimos isso antes?

Quíron não respondeu, mas Piper notou que ele deveria saber. E que a verdade não era boa.

— O mais importante — disse Rachel — é que Jason está aqui. Ele tem um destino a cumprir, o que significa que precisará de uma profecia própria.

Ela fechou os olhos, desfalecendo. Dois campistas correram para segurá-la. Um terceiro correu a um dos lados do anfiteatro e pegou um banco de bronze de três pernas, como se tivesse sido treinado para essa tarefa. Sentaram Rachel no banco, de frente para a fogueira destruída. Com o fogo apagado, a noite era escura, mas uma fumaça verde começou a se mover nos pés de Rachel. Quando voltou a abrir os olhos, eles brilhavam, e uma fumaça em tom esmeralda saía de sua boca. A voz que saiu era rouca e antiga, mais ou menos o tipo de som que faria uma cobra, caso pudesse falar:

"Filho do relâmpago, tome cuidado no chão,
Da vingança dos gigantes os sete nascerão,
A forja e a pomba devem abrir a cela,
E liberar a morte pela raiva de Hera."

Após a última palavra, Rachel desmaiou, mas seus ajudantes estavam por perto para segurá-la. Eles a carregaram para fora do anfiteatro e a deitaram, para que descansasse.

— Isso é normal? — perguntou Piper. Depois notou que todos estavam em silêncio, e olhavam para ela. — Quero dizer... ela costuma soltar muita fumaça verde?

— Nossa, como você é burra... — disse Drew. — Ela acabou de dizer uma profecia... a profecia de Jason para que salvasse Hera! Por que você não...

— Drew — interrompeu Annabeth. —, Piper fez uma pergunta válida. Algo sobre essa profecia, *definitivamente,* não é normal. Se ao tirar Hera da prisão vamos liberar sua raiva e causar um monte de mortes... por que, então, a libertaríamos? Pode ser uma armadilha ou... talvez Hera se volte contra os que a ajudarem. Ela nunca foi gentil com heróis.

Jason se levantou.

— Não tenho muita escolha. Hera roubou minha memória e eu preciso dela de volta. Além do mais, não podemos simplesmente *não* ajudar a rainha dos céus se ela está em perigo.

Uma menina do chalé de Hefesto se levantou. Era Nyssa, a que usava a bandana vermelha na cabeça.

— Talvez. Mas deveríamos ouvir Annabeth. Hera pode ser muito vingativa. Ela atirou seu próprio filho, nosso pai, do alto de uma montanha simplesmente porque ele era feio.

— *Muito* feio — debochou alguém do chalé de Afrodite.

— Cale a boca! — gritou Nyssa. — Seja como for, também devemos pensar... por que tomar cuidado no chão? E o que é a vingança dos gigantes? O que temos de enfrentar que é poderoso o suficiente para sequestrar a rainha dos céus?

Ninguém respondeu, mas Piper notou Annabeth e Quíron trocando ideias, em silêncio. Para Piper, o que diziam era:

Annabeth: *A vingança dos gigantes... não, não pode ser.*

Quíron: *Não fale sobre isso aqui. Não os assuste.*

Annabeth: *Você está brincando comigo. Não podemos ser* tão *azarados assim.*

Quíron: *Mais tarde, querida. Caso conte tudo, eles ficarão com muito medo e não poderão seguir adiante.*

Piper sabia que era loucura pensar que conseguiria ler expressões deles tão bem, especialmente por serem duas pessoas que mal conhecia. Mas tinha absoluta certeza de que entendera o que diziam, e ficou morta de medo.

Annabeth respirou fundo.

— A missão é de Jason — ela anunciou. — Portanto, a escolha é dele. Obviamente, ele é o filho do relâmpago. De acordo com a tradição, poderá escolher dois acompanhantes.

Alguém do chalé de Hermes gritou:

— Você, claro, Annabeth. É a pessoa com mais experiência.

— Não, Travis — ela respondeu. — Para começo de conversa, *não* vou ajudar Hera. Sempre que tentei, ela me venceu ou voltou para me atazanar mais tarde. Nem pensar. Sem chance. Além do mais, eu vou partir amanhã cedo em busca de Percy.

— Tudo está conectado — soltou Piper, sem saber como conseguira reunir coragem para falar. — Você sabe disso, certo? Toda essa história, o desaparecimento do seu namorado... está tudo conectado.

— Conectado como? — perguntou Drew. — Se você é mesmo tão inteligente, por que não nos diz como?

Piper tentou formular uma resposta, mas não conseguiu.

Annabeth a ajudou:

— Você talvez tenha razão, Piper. Se isso tudo estiver conectado, eu poderei descobrir o outro lado... saindo em busca de Percy. Como já disse, não poderia ajudar Hera, mesmo que seu desaparecimento vá provocar uma nova guerra entre os olimpianos. Mas existe outra razão para que eu não vá: a profecia diz outra coisa.

— Ela diz quem *eu* devo escolher — concordou Jason. — *A forja e a pomba devem abrir a cela*. A forja é o símbolo de Vul... Hefesto.

Sob a bandeira do chalé 9, Nyssa deixou os ombros caírem, como se carregasse um grande peso.

— Se precisamos tomar cuidado com a terra — disse ela —, devemos evitar viagens terrestres. Precisamos de transporte aéreo.

Piper estava a ponto de dizer que Jason podia voar, mas logo pensou melhor. Era ele quem deveria propor isso, e não o tinha feito. Talvez imaginasse que já os assustara demais para uma noite.

— A carruagem voadora está quebrada — disse Nyssa — e os pégasos estão sendo usados na busca de Percy. Mas talvez o chalé de Hefesto possa ajudar. Com Jake machucado, sou eu a campista veterana, e posso me oferecer para a missão.

Ela não parecia entusiasmada.

No mesmo momento, Leo se levantou. Ele estivera quieto, tanto que Piper quase se esquecera de sua presença ali, o que não era típico.

— Eu — disse Leo.

Seus companheiros de chalé ficaram assustados. Tentaram fazer com que ele se sentasse, mas ele resistiu.

— Não. Deixa comigo. Tenho uma ideia para o problema de transporte. Quero ajudar, posso resolver o problema!

Jason o observou por um momento. Piper tinha certeza de que ele diria a Leo que não, mas Jason sorriu e disse:

— Entramos nessa juntos, Leo. Acho boa a ideia de que você venha comigo. Você está dentro.

— Maravilha! — disse Leo, com os punhos cerrados.

— Vai ser perigoso — avisou Nyssa. — Um caminho duro, com monstros e sofrimentos terríveis. Talvez nenhum de vocês volte com vida.

— Oh! — disse Leo, já não tão animado, mas logo lembrou-se que todos estavam olhando. — Quer dizer... ah, legal! Sofrimento? Eu adoro sofrer! Vamos lá!

Annabeth fez que sim.

— Agora, Jason, você só precisa escolher o terceiro membro da missão. A pomba...

— Ah, claro! — disse Drew, já de pé e abrindo um sorriso para Jason. — A pomba é Afrodite. Todo mundo sabe disso. Sou *completamente* sua.

Piper cerrou as mãos. Ela deu um passo à frente.

— Não.

Drew revirou os olhos.

— Ah, por favor, garota insuportável. Saia da minha frente.

— Fui *eu* que tive a visão de Hera, não você. Preciso fazer parte disso.

— Qualquer pessoa pode ter uma visão — disse Drew. — Você simplesmente estava no lugar certo, na hora certa — disse, olhando para Jason. — Olha, lutar é fácil, e pessoas que constroem coisas... — E olhou para Leo, com desdém. — Bem, acho que alguém vai ter que sujar as mãos. Mas Jason precisa de um pouco de *charme* por perto. Eu posso ser bem persuasiva. Poderia ajudar muito.

Os campistas começaram a murmurar sobre como Drew *era* persuasiva. Piper podia ver que Drew levava vantagem. Mesmo Quíron coçava a barba, como se a participação de Drew começasse a fazer sentido para ele.

— Bem... — disse Annabeth. — Segundo as palavras da profecia...

— Não! — disse Piper, com uma voz que soava estranha mesmo aos seus ouvidos... Um tom mais insistente, mais encorpado. — Sou eu quem deve ir.

E naquele momento aconteceu algo muito estranho: todos começaram a fazer que sim, murmurando que o ponto de vista de Piper também fazia sentido. Drew deu uma olhada em volta, incrédula. Mesmo seus companheiros de chalé concordavam com Piper.

— Acordem! — disse Drew a todos. — O que Piper poderá fazer?

Piper tentou responder, mas sua confiança começava a desmoronar. O que *ela* poderia oferecer? Não era uma lutadora, boa planejadora, nada. Não tinha habilidades especiais a não ser a de se meter em problemas e de vez em quando convencer as pessoas a fazer coisas estúpidas.

Além do mais, era uma mentirosa. Porém, por motivos que iam além de Jason, precisava estar naquela missão — e, caso fosse escolhida, terminaria traindo a todos por lá. Ela tinha ouvido aquela voz no seu sonho: *Faça o que for preciso, e talvez saia viva.* Como poderia fazer uma escolha daquelas... entre ajudar seu pai e ajudar Jason?

— Bem — disse Drew. — Acho que isso está resolvido.

De repente, todos olharam para Piper, como se ela tivesse acabado de explodir. Piper ficou pensando no que fizera errado. Depois notou que havia um halo avermelhado à sua volta.

— O que é isso? — ela perguntou.

Olhou para cima, mas não havia qualquer símbolo em chamas, como o que aparecera para Leo. Depois olhou para baixo e engoliu em seco.

Suas roupas... o que era aquilo que ela estava *vestindo*? Ela detestava vestidos. Não *tinha* vestidos. Mas estava usando uma linda túnica branca sem mangas, com um decote em V tão baixo que chegava a deixá-la constrangida. Em seus braços havia delicadas pulseiras de ouro. Um intricado colar de âmbar, coral e flores douradas brilhava no seu peito, e seus cabelos...

— Meu Deus — ela disse. — O que aconteceu?

Uma maravilhada Annabeth apontou para a adaga de Piper, que brilhava, e estava dependurada ao lado do corpo, presa a uma corda dourada. Piper não queria empunhá-la. Tinha medo do que aconteceria. Mas sua curiosidade ganhou. Desembainhou sua Katoptris e olhou seu reflexo no metal polido. Seus cabelos estavam perfeitos: brilhantes, longos, cor de chocolate, enfeitados com laços dourados de um lado, caindo até os ombros. Estava maquiada, embora ela nunca tivesse aprendido a se maquiar bem... toques sutis deixavam seus lábios em tom cereja e punham cores variadas em seus olhos.

Ela estava... estava...

— Linda — disse Jason. — Piper, você... você está arrasando.

Em outras circunstâncias, seria o momento mais feliz de sua vida. Mas todos a estavam olhando como se ela fosse uma louca. O rosto de Drew estampava horror e repulsa.

— Não! — ela gritou. — Isso não é possível!

— Esta não sou eu — disse Piper. — Eu... eu não entendo.

Quíron, o centauro, curvou-se à sua frente, e todos os campistas fizeram o mesmo.

— Ave, Piper McLean — disse Quíron, em tom grave, como se estivesse falando no seu funeral. — Filha de Afrodite, senhora das pombas, deusa do amor.

XI

LEO

Leo não ficou rodeando Piper após sua transformação. Claro que ela estava incrível — *E maquiada, que milagre!* —, mas para ele era complicado lidar com isso. Saiu do anfiteatro e correu pela escuridão, pensando no que se metera.

Levantara-se diante de um grupo de semideuses fortes e bravos e ofereceu-se como voluntário — *voluntário* — para uma missão da qual provavelmente sairia morto.

Ele não tinha falado nada sobre ter visto *Tía* Callida, sua antiga babá, mas quando ouviu a história sobre a visão de Jason — a senhora de vestido negro e xale — percebeu que provavelmente tratava-se da mesma mulher. *Tía* Callida era Hera. Sua babá malvada era a rainha dos deuses. E coisas assim são capazes de fundir a mente de qualquer um.

Caminhou desolado pelos bosques e tentou não pensar na sua infância, em todas as confusões que terminaram na morte de sua mãe. Mas ele não pôde evitar.

Na primeira vez que *Tía* Callida tentou matá-lo, ele devia ter dois anos. Ela tomava conta dele enquanto sua mãe estava na oficina. Não era sua tia de verdade, claro — era uma senhora da vizinhança, uma tia que ajudava a cuidar das crianças. Ela cheirava a presunto e sempre usava um vestido negro de viúva, com xale preto.

— Vou colocá-lo para tirar uma soneca — ela dissera. — Vamos ver se é mesmo o meu pequeno e corajoso herói, hein?

Leo estava dormindo. Ela o envolveu em lençóis, depois em um monte quentinho de... travesseiros amarelos e vermelhos? A cama era uma espécie de ninho na parede, feita de tijolos e com uma abertura de metal por onde, lá em cima, ele podia ver as estrelas. Ele se lembra de estar descansando confortavelmente, brincando de pegar as fagulhas, como se fossem vaga-lumes. Ele cochilou e sonhou com um barco de fogo que navegava em cinzas. Imaginou-se a bordo, cruzando o céu. Em algum lugar por perto, *Tía* Callida estava sentada em sua cadeira de balanço — *crack, crack, crack* —, entoando uma cantiga de ninar. Mesmo aos dois anos, Leo sabia a diferença entre o inglês e o espanhol, e se lembra de ter ficado confuso, pois ela não cantava em nenhuma das duas línguas.

Tudo estava bem até sua mãe voltar à casa. Ela deu um grito e correu para pegá-lo, gritando para *Tía* Callida:

— Como você foi capaz?

Mas a velha senhora desaparecera.

Leo se lembra de ter olhado por sobre os ombros da mãe, para as chamas envolvendo seus lençóis. Somente anos mais tarde entendeu que dormia em uma lareira acesa.

Mas o mais estranho é que *Tía* Callida não foi presa nem expulsa de sua casa. Voltou a aparecer várias vezes nos anos seguintes. Quando Leo tinha três anos, deixou que ele brincasse com facas.

— Você deve aprender a lidar com lâminas logo cedo — ela disse —, se quer ser o meu herói algum dia.

Leo conseguiu não morrer, mas sentiu que *Tía* Callida não teria se importado.

Quando ele tinha quatro anos, *Tía* Callida encontrou uma cascavel num pasto de vacas próximo. Deu a ele uma vara e disse que atiçasse o animal.

— Onde está sua coragem, meu pequeno herói? Mostre que as Parcas estão certas ao escolher você.

Leo encarou aqueles olhos âmbar, ouvindo o guizo da cascavel. Não era capaz de atiçá-la. Não parecia justo. Aparentemente, a cobra sentia o mesmo, sobre picar um menino tão pequeno. Leo podia jurar que ela olhava para *Tía* Callida como quem diz: *Você está louca, senhora?* Depois a cobra desapareceu no mato alto do jardim.

Na última vez que cuidou dele, Leo tinha cinco anos. Ela lhe ofereceu um pacote de giz de cera e um bloco de papel e os dois se sentaram juntos à mesa de piquenique, na parte de trás do condomínio, sob uma velha nogueira. Enquanto *Tía* Callida cantava suas músicas estranhas, Leo desenhou um barco em chamas, o mesmo que vira em seu sonho, com velas coloridas e vários remos, uma popa curva e um mastro enorme. Quando estava quase terminado, e ele estava a ponto de assinar seu nome como aprendera no jardim de infância, um vento levou o desenho embora. A folha voou em direção ao céu, desaparecendo.

Leo queria chorar. Passara muito tempo fazendo o desenho... mas *Tía* Callida não fez nada além de soltar um suspiro, desapontada.

— Ainda não é a hora, meu pequeno herói. Algum dia você terá de enfrentar sua missão. Encontrará o seu destino, e sua difícil jornada finalmente fará sentido. Mas, primeiro, terá de enfrentar muitas dores. Sinto muito, mas os heróis precisam ser moldados de alguma maneira. Agora, por que não faz uma fogueira? Aqueça esses meus ossos velhos.

Minutos depois a mãe de Leo chegou e tremeu de horror. *Tía* Callida tinha ido embora, mas ele estava sentado em meio às brasas. Os papéis tinham virado cinzas, os gizes de cera haviam derretido em uma confusão de cores e as mãos de Leo, incandescentes, queimavam lentamente a mesa de piquenique. Por anos a fio as pessoas no condomínio se perguntaram como as mãos de um menino de cinco anos haviam ficado marcadas naquela madeira dura.

Agora Leo tinha certeza de que *Tía* Callida, sua babá psicótica, na verdade sempre fora Hera. E isso fazia dela sua... avó-deusa? Sua família era mais confusa do que ele imaginava.

Ficou pensando se sua mãe sabia da verdade. Leo lembrou-se que após a última visita de *Tía* Callida sua mãe tivera uma longa conversa com ele, que só entendera parte do que ela disse.

— Ela não vai voltar. — Sua mãe tinha um lindo rosto, com olhos doces e cabelos escuros e cacheados, mas parecia mais velha do que realmente era, por conta do trabalho pesado. As linhas em volta dos seus olhos eram profundas. Suas mãos, cheias de calos. Fora a primeira pessoa da família a se formar numa universidade. Era graduada em engenharia mecânica e podia desenhar qualquer coisa, consertar qualquer coisa, construir qualquer coisa.

Mas ninguém queria contratá-la, nenhuma empresa a levava a sério, por isso, terminou naquela oficina, tentando ganhar dinheiro suficiente para sustentar eles dois. Sempre cheirava a óleo, e quando conversava com Leo misturava espanhol e inglês, como se uma língua complementasse a outra. Leo precisou de muitos anos para entender que nem todo mundo falava desse modo. Ela chegou a ensinar a ele o Código Morse, como se fosse uma brincadeira, e assim um passava mensagens ao outro, em quartos diferentes. *Eu te amo. Você está bem?* Mensagens simples como estas.

— Eu não ligo para o que Callida diz — comentou sua mãe. — Não quero saber sobre o seu destino nem sobre as Parcas. Você é muito jovem. Ainda é o meu bebê.

Ela pegou suas mãos, buscando as marcas de queimadura, mas, obviamente, não havia nenhuma.

— Leo, quero que me escute. O fogo é uma ferramenta como qualquer outra, mas é mais perigoso que a maioria. Você não conhece os seus limites. Por favor, quero que me prometa... nada mais de brincadeiras com fogo até você encontrar o seu pai. Algum dia, *mi hijo*, você *vai* encontrá-lo. E ele explicará tudo.

Leo sempre escutou isso, desde bem jovem. Algum dia encontraria o pai. Sua mãe não respondia a nenhuma pergunta sobre ele. Leo nunca o vira, nem em fotos, mas ela falava sobre seu pai como se tivesse saído para comprar leite e pudesse voltar a qualquer momento. Leo queria acreditar nela. Algum dia tudo faria sentido.

Nos anos seguintes, viveram felizes. Leo quase esqueceu-se de *Tía* Callida. Ainda sonhava com o mesmo barco voador, mas os outros acontecimentos estranhos também pareciam um sonho.

Tudo mudou quando ele tinha oito anos. Naquela época, passava todo o seu tempo livre com a mãe. Sabia como usar as máquinas. Media e fazia contas melhor que muitos adultos. Aprendeu a pensar tridimensionalmente, resolvendo problemas matemáticos de cabeça, como sua mãe fazia.

Certa noite, ficaram no trabalho até tarde, pois sua mãe estava terminando um esboço que esperava poder patentear. Se conseguisse vender o protótipo, poderiam mudar de vida. Ela finalmente poderia ter um pouco de descanso.

Enquanto ela trabalhava, Leo a ajudava entregando ferramentas, e contava piadas, tentando manter o alto-astral. Ele adorava quando conseguia fazer a mãe rir. Ela sorria e dizia:

— Seu pai estaria orgulhoso de você, *mi hijo*. Vocês vão se encontrar logo, tenho certeza.

Sua mãe trabalhava nos fundos da loja. O lugar era um pouco assustador à noite, pois eles eram as únicas pessoas por ali. Qualquer som ecoava no galpão escuro, mas Leo não se importava, desde que estivesse ao lado da mãe. Quando andava pela loja, podiam comunicar-se por Código Morse. Quando estavam prontos para ir embora, cruzavam a loja inteira em direção ao estacionamento, na parte de trás, fechando tudo.

Certa noite, já na porta do estacionamento, sua mãe notou que não estava com as chaves.

— Que estranho — disse ela. — Tenho certeza de que peguei as chaves. Espere aqui, *mi hijo*. Volto em um minuto.

E sorriu mais uma vez para ele — seria o seu último sorriso —, depois voltou ao galpão.

Assim que entrou, a porta bateu. E se trancou sozinha.

— Mãe? — chamou Leo, com o coração na boca. Algo pesado caíra no interior do armazém. Ele correu para a porta, mas ela não abria, por mais força que fizesse. — Mãe! — Desesperado, batucou uma mensagem no muro: *Você está bem?*

— Ela não vai escutar — disse uma voz.

Leo virou o corpo e encontrou uma mulher estranha.

Num primeiro momento, pensou tratar-se de *Tía* Callida. Estava envolta em roupas pretas, com um véu cobrindo o rosto.

— *Tía?*

A mulher bocejou, um som gentil, lento, como se estivesse com sono.

— Não sou sua babá. Talvez tenha alguma semelhança com a família.

— O que... o que você quer? Onde está minha mãe?

— Ah... você é leal à sua mãe. Ótimo. Mas, veja bem, eu também tenho filhos... e entendo que um dia lutará com eles. Quando tentarem me despertar, você os impedirá. Não posso permitir isso.

— Eu não a conheço. Não quero lutar com ninguém.

Ela murmurou algo, como se estivesse em transe.

— Uma escolha inteligente.

Surpreso, Leo notou que a mulher dormia de verdade. Por trás do véu, seus olhos estavam fechados. Porém, o mais estranho eram as suas roupas: não eram feitas de pano, mas sim de *terra* — terra negra seca, que a cobria, envolvendo seu corpo. Seu rosto pálido e sonolento mal podia ser visto por trás daquela cortina de pó, e ele notou, horrorizado, que ela acabara de levantar-se do túmulo. Se aquela mulher dormia, Leo não queria que acordasse. Sabia que, desperta, seria ainda mais aterrorizante.

— Ainda não posso destruí-lo — ela murmurou. — As Parcas não vão permitir isso. Mas elas não podem proteger sua mãe, e não podem evitar que eu roube o espírito dela. Lembre-se desta noite, meu pequeno herói, quando pedirem que se volte contra mim.

— Deixe minha mãe em paz! — ele gritou, com muito medo, enquanto a mulher seguia em frente. Ela se movia como uma avalanche, não como uma pessoa normal, deixando um rastro de terra para trás.

— Como vai me deter? — ela murmurou, atravessando uma mesa, fazendo com que as moléculas do seu corpo se desintegrassem e voltassem a se integrar do outro lado.

Depois curvou-se em cima de Leo. Ele sabia que também passaria por dentro de seu corpo, embora ele fosse a única barreira entre aquela mulher e sua mãe.

As mãos de Leo pegaram fogo.

Um sorriso sonolento se abriu no rosto da mulher, como se ela tivesse descoberto algo. Leo gritava, desesperado. Sua visão ficou vermelha. Chamas envolviam a mulher, as portas trancadas, as paredes. E Leo perdeu a consciência.

Quando acordou, estava numa ambulância.

O paramédico tentou ser gentil. Ela disse que o armazém pegara fogo. Que sua mãe não pudera aguentar. Que sentia muito. Mas Leo não entendia nada. Perdera o controle, embora sua mãe tivesse avisado. Ela morrera por sua culpa.

Logo veio a polícia, que não foi tão legal com ele. O fogo começou fora do armazém, disseram, onde Leo estava de pé. Ele sobrevivera por milagre, mas que espécie de criança tranca as portas do local de trabalho da mãe, sabendo que ela estava lá dentro, sendo vítima de um incêndio?

Mais tarde, vizinhos de Leo explicaram à polícia que ele era um menino estranho. Falaram sobre as marcas de fogo na mesa de piquenique. Sempre souberam que havia algo errado com o filho de Esperanza Valdez.

Seus parentes não o levaram para casa. Sua tia Rosa o chamou de *diablo* e disse às assistentes sociais que o levassem embora. Dessa forma, chegou à sua primeira família adotiva. Poucos dias depois ele fugiu. Em algumas casas ficava mais tempo que em outras. Brincava, fazia novos amigos, fingia que nada o incomodava, mas sempre terminava fugindo. Era a única coisa capaz de aliviar sua dor. Queria sentir-se em movimento, afastando-se cada vez mais das cinzas da loja da mãe.

Prometeu a si mesmo que nunca mais brincaria com fogo. Por um bom tempo não pensou em *Tía* Callida nem na mulher que dormia envolta em roupas feitas de terra.

Já estava quase nos bosques quando imaginou ouvir a voz de *Tía* Callida: *Não foi culpa sua, meu pequeno herói. Nosso inimigo está acordando. É hora de parar de fugir.*

— Hera — murmurou Leo —, você está aqui, certo? Está presa em algum lugar.

Não houve resposta.

Naquele momento, porém, Leo entendeu uma coisa: Hera o acompanhara durante toda a sua vida. De alguma maneira, sabia que um dia precisaria dele. Talvez tivesse algo a ver com as tais Parcas que ela um dia havia mencionado. Leo não tinha certeza. Mas sabia que *teria* de seguir em frente com a sua missão. A profecia de Jason dizia que deveriam ter cuidado com o chão, e Leo sabia que isso estava relacionado com a mulher que surgira na loja, dormindo, vestida em roupas de terra e pó.

Você encontrará o seu destino, prometera *Tía* Callida. *E sua jornada finalmente fará sentido.*

Leo talvez finalmente entenderia o que o tal barco em chamas do seu sonho significava. Poderia encontrar seu pai, ou talvez vingar a morte da mãe.

Mas era preciso seguir passo a passo. E ele prometera a Jason que encontraria um meio de deslocar-se pelo ar.

Mas não seria usando o barco dos seus sonhos... ainda não. Não havia tempo para construir algo tão complicado. Precisava de uma solução mais rápida. Precisava de um dragão.

Ele hesitou na entrada do bosque, antes de seguir para a escuridão absoluta. Corujas piavam alto, e ouvia-se ao longe, algo como um coro de cobras.

Lembrou-se do que Will Solace lhe dissera: ninguém deveria entrar no bosque sozinho, especialmente se não estivesse armado. Leo não tinha nada... espada, lanterna, nada que o ajudasse.

Olhou para as luzes dos chalés. Podia virar as costas e dizer a todos que estava brincando. Nyssa seguiria em frente com a missão. Ele poderia permanecer no acampamento e aprender a fazer parte do chalé de Hefesto, mas ficou pensando em quanto tempo precisaria para transformar-se em um de seus companheiros... um menino triste, rejeitado, convencido de sua falta de sorte.

Elas não podem evitar que eu roube o espírito de sua mãe, dissera a mulher que dormia. *Lembre-se desta noite, meu pequeno herói, quando pedirem que se volte contra mim.*

— Acredite em mim, senhora — ele murmurou —, eu não me esqueci. E, seja lá quem você for, vou encará-la com toda a força, ao estilo Leo.

Respirou fundo e entrou no bosque.

XII

LEO

O BOSQUE NÃO SE PARECIA com nenhum lugar onde ele já tivesse estado. Leo fora criado em um condomínio de apartamentos ao norte de Houston. As coisas mais selvagens que vira na vida haviam sido uma cascavel no pasto de vacas e sua tia Rosa vestindo camisola, antes de ele ser enviado à Escola da Vida Selvagem.

Mesmo assim, a escola ficava no meio do deserto. Não havia árvores com galhos frondosos para escalar. Não havia rios onde mergulhar. Nada de sombras assustadoras, nada de corujas que o observavam com olhos profundos. Aquilo era um verdadeiro terror.

Ele caminhou até ter certeza de que ninguém dos chalés o veria. Depois, produziu fogo. Chamas dançavam entre os seus dedos, reunindo luz suficiente para que pudesse ver alguma coisa. Não tentava fazer aquilo desde os cinco anos, naquela mesa de piquenique. Desde que sua mãe morrera, ele ficava com medo de tentar qualquer coisa. Mesmo aquela pequena chama o fazia sentir-se culpado.

Continuou caminhando, buscando pistas do dragão: pegadas gigantes, árvores derrubadas, trechos de floresta queimada. Afinal, algo tão grande não poderia andar por ali sem causar tais estragos, certo? Mas ele não via *nada*. Chegou a entrever uma forma corpulenta e peluda, como um lobo ou urso, mas o animal se afastou do seu fogo, o que era uma vantagem.

Depois, no centro de uma clareira, encontrou uma armadilha: uma cratera de trinta metros de circunferência, rodeada de pedregulhos.

Leo teve que admitir que era bem interessante. No centro do buraco havia um barril de metal do tamanho de um ofurô cheio de um líquido escuro borbulhante: molho de tabasco e óleo de motor. Em um pedestal suspenso na cratera um ventilador girava, espalhando o cheiro do líquido pelo bosque. Dragões de metal eram capazes de sentir cheiros?

O barril não parecia estar sendo vigiado. Mas Leo olhou mais de perto e, sob a luz tímida das estrelas e do fogo de sua mão, pôde ver uma tela de metal encoberta por uma camada de sujeira e folhas. Era uma rede de bronze que cobria toda a abertura. *Ver* talvez não seja a palavra correta... ele sentia como se tal mecanismo emanasse uma onda de calor, revelando-se. Seis grossas tiras de bronze saíam da cratera, como aros de uma roda. Deveriam ser sensíveis à pressão, pensou Leo. Logo que o dragão pusesse o pé ali, a rede se fecharia, e *voilà*, um monstro embrulhado para presente.

Leo aproximou-se. Colocou o pé sobre a tira mais grossa. Como tinha pensado, nada aconteceu. Deveria estar preparado para algo bem mais pesado. Caso contrário, acabaria prendendo uma pessoa ou qualquer animal ou monstro menor. E ele duvidava que houvesse algo tão pesado quanto um dragão de metal naquele bosque. Pelo menos, esperava que não.

Desceu pela cratera e aproximou-se do barril com o líquido. A fumaça era enlouquecedora e seus olhos começaram a arder. Lembrou-se de uma vez em que *Tía* Callida (Hera, ou seja lá como se chamasse) o obrigou a cortar *jalapeños* na cozinha e a pimenta espirrara em seus olhos. Doera demais. Mas ela, claro, sempre dizia: "Aguente, meu pequeno herói. Os astecas da terra natal de sua mãe costumavam punir as crianças rebeldes segurando-os sobre uma fogueira repleta de pimentas. Dessa forma criaram muitos heróis."

Que louca, essa mulher. Leo estava feliz por sua missão de resgatá-la.

Tía Callida adoraria o cheiro que emanava da cratera, pois era pior que o *jalapeño*. Leo buscou um galho, algo que pudesse desarmar a armadilha. Não encontrou nada.

Leo teve um momento de pânico. Nyssa lhe contara que havia muitas dessas armadilhas espalhadas pelo bosque, e que eles estavam planejando colocar outras.

O que aconteceria se o dragão já tivesse caído em uma das armadilhas? Como Leo poderia encontrar todas elas?

Ele continuou sua busca, mas não encontrava uma forma de desarmar aquilo. Nenhum botão escrito "DESLIGA". Pensou que talvez não existisse tal botão. E começou a se desesperar... até ouvir um barulho.

Na verdade, era mais como um tremor... o tipo de som que ouvimos na garganta, não nos ouvidos. Ele ficou muito nervoso, mas não olhou para ver o que era. Continuou examinando a armadilha, pensando: *Ele deve estar longe, abrindo caminho pelo bosque. Tenho de agir rápido.*

Depois ouviu um bufo bem alto, como se um vapor tentasse ultrapassar a barreira de metal.

Sentiu um nó na garganta e, lentamente, virou o corpo. Na margem da cratera, a quinze metros de distância, dois olhos vermelhos brilhantes o observavam. A criatura brilhava sob a luz da lua, e Leo não acreditava que algo tão grande tivesse se movido tão rápido. Era tarde demais, pensou, com os olhos fixos no fogo que tinha nas mãos, e apagou as chamas.

Mesmo com o fogo apagado, ainda podia ver bem o dragão. Tinha mais ou menos dezoito metros de comprimento, do focinho à cauda, e seu corpo era feito de placas de bronze interligadas. Suas presas eram do tamanho de cutelos de açougueiro e sua boca se abria revelando centenas de dentes de metal, parecidos com adagas afiadíssimas. Poderia parti-lo em dois facilmente, ou esmagá-lo em um segundo. Era a coisa mais linda que já vira, exceto por um problema que arruinava por completo os planos de Leo.

— Você não tem asas — ele disse.

O dragão ficou em silêncio, mas para Leo era como se lhe dissesse: *Por que você não saiu correndo, morrendo de medo?*

— Olha, eu não quis ofender — disse Leo. — Você é incrível! Meu deus, quem *construiu* você? Você é movido a força hidráulica ou energia nuclear? Se eu o tivesse feito, teria posto asas em você. Que espécie de dragão não tem asas? Talvez você seja pesado demais para voar. Eu devia ter pensado nisso.

O dragão bufou, estava ainda mais confuso. Deveria correr atrás de Leo. Aquela conversa não fazia parte do plano. Porém, quando deu um passo à frente, Leo gritou:

— Não!

O dragão bufou mais uma vez.

— Isto é uma armadilha, cérebro de bronze! Eles querem pegar você.

O dragão abriu a boca e lançou fogo. Uma coluna de chamas brancas e quentes foi na direção Leo, muito maior do que ele podia pensar em suportar. Ele se sentia sendo atingido por uma enorme mangueira de fogo. Pinicava um pouco, mas ele nem se mexeu. Quando as chamas pararam, ele estava muito bem. Mesmo suas roupas estavam em perfeito estado. Leo não entendeu como isso tinha acontecido, mas ficou feliz mesmo assim. Gostava daquela jaqueta militar, e ter as calças queimadas seria bem constrangedor.

O dragão ficou olhando para Leo. Seu rosto não se alterou, pois era feito de metal, mas Leo pôde ler uma expressão que parecia perguntar: *Como você não virou churrasco?* Depois viu uma fagulha sair do seu pescoço, como se o dragão estivesse a ponto de sofrer um curto-circuito.

— Você não pode me queimar — disse Leo, tentando ficar calmo. Ele nunca tivera um bichinho de estimação, mas conversava com o dragão como se fosse um cachorrinho. — Quieto, menino. Não se aproxime mais. Não quero que você caia nesta armadilha. Eles acham que você está estragado, que precisa ser destruído. Mas eu não acredito nisso. Posso consertá-lo, se você deixar...

O dragão rangeu os dentes, rugiu, e atacou. A armadilha foi acionada, e o piso da cratera fez um barulho como se mil lixeiras se abrissem de uma vez. A poeira e as folhas voaram, a rede de metal reluziu. Leo tropeçou, caiu de cabeça para baixo e ficou sujo de gotas de tabasco e óleo. Estava encurralado entre o líquido asqueroso e o dragão, tentando livrar-se da rede que prendia eles dois.

O dragão lançava chamas em todas as direções, iluminando o céu e incendiando as árvores. O óleo e o molho queimavam ao redor deles. Leo não se machucou, mas ficou com um gosto ruim na boca.

— Chega! — gritou.

O dragão continuava a cuspir fogo. Leo notou que cairia na armadilha caso não se movesse. Não era fácil, mas ele conseguiu escapar da armadilha e do dragão caminhando pela rede. Felizmente, as tiras eram grossas o suficiente para aguentar um menino magro.

Correu em direção à cabeça do dragão, que tentou pisoteá-lo, lançando fogo mais uma vez, mas parecia estar perdendo força. As chamas ganhavam um tom laranja, e se extinguiam antes de chegar ao rosto de Leo.

— Ouça, cara — disse Leo —, assim todo mundo vai saber onde você está. Eles virão até aqui e irão derramar ácido em você. É o que você quer?

O dragão fez um barulho com a mandíbula, como se tentasse falar.

— Certo — disse Leo. — Você precisa confiar em mim.

E Leo pôs mãos à obra.

Ele demorou quase uma hora para encontrar o painel de controle. Estava bem atrás da cabeça do dragão, o que fazia sentido. Resolveu manter o monstro de metal em cima da rede, pois seria mais fácil trabalhar com ele assim, assustado, mas o dragão não gostou.

— Fique quieto! — repreendeu Leo.

O dragão soltou mais um rangido, que parecia um choramingo.

Leo examinava os fios em sua cabeça. Ele foi interrompido por um som vindo do bosque, mas era só um espírito das árvores — uma dríade, Leo achava que era esse o nome — apagando as chamas de alguns galhos. Felizmente, o dragão não tinha queimado todo o bosque, mas mesmo assim a dríade não parecia muito contente. Seu vestido estava fumegando. Ela apagava as chamas com um lençol de seda, e quando notou que Leo a observava fez um gesto que deveria ser algo bem ofensivo. Depois desapareceu em uma névoa verde.

Leo voltou sua atenção para os cabos. Era um sistema engenhoso, definitivamente, e, para ele, fazia sentido. Era o controle motor de retransmissão. Um processo que começava nos olhos. Esse disco...

— Ah — disse. — Bem, já imaginava.

— *Creak?* —, perguntou o dragão, fazendo barulho com a mandíbula.

— Seu disco de controle está corroído. Isso, provavelmente, regula os círculos de raciocínio superiores, certo? Cérebro enferrujado, cara. Não me admira que esteja um pouco... confuso. — Quase disse *louco*, mas se segurou. — Seria ótimo se eu tivesse um disco sobressalente, mas... Essa peça de circuito é complicada. Vou ter que retirar tudo e limpar. Só vai levar um minuto.

E tirou o disco, deixando o dragão completamente parado. O brilho dos olhos do animal desapareceu. Leo desceu das costas do dragão e começou a polir o disco. Molhou a manga da camisa em um pouco de óleo e tabasco, que ajudava a remover a sujeira, mas, quanto mais limpava, mais ficava preocupado. Alguns circuitos não poderiam ser recuperados. Faria o melhor, mas não seria perfeito. Para isso, precisaria de um disco completamente novo, e não tinha ideia de como construir algo assim.

Tentou trabalhar rapidamente. Não sabia por quanto tempo o disco de controle do dragão poderia ficar desligado sem causar maiores danos, talvez irreparáveis, e não queria correr riscos. Quando tinha feito o melhor trabalho possível, voltou às costas do dragão e começou a limpar os fios e as caixas, sujando-se todo no processo.

— Mãos limpas, equipamento sujo — ele murmurou, como sua mãe costumava dizer. Quando terminou, suas mãos estavam sujas de graxa e suas roupas pareciam saídas de uma luta no barro, mas os mecanismos tinham uma aparência bem melhor. Recolocou o disco, conectou o último fio e fagulhas saíram da máquina. O dragão tremeu. Seus olhos voltaram a brilhar.

— Está se sentindo melhor? — perguntou Leo.

O dragão fez um som como se fosse uma furadeira em alta velocidade. Abriu a boca e todos os seus dentes giraram.

— Acho que isso é um *sim*. Aguente firme, vou soltar você.

Demorou mais meia hora para encontrar os pontos vulneráveis da teia e libertar o dragão, que finalmente se levantou e cortou com uma mordida o último fio da rede. O animal soltou um rugido de triunfo e lançou fogo aos céus.

— Falando sério. Será que você é mesmo incapaz de um pouco de discrição?

— *Creak?* — perguntou o dragão.

— Você precisa de um nome. Vou chamá-lo de Festus.

O dragão fez um barulho com os dentes e sorriu. Ou pelo menos Leo imaginou que fosse um sorriso.

— Legal — disse Leo. — Mas ainda temos um problema, pois você não tem asas.

Festus balançou a cabeça e fumegou. Depois baixou as costas, num movimento inconfundível: queria que Leo montasse nele.

— Para onde vamos? — perguntou Leo, embora estivesse muito agitado para esperar por uma resposta. Subiu no dragão e Festus saiu correndo pelo bosque.

Leo perdeu totalmente a noção de tempo e o senso de direção. Parecia impossível que o bosque fosse tão grande e selvagem, mas o dragão seguiu para uma área onde as árvores eram altas como arranha-céus, com copas que encobriam a luz das estrelas. Nem mesmo o fogo nas mãos de Leo era suficiente para iluminar aquele local, mas os olhos vermelhos e brilhantes do dragão davam conta do trabalho, funcionando como faróis.

Finalmente, cruzaram um riacho e chegaram a um caminho sem saída, uma colina de calcário de trinta metros de altura, uma massa sólida que o dragão não poderia escalar.

Festus parou na base da colina e levantou uma perna, como um cachorro apontando uma direção.

— O que é isso? — perguntou Leo, descendo das suas costas. Ele se aproximou da colina: não havia nada além de rocha sólida. O dragão continuava apontando.

— Isso não vai se mover sozinho — disse Leo.

O fio solto no pescoço do dragão soltou uma faísca, mas ele continuou parado. Leo colocou as mãos na colina. De repente seus dedos começaram a arder em fogo lento. Linhas de fogo subiam pelas pontas de seus dedos como rastros de pólvora, serpenteando seus contornos. As linhas de fogo percorreram a parede da colina, desenhando uma porta vermelha brilhante duas vezes mais alta que ele. Leo afastou-se e a porta se abriu, de uma forma incrivelmente silenciosa, já que se tratava de um pedaço de pedra.

— Balanceamento perfeito... — ele murmurou. — Isso é o que chamo engenharia de primeira qualidade.

O dragão voltou a se mexer e marchou para dentro, como se estivesse voltando para casa.

Leo entrou e a porta começou a se fechar. Sentiu um momento de pânico, lembrando-se da noite em que ficara preso na oficina da loja, anos antes. E se ficasse preso ali? Mas luzes se acenderam — eram uma combinação de fluorescentes elétricas e tochas presas às paredes. Quando Leo viu a caverna, esqueceu-se de todo o resto.

— Festus — murmurou. — Que lugar é *este*?

O dragão ficou parado no centro da sala, deixando seus rastros no chão poeirento. Estava em cima de uma grande plataforma circular.

A caverna tinha o tamanho de um hangar de avião, com várias mesas de trabalho e caixas de armazenagem, além de escadas que levavam a plataformas superiores. Havia equipamentos por todos os lados: elevadores hidráulicos, soldadoras, pistolas de ar, empilhadeiras, além de uma coisa que parecia suspeita, como se fosse uma câmara de reator nuclear. Quadros de avisos cobertos de papéis com inscrições apagadas. E armas, armaduras e escudos — artefatos de guerra por todo lado, muitos deles inacabados.

Pendendo de correntes sobre a plataforma onde estava o dragão havia uma bandeira com um desenho apagado, que mal podia ser lido. As letras eram gregas, mas Leo conseguiu entender o que dizia: BUNKER 9.

Teria algo a ver com o nove do chalé de Hefesto, ou significava que existiam outras oito cavernas como aquela? Leo olhou para Festus, ainda sobre a plataforma, e imaginou que o dragão estava contente, pois aquela *era* sua casa. Provavelmente, fora construído ali.

— Os outros meninos sabem...?

A pergunta de Leo morreu pela metade. Claramente, aquele local fora abandonado havia décadas. Camadas de poeira cobriam tudo. O chão não tinha qualquer marca além das deixadas por eles dois. Eram os primeiros a entrar naquele *bunker* desde... muito tempo. O bunker 9 fora abandonado com muitos projetos inacabados em suas mesas. Trancado e esquecido, mas por quê?

Leo olhou para um mapa na parede. Era um mapa de campos de batalha do acampamento, mas o papel estava velho, amarelado. Num canto, uma data: 1864.

— Não pode ser — ele murmurou.

Depois ficou observando uma marca num quadro de avisos próximo e seu coração quase saltou pela boca. Correu à mesa de trabalho e viu um desenho que mal podia ser reconhecido: era um barco grego, de vários ângulos diferentes. Letras muito apagadas na parte de baixo diziam: PROFECIA? IMPRECISO. VOA?

Era o mesmo barco que vira em seus sonhos — o barco voador. Alguém havia tentado construí-lo ali, ou pelo menos tinha esboçado a ideia. Mas o projeto fora abandonado, esquecido... era uma profecia ainda a ser cumprida. E o mais estranho de tudo: a proa do navio era exatamente igual àquela desenhada por Leo aos cinco anos de idade: a cabeça de um dragão.

— Parece com você, Festus — ele murmurou. — Isso é muito esquisito.

Sentiu-se mal ao ver aquele mastro, mas a mente de Leo estava lotada de várias outras perguntas havia muito tempo. Tocou o desenho, esperando que pudesse levá-lo para estudar os detalhes, mas o papel se rasgou, e resolveu deixá-lo por ali. Buscou outras pistas. Nada de barcos. Nenhuma peça que parecesse pertencer àquele projeto, mas havia muitas portas e salas de armazenagem a serem exploradas.

Festus fez um barulho, como se quisesse atrair a atenção de Leo, lembrar-lhe que não teriam toda a noite para ficar por ali. O que era verdade. Leo pensou que o dia logo amanheceria, e ele estava completamente perdido. Salvara o dragão, mas isso não ajudaria em nada a sua missão. Precisava de algo que pudesse voar.

Festus apontou para algo à sua frente, um cinto de ferramentas de couro que fora deixado ao lado de sua plataforma. Depois o dragão virou os olhos brilhantes e iluminou o teto. Leo olhou para cima, para onde os olhos do dragão apontavam, e engoliu em seco ao reconhecer as formas dependuradas na escuridão.

— Festus — ele disse, quase sem voz. — Temos muito trabalho pela frente.

XIII

JASON

JASON SONHOU COM LOBOS.

Ele estava de pé em uma clareira, no meio de uma floresta de sequoias. À sua frente, as ruínas de uma mansão de pedra. Nuvens cinzentas e baixas misturavam-se à neblina, e havia uma chuva fria e fina no ar. Um bando de animais ferozes e cinzentos o cercava, arranhando suas pernas, rosnando e mostrando os dentes. Eles, suavemente, conduziam Jason em direção às ruínas.

Jason não tinha a intenção de se transformar no maior biscoito de cachorro do mundo, por isso decidiu fazer o que eles queriam.

O chão molhado chapinhava sob suas botas enquanto ele caminhava. Chaminés de pedras, que não eram mais ligadas a nenhuma outra estrutura, erguiam-se como totens. A casa devia ter sido enorme, com vários andares e paredes altíssimas feitas de toras de madeira, além de um gigantesco telhado triangular, mas nada restava além do seu esqueleto de pedra. Jason passou pelo vão de uma porta aos pedaços e entrou em uma espécie de pátio.

À sua frente, encontrou uma piscina vazia, longa e retangular. Era impossível calcular sua profundidade, pois estava coberta de névoa. Um caminho sujo circulava a piscina, e do outro lado estavam as paredes destruídas da casa. Havia lobos se movimentando sob as arcadas de pedra vulcânica.

Na extremidade da piscina estava sentada uma grande loba, vários centímetros mais alta que Jason. Seus olhos brilhavam como prata incandescente na neblina e sua pele tinha a mesma cor de chocolate avermelhado das pedras.

— Eu conheço este lugar — disse Jason.

A loba olhou para ele. Não falou nada, mas Jason a entendia. Os movimentos de suas orelhas e bigodes, o modo de piscar, a forma como ela curvava os lábios — tudo era parte de sua linguagem.

Claro, disse a loba. *Você começou sua jornada aqui, ainda filhote. Agora deve encontrar seu caminho de volta. Um novo desafio, um novo começo.*

— Isso não é justo — disse Jason. Mas assim que terminou de falar notou que não havia qualquer motivo para reclamar com a loba.

Os lobos não sentem compaixão, nunca esperam justiça. Ela disse: *Conquistar ou morrer. Esse é sempre o nosso caminho.*

Jason queria protestar, dizer que não seria capaz de conquistar nada antes de saber quem era ou para onde deveria ir. Mas conhecia aquela loba. Seu nome era Lupa, a loba-mãe, a maior de sua espécie. Há muito tempo ela o encontrara naquele mesmo lugar, o protegera, o alimentara, o *escolhera*, mas caso Jason demonstrasse fraqueza, ela o destruiria. Em vez de ser o seu filhote, ele seria o seu jantar. No mundo dos lobos, a fraqueza não é uma opção.

— Você pode me guiar? — perguntou Jason.

Lupa fez um barulho no fundo de sua garganta e a névoa da piscina desapareceu.

No primeiro momento, Jason não sabia muito bem o que estava vendo. Nas extremidades opostas da piscina duas torres escuras em formato espiral afloravam do piso de cimento, como se fossem as pontas de uma máquina de escavar túneis saindo à superfície. Jason não sabia se eram feitas de pedra ou de vinhas petrificadas, mas formavam grossos tentáculos que se uniam em uma ponta. Cada torre tinha mais ou menos um metro e meio de altura, mas elas não eram idênticas. A que estava mais perto de Jason era mais escura e parecia uma massa sólida, com seus tentáculos bem unidos. Enquanto ele observava, a torre subiu um pouco mais à superfície, ficando mais grossa.

Na outra ponta da piscina, onde estava Lupa, os tentáculos da segunda torre eram mais abertos, como se fossem barras de uma cela. Lá dentro Jason pôde ver uma figura enevoada, lutando.

— Hera — disse Jason.

A loba rosnou, concordando. Os outros lobos rodearam a piscina, com os pelos eriçados ao olharem as torres.

O inimigo escolheu este local para despertar seu filho mais poderoso, o rei gigante, disse Lupa. *É o nosso lugar sagrado, onde os semideuses são reclamados... um lugar de vida ou morte. A casa queimada. A casa do lobo. Isso é abominável. Você precisa detê-la.*

— Detê-la? — perguntou Jason, confuso. — Você quer dizer deter Hera?

A loba rangeu os dentes, impaciente.

Use os seus sentidos, filhote. Eu não me importo com Juno, mas caso ela caia, nosso inimigo despertará. E isso será o fim para todos nós. Você conhece este lugar. Pode voltar a encontrá-lo. Limpe nossa casa. Dê um basta a tudo isso antes que seja tarde demais.

A torre mais escura ficou ainda mais grossa, como se fosse o bulbo de uma flor horrível. Jason sentiu que, caso aquilo se abrisse, liberaria algo que ele *não* queria encontrar.

— Quem sou eu? — perguntou à loba. — Pelo menos me responda isso.

Os lobos não têm muito senso de humor, mas Jason notou que a pergunta divertiu Lupa, como se ele fosse apenas um filhotinho mostrando as garras, fingindo ser um macho de verdade.

Você é nossa graça, nosso salvador, como sempre. Não falhe, filho de Júpiter.

XIV

JASON

JASON ACORDOU COM O SOM de um trovão. Depois lembrou-se de onde estava. Sempre havia trovões no chalé 1.

Acima de sua pequena cama dobrável o teto em forma de domo estava decorado com um mosaico azul e branco como um céu nublado. As nuvens cruzavam o teto, com matizes que iam do branco ao preto. Trovões soavam no quarto e revestimentos dourados e finos iluminavam-no como se fossem raios.

Exceto pela cama que os outros campistas haviam emprestado, o chalé não tinha móveis normais — nada de cadeiras, mesas ou guarda-roupas. Pelo que Jason podia ver, não tinha nem banheiro. As paredes tinham nichos, cada um deles com um braseiro de bronze ou uma estátua de uma águia dourada em um pedestal de mármore. No centro do chalé, uma estátua colorida de seis metros de altura, representando Zeus em vestimentas gregas clássicas, com um escudo ao lado e um bastão relampejante no ar, pronto para acabar com alguém.

Jason observou a estátua, procurando ter alguma coisa em comum com o Senhor do Céu. Cabelos pretos? Não. Expressão rabugenta? Talvez. Barba? Não, obrigado. Vestindo túnica e sandálias, Zeus parecia um hippie nervoso e cheio de músculos.

Sim, aquele era o chalé 1. Uma grande honra, como lhe disseram os demais campistas. Claro... para quem gosta de dormir sozinho num templo frio, com um Zeus hippie encarando você durante toda a noite.

Jason se levantou e coçou a nuca. Seu corpo doía da noite maldormida e dos trovões ininterruptos. O pequeno truque da noite anterior não fora tão simples como ele fingira. Na verdade, quase o fizera desmaiar.

Próximo à cama encontrou novas roupas postas ali para ele: jeans, tênis e uma camiseta laranja do Acampamento Meio-Sangue. Ele precisava trocar de roupa, definitivamente. Mas ao olhar para sua velha camiseta roxa, relutou em tirá-la. De alguma maneira, não parecia certo vestir o uniforme do acampamento. Ainda não se sentia parte daquele lugar, mesmo após tudo o que lhe haviam dito.

Pensou no seu sonho, esperando lembrar-se de mais coisas sobre Lupa ou sobre a casa em ruínas na floresta de sequoias. Sabia que já havia estado naquele lugar antes. A loba era real. Mas sua cabeça doeu quando tentou se lembrar. A tatuagem no seu antebraço ardia.

Se pudesse encontrar as ruínas, encontraria o seu passado. Seja lá o que estivesse crescendo naquela torre espiral de pedra, Jason precisava detê-lo.

Olhou para o Zeus hippie e disse:

— Sua ajuda será bem-vinda.

Mas a estátua não disse nada.

— Obrigado, papai — murmurou Jason.

Trocou de roupa e observou seu reflexo no escudo de Zeus. Seu rosto parecia úmido e estranho refletido no metal, como se estivesse dissolvido em uma piscina de ouro. Definitivamente, ele não estava tão bonito quanto Piper estivera na noite anterior, após aquela transformação repentina.

Jason ainda não sabia muito bem o que pensar. Agira como um idiota ao dizer, na frente de todos, que ela estava linda. Não que houvesse alguma coisa errada com ela *antes*. Claro, ela ficou maravilhosa depois da transformação de Afrodite, mas não parecia a mesma pessoa, e não parecia confortável atraindo toda aquela atenção.

Jason sentiu-se mal por Piper. Talvez fosse uma bobagem, considerando que ela acabara de ser reclamada como filha por uma deusa e fora transformada na menina mais linda do acampamento. Todos ficaram babando por ela, dizendo como ela estava incrível, e como era óbvio que era *ela* quem deveria ir na missão... mas tanta atenção não tinha nada a ver com quem ela realmente era. Novo vestido, nova maquiagem, uma aura rosa brilhante e *bum*: de um momento para o outro as pessoas começaram a gostar dela. Jason parecia entender tudo aquilo.

Na noite anterior, quando invocou o raio, a reação dos campistas foi parecida. De certa maneira, era como se já estivesse lidando com aquilo há muito tempo. As pessoas olhavam para ele admiradas porque era filho de Zeus, o tratavam de forma especial, mas isso não tinha nada a ver com *ele*. Ninguém ligava para *ele*, só para o pai enorme e assustador atrás dele, segurando o raio-mestre como quem diz: *Respeitem este menino ou terão de engolir muita eletricidade!*

Após a fogueira, quando todos começaram a voltar aos seus chalés, Jason foi até Piper e pediu, formalmente, que o acompanhasse naquela missão.

Ela, que permanecia em estado de choque, fez que sim, esfregando os braços, que deviam estar arrepiados de frio naquele vestido sem manga.

— Afrodite levou meu casaco de *snowboard* — ela murmurou. — Fui roubada pela minha própria mãe.

Na primeira fila do anfiteatro Jason encontrou um cobertor e passou-o pelos ombros de Piper.

— Vamos conseguir um casaco novo para você — ele prometeu.

Ela abriu um sorriso. Jason quis abraçá-la, mas se conteve. Não queria que Piper pensasse que ele era tão superficial quanto os demais, tentando se aproximar simplesmente porque ela havia ficado tão bonita.

Estava feliz porque teria Piper ao seu lado na missão. Jason tentara parecer corajoso durante a fogueira, mas não passara disso: *fingimento*. A ideia de lutar contra uma força poderosa o bastante para sequestrar Hera o assustava demais, especialmente por não saber nada sobre o seu próprio passado. Precisava de ajuda, e achou que seria correto ter Piper ao seu lado. Mas as coisas já estavam complicadas mesmo antes de saber o quanto gostava dela e por quê. Jason já deixara essa menina muito confusa antes.

Ele calçou seus novos sapatos e preparou-se para sair daquele chalé frio e solitário. Até reparar em algo que não notara na noite anterior. Um dos braseiros havia sido retirado de seu lugar, criando um novo nicho, com um saco de dormir, uma mochila e algumas fotos na parede.

Jason se aproximou. Quem quer que dormisse ali, estava fora havia muito tempo. O nicho cheirava a mofo e a mochila estava coberta por uma fina camada de poeira. Algumas das fotos que haviam sido presas à parede tinham perdido a cola e caído no chão.

Uma das fotos era de Annabeth — mais jovem, talvez aos oito anos de idade, mas Jason tinha certeza de que era ela: os mesmos cabelos louros e os mesmos olhos cinzentos, distraídos, como se pensasse em um milhão de coisas ao mesmo tempo. Estava de pé ao lado de um menino de cabelos claros, de quatorze ou quinze anos, com um sorriso malicioso e uma armadura de couro gasta sobre a camiseta. Ele apontava para um caminho atrás deles, como se dissesse ao fotógrafo: *Vamos encontrar algumas coisas nesse beco escuro e matá-las!* Uma segunda foto mostrava Annabeth e o mesmo menino sentados próximo à fogueira, rindo histericamente.

Finalmente, Jason pegou uma das fotos que caíra no chão. Era uma sequência de fotos do tipo que se tira em cabines automáticas: Annabeth e o mesmo menino de cabelos claros, mas com uma menina entre eles. Devia ter quinze anos, com cabelos pretos — repicados como os de Piper —, vestindo jaqueta de couro também preta e joias de prata. Parecia meio gótica, mas fora pega com um certo sorriso nos lábios, e estava claro que era a melhor amiga deles dois.

— Essa é Thalia — alguém disse.

Jason se virou.

Annabeth estava olhando para as fotos, por cima do seu ombro. Sua expressão era triste, como se a foto evocasse memórias difíceis.

— Ela era a outra filha de Zeus que viveu aqui... mas não por muito tempo. Sinto muito, eu devia ter batido antes de entrar.

— Tudo bem — disse Jason. — Não encaro este lugar como a minha casa.

Annabeth estava vestida para viajar, com um casaco de inverno sobre as roupas do acampamento, sua faca presa no cinto e uma mochila nas costas.

— Não mudou de ideia sobre vir conosco? — ele perguntou.

Ela fez que não.

— Você já tem uma boa equipe. Vou procurar Percy.

Jason ficou um pouco desapontado. Ele adoraria ter alguém que soubesse o que estava fazendo durante a viagem, pois assim não teria a sensação de estar levando Piper e Leo em direção a um precipício.

— Vocês vão ficar bem — disse Annabeth. — Alguma coisa me diz que essa não é a sua primeira missão.

Jason tinha uma vaga impressão de que ela estava certa, mas nem assim sentiu-se melhor. Todos pareciam pensar que ele era corajoso e confiante, mas ninguém notava o quanto ele se sentia perdido. Como poderiam confiar numa pessoa que nem ao menos sabia quem era?

Olhou para as fotos de Annabeth sorrindo. Ele imaginou há quanto tempo ela não sorria. Devia gostar muito do tal Percy para procurar tanto por ele, e isso deixou Jason com um pouco de inveja. Será que, naquele momento, alguém procurava *por ele*? E se alguém estivesse morrendo de tristeza por seu desaparecimento quando ele era incapaz de lembrar-se de sua antiga vida?

— Você sabe quem eu sou — ele disse —, não sabe?

Annabeth segurou sua faca. Buscou uma cadeira para se sentar, mas claro que não havia nenhuma por ali.

— Honestamente, Jason... eu não tenho certeza. Mas poderia apostar que você é uma pessoa solitária. Isso acontece algumas vezes. Por alguma razão, o pessoal do acampamento não o encontrou antes, mas você sobreviveu mudando constantemente de lugar. Preparando-se sozinho para as lutas. Enfrentando os monstros sozinho. Você passou pelos desafios.

— Foi a primeira coisa que Quíron me disse — ele se lembrou: — *Você devia estar morto*.

— Talvez seja por isso — disse Annabeth. — A maior parte dos semideuses não seria capaz de sobreviver sozinha. E um filho de Zeus... quer dizer, não há nada mais perigoso que isso. As chances de chegar aos quinze anos sem encontrar o Acampamento Meio-Sangue ou morrer... são ínfimas. Mas, como eu já disse, esse tipo de coisa acontece. Thalia fugiu de casa muito jovem. Sobreviveu sozinha por anos. Chegou a tomar conta de mim por algum tempo. Talvez você também seja um solitário.

— E estas marcas? — ele perguntou, esticando os braços.

Annabeth olhou para as tatuagens. E ficou claramente confusa.

— Bem, a águia é o símbolo de Zeus, o que faz sentido. As doze linhas... talvez contem os anos, como se você marcasse sua idade desde os três anos. SPQR... esse é o lema do Império Romano: *Senatus Populusque Romanus*, ou seja, o Senado e o Povo de Roma. Agora, por que você fez isso na própria pele, eu não sei. A menos que tenha tido uma professora de latim *bem* severa...

Jason tinha certeza de que não era esse o motivo. Tampouco parecia possível que ele estivesse sozinho durante toda a vida. Mas, sinceramente, alguma coisa fazia sentido ali? Annabeth fora bem clara... O Acampamento Meio-Sangue era o único lugar do mundo seguro para os semideuses.

— Eu, hum... tive um sonho estranho esta noite — ele disse.

Parecia uma confissão um pouco estúpida, mas Annabeth não se mostrou surpresa.

— Acontece toda hora com os semideuses — ela disse. — O que você viu?

Jason contou tudo sobre os lobos e a casa em ruínas, e também sobre as duas torres em forma de espiral. Enquanto falava, Annabeth começou a andar pelo quarto, cada vez mais agitada.

— Você não se lembra onde fica essa casa? — ela perguntou.

Jason fez que não com a cabeça.

— Mas tenho certeza de que já estive lá antes.

— Floresta de sequoias... — ela murmurou. — Poderia ser no norte da Califórnia. E a loba... Eu estudei sobre deusas, espíritos e monstros toda a minha vida. Mas nunca ouvi falar de Lupa.

— Lupa disse que o inimigo era "ela". Imaginei que poderia ser Hera, mas...

— Eu não confio em Hera, mas não acho que seja nossa inimiga. E essa coisa que surgia da terra... — disse Annabeth, com expressão mais séria. — Você precisa deter o crescimento disso.

— Você sabe o que é isso, certo? Ou pelo menos tem uma ideia. Vi sua expressão ontem à noite, na fogueira. Você olhava para Quíron como se tivesse entendido de repente, mas não quisesse nos assustar.

Annabeth hesitou.

— Jason, sobre as profecias... quanto mais sabemos, mais tentamos alterá-las, o que pode ser desastroso. Quíron acha melhor que você encontre seu próprio caminho, dando um passo de cada vez. Se ele tivesse me contado tudo o que sabia antes da minha primeira missão com Percy... tenho que admitir... não sei se poderia seguir adiante. No caso da sua missão, isso é ainda mais importante.

— Parece ruim...

— Não se você vencer. Pelo menos... eu acho que não.

— Mas eu não sei nem por onde começar. Para onde deveria ir?

— Siga os monstros — sugeriu Annabeth.

Jason pensou nisso. O espírito da tempestade que o atacou no Grand Canyon disse estar sendo chamado pelo chefe. Se Jason pudesse seguir o rastro dos espíritos talvez encontrasse a pessoa que os controla. E talvez isso o levasse à prisão de Hera.

— O.k. — ele disse. — Como vou encontrar o monstro da tempestade?

— Eu, pessoalmente, perguntaria a um deus do vento — disse Annabeth. — Éolo é o mestre de todos os ventos, mas ele é um pouco... imprevisível. Ninguém é capaz de encontrá-lo, a menos que ele queira ser encontrado. Eu tentaria com um dos quatro deuses sazonais dos ventos que trabalham para Éolo. O mais próximo, o que mais lida com os heróis, é Bóreas, o Vento Norte.

— Então, se eu procurar por ele no Google Maps...

— Ah, é fácil encontrá-lo — disse Annabeth. — Ele vive na América do Norte, como todos os outros deuses. Mas, é claro, estabeleceu-se no ponto mais ao norte possível.

— No Maine? — perguntou Jason.

— Mais ao norte.

Jason tentou lembrar-se do mapa. O que está mais ao norte que o Maine? O lugar mais ao norte...

— Canadá — ele disse. — Quebec.

Annabeth sorriu.

— Espero que você fale francês — ela disse.

Jason ficou animado. Quebec... pelo menos tinha um objetivo. Encontrar o Vento Norte, seguir a trilha dos espíritos da tempestade, saber para quem eles trabalhavam e onde estava aquela casa em ruínas. Libertar Hera. Tudo em quatro dias. Moleza...

— Obrigado, Annabeth — disse, olhando para as fotos de máquina automática que ainda tinha nas mãos. — Então... você disse que era perigoso ser filho de Zeus. O que aconteceu com Thalia?

— Ah, ela está bem — disse Annabeth. — Transformou-se em Caçadora de Ártemis. É uma das ajudantes da deusa. Elas cavalgam o país matando monstros. Não são vistas no acampamento com frequência.

Jason olhou para a grande estátua de Zeus. Entendeu por que Thalia dormia naquele nicho. Era o único lugar do chalé que não estava na linha de visão do Zeus hippie. Mas não deve ter sido suficiente. Por isso, escolheu unir-se a Ártemis e ser parte do seu grupo, pois era melhor que permanecer naquele templo frio, sozinha, ao lado de seu pai de seis metros de altura — *o pai de Jason* —, que não parava de olhar para ela. *Comer muita eletricidade!* Jason entendia perfeitamente os sentimentos de Thalia. E ficou imaginando se não existiria um grupo de Caçadores para garotos.

— Quem é o menino da foto? — ele perguntou. — O menino de cabelos claros.

Annabeth ficou com a expressão mais dura. Assunto complicado.

— Esse é Luke. Ele está morto.

Jason achou melhor não perguntar mais nada, mas a forma como Annabeth pronunciou aquele nome o fez pensar que Percy Jackson talvez não tivesse sido o único por quem ela já se apaixonara.

Olhou mais uma vez para o rosto de Thalia. E não parava de pensar que tal foto deveria ser importante. Havia algo que ele não entendia.

Jason sentiu uma conexão estranha com essa outra filha de Zeus. Talvez ela pudesse entender sua confusão, talvez até mesmo responder algumas perguntas. Mas outra voz, essa no interior de sua cabeça, um murmúrio insistente, disse: *Perigo. Fique longe disso.*

— Quantos anos ela tem agora? — perguntou Jason.

— Não sei ao certo... Ela foi árvore por algum tempo. Agora é uma imortal.

— O quê?

A expressão no rosto de Jason não devia ser muito boa, pois Annabeth riu.

— Não se preocupe. Isso não acontece com todos os filhos de Zeus. É uma longa história, mas... ela esteve fora de combate por um bom tempo. Caso tivesse envelhecido normalmente, teria seus vinte e poucos anos agora, mas mantém a mesma aparência dessa foto, ou seja... como se tivesse mais ou menos a sua idade. Quinze, dezesseis?

Jason lembrou-se de algo dito pela loba do seu sonho, e perguntou:

— Qual o sobrenome dela?

Annabeth não entendeu a pergunta.

— Ela não usa sobrenome. Caso usasse, seria o da mãe, mas elas não se davam bem, e por isso Thalia fugiu de casa muito cedo.

Jason ficou calado.

— Grace — disse Annabeth. — Thalia Grace.

Os dedos de Jason tremeram e a foto caiu no chão.

— Você está bem? — perguntou Annabeth.

Ele recuperou um pouquinho da memória, talvez um pedaço que Hera tivesse se esquecido de roubar. Ou, quem sabe, tenha deixado ali de propósito, para que se lembrasse daquele nome e assim entendesse que vasculhar o seu passado era algo horrível, terrivelmente perigoso.

Você devia estar morto, disse Quíron. E isso não era um mero elogio por Jason ter sobrevivido como um ser solitário. Quíron sabia alguma coisa... algo sobre a família de Jason.

As palavras da loba finalmente faziam sentido.

— O que foi? — perguntou Annabeth.

Jason não podia manter aquele segredo só para ele. Aquilo o mataria, e ele precisava da ajuda de Annabeth. Se ela conhecia Thalia, talvez pudesse ajudá-lo.

— Você precisa jurar que não vai contar a ninguém.

— Jason...

— Jure — ele pediu. — Até que eu entenda o que está acontecendo, o que isso tudo significa... — disse, esfregando as tatuagens que queimavam no braço. — Você precisa manter segredo.

Annabeth hesitou, mas sua curiosidade venceu.

— Tudo bem. Até que você permita, não contarei a ninguém. Juro pelo rio Estige.

Um trovão rugiu, mais alto que os costumeiros naquele chalé.

Você é a nossa graça, dissera a loba, enigmática. *Graça.* Grace.

Jason pegou a foto caída no chão.

— Meu sobrenome é Grace — ele disse. — Ela é minha irmã.

Annabeth ficou pálida. Jason notou que estava a ponto de se entregar a uma explosão de preocupação, raiva e descrença. O que ele afirmava era absurdo. Ele também se sentia assim, em parte, mas tinha certeza do que dizia.

E naquele momento as portas do chalé se abriram. Meia dúzia de campistas entrou, liderados pelo menino calvo de Íris, Butch.

— Rápido! — ele disse, e Jason não conseguia dizer se o seu rosto era de felicidade ou medo. — O dragão voltou.

XV

PIPER

Piper acordou e pegou imediatamente um espelho. Havia muitos espelhos no chalé de Afrodite. Ela se sentou no beliche, olhou seu reflexo e gemeu.

Ainda estava linda.

Na noite anterior, após a fogueira, ela havia tentado de tudo. Bagunçara os cabelos, lavara a maquiagem do rosto, chorara para ficar com os olhos vermelhos. Nada havia funcionado. Seu cabelo voltava a ficar perfeito. A maquiagem mágica voltava ao lugar. Seus olhos recuperavam o brilho e a cor.

Teria mudado de roupa, mas não tinha nada para trocar. As outras campistas de Afrodite ofereceram algumas peças (rindo às suas costas, com certeza), mas cada roupa era ainda mais ridícula e fashion do que a que usava.

Após uma terrível noite de sono, nada mudara. Pela manhã, Piper normalmente parecia um zumbi, mas aquele dia seu cabelo estava penteado como o de uma supermodelo, e sua pele, perfeita. Mesmo aquela espinha horrorosa na ponta do seu nariz, que havia aparecido há tanto tempo que Piper pensava em lhe dar o nome de Bob, sumira.

Ela grunhiu de frustração e passou os dedos pelos cabelos. Nada. Sempre voltavam ao lugar. Parecia uma Barbie cherokee.

Do outro lado do chalé, Drew disse:

— Ah, querida, isso não vai desaparecer assim. — Sua voz revelava uma falsa simpatia. — A bênção da mamãe vai durar *pelo menos* mais um dia. Talvez uma semana, se você tiver sorte.

— Uma *semana*? — disse Piper, entre os dentes.

Os outros filhos de Afrodite — cerca de doze meninas e cinco meninos — sorriam ao ver seu desconforto. Piper sabia que deveria ficar tranquila, não poderia deixar que rissem dela. Já lidara com crianças populares muitas vezes. Mas aquilo era diferente. Aqueles eram seus irmãos e irmãs, mesmo que ela não tivesse *nada* em comum com eles, e como Afrodite conseguira ter tantos filhos de idades tão próximas... Esquece. Ela não queria saber.

— Não se preocupe, querida — disse Drew, repassando seu batom fluorescente. — Você está pensando que não pertence a este chalé? Nós concordamos. Certo, *Mitchell*?

Um dos meninos respondeu:

— Ah... claro.

— Ahn-hã — disse Drew, pegando seu rímel e checando os cílios. Todos olhavam, mas ninguém dizia nada. — É isso, pessoal, quinze minutos para o café da manhã. Esse chalé não vai ficar limpo sozinho! E, Mitchell, acho que você já aprendeu sua lição. Certo, querido? Você controla o lixo até hoje, o.k.? Mostre a Piper como fazemos isso, pois acho que logo esse trabalho passará para ela... *se* ela sobreviver à *missão*. Agora, todos ao trabalho, todos! Chegou a minha vez de usar o banheiro!

Todos começaram a se mover, fazendo as camas e dobrando roupas, enquanto Drew pegava seu kit de maquiagem, seu secador e sua escova de cabelo e seguia para o banheiro.

Alguém lá dentro gritou, e uma menina de mais ou menos onze anos foi chutada para fora, enrolada em toalhas e com os cabelos ainda cheios de xampu.

A porta bateu e a menina começou a chorar. Dois campistas mais velhos a consolaram e tiraram a espuma de seus cabelos.

— Sério? — disse Piper, sem dirigir-se a ninguém em especial. — Vocês realmente deixam que Drew os trate assim?

Algumas crianças olharam nervosas para Piper, como se concordassem com ela, mas não disseram nada.

Os campistas continuaram a trabalhar, embora Piper não notasse a necessidade de tanta limpeza naquele chalé. Era uma casa de boneca em tamanho natural, com paredes cor-de-rosa e janelas brancas. As cortinas de renda eram azul-bebê e verde-claro, que, claro, combinavam com os lençóis e os edredons de plumas de todas as camas.

Os meninos tinham uma fileira de beliches separada por uma cortina, mas a parte deles do chalé era tão limpa e organizada quanto a das meninas. *Definitivamente,* havia algo de artificial em tudo aquilo. Cada campista tinha um baú de madeira aos pés da cama, com o seu nome escrito, e Piper poderia jurar que dentro deles as roupas estariam perfeitamente dobradas e separadas por cores. A única marca de individualidade era como decoravam o espaço privado de seus beliches. Tinham fotos de famosos de que gostavam. Alguns tinham fotos pessoais, mas o que mais se via eram rostos de cantores e celebridades de todo tipo.

Piper esperava não ver *O Pôster*. Já se havia passado mais de um ano desde o lançamento do filme, e esperava que todo mundo já tivesse substituído aquela imagem por outra, mais recente. Mas não teve tanta sorte. Encontrou um na parede ao lado dos armários, no meio de uma colagem de vários famosos arrasa-coração.

O título vinha em vermelho vivo: *REI DE ESPARTA*. Logo abaixo, o pôster estampava o ator principal: o retrato de um homem sem camisa, bronzeado e sarado, e com um abdome de tanquinho. Ele vestia apenas um saiote grego e uma capa roxa, com uma espada nas mãos. Parecia banhado em óleo, com seus cabelos pretos, cortados bem curtos e brilhando, além de gotas de suor em seu rosto duro, os olhos escuros e tristes encarando a câmera como quem diz: *Vou matar os seus homens e roubar suas mulheres! Ha-ha!*

Era o pôster mais ridículo de todos os tempos. Piper e seu pai riram muito na primeira vez que o viram. Mas o filme rendeu um zilhão de dólares. Os pôsteres estavam em todos os lados. Piper não se livrava deles na escola, nas ruas, nem mesmo na internet. Transformou-se em *O Pôster*, a coisa mais embaraçosa de sua vida. E, sim, era uma foto de seu pai.

Virou-se para que ninguém pensasse que estava olhando para ele. Talvez, quando saíssem para o café da manhã, pudesse livrar-se daquilo sem que notassem.

Tentou parecer ocupada, mas não tinha roupas para dobrar. Fez a cama, depois notou que o cobertor que usara era o mesmo que Jason pusera em seus ombros na noite anterior. Pegou-o e pressionou contra o rosto. Cheirava a madeira queimada, infelizmente não tinha o cheiro de Jason. Ele fora a *única* pessoa realmente gentil com ela após a transformação, como se estivesse preocupado com o que ela sentia, não apenas com aquelas roupas estúpidas. Ela queria beijá-lo, mas ele parecia desconfortável, quase como se tivesse medo dela. E não poderia culpá-lo. Ela havia ficado pink-cintilante.

— Desculpe — disse uma voz, perto de seus pés. Era o menino que recolhia o lixo, Mitchell, que passava por ali recolhendo embalagens de chocolate e papéis caídos embaixo dos beliches. No final das contas, os filhos de Afrodite não eram cem por cento maníacos por limpeza.

Ela saiu do caminho.

— O que você fez para deixar Drew tão chateada?

Ele olhou para a porta do banheiro, para ter certeza de que continuava fechada.

— Ontem à noite, após o seu chamado, eu disse que você talvez não fosse tão má.

Não era exatamente um elogio, mas Piper ficou chocada. Um filho de Afrodite a estava defendendo?

— Obrigada.

Mitchell deu de ombros.

— Certo... Mas veja só o que aconteceu comigo. Seja lá como for, bem-vinda ao chalé 10.

Uma menina loura, de maria-chiquinha e aparelho nos dentes apareceu com uma pilha de roupa nos braços. Olhava para os lados, como se carregasse material radioativo.

— Peguei estas roupas para você — murmurou.

— Piper, esta é Lacy — disse Mitchell, ainda limpando o chão.

— Oi — disse Lacy, sem fôlego. — Você *pode* mudar de roupa. A bênção não a impede. Isso é apenas, você sabe... apenas uma mochila, um pouquinho de comida, ambrosia e néctar para emergência, algumas calças jeans, camisetas extras e uma jaqueta quentinha. As botas talvez fiquem um pouco grandes. Mas, bem... temos uma coleção completa. Boa sorte na sua missão!

Lacy deixou tudo aquilo na cama e fez menção de que sairia correndo, mas Piper segurou seu braço.

— Espera! Deixe pelo menos que eu agradeça. Por que vai sair correndo?

Lacy parecia a ponto de ter um ataque de nervos.

— Ah, bem...

— Drew poderia descobrir tudo — disse Mitchell.

— E eu teria de usar os sapatos da vergonha. — Lacy engoliu em seco.

— O quê? — perguntou Piper.

Lacy e Mitchell apontaram para uma prateleira preta num canto da sala, como se fosse um altar. Lá estava um par de horrorosas sandálias ortopédicas, de um branco brilhante com solado grosso.

— Eu já tive de usar isso por uma semana — disse Lacy. — E não combinam com *nada*!

— E existem punições piores — disse Mitchell. — Drew pode ser muito persuasiva, sabe? Poucos filhos de Afrodite têm esse poder. Mas ela é capaz de nos fazer agir de forma vergonhosa. Piper, você é a primeira pessoa que vejo em muito tempo capaz de enfrentá-la.

— Muito persuasiva... — Piper lembrou-se da noite anterior, da forma como o pessoal ao redor da fogueira sempre aceitava as opiniões de Drew. — Você está falando sobre... uma capacidade de dizer às pessoas que façam o que ela quer? Ou... que deem coisas a ela. Como um carro?

— Ah, não dê ideias a Drew! — disse Lacy.

— Mas sim... — respondeu Mitchell. — Ela seria capaz de fazer isso.

— Então, por isso, é a conselheira-chefe — disse Piper. — Ela convenceu a todos vocês?

Mitchell pegou um chiclete preso embaixo da cama de Piper.

— Não, ela herdou o posto de Silena Beauregard, que morreu na guerra. Drew era a segunda mais velha. Os mais velhos do acampamento normalmente herdam os postos, a menos que alguém que tenha passado por missões mais complexas queira desafiá-lo, e neste caso há um duelo, mas isso quase nunca acontece. Seja como for, Drew está no comando desde agosto. Ela resolveu fazer algumas, ahn, *mudanças* na forma de dirigir o chalé.

— É verdade! — disse Drew, que apareceu de repente, recostando-se no beliche. Lacy se encolheu como um porquinho-da-índia e tentou fugir, mas Drew levantou o braço, impedindo-a. E olhou para Mitchell.

— Acho que você se esqueceu de limpar algo, querido. Talvez seja melhor repassar tudo.

Piper olhou para o banheiro e viu que Drew jogara tudo o que estava na lixeira no chão — e algumas coisas eram *bem* nojentas.

Mitchell levantou-se. Olhou para Drew como se estivesse a ponto de dar um bote (o que Piper pagaria para ver), mas finalmente disse:

— Certo.

Drew sorriu.

— Está vendo, Piper, somos todos assim aqui no chalé. Uma família unida! Silena Beauregard, por sua vez... fique sabendo. Ela passava informações secretas a Cronos durante a Guerra dos Titãs, ou seja, ajudava o *inimigo*.

Drew abriu um sorriso doce e inocente, com sua maquiagem cor-de-rosa, sua cabeleira escovada e seu perfume de noz-moscada. Ela era igual a todas as adolescentes populares de todos os colégios. Mas seus olhos eram frios como aço. Piper notou que Drew olhava fundo em sua alma, tentando descobrir seus segredos.

Ajudava o inimigo.

— Ah, o pessoal dos outros chalés não fala sobre isso — disse Drew. — Agem como se Silena Beauregard fosse uma heroína.

— Ela sacrificou sua vida para fazer as coisas do jeito certo — disse Mitchell. — Era, *sim,* uma heroína.

— Ahn-hã — disse Drew. — Mais um dia limpando o lixo. Mas, *sabe*, Silena perdeu o foco do significado de nosso chalé. Nós formamos casais no acampamento! Depois os separamos e começamos tudo de novo! É a melhor diversão que existe. Não nos envolvemos em coisas como guerras e missões. *Eu*, por exemplo, nunca estive em nenhuma missão. Isso é perda de tempo!

Lacy levantou a mão, nervosa.

— Mas ontem à noite você disse que queria ir...

Drew olhou para ela, e a voz de Lacy morreu.

— Acima de tudo — disse Drew —, nós certamente não queremos nossa imagem maculada por espiões, certo, *Piper*?

Piper quis responder, mas não podia. Drew não tinha como saber seus sonhos, ou que seu pai havia sido sequestrado, tinha?

— Vai ser muito ruim ficar sem você por perto — disse Drew, suspirando. — Mas caso sobreviva à sua pequena missão, não se preocupe, vou encontrar *alguém* para você. Talvez um daqueles meninos nojentos de Hefesto. Ou Clovis? Ele é bem repulsivo. — Drew encarou-a com um misto de pena e desgosto. — Honestamente, nunca imaginei que Afrodite *pudesse* ter uma filha feia, mas... *quem era* o seu pai? Era uma espécie de mutante ou...

— Tristan McLean — disse Piper, sem pensar.

E se arrependeu na mesma hora por ter dito isso. Ela nunca, *jamais*, dera uma de "filha do famoso". Mas Drew a tirara do sério.

— Tristan McLean é meu pai.

O silêncio que se seguiu foi gratificante por poucos segundos, mas Piper sentia vergonha de si mesma. Todos viraram o rosto e olharam para *O Pôster*, com seu pai mostrando os músculos para quem quisesse ver.

— Ai, meu deus! — metade das garotas gritou ao mesmo tempo.

— Legal! — disse um dos meninos. — Aquele cara com a espada que matou aquele outro cara naquele filme?

— Ele é *muito* gostoso para a idade que tem — disse uma menina, que depois ficou vermelha. — Quero dizer, sinto muito. Sei que é o seu *pai*. Isso é *tão* estranho.

— Tudo é muito estranho, pessoal — concordou Piper.

— Você poderia conseguir um autógrafo dele para mim? — perguntou outra das meninas.

Piper forçou um sorriso. Não poderia dizer: *Caso ele sobreviva...*

— Claro, sem problemas — respondeu.

A menina tremeu de alegria, e mais crianças se aproximaram, perguntando várias coisas ao mesmo tempo.

— Você já esteve num estúdio de gravação?

— Você mora numa mansão?

— Almoça com estrelas de cinema?

— Já fez o rito de passagem?

Esta pergunta a pegou de surpresa.

— Rito de quê? — ela perguntou.

Todos se afastaram um pouco, como se fosse um assunto delicado.

— O rito de passagem de um filho de Afrodite — disse um deles. — Você faz com que alguém se apaixone por você. Depois destroça o coração da pessoa. Termina o namoro. Quando tiver feito isso, provará que é uma verdadeira filha de Afrodite.

Piper deu uma olhada em volta, como se quisesse ver se estavam brincando.

— Destroçar o coração de alguém de propósito? Isso é horrível.

Os demais pareciam perdidos.

— Por quê? — perguntou um menino.

— Meu Deus! — disse uma menina. — Aposto que Afrodite partiu o coração do seu *pai*! Posso jurar que ele nunca voltou a se apaixonar, certo? Isso é tão romântico! Quando fizer seu rito de passagem, será como a nossa Mãe!

— Esqueçam! — gritou Piper, um pouco mais alto do que pretendia. Os outros deram um passo atrás. — Não vou partir o coração de ninguém para cumprir um ritual de passagem tão idiota!

E isso, obviamente, deu a Drew uma chance de retomar o controle.

— A mesma história outra vez... Silena disse a mesma coisa. E rompeu com a tradição apaixonando-se por aquele menino, Beckendorf, e *continuando* apaixonada. Se quer saber, eu acho que ela terminou a vida de forma tão trágica por culpa disso.

— Não é verdade! — disse Lacy, mas quando Drew a olhou ela imediatamente misturou-se aos demais.

— Pouco importa — disse Drew —, porque, Piper, querida, você não seria capaz de partir o coração de ninguém. E essa história de que Tristan McLean é seu pai... que forma mais primitiva de tentar ganhar a atenção das pessoas.

Várias crianças piscaram, sem saber no que acreditar.

— Você quer dizer que ele *não* é o pai dela? — alguém perguntou.

Drew revirou os olhos.

— Por favor. Chegou a hora do café da manhã, pessoal, e Piper deve começar sua pequena missão. Vamos ajudá-la a arrumar tudo e tirá-la daqui!

Drew caminhou em direção aos demais e fez com que todos se movessem. Os chamava de "queridos" e "queridas", mas num tom que deixava claro seu objetivo: ser obedecida. Mitchell e Lacy ajudaram Piper a arrumar suas coisas. Chegaram a ficar de olho no banheiro quando Piper entrou para trocar de roupa. Roupas que, ainda bem, não eram nada demais. Não passavam de jeans usados, uma camiseta e um confortável casaco de inverno, além de botas de escalada que lhe serviram perfeitamente. E prendeu sua faca, Katoptris, à cintura.

Quando Piper saiu, sentia-se quase normal outra vez. Os outros campistas estavam de pé ao lado de seus beliches enquanto Drew os inspecionava. Piper virou-se para Mitchell e Lacy e murmurou um *obrigada*. Mitchell fez um movimento de cabeça e Lacy abriu um sorriso. Piper duvidava que Drew alguma vez tivesse agradecido qualquer coisa a eles. Também notou que o pôster de *Rei de Esparta* fora para o lixo. Por ordem de Drew, sem dúvida. Mesmo tendo preferido arrancar o pôster com as próprias mãos, Piper ficou aliviada.

Quando Drew a viu, começou a aplaudir.

— Que maravilha! Nossa pequena missionária em roupas vagabundas outra vez. Vá embora! Não precisa tomar café conosco. Boa sorte na sua... seja lá o que for. Adeus!

Piper pegou sua mochila, notando os olhares de todos em cima dela enquanto passava pela porta. Poderia ir embora e esquecer-se de tudo aquilo. Seria o caminho mais fácil. Afinal, o que tinha a ver com aquele chalé, com aquela gente fútil?

Mas alguns deles tentaram ajudá-la. Alguns chegaram a se voltar contra Drew para ajudá-la.

Ainda na porta, virou-se e disse:

— Sabe, vocês não precisam seguir as regras de Drew.

Os outros campistas olharam para ela, assustadas. Depois olharam para Drew, que estava paralisada.

— Hum... — alguém disse —, ela é a nossa conselheira.

— Ela é uma tirana — corrigiu Piper. — Pensem por vocês mesmos. Ser filho de Afrodite é muito mais do que *isso*.

— Muito mais — alguém repetiu.

— Pensar por nós mesmos — murmurou outra voz.

— Ei! — gritou Drew. — Não sejam estúpidos. Ela está jogando charme para cima de vocês.

— Não — disse Piper. — Só estou dizendo a verdade.

Ou pelo menos o que imaginava ser a verdade. Não entendia exatamente como aquela história de charme funcionava, mas não imaginava estar colocando nenhum poder especial nas suas palavras. Não queria ganhar trapaceando. Isso não faria dela uma pessoa melhor que Drew. Piper queria dizer apenas o que acabara de dizer. Além do mais, mesmo que tentasse jogar charme, imaginava que não teria efeito algum em outra pessoa com os mesmos poderes, como Drew.

— Talvez você tenha um pouco de poder, Senhorita Estrela de Cinema. Mas não sabe nada sobre Afrodite. Tem ideias tão boas? Sabe o que significa esse chalé? Diga a eles. E, quem sabe, eu também possa contar algumas coisas sobre *você* para eles, hein?

Piper queria responder, mas sua raiva transformou-se em pânico. Era uma espiã do inimigo, exatamente como Silena Beauregard. Uma filha traidora de Afrodite. Será que Drew sabia disso, ou estaria apenas blefando? Sob o olhar de Drew, sua confiança começou a desmoronar.

— Isso não — conseguiu dizer, finalmente. — Afrodite não tem nada a ver com isso.

Depois se virou e saiu rapidamente, antes que os demais a vissem corando.

Atrás dela, Drew começou a gargalhar.

— *Isso não?* Ouviram? Ela não tem a menor ideia!

Piper prometeu a si mesma que *nunca* mais voltaria àquele chalé. Limpou suas lágrimas e seguiu correndo pelo gramado, sem saber muito bem para onde estava indo... até ver o dragão descendo no céu.

XVI

PIPER

— LEO? — ELA BERROU.

E, de fato, lá estava ele, sentado no topo de uma gigantesca máquina mortal de bronze, gritando como um lunático. Antes que ele pudesse aterrissar, o acampamento estava em pânico. Uma trombeta de concha foi tocada. Todos os sátiros começaram a gritar: "Não me mate!" Muitos campistas correram para fora dos chalés, horrorizados, vestindo uma mistura de pijamas e armaduras. O dragão pousou no meio do gramado, e Leo gritou:

— Está tudo bem, não atirem!

Hesitantes, os arqueiros baixaram as armas. Os guerreiros deram um passo atrás, mas mantiveram suas lanças e espadas preparadas. Formaram uma grande roda em volta do monstro de metal. Outros semideuses se esconderam atrás das portas dos chalés ou espiavam pelas janelas. Ninguém parecia disposto a se aproximar.

Piper não poderia culpá-los. O dragão era enorme. Brilhava sob o sol da manhã como uma escultura viva — com matizes distintos de cobre e bronze —, uma serpente de dezoito metros de comprimento com patas de aço e dentes afiadíssimos, além de penetrantes olhos de rubis. Tinha asas como as de um morcego, duas vezes mais compridas que seu corpo, as quais, ao baterem faziam-no deslizar como um veleiro de metal, produzindo um som tal qual uma cascata de moedas caindo de uma máquina caça-níqueis.

— Que lindo — murmurou Piper. Os outros semideuses a olhavam como se ela fosse louca.

O dragão levantou a cabeça e lançou uma coluna de fogo para o céu. Os campistas se afastaram e ergueram suas armas, mas Leo desceu calmamente das costas do animal. Levantou as mãos como se estivesse se rendendo, mas ainda mantinha aquele sorriso maníaco no rosto.

— Terráqueos, eu venho em missão de paz! — gritou. Parecia ter rolado por cima de uma fogueira. Seu casaco e seu rosto estavam cobertos de fuligem. Suas mãos estavam sujas de graxa, e ele usava um cinturão de ferramentas novo. Os olhos estavam arregalados. Os cabelos encaracolados estavam tão oleosos, que ficaram arrepiados, lembrando um porco-espinho, e, estranhamente, ele cheirava a molho tabasco. Mas Leo parecia maravilhado.

— Festus só está dizendo oi!

— Essa coisa é perigosa! — gritou uma menina de Ares, brandindo sua lança. — Mate-a agora mesmo!

— Parada aí! — alguém disse.

Para surpresa de Piper, aquela voz era de Jason, que abria caminho pelo meio da multidão, ladeado por Annabeth e por aquela menina do chalé de Hefesto, Nyssa.

Jason olhou para o dragão e balançou a cabeça, admirado.

— Leo, o que você fez?

— Consegui uma carona! — Leo vibrava. — Você disse que eu poderia participar da missão caso conseguisse uma carona. Aqui está: um *bad boy* voador metálico de primeira categoria! Festus poderá nos levar a qualquer lugar.

— Isso... tem asas. — Nyssa estava boquiaberta. Sua mandíbula parecia prestes a cair do rosto.

— Sim! — disse Leo. — Eu as encontrei e voltei a encaixá-las.

— Mas ele nunca teve asas. Onde as encontrou?

Leo hesitou e Piper percebeu que ele escondia algo.

— No... bosque — ele respondeu. — Também consertei a maioria dos circuitos. Ele não vai mais ficar confuso.

— A maioria? — perguntou Nyssa.

O dragão sacudiu a cabeça. Virou-a para um lado e um líquido escuro escorreu de sua orelha, derramando-se sobre Leo. Devia ser óleo — com sorte, *apenas* óleo.

— Só precisava de uns ajustes — disse Leo.

— Mas como você sobreviveu...? — perguntou Nyssa, que seguia olhando para a criatura, assustada. — Quer dizer, ele cospe fogo...

— Sou rápido — disse Leo. — E sortudo. Então, estou ou não estou nessa missão?

Jason coçou a cabeça.

— Você o chamou de Festus? Sabe que em latim *festus* significa "feliz"? Está pensando em salvar o mundo a bordo do Dragão Feliz?

O dragão abriu suas asas, contente.

— Isso é um sim, cara! — disse Leo. — Agora... acho que deveríamos partir, pessoal. Já peguei alguns suprimentos no... bosque. Toda essa gente armada está deixando Festus nervoso.

Jason franziu a testa.

— Mas ainda não planejamos nada. Não podemos simplesmente...

— Vá! — disse Annabeth, a única que não parecia nervosa. Sua expressão era triste, como se tudo aquilo a lembrasse de outros tempos. — Jason, você tem apenas três dias até o solstício, e nunca se deve deixar um dragão nervoso esperando. Isso é certamente um bom presságio. Vá!

Jason fez que sim. Depois sorriu para Piper.

— Pronta, companheira?

Piper olhou para o dragão de bronze com as asas reluzindo contra o céu e aquelas patas que poderiam reduzi-la a pedacinhos.

— Claro — ela respondeu.

Voar em um dragão é a experiência mais incrível do mundo, pensou Piper.

Lá em cima o ar era gélido; mas a pele de metal do dragão gerava tanto calor que era como se voassem numa bolha protetora. E com assentos aquecidos! Além disso, as placas das costas do dragão foram desenhadas como selas de alta tecnologia, portanto, não eram nada desconfortáveis. Leo ensinou os companheiros de viagem a firmar os pés nas frestas do corpo metalizado, como se fossem estribos, e a usar as correias de couro inteligentemente escondidas sob as placas exteriores. Estavam sentados em fila: Leo na frente, depois Piper e então Jason. Piper estava nervosa por ter Jason logo atrás. Queria que ele a abraçasse, ou segurasse em sua cintura, mas Jason não fez isso, infelizmente.

Leo usou as rédeas para dirigir o dragão ao céu, como se tivesse feito isso toda a sua vida. As asas de metal funcionavam perfeitamente, e em pouco tempo a costa de Long Island ficou distante, transformando-se em uma linha no horizonte. Voaram sobre Connecticut e subiram em direção às frias nuvens invernais.

Leo sorriu para os companheiros.

— É legal, não é?

— E se formos vistos? — perguntou Piper.

— A Névoa — respondeu Jason. — Ela não permite que os mortais vejam as coisas mágicas. Caso nos avistem, pensarão tratar-se de um pequeno avião ou algo assim.

— Tem certeza? — perguntou Piper, olhando por cima do ombro.

— Não — ele admitiu.

Então, Piper notou que Jason segurava uma fotografia, o retrato de uma menina com cabelos pretos. Lançou-lhe um olhar indagador, mas ele ficou vermelho e colocou a foto no bolso.

— Estamos seguindo em um ritmo bom. Devemos chegar ainda esta noite.

Piper ficou imaginando quem seria a tal menina da foto, mas não quis perguntar. Se Jason não disse nada, não era um bom sinal. Teria se lembrado de algo sobre a sua vida anterior? Seria a foto de sua verdadeira namorada?

Chega, ela disse a si mesma. Isso é tortura.

E perguntou algo mais seguro:

— Para onde estamos indo?

— Vamos em busca do Vento Norte — respondeu Jason. — Iremos caçar alguns espíritos da tempestade.

XVII

LEO

Leo estava completamente maravilhado.

Ver a cara de todos no acampamento quando chegou com o dragão... não tinha preço! Imaginou que o pessoal de seu chalé deveria estar enlouquecido.

Festus fizera tudo perfeitamente. Não causou estragos a nenhum chalé nem comeu nenhum sátiro, ainda que tenha deixado escapar um pouco de óleo pela orelha. Tudo bem, *muito* óleo. Mas Leo poderia resolver isso mais tarde.

Talvez Leo devesse ter aproveitado a chance para contar a todos sobre o bunker 9 ou sobre o desenho do barco voador. Precisava pensar um pouco naquilo tudo. Poderia contar a eles quando voltasse.

Se voltasse, pensou.

Bobagem, claro que voltaria. Tinha pegado um cinto de ferramentas mágico no bunker e também vários suprimentos que guardara com cuidado na mochila. Além do mais, tinha ao seu lado um dragão que cuspia fogo, apesar de vazar um pouco. O que poderia dar errado?

Bem, o disco de controle poderia dar defeito, pensou o seu lado negativo. *Festus poderia nos engolir.*

Certo, talvez o dragão não estivesse *tão* perfeito quanto Leo queria demonstrar. Tinha trabalhado a noite toda remendando aquelas asas, mas não encontrou nenhum cérebro de dragão no bunker. No entanto, eles tinham um prazo! Três dias até o solstício. Precisavam seguir em frente. Além do mais, Leo limpara o disco muito bem. A maior parte dos circuitos estava perfeita. Precisava apenas de um ajuste.

Mas seu lado negativo pensou: *Certo, mas e se...*

— Cale a boca — disse Leo, em voz alta.

— O quê? — perguntou Piper.

— Nada. Foi uma noite longa. Acho que estou tendo alucinações. Está tudo bem.

Sentado na frente, Leo não via o rosto dos outros dois. Pelo silêncio que fizeram, porém, notou que seus amigos não ficaram tranquilos por terem um piloto de dragão com sono e alucinações.

— Estou brincando — disse Leo, querendo mudar de assunto. — Então, qual é o plano, cara? Você disse algo sobre alcançar o vento, parar o vento, algo assim?

Enquanto voavam sobre a Nova Inglaterra, Jason contou detalhes do seu plano. Primeiro, tinham de encontrar um cara chamado Bóreas e arrancar certa informação dele.

— O nome dele é *Bóreas*? — Leo teve que perguntar. — Ele é deus do quê...?

Depois, continuou Jason, tinham de encontrar os *venti* que os atacaram no Grand Canyon.

— Que tal se os chamarmos de *espíritos da tempestade*? — perguntou Leo. — *Venti* soa muito estranho...

E, finalmente, terminou Jason, tinham de descobrir para quem trabalhavam os espíritos da tempestade, para que pudessem encontrar e libertar Hera.

— Então você realmente quer encontrar Dylan, o idiota da tempestade — disse Leo. — O cara que me atirou da passarela no Grand Canyon e sumiu com o treinador Hedge.

— Tem a ver com isso — respondeu Jason. — Bem... talvez exista uma loba envolvida nisso tudo. Mas acho que ela é nossa amiga. Provavelmente, ela não irá nos comer, a menos que demonstremos fraqueza.

Jason contou seu sonho. Falou sobre a grande loba-mãe e a casa destruída com torres em espiral que cresciam dentro da piscina.

— Nossa — disse Leo. — Mas você não sabe onde fica essa casa?

— Não — admitiu Jason.

— E os gigantes? — perguntou Piper. — A profecia fala sobre a *vingança dos gigantes*.

— Espere — disse Leo. — Gigantes... tipo, mais de um? Não poderia ser apenas um gigante querendo vingança?

— Acho que não — respondeu Piper. — Eu me lembro de que certas histórias gregas falam sobre um exército de gigantes.

— Ótimo — murmurou Leo. — Claro, com a nossa sorte, vai ser um exército. E vocês sabem algo mais sobre os tais gigantes? Piper, você não pesquisou sobre a Grécia com o seu pai antes daquele filme?

— Seu pai é ator? — perguntou Jason.

Leo sorriu.

— Eu sempre me esqueço da sua amnésia. Esqueço a amnésia. Que engraçado. Sim, o pai dela é Tristan McLean.

— Hum... Desculpe, mas quem é ele?

— Isso não importa — disse Piper, rapidamente. — Os gigantes... bem, existem vários gigantes na mitologia grega. Mas, se vamos enfrentar quem eu acho que vamos, teremos sérios problemas. Eles são enormes, quase impossíveis de ser vencidos. Poderiam arrancar montanhas e arremessá-las longe. Acho que têm algo a ver com os titãs. Despertaram após a guerra perdida por Cronos... Quer dizer, a *primeira* Guerra dos Titãs, há centenas de anos... e tentaram destruir o Olimpo. Se estamos falando sobre os mesmos gigantes...

— Quíron disse que aconteceria mais uma vez — lembrou-se Jason. — O último capítulo. Foi isso que ele quis dizer. Não estranho o fato de ele não querer que soubéssemos mais detalhes.

Leo assobiou.

— Então... gigantes que podem arremessar montanhas. Lobos amigos, mas que podem nos devorar se demonstrarmos fraqueza. Espíritos da tempestade. Acho que não é hora de contar nada sobre a minha babá psicopata.

— Isso é mais uma brincadeira? — perguntou Piper.

Leo contou-lhes sobre *Tía* Callida, que na verdade era Hera, e que reapareceu para ele no acampamento. Não lhes contou sobre suas habilidades com o fogo. Isso ainda era um assunto complicado, especialmente desde que Nyssa revelou que semideuses envolvidos com fogo costumam incendiar cidades e outras coisas. Além do mais, Leo teria que falar sobre como ele causou a morte de sua mãe e... não. Ele não estava pronto para conversar sobre isso. Contou sobre a noite de sua morte, mas não mencionou o fogo, dizendo apenas que uma máquina ficou desgovernada. Seria mais fácil se não tivesse que olhar para os amigos, precisando olhar só para a frente, vigiando seu voo.

E contou-lhes sobre a estranha mulher com roupas de terra que parecia estar dormindo e que aparentemente conhecia tudo sobre o seu futuro.

Pelas contas de Leo, devem ter atravessado todo o estado de Massachusetts antes que seus amigos falassem alguma coisa.

— Isso é... perturbador — comentou Piper.

— Assustador — disse Leo. — A verdade é que todos dizem que não devemos confiar em Hera. Ela odeia semideuses. E a profecia diz que causaríamos mortes caso liberássemos sua raiva. Então, eu me pergunto: por que estamos fazendo isso?

— Ela nos escolheu — respondeu Jason. — A nós três. Somos os três primeiros dos sete que devem ser reunidos para a Grande Profecia. Esta missão é o início de algo muito maior.

Ouvir isso não fez Leo sentir-se melhor, mas ele entendia o que Jason queria dizer. Parecia *realmente* o começo de algo muito maior. Ele só esperava que, se existissem mais quatro semideuses dispostos a ajudá-los, eles aparecessem logo. Leo não queria se responsabilizar por todas aquelas aventuras assustadoras.

— Além do mais — disse Jason —, ajudar Hera é a única forma de trazer minha memória de volta. E a torre em espiral dos meus sonhos parece ser alimentada pela energia de Hera. Se aquela coisa libertar o deus dos gigantes, destruindo Hera...

— Não será uma boa troca — concluiu Piper. — Pelo menos Hera está do nosso lado, um pouco. Perdê-la seria o caos para os deuses. Ela é responsável por manter a família em paz. E uma guerra com gigantes poderia ser mais destruidora que uma Guerra de Titãs.

Jason concordou.

— Quíron também nos falou sobre forças ainda piores que se reúnem no solstício, disse que é um bom momento para a magia negra e que... algo poderá despertar, caso Hera seja sacrificada nesse dia. E essa senhora que controla os espíritos da tempestade, a que tentou matar todos os semideuses...

— Talvez seja aquela mulher estranha que dormia — disse Leo. — Não quero pagar para ver aquela mulher suja acordada!

— Mas quem é essa mulher? — perguntou Jason. — E o que ela tem a ver com os gigantes?

Eram boas perguntas, mas nenhum deles tinha as respostas. Voaram em silêncio enquanto Leo imaginava se fizera a coisa certa ao contar aos amigos tantos detalhes. Nunca falara nada sobre a tal noite na oficina para ninguém. E, mesmo não tendo contado tudo, sentiu-se estranho, como se tivesse aberto o peito e revelado o que o fazia passar mal. Seu corpo tremia, e não era de frio. Só esperava que Piper, sentada logo atrás, não percebesse.

A fornalha e a pomba devem quebrar a cela. Não era esse um dos versos da profecia? Significava que ele e Piper teriam de descobrir como entrar na mágica prisão de pedra, se a encontrassem. Poderiam libertar a raiva de Hera, causando muitas mortes. Ah, que divertido!... Leo vira *Tía* Callida em ação. Ela gostava de facas, de cobras e de colocar bebês para dormir em lareiras acesas. Sim, vamos libertar a raiva de Hera. Ótima ideia!

Festus continuava voando. O vento ficava mais frio, e abaixo deles as florestas nevadas pareciam infinitas. Leo não sabia exatamente onde ficava Quebec. Tinha dito a Festus que os levasse ao palácio de Bóreas, e ele seguiu para o norte. Felizmente, o dragão conhecia o caminho, e não terminariam no Polo Norte.

— Por que não dorme um pouco? — disse Piper ao seu ouvido. — Você ficou acordado a noite toda.

Leo quis protestar, mas a palavra "dormir" foi irresistível.

— Vocês não vão me deixar cair?

— Confie em mim, Valdez. As pessoas bonitas nunca mentem.

— Certo — ele murmurou, e recostou-se no pescoço de bronze do dragão, que estava quentinho, depois fechou os olhos.

XVIII

LEO

Foi como se ele tivesse dormido apenas alguns segundos, mas, quando Piper o acordou, anoitecia.

— Chegamos — disse ela.

Leo esfregou os olhos para despertar. Logo abaixo deles havia uma cidade à beira de um penhasco, de onde se via um rio. As planícies ao redor estavam cobertas de neve, mas a cidade reluzia sob um pôr do sol de inverno. Prédios se amontoavam dentro de muros altos, como numa cidade medieval, mais antiga do que qualquer lugar que Leo vira antes. No centro havia um castelo de verdade — ou pelo menos Leo achava que fosse um castelo —, com grandes paredes de tijolos vermelhos e uma torre com teto verde, triangular.

— Por favor, digam que isso é Quebec, e não a casa do Papai Noel — pediu Leo.

— Estamos em Quebec, mesmo — Piper confirmou. — Uma das cidades mais antigas da América do Norte. Fundada por volta de 1600, eu acho.

Leo levantou uma sobrancelha.

— Seu pai fez um filme sobre isso também?

Ela fez uma careta, e Leo já estava acostumado a isso, mas sua atitude agora não combinava em nada com a nova e glamorosa maquiagem.

— Eu *leio* de vez em quando, está bem? Só porque sou filha de Afrodite não quer dizer que eu seja uma cabeça-oca.

— Nossa! — disse Leo. — Então, sabichona, o que é esse castelo?

— Um hotel, eu acho.

Leo riu.

— Duvido.

Porém, quando se aproximaram, Leo notou que Piper tinha razão. A grandiosa entrada do edifício estava repleta de mordomos, porteiros e carregadores de malas. Luxuosos carros pretos, brilhantes, esperavam na entrada. Pessoas bem-vestidas, com ternos e casacos elegantes, corriam para escapar do frio.

— O Vento Norte está hospedado em um hotel? — perguntou Leo. — Não é possível...

— Cuidado — disse Jason. — Temos companhia!

Leo olhou para baixo e entendeu o que Jason quis dizer. Duas criaturas aladas surgiram do topo da torre. Eram anjos com expressões furiosas, carregando espadas enormes.

Festus não gostou nada daqueles anjos. Mergulhou no ar e parou subitamente em pleno voo, com as asas batendo e as garras apontadas, e emitiu um som de sua garganta que Leo reconheceu na hora. Estava se preparando para lançar fogo.

— Calma, garoto — murmurou Leo. Algo lhe dizia que os anjos não achariam legal ser incendiados.

— Não estou gostando nada disso — disse Jason. — Parecem espíritos da tempestade.

Num primeiro momento, Leo pensou que ele tivesse razão, mas, quando os anjos se aproximaram, notou que eram bem mais sólidos que os *venti*. Pareciam adolescentes normais, exceto por seus cabelos brancos como neve e suas asas com penas roxas. Suas espadas de bronze pareciam feitas de gelo. Suas feições eram bastante parecidas para serem irmãos, mas eles não eram idênticos, definitivamente.

Um deles era do tamanho de um boi e usava uma jaqueta vermelha de hóquei, calças largas e chuteiras de couro preto. Claramente, estivera envolvido em muitas brigas, pois seus olhos estavam roxos e, quando abria a boca, era possível notar que lhe faltavam vários dentes.

O outro parecia saído da capa dos discos de rock dos anos 1980 que a mãe de Leo tinha em casa, como *Journey*, ou talvez *Hall & Oates*, ou outro ainda mais chato. Seus cabelos brancos como neve terminavam em um *mullet* comprido. Ele usava sapatos de couro de bico fino, uma calça exageradamente justa e uma camisa de seda horrorosa, com os três primeiros botões abertos. Talvez se achasse o deus da sedução, mas o cara devia pesar uns quarenta quilos e seu rosto era cheio de acne.

Os anjos pararam na frente do dragão e ficaram ali pairando com as espadas em punho.

O boi jogador de hóquei disse:

— Proibido ultrapassar.

— O quê? — perguntou Leo.

— Vocês não aparecem no plano de voo — explicou o deus da sedução. Além de tudo, ele tinha um sotaque francês tão vagabundo que Leo pensou que só poderia ser falso. — Este é um espaço aéreo restrito.

— Devemos destruí-los? — perguntou o jogador de hóquei, mostrando seu sorriso banguela.

O dragão começou a soltar fumaça, pronto para se defender. Jason sacou sua espada de ouro, mas Leo gritou:

— Espere! Vamos manter as boas maneiras, rapazes. Antes de mais nada, eu poderia saber quem terá a honra de me destruir?

— Eu sou Cal! — disse o jogador de hóquei, que parecia muito orgulhoso de si mesmo, como se tivesse passado um bom tempo ensaiando essa frase.

— É um apelido para Calais — explicou o deus da sedução. — Infelizmente, meu irmão é incapaz de pronunciar algumas palavras com mais de duas sílabas...

— Pizza! Hóquei! Morte! — disse Cal.

— ...e isso inclui seu nome — concluiu o sedutor.

— Eu sou Cal — repetiu. — E ele é Zetes! Meu irmão!

— Uau! — exclamou Leo. — Foram quase três frases, cara! É isso aí!

Cal grunhiu, claramente feliz com ele mesmo.

— Estúpido — disse o irmão. — Eles estão rindo de você. Mas tudo bem. Eu sou Zetes, que é um apelido para Zetes. E a senhorita... — Ele piscou para Piper, mas a piscadela mais parecia uma convulsão. — pode me chamar como quiser. Talvez queira jantar com um semideus famoso antes de ser destruída.

Piper limpou a garganta, como se tivesse engasgado com uma bala.

— Que oferta mais... horrorosa.

— Tudo bem — disse Zetes, levantando as sobrancelhas. — Somos muito românticos. Somos os boréadas.

— Boréadas? — perguntou Jason. — Você quer dizer... filhos de Bóreas?

— Ah, então você já ouviu falar sobre nós! — Zetes parecia contente. — Somos os guardiões do nosso pai. Então, você entende, não podemos permitir que pessoas não autorizadas sobrevoem seu espaço aéreo em dragões decrépitos, assustando esses mortais idiotas.

Ele apontou para baixo, e Leo viu que os mortais começavam a notá-los. Vários apontavam para cima. Mas ainda não pareciam alarmados. Estavam mais para confusos e incomodados, como se o dragão fosse um helicóptero comum voando muito baixo.

— O que é triste, pois, a menos que seja um pouso de emergência — disse Zetes, tirando os cabelos do rosto coberto de espinhas —, vamos ter que matá-los de forma cruel.

— Morte! — Cal concordou, com um pouco mais de entusiasmo do que Leo achava necessário.

— Esperem! — disse Piper. — Este *é, sim,* um pouso de emergência.

— Ahhh! — Cal parecia tão desapontado, que Leo quase sentiu pena dele.

Zetes deu uma olhada em Piper, o que, obviamente, ele já havia feito:

— Como uma menina linda como você decidiu que este é um pouso de emergência?

— Precisamos nos encontrar com Bóreas. É urgente. Muito urgente. Por favor! — Piper forçou um sorriso. Leo notou que aquilo a matava por dentro, mas, por causa da tal bênção de Afrodite, ela continuava linda. Havia algo no tom de sua voz também... Leo acreditava em cada palavra do que ela dizia. Jason assentia, parecendo absolutamente convencido.

Zetes deu uma olhada em sua horrível camisa, com certeza para certificar-se de que ainda tinha os botões bem abertos.

— Bom, odeio desapontar uma linda dama... Mas nossa irmã teria um ataque se permitíssemos...

— E nosso dragão não está funcionando bem — disse Piper. — Pode quebrar a qualquer momento!

Festus tremeu solicitamente, depois inclinou a cabeça e deixou cair um pouco de óleo da orelha, que se esparramou num Mercedes preto estacionado logo abaixo.

— Sem morte? — murmurou Cal.

Zetes ponderou sobre o problema. Depois piscou mais uma vez para Piper daquele jeito esquisito.

— Sabe, você é bem bonita. Quero dizer, você *tem razão*. Um dragão que não funciona bem... isso pode ser uma emergência.

— Morte depois? — perguntou Cal, com certeza sendo o mais amigável que conseguia.

— Vamos precisar de algumas explicações — Zetes decidiu. — Nosso pai não tem sido muito gentil com visitas ultimamente. Mas, sim. Venham, meninos do dragão capenga. Sigam-nos.

Os boréadas baixaram as espadas e pegaram armas menores nos cintos, ou pelo menos Leo pensou que fossem armas. Mas logo acenderam aquelas coisas e Leo percebeu que se tratavam de lanternas laranjas em formato de cone, como as usadas por controladores de voo nos aeroportos. Cal e Zetes voaram em direção à torre do hotel.

Leo virou-se para os amigos e disse:

— Adoro esses caras. Seguimos em frente?

Jason e Piper não pareciam ansiosos.

— Acho que sim — disse Jason. — Já estamos aqui... Mas não sei por que Bóreas não costuma ser gentil com visitas.

— Isso é porque ele ainda não nos conhece — disse Leo. — Festus, siga aquelas lanternas!

À medida que se aproximavam, Leo ficou com medo de chocar-se contra a torre. Os boréadas não diminuíam a velocidade, seguindo para o topo do telhado. Até que uma parte dele se abriu, revelando uma entrada grande o suficiente para que Festus passasse sem problemas. Na parte superior e na parte inferior da abertura havia fileiras de cristais de gelo afiados, como uma boca cheia de dentes.

— Isso não pode ser coisa boa — murmurou Jason, mas Leo encaminhou o dragão para dentro, e eles seguiram os boréadas.

Pousaram no que deveria ter sido a suíte presidencial do hotel, mas o local parecia atingido por um raio congelante. O hall de entrada tinha tetos arqueados de doze metros de altura, enormes janelas e exuberantes tapetes orientais. Uma escada no fundo do cômodo levava a outro hall, igualmente enorme, e mais corredores se abriam à direita e à esquerda. Mas o gelo deixava o local com uma aura um tanto assustadora. Quando Leo desceu do dragão, o carpete esmigalhou-se sob seus pés. Uma fina camada de gelo cobria os móveis. As cortinas não se moviam, pois estavam sólidas, congeladas. E as janelas, também congeladas, filtravam boa parte da luz do pôr do sol. Até mesmo do teto pendiam cristais de gelo. Quanto às escadas, Leo tinha certeza de que derraparia e quebraria o pescoço caso tentasse subi-las.

— Pessoal — disse Leo —, conserte o termostato daqui, e eu me mudo na mesma hora.

— Eu não — disse Jason, olhando para a escadaria, desconfortável. — Algo me parece errado. Algo lá em cima...

Festus tremia e espirrava chamas. Uma camada de gelo começava a se formar em suas escamas.

— Não, não, não — disse Zetes, andando, embora Leo não soubesse como ele podia caminhar com aqueles sapatos de couro pontiagudos. — O dragão precisa ser desligado. Não podemos permitir fogo por aqui. O calor acaba com o meu cabelo.

Festus rosnou e mostrou seus dentes afiados.

— Tudo bem, rapaz — disse Leo, olhando para Zetes. — O dragão fica meio sensível com essa história de ser *desligado*, mas eu tenho uma proposta melhor.

— Morte? — sugeriu Cal.

— Não, cara. Chega desse papo de *morte*. Espere um pouco.

— Leo — disse Piper, nervosa —, o que você...

— Observe e aprenda, belezura. Quando eu estava consertando Festus, ontem à noite, encontrei alguns botões. Alguns deles é melhor *não* saber para que servem. Mas outros... Aqui estão.

Leo enfiou os dedos atrás da pata dianteira esquerda do dragão. Girou uma chave e ele tremeu da cabeça aos pés. Todos deram um passo atrás quando Festus se dobrou como se fosse um origâmi. Sua carcaça de metal ficou compacta. Seu pescoço e sua cauda encolheram para dentro do corpo. As asas baixaram e seu tronco se contraiu até formar um retângulo de metal do tamanho de uma mala de bordo.

Leo tentou levantá-la, mas pesava cerca de duas mil toneladas.

— Ah... espere. Eu acho... aqui está.

Apertou outro botão. Uma alça surgiu no topo e rodinhas apareceram rente ao chão.

— Aqui está. A mala com rodinhas mais pesada do mundo!

— Isso é impossível — disse Jason. — Uma coisa assim tão grande não pode...

— Chega! — ordenou Zetes. Ele e Cal brandiram suas espadas e olharam para Leo, que ergueu as mãos.

— O.k., o.k. Fiquem calmos, rapazes. Se isso os chateia tanto, saibam que não *tenho que* levar o dragão arrastado...

— Quem é você? — Zetes encostou a ponta de sua espada no peito de Leo. — Um filho do Vento Sul, um espião entre nós?

— O quê? Não! — disse Leo. — Sou filho de Hefesto. Um ferreiro amigável que não causa danos a ninguém!

Cal grunhiu. Aproximou-se de Leo. Definitivamente, o anjo não era um menino bonito, com seus olhos feridos e a boca maltratada.

— Odor de fogo — disse. — Fogo é ruim.

— Ah! — O coração de Leo acelerou. — Ah, sim... minhas roupas estão um pouco queimadas, e eu estive trabalhando com óleo, e...

— Não! — Zetes empurrou Leo, colocando novamente a ponta da espada em seu peito. — Nós podemos *farejar* fogo, semideus. Imaginávamos que viesse desse dragão obsoleto, mas agora ele está transformado em mala. E ainda sinto cheiro de fogo... em *você*.

Caso não estivesse fazendo três graus naquela suíte, Leo teria começado a suar.

— Ei... vejam bem... eu não sei... — disse, olhando desesperado para os amigos. — Vocês dois, podem me dar uma ajudinha?

Jason já tinha sua moeda de ouro nas mãos. Deu um passo à frente, com os olhos em Zetes.

— Sabe, foi um erro. Leo não mexe com fogo. Conte a eles, Leo. Diga que não mexe com fogo.

— Hum...

— Zetes? — disse Piper, abrindo seu sorriso contagiante mais uma vez, ainda que estivesse um tanto nervosa e congelada para fazer isso. — Somos todos amigos aqui. Abaixem as armas e vamos conversar.

— Essa menina é linda — admitiu Zetes. — E, claro, ela não consegue resistir ao meu charme, mas, infelizmente, não temos tempo para romance neste momento. — E aumentou a pressão da ponta de sua espada contra o peito de Leo, que podia sentir o metal congelado através da camisa, deixando sua pele dormente.

Ele gostaria de poder reativar Festus. Precisava de ajuda. Mas, com aqueles dois anjos de asa roxa o encarando, isso levaria muito tempo.

— Morte agora? — perguntou Cal ao irmão.

Zetes fez que sim.

— Infelizmente, eu acho...

— Não — insistiu Jason, que parecia bem calmo, mas Leo notou que estava a ponto de jogar sua moeda para o alto e entrar no modo gladiador. — Leo é apenas um filho de Hefesto. Ele não é uma ameaça. Piper é filha de Afrodite. E eu sou filho de Zeus. Viemos em missão de paz...

A voz de Jason falhou, pois os dois boréadas olharam imediatamente para ele.

— O que você disse? — perguntou Zetes. — Você é filho de Zeus?

— Hum... sim — disse Jason. — O que é uma coisa boa, certo? Meu nome é Jason.

Cal parecia tão surpreso que quase deixou cair sua espada.

— Não pode ser Jason — ele disse. — Não pode ser ele.

Zetes deu um passo à frente e observou, desconfiado, o rosto de Jason.

— Não, ele não é o *nosso* Jason. Nosso Jason é mais estiloso. Não tanto quanto eu, mas ainda assim mais estiloso. Além disso, ele morreu há milênios.

— Espere — disse Jason. — O Jason *de vocês*... você quer dizer o Jason original? O cara do velocino de ouro?

— Claro — respondeu Zetes. — Fizemos parte da tripulação dele a bordo do navio *Argo*, nos velhos tempos, quando éramos semideuses mortais. Depois aceitamos a imortalidade para servir a nosso pai, e assim eu poderia continuar lindo desse jeito por toda a eternidade, e meu irmão bobo poderia comer pizza e jogar hóquei quanto quisesse.

— Hóquei! — Cal concordou.

— Mas Jason... o *nosso* Jason... teve a morte de um mortal — disse Zetes. — Você não pode ser ele.

— Não sou — concordou Jason.

— Então, morte? — perguntou Cal. Claramente, aquela conversa estava deixando seus dois únicos neurônios perdidos.

— Não — disse Zetes, triste. — Se ele é filho de Zeus, poderia ser quem esperávamos.

— Esperavam por ele? — perguntou Leo. — Você quer dizer de maneira positiva, tipo: vamos enchê-lo de medalhas? Ou *negativa*, tipo: ele está em apuros?

Uma voz de menina falou:

— Isso vai depender da vontade do meu pai.

Leo olhou para o alto da escada. Seu coração quase parou. No topo havia uma menina com um vestido branco de seda. Sua pele era tão pálida que não parecia natural, tinha a cor da neve, mas seus cabelos eram escuros, brilhantes, e seus olhos eram cor de café. Olhou para Leo sem demonstrar qualquer expressão, sem sorriso, sem gentileza. Mas isso não importava. Leo estava apaixonado. Era a menina mais linda que ele já vira na vida.

Depois ela olhou para Piper e Jason, e pareceu entender a situação imediatamente.

— Meu pai vai querer ver o que se chama Jason — afirmou a menina.

— Seria *ele*? — Zetes perguntou, animado.

— Acho que sim — ela respondeu. — Zetes, traga as nossas visitas.

Leo agarrou a alça da sua mala-dragão de bronze. Não sabia como a arrastaria escadaria acima, mas *precisava* se aproximar daquela menina e fazer-lhe algumas perguntas. Perguntas importantes... como o seu e-mail e o número do seu telefone.

— Você, não, Leo Valdez — ela disse.

No fundo de sua mente, Leo ficou imaginando como ela poderia saber o seu nome, mas estava concentrado em sua atração por ela.

— Por que não? — ele perguntou, provavelmente soando como um menino de jardim de infância, mas não pôde evitar.

— Você não pode estar na presença do meu pai — ela respondeu. — Fogo e gelo... não seria uma combinação inteligente.

— Nós vamos juntos — Jason insistiu, pousando a mão no ombro do Leo —, ou ninguém vai.

A menina balançou a cabeça, como se não estivesse acostumada a ter suas ordens questionadas.

— Ele não vai se machucar, Jason Grace, a menos que cause problemas. Calais, mantenha Leo Valdez por aqui. Tome conta dele, mas não o mate.

Cal fez um bico.

— Nem um pouco?

— Não — a menina insistiu. — E cuide bem dessa mala tão interessante, até que o nosso pai faça o seu julgamento.

Jason e Piper olharam para Leo, e seus olhos perguntavam, silenciosos: *Você quer mesmo fazer isso?*

Leo sentiu gratidão. Estavam prontos para lutar por ele. Não o deixariam sozinhos com um anjo jogador de hóquei. Parte dele queria partir para cima, com as ferramentas de seu novo cinto, e ver o que poderia fazer, talvez até mesmo produzir uma bola de fogo que aquecesse aquele lugar. Mas os boréadas o assustavam. E aquela menina linda o assustava ainda mais, mesmo que ele ainda quisesse o seu número de telefone.

— Tudo bem, pessoal — ele disse. — Não faz sentido causar problemas quando não é necessário. Vá em frente.

— Ouçam seu amigo — disse a menina pálida. — Leo Valdez ficará perfeitamente a salvo. Eu gostaria de poder dizer o mesmo sobre você, filho de Zeus. Agora venham: o rei Bóreas está esperando.

XIX

JASON

JASON NÃO QUERIA DEIXAR LEO sozinho, mas estava começando a achar que ficar com Cal, o maníaco do hóquei, talvez fosse a opção *menos* perigosa.

Enquanto subiam a escada congelada, Zetes ficou atrás deles, com a espada desembainhada. Poderia parecer um maluco numa discoteca, mas sua espada não era nada engraçada. Jason imaginou que um único golpe daquela coisa o transformaria num picolé.

E tinha também a princesa de gelo. De vez em quando, ela se virava para trás e dava um sorriso para Jason, mas não havia nada de caloroso em sua expressão. Ela olhava para ele como se fosse uma espécie particularmente interessante, que ela mal podia esperar para dissecar.

Se aqueles eram os filhos de Bóreas, Jason não tinha tanta certeza de que realmente gostaria de conhecer o Papai. Annabeth lhe dissera que Bóreas era o mais amigável dos deuses do vento. Aparentemente, isso significava que não matava heróis tão rapidamente quanto os demais.

Jason começou a desconfiar de que tinha levado os amigos a uma armadilha. Se as coisas se complicassem, não sabia se conseguiria tirá-los de lá com vida. Tentando não pensar nisso, agarrou a mão de Piper, para ganhar confiança.

Ela ergueu as sobrancelhas, mas não soltou a mão.

— Vai ficar tudo bem — prometeu Piper. — Será apenas uma conversa, certo?

No topo da escada a princesa de gelo olhou para trás e notou que os dois estavam de mãos dadas. Seu sorriso desapareceu. De repente, a mão de Jason estava tão fria na mão de Piper, que congelava, queimava. Ele a largou, e seus dedos soltavam vapor de gelo. Os de Piper também.

— Ser caloroso não é uma boa ideia por aqui — avisou a princesa. — Especialmente quando *eu* sou sua maior chance de permanecerem vivos. Por favor, venham por este caminho.

Piper olhou para Jason, e suas sobrancelhas estavam contraídas, como se perguntasse: *O que foi isso?*

Jason não tinha uma resposta. Zetes cutucou suas costas com a espada gelada, e eles seguiram a princesa por um enorme corredor decorado com tapeçarias congeladas.

Ventos frios sopravam para a frente e para trás, e os pensamentos de Jason voavam quase tão rápido quanto eles. Ele teve tempo suficiente para pensar enquanto viajavam nas costas do dragão rumo ao norte, mas se sentia mais perdido que nunca.

A foto de Thalia permanecia em seu bolso, embora ele não precisasse mais olhar para ela. Tinha a imagem dela gravada na mente. Já era bastante horrível não se lembrar do passado, mas saber que tinha uma irmã em algum lugar, que poderia lhe dar respostas, e não ter como encontrá-la... isso o deixava maluco.

Na foto, Thalia não se parecia em nada com ele. Os dois tinham olhos azuis, mas isso era tudo. Os cabelos dela eram pretos. Seus traços eram mais mediterrâneos, e seu rosto, anguloso, como o de uma águia.

Ainda assim, Thalia parecia *muito* familiar. Hera o deixara com a quantidade exata de memória para que se lembrasse de que Thalia era sua irmã. Mas Annabeth pareceu completamente surpresa ao saber da novidade, como se nunca tivesse ouvido falar que Thalia tinha um irmão. Será que Thalia sabia sobre ele? Como teriam sido separados?

Hera ficara com essas memórias. Roubara todo o passado de Jason e o jogara numa nova vida; agora, esperava que ele a salvasse de uma prisão, para que pudesse ter de volta tudo o que ela lhe tirara. Isso deixou Jason tão furioso, que ele quis desistir, deixar Hera apodrecer em sua cela: mas não podia. Estava preso. Precisava saber mais, o que fazia com que ele ficasse ainda mais ressentido.

— Ei — disse Piper, tocando seu braço. — Você ainda está aqui comigo?

— Ah, sim... claro, desculpe.

Ele estava feliz por ter Piper ao seu lado. Precisava de um amigo, e estava feliz porque ela começava a se livrar da bênção de Afrodite. A maquiagem estava desaparecendo. Seus cabelos voltavam ao antigo corte repicado, com aquelas trancinhas nos lados. Isso a fazia parecer mais real e, aos olhos de Jason, mais bonita.

De uma coisa ele estava certo, agora: não se conheciam antes do Grand Canyon. Sua relação não passava de um truque da Névoa na cabeça de Piper. Porém, quanto mais tempo passava ao lado dela, mais gostaria que tivesse sido real.

Chega, disse a si mesmo. Não era justo com Piper pensar isso. Jason não tinha ideia do que o esperava na sua antiga vida — ou de *quem* poderia estar esperando por ele. Mas estava certo de que seu passado não tinha nada a ver com o Acampamento Meio-Sangue. Após a missão, quem sabe o que poderia acontecer? Isso *se* sobrevivessem.

No final do corredor chegaram a uma porta dupla de carvalho com um desenho de um mapa-múndi entalhado. Em cada canto, o rosto de um homem barbado, soprando. Jason tinha certeza: já vira mapas como aquele antes. Mas, naquela versão, todos os homens do vento representavam o inverno, soprando gelo e neve de todos os cantos da Terra.

A princesa virou-se para eles. Seus olhos castanhos brilhavam, e Jason sentia como se ele fosse um presente de Natal que ela estivesse louca para abrir.

— Esta é a sala do trono — ela disse. — Comporte-se bem, Jason Grace. Meu pai pode ser... um tanto frio. Eu vou traduzir para você, e tente encorajá-lo, para que ele o escute. Espero que ele o poupe. Poderíamos nos divertir muito.

Jason imaginou que eles dois não deveriam ter o mesmo conceito de diversão.

— Certo — disse Jason. — Mas, de fato, estamos aqui para uma conversa rápida, nada mais. Vamos embora logo depois.

A menina sorriu.

— Eu adoro heróis. São tão ingênuos!

Piper pousou a mão na sua adaga.

— Que tal nos dizer algumas coisas? Você diz que vai traduzir a conversa, mas nem mesmo sabemos quem você é. Qual o seu nome?

A menina fungou de desgosto.

— Eu não deveria ficar surpresa ao ver que não me reconhece. Mesmo nos tempos antigos os gregos não me conheciam bem. Suas ilhas, onde viviam, eram muito quentes, ficavam muito longe dos meus domínios. Sou Quione, filha de Bóreas, deusa da neve.

Ela fez um movimento circular com o dedo no ar e uma pequena nevasca rodeou seu corpo... com flocos grandes e fofos como algodão macio.

— Agora, venham — disse Quione. E as portas de carvalho se abriram com o vento, permitindo que uma luz azul gélida escapasse da sala. — Com sorte, sobreviverão à sua rápida conversa.

XX

JASON

Se o hall de entrada era frio, a sala do trono mais parecia um frigorífico.

Havia neblina no ar. Jason tremeu, sua respiração se condensou no ar frio. Nas paredes, tapeçarias roxas mostravam cenas de florestas nevadas, montanhas inóspitas e geleiras. Acima, faixas de luzes coloridas — a aurora boreal — pulsavam por todo o teto. Uma camada de neve cobria o chão, por isso Jason precisava caminhar com cuidado. Por todos os lados da sala havia esculturas de gelo de guerreiros em tamanho real — alguns vestindo armaduras gregas; outros, medievais; outros com roupas camufladas modernas —, todos congelados em posições de ataque, com as espadas erguidas; as armas, apontadas e engatilhadas.

Pelo menos Jason *achava* que eram estátuas. Mas, ao tentar passar entre dois lanceiros gregos, eles se moveram com inesperada agilidade, as juntas estalando e espalhando cristais de gelo por todos os lados enquanto cruzavam suas lanças para impedir que Jason seguisse adiante.

Do fundo da sala uma voz de homem rugiu numa língua que parecia francês. A sala era tão longa e enevoada, que Jason não conseguia enxergar a outra ponta. Porém, o que quer que o homem tenha falado, os guardas descruzaram as lanças.

— Tudo bem — disse Quione. — Meu pai ordenou que não os matem, ainda.

— Ótimo — comentou Jason.

Zetes cutucou com a espada as costas de Jason.

— Siga em frente, Jason Júnior.

— Por favor, não me chame assim.

— Meu pai não é um homem paciente — avisou Zetes. — E a linda Piper, infelizmente, está perdendo seu penteado mágico com muita rapidez. Quem sabe mais tarde eu possa emprestar-lhe algum produto de cabelo do meu vasto acervo pessoal.

— Obrigada — rosnou Piper.

Continuaram andando e a névoa finalmente se dissipou, revelando um homem sentado em um trono de gelo. Era forte e vestia um elegante terno branco que parecia coberto de neve e tinha asas de uma cor roxa escura, completamente abertas. Os cabelos longos e a barba espessa e bagunçada eram permeados de cristais de gelo, de modo que Jason não podia dizer se eram grisalhos ou se estavam brancos por causa da camada de gelo. Suas sobrancelhas arqueadas faziam-no parecer mal-humorado, mas seus olhos piscavam de forma mais calorosa que os de sua filha — como se tivesse um senso de humor por trás daquela perene frieza. Era o que Jason esperava.

— *Bienvenu* — disse o rei. — *Je suis Bóreas le Roi. Et vous?*

Quione, a deusa da neve, estava a ponto de falar, mas Piper deu um passo à frente e fez uma reverência ao rei, dizendo:

— *Votre Majesté, je suis Piper McLean. Et c'est Jason, fils de Zeus.*

O rei sorriu, agradavelmente surpreso.

— *Vous parlez français? Très bien!*

— Piper, você fala francês? — perguntou Jason.

Piper fez cara feia.

— Não. Por quê?

— Você acabou de falar em francês.

Ela piscou.

— Sério?

O rei disse algo mais, e Piper fez que sim:

— *Oui, Votre Majesté.*

O rei sorriu e bateu palmas, claramente maravilhado. Disse mais algumas coisas e depois, dirigindo-se à filha, fez um movimento com a mão, como se a dispensasse.

— O rei está dizendo... — Quione parecia magoada.

— Ele está dizendo que sou filha de Afrodite — interrompeu Piper —, por isso posso falar fluentemente francês, que é a língua do amor. Eu nem desconfiava. Sua Majestade está dizendo que não precisará da tradução de Quione.

Atrás deles, Zetes zombou baixinho e Quione o fuzilou com os olhos, mortífera. Depois fez ao pai uma reverência um tanto rígida e deu um passo atrás.

O rei examinou Jason, e ele decidiu que seria uma boa ideia fazer uma reverência.

— Sua Majestade, sou Jason Grace. Obrigado por, hum, não nos matar. Posso perguntar... por que um deus grego fala francês?

Piper teve outro diálogo com o rei.

— Ele fala a língua do país que o acolheu — traduziu Piper. — Disse que todos os deuses fazem isso. A maior parte deles fala inglês, pois vive nos Estados Unidos, mas Bóreas nunca foi bem-recebido por lá. Seus domínios sempre foram mais ao norte. Ele gosta de viver em Quebec, por isso, fala francês.

O rei disse algo mais, e Piper ficou pálida.

— O rei está dizendo... — sua voz falhou. — Ele diz...

— Ah, permita-me — disse Quione. — Meu pai diz ter ordens para matar vocês. Eu não tinha mencionado isso antes?

Jason ficou nervoso. O rei ainda sorria, amavelmente, como se tivesse acabado de dar uma ótima notícia.

— Matar a gente? — perguntou Jason. — Por quê?

— Porque — disse o rei, num inglês com muito sotaque — o meu senhor, Éolo, ordenou.

Bóreas se levantou. Desceu do trono e fechou as asas. Enquanto se aproximava, Quione e Zetes fizeram uma reverência. Jason e Piper seguiram o exemplo.

— Devo falar na sua língua — disse Bóreas — uma vez que Piper McLean me honrou falando na minha. *Toujours* tive simpatia pelos filhos de Afrodite. Quanto a você, Jason Grace, meu mestre Éolo não esperaria que eu matasse um filho do Senhor Zeus... sem primeiro escutá-lo.

A moeda de ouro de Jason parecia crescer em seu bolso. Caso fosse forçado a lutar, não queria nem pensar em quais seriam suas chances. Precisaria de pelo menos dois segundos para brandir sua lâmina. Depois teria de enfrentar um deus, dois de seus filhos e um exército de guerreiros de gelo.

— Éolo é o mestre dos ventos, certo? — perguntou Jason. — Por que iria querer nos matar?

— Vocês são semideuses — disse Bóreas, como se isso explicasse tudo. — O trabalho de Éolo é conter os ventos, e os semideuses vivem lhe causando muita dor de cabeça. Pedem favores. Libertam ventos e causam o caos. Mas o insulto principal foi a batalha com Tifão, no último verão...

Bóreas fez um movimento com a mão, e uma placa de gelo, semelhante a uma televisão de tela plana, surgiu no ar. Imagens de uma batalha se formaram naquela superfície... Um gigante envolto em nuvens de tempestade, atravessando um rio, seguindo em direção a Manhattan. Figuras pequenas e brilhantes — os deuses, pensou Jason — o cercavam, como vespas nervosas, atingindo o monstro com raios e fogo. Finalmente, o rio se abriu em um enorme redemoinho e a criatura enfumaçada afundou nas ondas e desapareceu.

— Era o gigante da tempestade, Tifão — explicou Bóreas. — Da primeira vez, éons atrás, os deuses conseguiram vencê-lo, mas ele não morreu serenamente. Sua morte liberou inúmeros espíritos da tempestade, ventos selvagens que não recebem ordens de ninguém. Era trabalho de Éolo encontrá-los e prendê-los em sua fortaleza. Os outros deuses... eles não ajudaram. Nem mesmo se desculparam do inconveniente. Éolo demorou séculos para conseguir encontrar todos os espíritos da tempestade, e, o que é natural, isso o deixou muito irritado. Então, no último verão, Tifão foi derrotado mais uma vez...

— E sua morte liberou mais uma onda de *venti* — disse Jason. — O que deixou Éolo ainda mais nervoso.

— *C'est vrai* — disse Bóreas.

— Mas, Sua Majestade — disse Piper —, os deuses não tinham escolha, a não ser lutar contra Tifão. Ele queria destruir o Olimpo! Além do mais, por que punir os semideuses por isso?

O rei deu de ombros.

— Éolo não pode extravasar sua raiva nos deuses. Pois os deuses são seus mestres, e muito poderosos. Por isso, apela aos semideuses, que ajudaram os deuses na guerra. E nos deu ordens: não devemos mais tolerar os semideuses que vierem até nós pedindo ajuda. Temos de esmagar seus rostinhos mortais.

Seguiu-se um silêncio nada confortável.

— Isso parece... uma medida exagerada — disse Jason. — Mas você não vai esmagar nossos rostos ainda, certo? Antes, vai ouvir nossas explicações, pois quando entender nossa missão...

— Sim, sim — concordou o rei. — Veja bem, Éolo também disse que um filho de Zeus viria pedir minha ajuda e que se isso acontecesse eu deveria escutá-lo antes de destruí-lo, pois você poderia... como foi mesmo que ele disse?... deixar nossas vidas muito interessantes. No entanto, sou obrigado apenas a *escutar*. Depois, posso fazer o julgamento que quiser. Mas *vou* ouvir primeiro. Quione também deseja que eu faça isso. E talvez vocês não sejam mortos.

Jason sentiu como se quase pudesse respirar novamente.

— Ótimo. Obrigado.

— Não agradeça a mim — disse Bóreas, sorrindo. — Você poderia deixar nossas vidas mais interessantes de muitas formas. Algumas vezes, ficamos com alguns semideuses para nossa diversão, como você pode ver. — E apontou para as várias estátuas de gelo pela sala.

Piper fez um barulho estranho.

— Você quer dizer... que são todos semideuses? Semideuses congelados? Estão vivos?

— Eis uma pergunta interessante — disse Bóreas, como se nunca tivesse pensado nisso. — Eles não se movem, a menos que estejam obedecendo a alguma ordem minha. No resto do tempo, estão simplesmente congelados. Salvo se derretessem... acho que seria uma confusão.

Quione ficou de pé logo atrás de Jason e pôs os dedos frios na nuca do semideus.

— Meu pai me dá presentes maravilhosos — murmurou ao seu ouvido. — Entre para nossa corte. Talvez assim eu deixe seus amigos livres.

— O quê? — interrompeu Zetes. — Se Quione ficar com ele, eu terei direito à menina. Quione sempre ganha mais presentes!

— Crianças, nossos convidados vão pensar que vocês são mimados! — Bóreas disse, severamente. — Além do mais, para que tanta pressa? Ainda nem escutamos a história dos semideuses. Depois decidiremos o que fazer com eles. Por favor, Jason Grace, entretenha-nos.

Jason sentiu que sua mente se apagava. Não olhou para Piper, pois tinha medo de perder a cabeça completamente. Colocara os dois naquela situação, e, agora, eles iriam morrer. Ou pior: seriam diversão para os filhos de Bóreas e terminariam congelados para sempre naquela sala, corroendo-se de frio.

Quione murmurou algo e acariciou a nuca de Jason. Ele não planejou aquilo, mas uma onda de eletricidade desprendeu-se de sua pele. Ouviu-se um estouro muito alto, e Quione deu um salto para trás, derrapando no chão.

Zetes gargalhou e disse:

— Que bom! Fico feliz que tenha feito isso, mesmo que agora eu tenha que matá-lo.

Por um momento, Quione esteve muito assustada para reagir. Mas então o ar ao seu redor começou a se mover, como numa pequena tempestade de neve.

— Você não ousaria...

— Chega — disse Jason, com toda a força que pôde. — Você não vai nos matar. Não vai nos prender aqui. Estamos numa missão para a rainha dos deuses. Então, a menos que queira ver Hera destruindo tudo isso, você nos deixará ir.

Ele soava bem mais confiante do que realmente se sentia. E conseguiu a atenção de todos. A tempestade provocada por Quione parou de repente. Zetes baixou a espada. Os dois olharam para o pai, confusos.

— Hum... — disse Bóreas, e seus olhos piscaram, mas Jason não saberia dizer se de raiva ou divertimento. — Um filho de Zeus, favorito de Hera? Isso é uma novidade. Conte-nos sua história.

Jason não queria estragar tudo. Ele não esperava ter a oportunidade de falar, e, quando ela lhe foi dada, ficou sem voz.

Piper o salvou.

— Sua Majestade — disse, fazendo mais uma reverência, uma grande reverência, considerando que sua vida estava em jogo. E relatou a Bóreas toda a história, do Grand Canyon à profecia, muito melhor e mais rapidamente do que Jason poderia ter contado.

— Tudo o que pedimos é que nos guie — concluiu Piper. — Esses espíritos da tempestade nos atacaram e estão trabalhando para alguma força maligna. Se os encontrarmos, talvez sejamos capazes de encontrar Hera.

O rei alisou os cristais de gelo em sua barba. Do lado de fora das janelas a noite caíra, e a única luz vinha da aurora boreal logo acima, inundando tudo de vermelho e azul.

— Eu conheço esses espíritos da tempestade — disse Bóreas. — Sei onde estão e também onde está seu prisioneiro.

— O treinador Hedge, você quer dizer? — perguntou Jason. — Ele está vivo?

Bóreas se esquivou da pergunta.

— Por enquanto. Mas a responsável por controlar esses espíritos da tempestade... Seria loucura enfrentá-la. Melhor ficarem aqui, como estátuas congeladas.

— Hera está em perigo — disse Jason. — Em três dias, será... sei lá... consumida, destruída, algo assim. E um gigante surgirá.

— Sei — disse Bóreas. Seria fruto da imaginação de Jason ou ele lançou um olhar raivoso para Quione? — Talvez aconteçam coisas terríveis. Nem mesmo meus filhos me contaram as notícias que receberam. A Grande Comoção de monstros que começou com Cronos... Seu pai, Zeus, foi bobo ao acreditar que isso terminaria com a derrota dos titãs. Mas como foi antes será agora. A batalha final está para começar, e aquele que irá surgir será mais terrível que qualquer titã. Os espíritos da tempestade... isso está apenas começando. A Terra ainda verá muitos horrores. Quando os monstros já não estiverem no Tártaro e as almas já não estiverem confinadas no Hades... O Olimpo tem uma boa razão para temer.

Jason não sabia ao certo o que tudo aquilo significava, mas não gostava da forma como Quione sorria. Era como se *aquilo* fosse sua definição para a palavra diversão.

— Então, você nos ajudará? — perguntou Jason ao rei.

Bóreas se zangou.

— Eu não disse isso.

— Por favor, Majestade — pediu Piper.

Todos os olhos se voltaram para ela. Piper podia estar morrendo de medo, mas parecia linda e confiante... e isso não tinha nada a ver com a bênção de Afrodite. Olhou mais uma vez para si mesma, usando roupas velhas, com os cabelos desalinhados e sem maquiagem. Ainda assim, ela quase irradiava calor naquela fria sala do trono.

— Se nos disser onde estão os espíritos da tempestade, poderemos capturá-los e trazê-los a Éolo. E você ficaria bem com seu chefe. Éolo talvez nos perdoe, e aos outros semideuses. Poderíamos, inclusive, resgatar Gleeson Hedge. Todos sairíamos ganhando.

— Ela é linda — murmurou Zetes. — Quer dizer, ela tem razão.

— Pai, não ligue para ela — disse Quione. — É filha de Afrodite. Como ousa jogar charme para um deus? Congele-a, agora!

Bóreas pensou um pouco. Jason meteu a mão no bolso, estava pronto para pegar a moeda. Se as coisas dessem errado, teria de agir rapidamente.

Bóreas percebeu seu movimento.

— O que é isso no seu antebraço, semideus?

Jason não notara que a manga de seu casaco estava puxada para cima, revelando parte de sua tatuagem. Relutante, mostrou-a a Bóreas.

Os olhos do deus se arregalaram. Quione soltou um assobio e se afastou.

Então Bóreas fez algo inesperado. Riu tão alto, que um pedaço de gelo se soltou do teto, caindo próximo a seu trono. A aparência do deus começou a se modificar, oscilando. Sua barba desapareceu. Ele cresceu e ficou menos forte, e suas roupas se transformaram em uma toga romana com ornamentos roxos. Sua cabeça ganhou uma coroa de louros congelada, e um gládio — uma arma romana como a de Jason — surgiu a seu lado.

— Áquilo — disse Jason, embora não tivesse ideia de onde tirara esse nome romano.

O deus inclinou a cabeça.

— Você me reconhece melhor nesta forma, certo? E ainda afirma que veio do Acampamento Meio-Sangue?

— Hum... sim, Majestade — respondeu Jason, perdido.

— E Hera o enviou aqui... — Os olhos do deus do inverno irradiavam alegria. — Agora eu entendo. Ela fez um jogo perigoso. Audacioso, mas perigoso! Não é de admirar que o Olimpo esteja fechado. Eles devem estar com medo desse jogo arriscado que ela escolheu.

— Jason — disse Piper, nervosa. — Por que Bóreas mudou sua forma? A toga, a coroa... O que está acontecendo?

— É a forma romana de Bóreas — disse Jason. — Mas o que está acontecendo, eu não sei.

O deus riu.

— Claro que não sabe. Mas será muito interessante observar isso.

— Então, nos deixará partir? — perguntou Piper.

— Minha querida — disse Bóreas —, eu não tenho nenhum motivo para matá-los. Se o plano de Hera falhar, o que eu acho que acontecerá, vocês destruirão uns aos outros, e Éolo nunca mais terá de se preocupar com semideuses.

Jason sentiu como se os dedos frios de Quione estivessem mais uma vez postos em sua nuca, mas não era ela... era apenas o pressentimento de que Bóreas tinha razão. A mesma sensação de sempre, de que tudo estava errado. Sensação que o perseguia desde o Acampamento Meio-Sangue, quando Quíron lhe dissera que sua chegada era desastrosa... Bóreas sabia o que aquilo tudo significava.

— Imagino que não possa nos explicar nada, certo? — perguntou Jason.

— Ah, nem pensar! Não posso interferir nos planos de Hera. Agora entendo por que ela roubou sua memória — Bóreas riu, provavelmente divertindo-se ao pensar nos semideuses lutando uns contra os outros. — Você sabe que tenho fama de ser um bom deus do vento, de ser caridoso. Ao contrário de meus irmãos, sou conhecido por ter me apaixonado por mortais. Por isso, meus filhos Zetes e Calais já foram semideuses...

— Isso explica por que são tão idiotas — murmurou Quione.

— Chega! — disse Zetes. — Só porque você nasceu deusa completa...

— Os dois, congelados! — ordenou Bóreas. Aparentemente, aquele comando era lei por ali, pois os dois ficaram parados imediatamente. — Como eu dizia, tenho boa reputação, mas é raro que exerça um papel importante nos assuntos dos deuses. Eu fico sentado aqui, no meu palácio, num canto da civilização, e raramente me divirto. Até aquele tolo do Nótus, o Vento Sul, passa férias em Cancun. E eu? O máximo que consigo é um festival de inverno com habitantes de Quebec passeando nus pela neve!

— Eu gosto do festival de inverno — disse Zetes.

— O que eu quero dizer — interrompeu Bóreas — é que agora tenho uma chance de ser o centro das atenções. Ah, sim, vou deixar que deem prosseguimento à sua missão. Vocês encontrarão os espíritos da tempestade na cidade dos ventos, claro. Chicago...

— Pai! — protestou Quione.

Bóreas ignorou a filha.

— Caso sejam capazes de capturar os ventos, poderão entrar em segurança na corte de Éolo. Se por um milagre conseguirem isso, digam a ele que capturaram os ventos com minha autorização.

— O.k. — disse Jason. — Então, é em Chicago que encontrarei a senhora que controla os ventos? Foi ela quem prendeu Hera?

— Ah! — exclamou Bóreas. — São duas perguntas distintas, filho de Júpiter.

Júpiter, notou Jason. *Antes, ele me chamava de filho de Zeus.*

— Aquela que controla os ventos... sim, você a encontrará em Chicago. — Bóreas continuou: — Mas *ela* é apenas uma serva, um serva que adoraria destruí-lo. Caso tenha êxito lutando contra ela e consiga capturar os ventos, poderá chegar a Éolo. Só ele conhece todos os ventos do mundo. De alguma maneira, todos os segredos chegam à sua fortaleza. Se alguém poderá dizer onde está Hera, esse alguém é Éolo. Quanto a quem encontrará quando chegar à cela de Hera... Se eu contasse, você imploraria para ser congelado.

— Pai — disse Quione —, você não pode simplesmente permitir que eles...

— Eu posso fazer o que quiser — disse ele, em um tom mais duro. — Ainda sou o mestre por aqui, não sou?

A forma como Bóreas olhou para a filha deixou óbvio que já tinham discutido esse assunto antes. Os olhos de Quione transbordavam raiva, mas ela trincou os dentes.

— Como desejar, pai.

— Agora, sigam seu caminho, semideuses — disse Bóreas. — Antes que eu mude de ideia. Zetes, acompanhe-os até o lado de fora em segurança.

Todos fizeram uma mesura e o deus do Vento Norte se dissolveu em uma névoa.

No hall de entrada, Cal e Leo esperavam por eles. Leo parecia morto de frio, mas são e salvo. Ele estava até mesmo de banho tomado, suas roupas, recém-lavadas, como se tivesse usado o serviço de lavanderia do hotel. Festus, o dragão, havia voltado à sua forma normal e soltava um pouco de fogo sobre a própria carapaça para manter-se descongelado.

Enquanto Quione os conduzia escada abaixo, Jason notou que Leo a seguia com os olhos. Ele também começou a pentear os cabelos com as mãos. Não, pensou Jason. Mais tarde avisaria a Leo sobre os perigos daquela deusa da neve. Ela não era a pessoa mais indicada por quem se apaixonar.

Já no último degrau, Quione virou-se para Piper.

— Você enganou meu pai, menina. Mas não a mim. Ainda não terminamos. E você, Jason Grace, logo será mais uma estátua de gelo na sala do trono.

— Bóreas tem razão — disse Jason. — Você é uma menina mimada. Nos vemos por aí, princesa do gelo.

Os olhos de Quione ficaram completamente brancos. Pela primeira vez ela parecia não ter palavras. Subiu correndo as escadas. No meio do caminho, transformou-se em uma nevasca e desapareceu.

— Cuidado — disse Zetes. — Ela nunca esquece um insulto.

— Irmã má — grunhiu Cal, concordando.

— Ela é a deusa da neve. O que vai fazer, jogar uma bola de neve na gente? — disse Jason, embora tivesse um pressentimento de que Quione poderia fazer coisas bem piores.

Leo parecia arrasado.

— O que aconteceu lá em cima? Você a deixou nervosa? Está chateada comigo também? Cara, estou muito a fim dela.

— Vamos explicar mais tarde — prometeu Piper, mas lançou um olhar para Jason indicando que ela esperava que *ele* explicasse tudo.

O que tinha acontecido lá? Jason não tinha certeza. Bóreas se transformara em Áquilo, sua forma romana, como se a presença de Jason o deixasse um tanto esquizofrênico.

Saber que Jason fora levado ao Acampamento Meio-Sangue parecia divertir o rei, mas Bóreas/Áquilo não os deixara partir por bondade. Seus olhos exibiam um brilho cruel, como se ele tivesse acabado de fazer uma aposta numa briga de galos.

Vocês destruirão uns aos outros, ele disse, deliciando-se. *E Éolo nunca mais terá de se preocupar com semideuses.*

Jason desviou os olhos de Piper, tentando não demonstrar seu nervosismo.

— Sim — ele concordou —, mais tarde explicaremos tudo.

— Cuidado, menina bonita — disse Zetes. — Os ventos entre Quebec e Chicago são inconstantes. Várias outras coisas ruins estão despertando. Pena que não vai ficar por aqui. Você daria uma estátua de gelo linda, e eu poderia admirar meu reflexo nela.

— Obrigada — agradeceu Piper. — Mas eu ia preferir jogar hóquei com Cal.

— Hóquei? — perguntou Cal, levantando os olhos.

— Estou brincando — disse Piper. — E os espíritos da tempestade não serão nosso pior problema, certo?

— Ah, não — respondeu Zetes. — É outra coisa. Muito pior.

— Pior — repetiu Cal.

— Você pode me contar o que é? — perguntou Piper, abrindo um sorriso.

Dessa vez seu charme não funcionou. Os boréadas com asas roxas balançaram a cabeça ao mesmo tempo. As portas do hangar se abriram para uma noite gélida, e Festus, o dragão, levantou-se, ansioso para voar.

— Pergunte a Éolo o que é pior — disse Zetes, sombrio. — Ele sabe. Boa sorte.

Aquilo soou como se estivesse preocupado com o que poderia acontecer com eles, mesmo que minutos antes quisesse transformar Piper em uma estátua de gelo.

Cal bateu no ombro de Leo e disse:

— Não seja destruído. — O que talvez tenha sido a frase mais longa que ele já tinha pronunciado. — Uma outra vez... hóquei. Pizza.

— Vamos, pessoal — disse Jason, olhando para a escuridão lá fora. Estava ansioso por sair daquele lugar frio, mas algo lhe dizia que aquele seria o local mais amigável que veria por um bom tempo. — Vamos para Chicago, tentar não ser destruídos.

XXI

PIPER

Piper não relaxou até que as luzes de Quebec tivessem ficado completamente para trás.

— Você foi incrível — disse Jason.

Piper deveria ter ganhado o dia com esse elogio. Mas tudo em que ela conseguia pensar era nos problemas que estavam por vir. *Coisas ruins estão despertando*, avisara Zetes. Piper já sabia disso. Quanto mais se aproximavam do solstício, menos tempo ela tinha para tomar sua decisão.

Ela falou com Jason em francês:

— Se você soubesse a verdade sobre mim, não pensaria que eu sou assim tão incrível.

— O que você disse?

— Eu disse que só conversei com Bóreas. Não foi assim tão incrível.

Piper não se virou para ver, mas imaginou que ele estaria sorrindo.

— Ei — disse ele —, você me salvou de ser mais um na coleção de heróis congelados de Quione. Eu lhe devo uma.

Essa foi a parte fácil, pensou Piper, pois nunca deixaria que aquela bruxa de gelo pegasse Jason. O que a preocupava era o jeito como Bóreas havia mudado de forma e o porquê de ele ter deixado que fossem embora. Aquilo deveria ter algo a ver com o passado de Jason, com as tatuagens em seu braço. Bóreas tratava Jason como se ele fosse romano, e os romanos não se misturam com os gregos. Piper continuava esperando uma explicação de Jason, mas estava claro que ele não queria falar sobre o assunto.

Até aquele momento, Piper discordava do sentimento de Jason sobre ele *não* pertencer ao Acampamento Meio-Sangue. Claro que ele era um semideus, claro que pertencia àquele lugar. Mas agora... e se ele fosse outra coisa? E se fosse realmente um inimigo? Ela não podia suportar aquela ideia tanto quanto não podia suportar Quione.

Leo lhes ofereceu sanduíches que tinha na mochila. Estivera em silêncio desde que os amigos lhe contaram o que tinha acontecido na sala do trono.

— Ainda não consigo acreditar — falou. — Quione parecia tão legal.

— Confie em mim, cara — disse Jason. — A neve pode ser bonita, mas de perto é fria e traiçoeira. Você vai encontrar alguém melhor.

Piper sorriu, mas Leo não parecia contente. Não conversou muito sobre o tempo que passou no palácio nem sobre ter sido afastado quando os boréadas farejaram fogo nele. Piper sentia que ele escondia alguma coisa. O que quer que fosse, seu humor afetava Festus, que não parava de se mexer e soltar fumaça em suas tentativas de manter-se aquecido no frio céu canadense. O Dragão Feliz não estava muito feliz.

Comeram os sanduíches enquanto voavam. Piper não tinha ideia de como Leo conseguira tudo aquilo, mas ele tinha se lembrado, até mesmo, de levar lanches vegetarianos para ela. O sanduíche de queijo e abacate estava delicioso.

Ninguém disse nada. Independentemente do que fossem encontrar em Chicago, sabiam bem que Bóreas só havia permitido que seguissem viagem porque entendia que eles estavam numa missão suicida.

A lua e as estrelas surgiram no céu. Os olhos de Piper começaram a pesar. O encontro com Bóreas e seus filhos a assustara mais do que queria admitir. Agora que ela estava de barriga cheia, sua adrenalina caía.

Aguente, cupcake!, teria gritado o treinador Hedge. *Não seja tão mole!*

Piper não parava de pensar no treinador desde que Bóreas dissera que ele ainda estava vivo. Jamais gostara de Hedge, mas ele havia se jogado de um penhasco para salvar a vida de Leo e se sacrificara para protegê-los naquela passarela. Agora sabia que todas as vezes que o treinador a recriminava na escola, gritando para que corresse mais rápido ou para fazer mais flexões, ou mesmo quando virava as costas enquanto ela brigava com outras meninas, o que aquele velho homem-bode estava tentando fazer era ajudar como podia... tentando prepará-la para sua vida como semideusa.

Na passarela do Grand Canyon, o espírito da tempestade, Dylan, disse algo sobre o treinador também. Disse que ele havia sido exilado na Escola da Vida Selvagem por estar muito velho, como se fosse uma espécie de punição. Piper ficou imaginando sobre o que estaria falando e se isso explicava o mau humor eterno do treinador. De qualquer maneira, agora que sabia que Hedge estava vivo, sentia uma grande vontade de salvá-lo.

Não se precipite, disse a si mesma. Você tem problemas maiores a resolver. Essa viagem não terá um final feliz.

Ela era uma traidora, assim como Silena Beauregard. Era apenas questão de tempo até que seus amigos descobrissem.

Olhou para as estrelas e pensou em uma noite, havia muito tempo, quando ela e seu pai acamparam na frente da casa do vovô Tom. Ele tinha morrido anos antes, mas seu pai manteve a casa em Oklahoma, pois crescera lá.

Ficaram lá por alguns dias, com a ideia de reformar a casa para vendê-la, ainda que Piper não tivesse tanta certeza se alguém compraria aquele chalé acabado com persianas em vez de janelas e dois quartinhos minúsculos com cheiro de cigarro. A primeira noite foi tão quente — sem ar-condicionado e em pleno verão —, que seu pai sugeriu que dormissem do lado de fora.

Abriram seus sacos de dormir no chão e ficaram ouvindo as cigarras cantando nas árvores. Piper apontou para as constelações sobre as quais estivera lendo: Hércules; a lira de Apolo; Sagitário, o centauro.

O pai cruzou os braços sob a cabeça. Com sua camiseta velha e a calça jeans, parecia apenas mais um cara de Tahlequah, Oklahoma, um cherokee que talvez nunca tivesse saído das terras da tribo.

— Seu avô diria que esses nomes gregos são uma bobagem. Ele me disse que as estrelas eram criaturas com pelos brilhantes, como porcos-espinhos mágicos. Certa vez, há muito tempo, alguns caçadores até encontraram alguns na floresta. Não souberam o que fazer até a noite, quando as criaturas começaram a brilhar. Raios dourados saíam dos pelos, e os cherokee os devolveram ao céu.

— Você acredita em porcos-espinhos mágicos? — perguntou Piper.

Seu pai sorriu.

— Na minha opinião, seu avô Tom também falava bobagens, como os gregos. Mas o céu é grande, com espaço para Hércules e para porcos-espinhos.

Ficaram sentados por algum tempo, até Piper criar coragem para perguntar algo que martelava em sua cabeça:

— Pai, por que você nunca fez o papel de um índio americano?

Na semana anterior, ele recusara um milhão de dólares para interpretar Tonto, no remake de *Zorro*. Piper não entendia por quê. Já fizera papel de tudo... de professor latino numa escola barra-pesada de Los Angeles, de espião sedutor israelense num filme de ação de muito sucesso e mesmo de terrorista sírio num filme de James Bond. E, claro, seria sempre conhecido como o Rei de Esparta. Mas se o papel era de índio americano — não importava qual fosse o *tipo* de papel —, seu pai recusava.

Ele piscou para Piper.

— Fica muito perto da realidade, Pipes. É mais fácil fingir ser alguém que não sou.

— Mas você não se cansa? Quer dizer, nunca ficou tentado a encontrar o papel perfeito, que poderia mudar a opinião das pessoas?

— Se esse papel existe, Pipes — disse, triste —, eu ainda não o encontrei.

Ela olhou para as estrelas, tentando imaginá-las como porcos-espinhos brilhantes, mas tudo o que viu foram as figuras que conhecia, como Hércules correndo pelo céu, a caminho de matar monstros. Seu pai devia ter razão. Os gregos e os cherokees eram igualmente loucos. As estrelas não passavam de bolas de fogo.

— Pai, se não quer ficar perto de sua realidade, por que estamos dormindo no jardim da casa do vovô Tom?

A risada dele ecoou na noite silenciosa de Oklahoma.

— Acho que você me conhece bem demais, Pipes.

— Você não vai vender esta casa, vai?

— Não. — Ele suspirou. — Provavelmente, não.

Piper piscou, querendo tirar tudo aquilo da cabeça. Notou que estava caindo no sono nas costas do dragão. Como seu pai poderia fingir ser tantas coisas que não era? Era a mesma coisa que ela tentava fazer, e lhe parecia um sacrifício terrível.

Talvez pudesse fingir um pouco mais. Poderia sonhar em encontrar uma forma de salvar seu pai sem trair os amigos... mesmo que, naquele momento, um final feliz parecesse tão improvável quanto porcos-espinhos mágicos.

Deitou-se no peito quente de Jason. Ele não reclamou. Assim que fechou os olhos, Piper dormiu.

Em seu sonho, ela estava de volta ao topo da montanha. A assustadora fogueira roxa lançava sombras fantasmagóricas entre as árvores. Os olhos de Piper estavam irritados pela fumaça, e o chão estava tão quente que a sola dos sapatos parecia derreter.

Uma voz rufou na escuridão:

— Você se esqueceu do seu dever.

Piper não o via, mas, definitivamente, era o gigante de que ela menos gostava, aquele que atendia pelo nome de Encélado. Olhou em volta, buscando o pai, mas o mastro onde ele ficava dependurado desaparecera.

— Onde ele está? — perguntou Piper. — O que vocês fizeram com ele?

A risada do gigante parecia lava saindo de um vulcão.

— O corpo do seu pai está a salvo, mas acho que a mente do pobre homem não aguenta mais minha companhia. Por alguma razão, ele me acha... perturbador. É melhor se apressar, garotinha, ou restará pouco do seu pai para ser salvo.

— Deixe o meu pai em paz! — ela gritou. — Por que não me leva no lugar dele? Ele é apenas um mortal!

— Mas, minha querida — gritou o gigante —, nós devemos provar o amor que sentimos pelos nossos pais. É o que *eu* estou fazendo. Mostre-me que valoriza a vida do seu pai fazendo o que estou lhe pedindo. Quem é mais importante: seu pai ou uma deusa desonesta que a usou, brincou com as suas emoções e manipulou suas memórias? O que Hera representa para você?

Piper começou a tremer. Ela sentia tanta raiva e medo borbulhando dentro de si, que mal podia falar.

— Você está pedindo que eu traia meus amigos.

— Infelizmente, querida, seus amigos estão destinados a morrer. A missão deles é impossível. Mesmo que tenham êxito, a profecia disse: libertar a raiva de Hera significará sua destruição. A única pergunta é: você quer morrer com seus amigos ou viver ao lado de seu pai?

A fogueira crepitou. Piper tentou dar um passo atrás, mas seus pés estavam pesados. Notou que o chão a puxava para baixo, suas botas mergulhavam como se fosse areia movediça. Quando olhou para cima, uma luz lilás havia se espalhado pelo céu e o sol nascia no leste. Uma colcha de retalhos de cidades cintilava no vale logo abaixo, e, no oeste, após uma cadeia de colinas, viu algo familiar levantando-se de um mar de névoa.

— Por que está me mostrando isso? — perguntou Piper. — Está revelando onde você está.

— Sim, você conhece esse lugar — disse o gigante. — Traga os seus amigos para cá, não para o destino verdadeiro, e eu cuidarei deles. Ou melhor: eu cuidarei da morte deles antes da sua chegada. Basta que estejam no topo da montanha ao meio-dia, no solstício, e você terá seu pai de volta e poderá ir embora em paz.

— Não posso — disse Piper. — Você não pode me obrigar a...

— Trair o bobo do Valdez? O mesmo que sempre a deixou irritada e agora esconde segredos de vocês? Ou abrir mão de um namorado que nunca teve? Isso é mais importante que seu pai?

— Vou encontrar uma maneira de vencê-lo — afirmou Piper. — Vou salvar meu pai *e* meus amigos.

O gigante uivou nas sombras.

— Eu também já fui orgulhoso. Imaginava que os deuses nunca me venceriam. E, então, eles derrubaram uma montanha em cima de mim, atirando-me ao chão, onde me retorci de dor, semiconsciente, por incontáveis éons. Isso me ensinou a ser paciente, menina. Ensinou-me a não agir sem pensar. Mas eu estou voltando, com a ajuda da terra, que desperta. Sou apenas o primeiro. Meus companheiros me seguirão. Não perderemos a oportunidade de nos vingarmos, não desta vez. E você, Piper McLean, precisa de uma lição de humildade. Vou lhe mostrar como o seu espírito rebelde pode ser facilmente trazido de volta ao chão.

O sonho terminou. E Piper acordou gritando, caindo em queda livre no ar.

XXII

PIPER

Piper despencava pelo céu. Lá embaixo, via as luzes da cidade brilhando no amanhecer e, a cem metros dela, o corpo do dragão de bronze girando fora de controle, batendo as asas com dificuldade e soltando fogo pela boca como se fosse uma lâmpada em curto-circuito.

Um corpo passou voando ao seu lado. Era Leo, gritando e tentando freneticamente agarrar-se às nuvens.

— Isso não é nada legaaaaaaaaaaal!

Piper tentou chamá-lo, mas ele já estava bem longe.

Em algum lugar mais abaixo, Jason gritava:

— Piper, você precisa planar! Estique suas pernas e braços!

Era complicado domar o medo, mas ela fez o que Jason disse e conseguiu um pouco de equilíbrio. Abriu-se como faz um paraquedista, com o vento sob o corpo como se fosse um bloco de gelo. E logo chegou Jason, passando os braços por sua cintura.

Graças a Deus, pensou Piper. Mas parte dela também pensava: que maravilha! É a segunda vez que ele me abraça em uma semana, e nas duas vezes foi para me salvar da morte.

— Precisamos pegar Leo! — ela gritou.

A queda ficou mais lenta quando Jason conseguiu controlar os ventos, mas eles ainda sacudiam para cima e para baixo, como se os tais ventos não quisessem colaborar.

— Precisamos descer depressa — disse Jason. — Segure firme!

Piper abraçou-o com força e Jason partiu em direção ao chão. Ela provavelmente gritou, mas o som não saía de sua boca. Sua visão ficou turva.

E então, *pum*, trombaram com outro corpo: era Leo, que ainda gritava e xingava.

— Calma! — disse Jason. — Sou eu!

— Meu dragão! — gritou Leo. — Você precisa salvar Festus!

Jason já estava lutando para manter os dois supensos no ar, e Piper sabia que ele não aguentaria um dragão de bronze de cinquenta toneladas. Porém, antes que pudesse dizer qualquer coisa a Leo, ouviu uma explosão logo abaixo. Uma bola de fogo subiu dos fundos de um armazém, e Leo soluçou:

— Festus!

O rosto de Jason ficou vermelho enquanto ele tentava manter uma camada de ar debaixo eles, mas não conseguia nada além de pequenas quedas intermitentes. Em vez de uma queda livre, parecia que eles estavam descendo uma escadaria gigante, quicando, caindo cem metros por vez, o que não ajudava a manter o estômago de Piper no lugar.

Enquanto chacoalhavam pelo céu, Piper conseguiu distinguir detalhes do complexo industrial logo abaixo — armazéns, chaminés, cercas eletrificadas e estacionamentos com veículos cobertos de neve. Ainda estavam alto o bastante para ficarem achatados no chão caso caíssem, quando Jason gritou:

— Não consigo...

E eles caíram como pedras.

Atravessaram o telhado de um enorme armazém e despencaram na escuridão.

Infelizmente, Piper tentou cair de pé, e seus pés não gostaram nada disso. A dor se espalhou pelo seu tornozelo esquerdo quando ela bateu contra uma superfície fria de metal.

Por alguns segundos ela não conseguia pensar em nada além da dor... uma dor tão terrível que turvou sua visão e a deixou com um apito constante no ouvido.

Finalmente, ouviu a voz de Jason em algum lugar, mais embaixo, uma voz que ecoava pelo prédio:

— Piper! Onde está Piper?

— Ei, cara! — grunhiu Leo. — Estas são as minhas costas! Eu não sou um sofá! Piper, cadê você?

— Aqui — ela conseguiu dizer, choramingando.

E ouviu passos nas escadarias de metal.

Sua visão começou a clarear. Estava numa passarela de metal que circundava o interior do armazém. Leo e Jason aterrissaram mais abaixo e subiram as escadas para encontrá-la. Ela olhou para os pés e sentiu um enjoo. Seus dedos não deveriam apontar para os lados, certo?

Meu Deus! Forçou-se a olhar para outro lado antes que vomitasse. Focou em qualquer outra coisa.

O buraco que fizeram no teto era enorme. Ela não entendia como sobreviveram à queda. Dependuradas do teto, algumas lâmpadas lançavam luzes trêmulas e fracas, poucas para aquele espaço enorme. Próximo a Piper, a parede de metal enrugado tinha o desenho da logomarca da empresa, mas estava quase totalmente coberta por pichações. Lá embaixo, no armazém, ela podia entrever grandes máquinas, braços robóticos e caminhões ainda por terminar na linha de montagem. O local parecia abandonado havia anos.

Jason e Leo se aproximaram.

— Você está bem...? — perguntou Leo, e então ele viu o pé de Piper. — Não, não está.

— Obrigada por confirmar — murmurou Piper.

— Você vai ficar bem — disse Jason, ainda que Piper pudesse notar um tom de preocupação. — Leo, você trouxe algum material de primeiros socorros?

— Sim... sim, claro.

E buscou em seu cinto de ferramentas, pegando um pouco de gaze e fita isolante, ainda que as duas coisas parecessem um pouco grandes para os bolsos do cinto. Piper notara o cinto no dia anterior, mas não perguntou nada a Leo. Não parecia algo especial... nada mais que uma dessas faixas de couro com vários bolsos, como as usadas por carpinteiros, por exemplo. E parecia vazio.

— Como você... — Piper tentou se sentar, mas se encolheu. — Como encontrou tudo isso num cinto vazio?

— Mágica — disse Leo. — Ainda não entendi muito bem, mas aqui encontro as coisas normais de um cinto de ferramentas, além de outras coisinhas úteis. — E enfiou a mão em outro bolso, pegando uma pequena caixa. — Balas de menta para o mau hálito?

Jason não aceitou, dizendo:

— Isso é ótimo, Leo. Mas agora precisamos que cuide do pé de Piper.

— Sou mecânico, cara. Se ela fosse um carro eu talvez... — disse, tamborilando os dedos. — Espere, o que era aquela comida dos deuses regeneradora lá do acampamento... comida Rambo?

— Ambrosia, cara — disse Piper, rangendo os dentes. — Devo ter um pouco na minha bolsa, se não estiver toda amassada.

Jason tirou a mochila das costas dela com cuidado. Buscou entre os suprimentos que os filhos de Afrodite prepararam e encontrou um saquinho com algo esmagado, que parecia barras de limão. Pegou um pedaço e deu a ela.

O gosto não era exatamente o que esperava. Parecia a sopa de feijão preto do seu pai, que costumava tomar, quando era pequena, sempre que ficava doente. Lembrar isso a fez relaxar, apesar de deixá-la triste. E a dor no tornozelo abrandou.

— Mais — ela pediu.

Jason franziu a testa.

— Piper, não deveríamos arriscar. Dizem que comer isso em exagero pode nos transformar em cinzas. Acho que deveria tentar endireitar o pé.

— Você já fez isso antes? — ela perguntou, com o estômago revirado.

— Ah... acho que sim.

Leo encontrou um pedaço de madeira e quebrou-o ao meio para fazer uma tala. Depois pegou a fita isolante e a gaze.

— Segure a perna dela bem firme — disse Jason a Leo. — Piper, isso vai doer.

Quando Jason colocou o pé no lugar, Piper se retorceu tanto que acabou socando o braço de Leo, e ele gritou tanto quanto ela. Quando sua visão voltou ao normal e ela pôde novamente respirar bem, notou que seu pé apontava para o lado certo e que seu tornozelo estava cheio de gaze, madeira e fita isolante.

— Ai — ela disse.

— Caramba, rainha da beleza! — disse Leo, esfregando o braço. — Sorte que o meu rosto não estava perto de você.

— Sinto muito — desculpou-se. — E não me chame de "rainha da beleza", ou acerto você de novo.

— Vocês dois fizeram um bom trabalho.

Jason encontrou um cantil na mochila de Piper e deu-lhe um pouco de água. Passados alguns minutos, o estômago dela começou a se acalmar.

Quando parou de gritar de dor, ela pôde ouvir o vento do lado de fora. Flocos de neve entravam pelo buraco no teto do armazém. Porém, após seu encontro com Quione, neve era a última coisa que Piper queria ver.

— O que aconteceu com o dragão? — ela perguntou. — Onde estamos?

A expressão de Leo ficou dura.

— Não sei o que aconteceu com Festus. Ele ficou instável de repente, como se tivesse batido contra um muro invisível, e começou a cair.

Piper lembrou-se do aviso de Encélado: *Vou mostrar-lhes como os seus espíritos rebeldes podem ser facilmente atirados ao chão.* Ele conseguira derrubá-los de tão longe? Parecia impossível. Se era realmente tão poderoso, por que precisaria que ela traísse seus amigos quando ele mesmo poderia matá-los? Mas como o gigante poderia vigiá-la, sob uma tempestade de neve, há milhares de quilômetros?

Leo apontou para o logotipo na parede.

— Estamos... — era difícil ler por trás das pichações, mas Piper conseguiu ver um grande olho vermelho com as palavras: MONOCLE MOTORS, LINHA DE MONTAGEM I.

— É uma fábrica de veículos fechada — disse Leo. — Acho que caímos em Detroit.

Piper ouvira falar sobre fábricas de carros desativadas em Detroit, então aquilo fazia sentido. Mas parecia um local um pouco depressivo para aterrissar.

— Estamos muito longe de Chicago?

Jason ofereceu-lhe o cantil e disse:

— Acho que já percorremos mais da metade do caminho, vindo de Quebec. A questão é: sem o dragão, vamos ter que viajar por terra.

— Nem pensar — disse Leo. — Não é seguro.

Piper pensou no solo tragando seus pés no sonho e no aviso do rei Bóreas sobre a terra guardar novos horrores.

— Ele tem razão. Além disso, não sei se poderia caminhar. E três pessoas... Jason, você não poderia voar por todo esse trecho sozinho.

— De jeito nenhum — disse Jason. — Leo, você tem certeza de que o dragão estava funcionando bem? Quer dizer, Festus é velho, e...

— E eu talvez não o tenha consertado direito?

— Eu não disse isso — protestou Jason. — É só... talvez você possa consertá-lo.

— Não sei — disse Leo, soando catastrófico. Pegou algumas coisas nos bolsos e começou a brincar com as peças. — Preciso descobrir onde ele caiu e se pelo menos continua inteiro.

— Foi culpa minha — afirmou Piper, sem pensar.

Mas não podia aguentar mais. O segredo sobre o seu pai a consumia, como se tivesse comido muita ambrosia. Se continuasse mentindo para os amigos, arderia em brasas.

— Piper — disse Jason, em tom gentil. — Você estava dormindo quando Festus caiu. Não pode ser culpa sua.

— É verdade — concordou Leo, que nem tentou fazer uma piada. — Você estava dormindo.

Ela queria lhes contar tudo, mas as palavras não saíam de sua garganta. Eles estavam sendo legais. E caso Encélado estivesse mesmo vigiando tudo, revelar o segredo poderia significar a morte para o seu pai.

Leo se levantou.

— Jason, por que não fica aqui com ela, cara? Eu vou dar uma olhada e ver se encontro Festus. Acho que ele deve ter caído em algum lugar aí fora. Caso o encontre, talvez possa tentar entender o que aconteceu e consertá-lo.

— Isso é muito perigoso — advertiu Jason. — Você não deveria ir sozinho.

— Ah, eu tenho fita isolante e balas de menta. Vou ficar bem — disse Leo, rapidamente, e Piper notou que ele estava muito mais nervoso do que aparentava. — Vocês não fazem nada sem mim.

Leo enfiou a mão no seu cinto mágico e pegou uma lanterna. Depois desceu as escadas, deixando Jason e Piper sozinhos.

Jason sorriu para ela, ainda que parecesse um pouco nervoso. Era a mesma expressão que tinha no rosto após beijá-la pela primeira vez, no telhado do alojamento da Escola da Vida Selvagem — com aquela pequena e linda cicatriz que tinha nos lábios curvando-se num crescente. Pensar nisso a deixou mais feliz. Depois se lembrou de que aquele beijo talvez nunca tivesse acontecido realmente.

— Você parece melhor — disse Jason.

Piper não sabia se ele se referia a seu pé ou ao fato de já não estar tão linda como antes, passada a mágica. Seus jeans estavam rasgados, após a queda do telhado. As botas estavam respingadas de neve suja derretida. Como estaria o seu rosto? Provavelmente horrível.

E isso importava? Ela nunca ligou para aparência. Ficou imaginando se não seria culpa de sua mãe, a tola deusa do amor, que confundia seus pensamentos. Se um dia começasse a sentir necessidade de ler revistas de moda, teria de encontrar Afrodite e conversar seriamente com ela.

Decidiu focar no seu tornozelo. Desde que ela não se movesse, não doía.

— Você fez um bom trabalho — disse a Jason. — Onde aprendeu técnicas de primeiros socorros?

Ele deu de ombros.

— A mesma resposta de sempre: não sei.

— Mas está começando a recuperar um pouco a memória, certo? Como aquela profecia em latim no acampamento ou o sonho com os lobos.

— É estranho — comentou ele. — Como se fosse um *déjà vu*. É mais ou menos como esquecer-se de nomes e palavras, sabe, coisas que deveriam estar na ponta da língua, mas não estão. Algo assim... mas aplicado a toda a minha vida.

Piper entendia o que ele queria dizer. Os três últimos meses — uma vida que imaginava ter, um relacionamento com Jason — haviam se transformado em Névoa.

Um namorado que na verdade nunca teve, dissera Encélado. *Isso é mais importante que o seu pai?*

Ela deveria ter mantido a boca fechada, mas perguntou algo que não saía de sua cabeça desde o dia anterior.

— A foto no seu bolso. É alguém do seu passado?

Jason se afastou.

— Sinto muito — disse ela. — Não tenho nada a ver com isso. Esqueça.

— Não... tudo bem. — E o rosto dele ficou mais tranquilo. — Só... só estou tentando entender tudo. O nome dela é Thalia. É minha irmã. Não sei de mais nada. Nem sei como fiquei sabendo que é minha irmã, mas... por que você está sorrindo?

— Nada — respondeu Piper, tentando disfarçar. *Não* era uma antiga namorada. E ela se sentia ridiculamente feliz por isso. — É só que... que ótimo que se lembrou disso! Annabeth me disse que ela se transformou em Caçadora de Ártemis, certo?

Jason fez que sim.

— Sinto que deveria tentar encontrá-la. Hera me deixou essa lembrança, e não deve ter sido por acaso. Tem algo a ver com a missão. Mas... também sinto que poderia ser perigoso. Não sei se *quero* saber a verdade. Isso parece loucura?

— Não. Não mesmo — disse Piper, depois olhou para a logomarca na parede: MONOCLE MOTORS e o olho vermelho. Algo naquela logo a incomodava.

Talvez a ideia de que Encélado a pudesse estar vigiando, mantendo seu pai como moeda de troca. Tinha de salvá-lo, mas como poderia trair seus amigos?

— Jason — ela disse —, falando em verdade, preciso contar uma coisa... algo sobre o meu pai...

Mas Piper não teve a chance. Vindo de baixo, ouviram um barulho de metal batendo em metal, como uma porta se fechando. O som ecoou no armazém.

Jason ficou de pé. Pegou sua moeda e a agitou, brandindo sua espada dourada no ar.

— Leo? — chamou.

Não teve resposta.

Agachou junto a Piper.

— Não gosto nada disso.

— Ele pode estar em perigo — disse Piper. — Vá dar uma olhada.

— Não posso deixar você sozinha.

— Eu vou ficar bem. — Ela sentia muito medo, mas não queria admitir. Pegou sua adaga, Katoptris, e tentou parecer confiante. — Se alguém se aproximar, enfio a faca.

Jason hesitou.

— Vou deixar a mochila. Se eu não voltar em cinco minutos...

— Entro em pânico?

Ele abriu um sorriso.

— Fico feliz que tenha voltado ao normal. Aquela maquiagem e aquele vestido intimidavam muito mais que essa faca.

— Vá em frente, espertinho, antes que eu a enfie em *você*!

— Espertinho?

Mesmo ofendido, Jason parecia lindo. Isso não era justo. Ele desceu pelas escadas e desapareceu na escuridão.

Piper tentou controlar o tempo contando as vezes que respirava. Mas se perdeu ao chegar a quarenta e três. Algo no armazém fez *bang*!

E o eco do som cessou. O coração de Piper acelerou, mas ela não disse nada. Seus instintos diziam que talvez não fosse boa ideia.

Olhou para o tornozelo machucado. *Isso quer dizer que não posso correr*. Depois olhou mais uma vez para a logomarca da Monocle Motors. Uma voz em seu cérebro a incomodava, avisando do perigo. Algo da mitologia grega...

Pegou a mochila e os pedaços da ambrosia. Muita quantidade a queimaria, mas só um pouco mais poderia deixar seu tornozelo perfeito, certo?

Bum. O segundo som foi mais perto, bem embaixo dela. Comeu um pedaço de ambrosia e seu coração acelerou. Sua pele ficou quente.

Hesitante, flexionou o tornozelo na tala. Não sentia dor, nada. Cortou a fita isolante usando a faca e ouviu passos na escada. Eram passos pesados, como botas de metal.

Já teriam se passado cinco minutos? Mais? Não pareciam ser passos de Jason, mas talvez ele estivesse carregando Leo. Finalmente, Piper não conseguiu mais se conter. Agarrando a faca, gritou:

— Jason?

— Sim — ele respondeu na escuridão —, estou subindo.

Era a voz de Jason. Mas por que seus instintos lhe diziam *corra*?

Com muito esforço, ela se levantou.

Os passos se aproximavam.

— Está tudo bem — assegurou a voz de Jason.

No topo da escada, um rosto surgiu na escuridão. Um sorriso escuro e macabro, com um nariz achatado e um único olho vermelho-sangue no meio da testa.

— Está tudo bem — disse o ciclope, imitando perfeitamente a voz de Jason. — Você chegou bem na hora do jantar.

XXIII

LEO

Leo adoraria que o dragão não tivesse pousado nos toaletes.

De todos os lugares onde poderia cair, uma fileira de banheiros químicos não deveria ser a primeira opção. Uma dezena de boxes azuis tinha sido instalada no canteiro da fábrica, e Festus esmagara todos eles. Felizmente, não eram usados havia muito tempo, e a bola de fogo que surgiu na queda queimou quase tudo. Mas, ainda assim, alguns produtos químicos bem nojentos saíam do encanamento. Leo precisou abrir passagem sem respirar pelo nariz, para não sentir o terrível cheiro. Uma nevasca forte caía do céu, mas a couraça do dragão ainda fervia. Isso, é claro, não incomodava Leo.

Após alguns minutos escalando o corpo imóvel de Festus, o garoto começou a ficar irritado. O dragão parecia em perfeito estado. Sim, caíra do céu com um estrondo, mas seu corpo não sofrera nada. Aparentemente, a explosão fora causada pelos gases acumulados nos banheiros, não pelo dragão. As asas de Festus estavam intactas. Nada parecia quebrado. Não havia razão para que tivesse parado de funcionar.

— Não foi minha culpa — ele murmurou. — Festus, você quer acabar com a minha reputação?

Foi então que Leo abriu o painel de controle na cabeça do dragão, e seu coração quase saiu pela boca.

— Ah, Festus, o que é isso?

As engrenagens tinham congelado. Leo sabia que no dia anterior tudo estava perfeito. Trabalhara duro para consertar os cabos corroídos, mas algo congelara o crânio do dragão, justo onde deveria estar quente demais para haver gelo. E isso sobrecarregou os cabos e queimou o disco de controle. Leo não entendia como aquilo acontecera. Claro, o dragão era antigo, mas ainda assim não fazia sentido.

Ele poderia trocar os cabos. Isso não seria um problema. Mas o disco de controle queimado era ruim. As letras gregas e as figuras entalhadas nas bordas, que provavelmente eram mágicas, estavam apagadas e escurecidas.

Era a única peça que Leo não conseguiria substituir... e estava estragada. *Mais uma vez.*

Ele imaginou a voz da mãe: *A maioria dos problemas parece pior do que realmente é,* mi amor. *Para tudo há solução.*

A mãe dele era capaz de consertar quase tudo, mas Leo tinha certeza de que ela nunca trabalhara com um dragão mágico de metal de cinquenta anos.

Ele trincou os dentes e decidiu que precisava tentar. Não seguiria a pé de Detroit a Chicago sob uma tempestade de neve, e não seria o responsável pelo fim de seus amigos.

— Certo — murmurou, limpando a neve acumulada nos ombros. — Quero uma escovinha com cerdas de náilon, luvas de nitrila e talvez uma lata de solvente aerossol.

O cinto de ferramentas o atendeu. Leo não pôde deixar de sorrir ao encontrar tudo o que queria lá dentro. Aqueles bolsos pareciam não ter limites. Não lhe dariam nada mágico, como a espada de Jason, nem nada enorme, como uma motosserra. Ele já tentara pedir as duas coisas. E quando pedia muitos itens de uma vez, o cinto sempre precisava de um tempo para voltar a funcionar. Quanto mais complicado o pedido, maior o tempo de recuperação. Mas, para qualquer coisa pequena e simples, daquelas que você acha em uma loja de ferramentas, tudo o que Leo precisava fazer era pedir.

Ele começou a limpar o disco de controle. Enquanto trabalhava, a neve cobria o dragão, que ia esfriando. Leo precisou parar algumas vezes para gerar fogo e derretê-la, mas, na maior parte do tempo, agia no piloto automático — as mãos movendo-se enquanto sua mente vagava.

Leo não acreditava em quanto fora estúpido no palácio de Bóreas. Devia ter imaginado que uma família de deuses do inverno o odiaria logo de cara. Um filho do deus do fogo entrando numa casa de gelo montado em um dragão que cospe chamas... O.k., não seria o melhor a fazer. Mas, ainda assim, ele odiava se sentir excluído. Jason e Piper conheceram a sala do trono. Leo teve de esperar no hall de entrada com Cal, o semideus do hóquei e dos problemas de cabeça.

Fogo não é legal, dissera Cal.

Isso resumia tudo. Leo sabia que não poderia esconder a verdade dos amigos por muito mais tempo. Desde o acampamento, uma linha da Grande Profecia não o deixava em paz: *Em tempestade ou fogo, o mundo terá acabado.*

E Leo era o cara do fogo. O primeiro desde 1666, quando Londres foi incendiada. Se dissesse aos amigos o que podia fazer — *Ei, pessoal, olha só: eu posso destruir o mundo!* —, será que alguém o receberia de volta no acampamento? Leo teria de fugir outra vez. Mesmo já conhecendo a história de cor, a ideia o deprimia.

E havia Quione. Cara, aquela garota era bonita. Leo sabia que tinha agido como um idiota, mas não pôde evitar. Tinha lavado sua roupa no serviço de lavanderia rápido do hotel — o que fora ótimo, por sinal —, penteara os cabelos, o que nunca era tarefa fácil, e até descobrira que o cinto de ferramentas podia lhe dar pastilhas de menta. E tudo isso pensando em se aproximar dela. Mas, claro, não teve essa sorte.

Ser deixado de fora — pelos parentes, nos lares adotivos, tanto faz — era a história de sua vida. Mesmo na Escola da Vida Selvagem, Leo tinha passado os últimos tempos sentindo-se sobrando, quando Jason e Piper, seus únicos amigos, viraram namorados. Estava feliz por eles, mas, ainda assim, tinha a impressão de que já não precisavam de sua companhia.

Quando descobriu que o tempo que Jason passara no colégio fora pura ilusão, como um lapso de memória, Leo ficou feliz, mesmo que secretamente. Era uma chance de recomeçar. Agora Jason e Piper estavam prestes a se tornar novamente um casal... Isso ficou óbvio pela forma como tinham acabado de se comportar no armazém, querendo ficar sozinhos, longe de Leo. Mas o que ele esperava? Ia mais uma vez acabar como o esquisitão excluído. Quione só o tinha dispensado um pouco mais rápido que as outras.

— Chega, Valdez — ele repreendeu a si mesmo. — Ninguém vai ficar bajulando você, simplesmente porque você não é importante. Conserte a droga do dragão.

Ele ficou tão envolvido no trabalho que não saberia dizer quanto tempo passou até que ouvisse a voz.

Você está enganado, Leo.

Sua mão tremeu e a escovinha caiu dentro da cabeça do dragão. Ele se levantou, mas não enxergava quem estava falando. Depois olhou para o chão. A neve, os restos de produtos químicos dos banheiros e o próprio asfalto se mexiam, como se estivessem virando um líquido. Uma área de três metros começou a ganhar formas: olhos, nariz e boca — a face gigante de uma mulher, dormindo.

Ela não falava exatamente. Os lábios não se moviam. Mas Leo ouvia a voz em sua cabeça, como se as vibrações viessem do chão e passassem diretamente a seus pés, ressoando em seus ossos.

Eles precisam de você, desesperadamente. De certa maneira, você é a pessoa mais importante entre os sete... como o disco de controle no cérebro do dragão. Sem você, o poder dos demais não vale nada. Eles nunca me encontrarão, nunca me deterão. E eu despertarei.

— Você — disse Leo, e tremia tanto que receou que a palavra não tivesse saído. Não ouvia aquela voz desde os oito anos, mas era ela: a mulher vestida de terra que aparecera na loja de sua mãe. — Você matou minha mãe.

O rosto se mexeu. A boca se abriu num pequeno sorriso, como se estivesse em um sonho prazeroso.

Ah, mas Leo... eu também sou sua mãe... sua Primeira Mãe. Não se oponha a mim. Agora vá embora. Deixe meu filho Porfiríon erguer-se e transformar-se em rei, e eu aliviarei o peso que leva nas costas. Você andará com mais facilidade na terra.

Leo agarrou a primeira coisa que encontrou — um assento de vaso sanitário — e jogou naquele rosto.

— Me deixe em paz!

O assento afundou na terra liquefeita. A neve e a lama ondularam e o rosto desapareceu.

Leo ficou olhando para o chão, esperando para ver se a face reapareceria. Mas não. Queria pensar que aquilo fora fruto de sua imaginação.

Depois, vindo da fábrica, ouviu um estrondo como o de dois caminhões se chocando, o metal se retorcendo. O barulho ecoou pelo canteiro. Imediatamente ele percebeu que Jason e Piper estavam em apuros.

Agora vá embora, dissera aquela voz.

— Não mesmo — rosnou Leo —, antes, quero o maior martelo que conseguir.

Ele enfiou a mão no cinto e pegou uma marreta de quase dois quilos, a cabeça dupla da ferramenta tinha o tamanho de uma batata assada. Depois desceu do dragão e correu para o armazém.

XXIV

LEO

Leo parou na porta e tentou controlar sua respiração. A voz da mulher de terra ainda ecoava em seus ouvidos, fazendo com que se lembrasse da morte da mãe. A última coisa que queria era entrar em outro armazém escuro. De repente, era como se tivesse oito anos mais uma vez, sozinho e impotente, enquanto alguém que amava estava preso, em perigo.

Chega, disse a si mesmo. *É assim que ela quer que você se sinta.*

Mas isso não o deixou menos assustado. Ele respirou fundo e entrou. Tudo parecia igual. A luz cinzenta da manhã entrava pelo buraco no telhado. Algumas poucas lâmpadas tremeluziam, mas a maior parte do armazém continuava nas sombras. Leo podia entrever a passarela logo acima e os contornos das grandes máquinas da linha de produção, mas nenhum movimento. Nenhum sinal de seus amigos.

Ele quase os chamou, mas algo o deteve... Algo que ele não conseguiu identificar, uma sensação. Depois notou que era um *cheiro*. Algo cheirava mal... Como óleo de motor queimado e hálito azedo.

Alguma coisa não humana estava ali dentro. Leo tinha certeza. Seu corpo entrou em alerta, todos os seus nervos formigavam.

Em algum lugar, vindo do piso da fábrica, ele ouviu a voz de Piper:

— Leo, socorro!

Mas Leo segurou sua língua. Como Piper poderia ter descido com o tornozelo quebrado?

Ele entrou com cuidado e se agachou atrás de um contêiner. A passos lentos, segurando a marreta, moveu-se até o meio do armazém, escondendo-se atrás de caixas e de chassis de caminhões. Finalmente, chegou à linha de montagem. Abaixou-se atrás de uma máquina... um guindaste com um braço mecânico.

A voz de Piper gritou mais uma vez:

— Leo?

Soava menos segura agora, mas estava bem mais perto.

Leo deu uma olhada nas máquinas em volta. Dependurado acima da linha de montagem, suspenso pela corrente de um guindaste que estava do outro lado, havia um enorme motor de caminhão, balançando a dez metros de altura, como se tivesse sido deixado ali quando a fábrica fechou. Logo abaixo, na esteira, um chassi de caminhão, e encostadas ao redor dele, três sombras escuras do tamanho de empilhadeiras. Perto dali, dependuradas nas correntes de outros braços mecânicos, duas sombras menores. Pareciam mais máquinas, mas uma delas se contorcia como se estivesse viva.

Até que uma sombra se levantou, e Leo notou que era um humanoide tremendamente grande.

— Eu disse que não era nada — resmungou a coisa.

A voz era muito grave e feroz para ser humana.

Uma outra sombra também se moveu, e chamou com a voz de Piper:

— Leo, socorro! Socorro...

Depois a voz se transformou em um rosnado masculino.

— Ah, não tem ninguém. Nenhum semideus seria tão silencioso, não?

E o primeiro monstro riu com escárnio:

— Provavelmente fugiu, se sabe o que é melhor para ele... Ou a menina mentiu sobre um terceiro semideus. Vamos esperar.

Clack. Uma forte luz alaranjada foi acesa — um sinalizador — e por um tempo Leo não conseguia enxergar. Escondeu-se atrás do guindaste até seus olhos se acostumarem. Olhou mais uma vez e viu uma cena de terror, algo que nem *Tía* Callida poderia ter imaginado.

As duas sombras menores dependuradas nos braços mecânicos não eram máquinas. Eram Jason e Piper. Os dois estavam de cabeça para baixo, amarrados pelos tornozelos e com correntes envolvendo seus corpos até o pescoço. Piper se sacudia, tentando se livrar daquilo. Sua boca estava tapada, mas pelo menos ela estava viva. Jason não parecia tão bem. Estava dependurado, parado, os olhos revirados. Tinha uma mancha vermelha e inchada do tamanho de uma maçã bem em cima da sobrancelha esquerda.

Na esteira, a carcaça do caminhão inacabado era usada como fogareiro. O sinalizador tinha incendiado uma mistura de pneus e madeira, que, pelo cheiro que levantava, devia estar embebida em querosene. Um grande mastro de metal estava suspenso acima das chamas — um espeto, notou Leo, o que significava que aquilo era fogo para cozinhar.

Porém, o mais terrível eram os cozinheiros.

Monocle Motors: aquele logotipo com o olho vermelho. Como Leo não percebeu antes?

Os três enormes humanoides estavam ao redor do fogo. Dois de pé, atiçando as chamas. Outro, o maior deles, agachado, de costas para Leo. Os dois que estavam de frente tinham três metros de altura, corpo musculoso e pele que brilhava avermelhada à luz da fogueira. Um dos monstros vestia uma tanga de malha de ferro que parecia bem desconfortável. O outro usava uma toga felpuda e esfarrapada, feita de fibra de vidro para isolamento térmico — o que tampouco estava entre as dez melhores ideias para roupas, achava Leo. Além disso, os dois poderiam ser gêmeos. Tinham um rosto estúpido, com um olho no meio da testa. Os cozinheiros eram ciclopes.

As pernas de Leo começaram a tremer. Ele já vira coisas estranhas — espíritos da tempestade, deuses alados, um dragão de metal que cheirava a tabasco. Mas aquilo era diferente. Eram monstros de carne e osso, de três metros de altura, que queriam comer seus amigos no jantar.

Leo ficou tão horrorizado que mal conseguia pensar. Se ao menos tivesse Festus. Seria bom naquele momento usar um blindado de quase dois metros que cospe fogo. Mas tudo o que Leo tinha era um cinto de ferramentas e uma mochila. A marreta de quase dois quilos parecia inútil e incrivelmente pequena ao lado daqueles ciclopes.

Era *disso* que a mulher que dormia estava falando. Queria que Leo fosse embora e deixasse os amigos morrerem.

Essa lembrança foi a gota d'água. De jeito nenhum ele ia deixar que a mulher de areia o fizesse se sentir impotente... nunca mais. Leo tirou a mochila das costas e, sem fazer barulho, começou a abrir o zíper.

O ciclope com a tanga de malha de ferro aproximou-se de Piper, que se contorceu e tentou acertar uma cabeçada no olho dele.

— Posso tirar a mordaça dela agora? Adoro quando eles gritam.

A pergunta foi dirigida ao terceiro ciclope, aparentemente o líder. A figura agachada soltou um murmúrio e o Tanga tirou a mordaça da boca de Piper.

Ela não gritou. Respirou fundo, como se tentasse se acalmar.

Enquanto isso, Leo encontrou o que queria na mochila: vários pequenos controles remotos que pegara no bunker 9. Pelo menos, era o que *esperava* que fossem: controles remotos. O painel de manutenção dos braços mecânicos foi fácil de encontrar. Ele tirou do cinto com cuidado uma chave de fenda e começou o trabalho, mas tinha de seguir lentamente. O líder dos ciclopes estava apenas seis metros à sua frente. Os monstros obviamente tinham sentidos bem aguçados. Seguir o seu plano sem fazer barulho parecia impossível, mas ele não tinha muita escolha.

O ciclope de toga atiçou o fogo, que agora estava bem alto e lançava para o teto uma fumaça negra e nociva. Seu colega, o Tanga, olhou para Piper, esperando que ela fizesse algo para entretê-lo.

— Grite, menina! Eu gosto de gritos divertidos!

Quando Piper finalmente falou, seu tom era calmo e razoável, como se tentasse corrigir o mau comportamento de um bichinho de estimação.

— Ah, senhor ciclope, você não quer nos matar. Seria muito melhor se nos deixasse ir embora.

Tanga coçou sua cara feia, depois virou-se para o colega de toga.

— Ela é até bonita, Torque. Talvez eu devesse soltá-la.

Torque, o da toga, rosnou:

— Eu a vi primeiro, Sump. Sou *eu* quem vai soltá-la.

Sump e Torque começaram a discutir, mas o terceiro ciclope levantou-se e gritou:

— Idiotas!

Leo quase deixou a chave de fenda cair. O terceiro ciclope era... *mulher*. Vários metros mais alta que Torque e Sump, e mais corpulenta. Estava com um vestido de malha de ferro todo largo, do tipo que tia Rosa costumava usar. Como aquilo se chamava? *Muumuu*? Isso: a senhora ciclope usava um *muumuu* de malha de ferro. Seus cabelos negros e ensebados estavam presos em tranças com fios de cobre e anilhas de metal. O nariz e a boca eram largos e quase achatados, como se ela passasse o tempo livre esmagando o rosto contra paredes, e seu único olho vermelho brilhava com uma inteligência maldosa.

Ela foi até Sump e o empurrou para o lado, atirando-o na esteira. Torque se afastou rapidamente.

— Essa menina é cria de Vênus — disse a senhora ciclope. — Está usando o charme dela contra você.

— Por favor, madame... — disse Piper.

— Argh! — A senhora ciclope agarrou Piper pela cintura. — Não tente usar seu papinho comigo, menina! Eu sou Ma Gasket! Já comi heróis mais fortes que você no almoço!

Leo ficou com medo de que Ma Gasket esmagasse Piper, mas ela simplesmente a abandonou, deixando-a balançar presa à corrente. Depois começou a gritar com Sump, chamando-o de idiota.

As mãos de Leo trabalhavam sem parar. Ele inverteu cabos e ligou disjuntores sem pensar muito no que fazia. Finalmente, conectou o controle remoto a tudo aquilo. E rastejou até o braço mecânico seguinte, enquanto os ciclopes conversavam.

— ...comê-la por último, Ma? — dizia Sump.

— Idiota! — ela gritou, e Leo notou que Sump e Torque deviam ser seus filhos. Se estivesse certo, a feiura era marca de família. — Eu deveria ter largado vocês na rua enquanto ainda eram bebês, como deve ser *feito* com filhos ciclopes. Assim vocês teriam adquirido algumas habilidades úteis. Maldita a hora em que esse meu coração mole me fez mantê-los em casa!

— Coração mole? — resmungou Torque.

— O quê, seu ingrato?

— Nada, Ma. Só disse que você tem bom coração. Temos que trabalhar para você, alimentá-la, limar suas unhas dos pés...

— E deveriam ser gratos por isso! — Ma Gasket vociferou. — Agora atice o fogo, Torque! E Sump, seu idiota, o molho que costumo usar está no outro armazém. Não acha que vou comer esses semideuses sem molho, acha?

— Sim, Ma — disse Sump. — Quer dizer, não, Ma. Quer dizer...

— Vá pegar o molho!

Ela pegou um chassi de caminhão que estava ao lado e acertou-o na cabeça de Sump, que caiu de joelhos. Leo estava certo de que ele próprio morreria com um golpe daqueles, mas Sump pareceu acostumado. Conseguiu pôr de lado o chassi, aprumou-se, cambaleando, e correu para buscar o molho.

É o momento, pensou Leo. Eles estavam separados.

Ele terminou de arrumar a segunda máquina e seguiu em direção à terceira. Enquanto corria entre os braços mecânicos, os ciclopes não o viram, mas Piper, sim. A expressão dela mudou de terror para descrença, e ela soltou um arquejo.

— O que foi, menina? — Ma Gasket virou-se para ela. — Você é tão frágil que eu a machuquei?

Felizmente, Piper pensava rápido. Desviou o olhar para longe de Leo e disse:

— Acho que são minhas costelas, senhora. Se eu estiver com algum osso quebrado, meu gosto será horrível.

Ma Gasket vociferou gargalhando:

— Boa piada. O último herói que comemos... você se lembra dele, Torque? Filho de Mercúrio, certo?

— Sim, Ma — respondeu Torque. — Era muito saboroso. Um pouco viscoso.

— Ele tentou o mesmo truque. Disse que estava tomando remédio. Mas seu gosto era maravilhoso!

— Parecia carneiro — disse Torque. — Camiseta roxa. Falava latim. Sim, um pouco viscoso, mas muito bom.

Os dedos de Leo congelaram no painel de controle. Aparentemente, Piper estava pensando o mesmo que ele, pois ela perguntou:

— Camiseta roxa? Latim?

— Foi uma boa refeição — disse Ma Gasket. — Mas a questão, menina, é que não somos tão bobos quanto todos pensam! Não vamos cair em truques e armadilhas idiotas. Não nós, os ciclopes do norte!

Leo obrigou-se a voltar ao trabalho, mas sua mente estava a mil. Um garoto que falava latim fora capturado ali... usando uma camiseta roxa, como a de Jason? Ele não sabia o que isso significava, mas tinha de deixar a dúvida para Piper. Se havia alguma chance de vencer aqueles monstros, tinha de ser rápido, antes que Sump voltasse com o molho.

Ele olhou para o enorme motor suspenso logo acima dos ciclopes. Queria poder usá-lo... seria uma boa arma. Mas o guindaste que o segurava estava do outro lado. Leo não poderia alcançá-lo sem ser visto, e além do mais o tempo se esgotava.

A última parte de seu plano era a mais complicada. Do cinto de ferramentas, ele tirou alguns cabos, um adaptador de rádio e uma pequena chave de fenda, e começou a construir um controle remoto universal. Pela primeira vez, disse um silencioso obrigado ao pai — Hefesto — por aquele cinto mágico. *Se me tirar dessa,* ele rogou, *talvez você não seja um idiota tão grande.*

Piper continuou falando, exagerando nos elogios:

— Ah, eu ouvi falar nos ciclopes do norte!

Leo viu que era mentira, mas Piper parecia bem convincente. Ela prosseguiu:

— Nunca pensei que fossem tão grandes e espertos!

— Bajulação também não vai funcionar — disse Ma Gasket, ainda que parecesse envaidecida. — É verdade, você será o café da manhã dos melhores ciclopes da região.

— Mas os ciclopes não são bons? — perguntou Piper. — Achava que vocês construíam armas para os deuses.

— Ah! Eu sou muito boa. Boa em comer pessoas. Boa em esmagar coisas. E boa em construir coisas, mas não para os deuses. Nossos primos, os ciclopes mais velhos, fazem isso, sim. E imaginam que são mais importantes e mais poderosos que nós só porque têm algumas centenas de anos a mais. E há também os nossos primos do sul, que vivem em ilhas, cuidando de carneiros. Otários. Mas nós, os ciclopes hiperbóreos, o clã do norte, somos os melhores! Fundamos nessa fábrica velha a Monocle Motors: o melhor em armas, armaduras e bigas, e os SUVs mais econômicos! Mas, claro, fomos obrigados a fechá-la. Demitimos a maior parte da tribo. A guerra foi curta demais. Os titãs perderam. Uma droga! E não precisavam mais das armas dos ciclopes.

— Ah, não — disse Piper, demonstrando pena. — Tenho certeza de que vocês construíam armas impressionantes.

Torque sorriu.

— Martelos estridentes de guerra! — disse, pegando um longo cabo que, na ponta, tinha uma caixa de metal parecida com um acordeom.

Ele o atirou no chão e o cimento rachou, mas também ouviu-se um som estridente, como se alguém estivesse apertando o maior patinho de borracha do mundo.

— Aterrorizante — disse Piper.

Torque pareceu satisfeito.

— Não tanto quanto o machado explosivo, mas pode ser usado mais de uma vez.

— Posso ver? — pediu Piper. — Se pudesse soltar minhas mãos...

Torque deu um passo à frente, mas Ma Gasket disse:

— Estúpido! Ela está enganando você mais uma vez. Chega de papo! Acabe com o garoto primeiro, antes que ele morra. Gosto de carne fresca.

Não! Os dedos de Leo eram rápidos, conectando os fios ao controle. *Só mais alguns minutos!*

— Ei, esperem — falou Piper, tentando chamar a atenção dos ciclopes. — Posso perguntar...

Os fios soltaram faíscas nas mãos de Leo. Os ciclopes pararam e olharam naquela direção. Então Torque pegou um caminhão e atirou no garoto.

Leo rolou no chão e o caminhão amassou as máquinas. Mais meio segundo e o garoto teria sido esmagado.

Ele se levantou e Ma Gasket o viu. Ela gritou:

— Torque, seu ciclope patético, pegue-o!

Torque correu na direção de Leo, que, frenético, armou o botão do controle remoto improvisado.

Torque estava a quinze metros de distância. Cinco metros.

E então o primeiro braço mecânico ganhou vida. Uma garra amarela de metal de três toneladas atingiu o ciclope nas costas com tamanha força, que ele caiu de cara no chão. Antes que Torque pudesse se recompor, a mão robótica agarrou-o por uma das pernas e o arremessou para o alto.

— Ahhhhh! — Torque foi atirado na escuridão.

O teto estava muito escuro e era muito alto para que Leo visse o que acontecera. Porém, a julgar pelo barulho de metal, Leo imaginou que o ciclope tivesse atingido uma das vigas do telhado.

Torque não voltou. Em vez disso, uma poeira amarela caiu no chão. Ele se desintegrara.

Ma Gasket ficou olhando para Leo, em choque.

— Meu filho... Você... Você...

Bem na hora, Sump surgiu atrapalhado à luz da fogueira, carregando um engradado de molhos.

— Ma, trouxe o extrapicante...

Ele não terminou de falar. Leo girou o botão do controle remoto e o segundo braço mecânico atingiu o ciclope no peito. O engradado estourou como aquelas bolas-surpresa de festa de aniversário e Sump foi lançado para trás, caindo bem na base da terceira máquina de Leo. O ciclope era imune a golpes com chassi de caminhão, mas não a braços mecânicos capazes de erguer toneladas. O terceiro braço o atirou ao chão com tamanha força que ele explodiu em poeira como um saco de farinha.

Dois ciclopes a menos. Leo começava a se sentir vencedor quando Ma Gasket o encarou. Ela agarrou o braço mecânico mais próximo e o arrancou de seu pedestal com um grunhido selvagem:

— Você destruiu meus filhos! Só *eu* posso destruí-los!

Leo apertou um botão e os dois braços restantes entraram em ação. Ma Gasket pegou o primeiro e o partiu ao meio. O segundo atingiu em cheio sua cabeça, o que aparentemente só a deixou ainda mais nervosa. Ela agarrou o braço pelas pinças, soltou-o da base e segurou-o no alto como um bastão de beisebol. Não acertou Piper e Jason por milagre. Depois Ma Gasket atirou a coisa, que foi girando na direção de Leo. Ele rolou para o outro lado, e o braço destruiu uma máquina bem perto dele.

Leo começou a perceber que uma mãe ciclope raivosa não era o tipo de inimigo para se combater com um controle remoto e uma chave de fenda. Sua vitória já não era tão certa.

Ela agora estava a uns seis metros de distância, perto do fogo. Os punhos cerrados, os dentes à mostra. Parecia ridícula vestindo aquele *muumuu* de malha de ferro e com aquelas tranças sebentas, mas seu olho enorme e vermelho, sedento de morte, e seu tamanho descomunal não permitiam que Leo risse daquilo.

— Mais algum truque, semideus? — perguntou Ma Gasket.

Leo olhou para cima. O motor suspenso pela corrente... Se pudesse usá-lo. Se conseguisse fazer Ma Gasket dar um passo à frente. A própria corrente... aquele elo... Leo não conseguiria enxergar, especialmente de tão longe, mas sentia que o metal estava desgastado.

— Sim, tenho mais truques! — disse, deixando o controle remoto no chão. — Se der mais um passo, eu a destruo com fogo!

Ma Gasket gargalhou.

— Sério? Nós, ciclopes, somos imunes às chamas, seu idiota. Mas se quer brincar com fogo, deixe-me ajudá-lo!

Ela pegou alguns carvões em brasa com as mãos e os atirou em cima de Leo. Caíram em volta dos pés dele.

— Errou — disse o garoto, sem acreditar na própria sorte.

Ma Gasket pegou um barril próximo ao caminhão. Antes que ela atirasse, Leo só teve tempo de ler uma palavra gravada nele: QUEROSENE. O barril bateu no chão bem à sua frente, derramando o combustível por todo lado.

Fagulhas surgiram. Leo fechou os olhos, Piper gritou.

— Não!

Uma coluna de fogo ergueu-se ao redor do garoto. Quando ele abriu os olhos, estava envolto por chamas com mais de cinco metros de altura.

Ma Gasket sorriu, deliciando-se, mas Leo não se queimaria. O querosene foi consumido e as chamas se extinguiram no chão.

— Leo? — Piper perdeu o fôlego.

Ma Gasket pareceu admirada:

— Você está vivo? — Ela deu mais um passo à frente, e ficou bem onde Leo queria. — O que você é?

— O filho de Hefesto — respondeu Leo. — E avisei que destruiria você com fogo.

Ele apontou um dedo para o alto e evocou todo o seu poder. Nunca tentara algo assim, tão intenso e direcionado. Lançou então uma rajada de chamas brancas e quentes na direção da corrente que segurava o motor bem em cima da cabeça da senhora ciclope, mirando no elo que parecia mais frágil.

As chamas se apagaram. Nada aconteceu. Ma Gasket gargalhou.

— Uma tentativa impressionante, filho de Hefesto. Há séculos não via um manipulador do fogo. Você dará um aperitivo bem quente!

A corrente cedeu — um único elo fora aquecido além do limite — e o motor despencou, mortal e silencioso.

— Não tenho tanta certeza — disse Leo.

Ma Gasket não teve tempo nem de olhar para o alto.

Crash! E não havia mais ciclope, apenas um monte de pó sob a peça de cinco toneladas.

— Não era imune a máquinas, certo? — disse Leo. — Já era!

Então caiu de joelhos, a cabeça rodando. Após alguns minutos, notou que Piper o chamava.

— Leo! Você está bem? Consegue se mexer?

Ele se levantou, trêmulo. Nunca tentara evocar um fogo tão intenso, e isso o deixou completamente esgotado.

Demorou um tempo até que conseguisse descer Piper e tirar suas correntes. Juntos, eles baixaram Jason, que continuava inconsciente. Piper conseguiu jogar um pouco de néctar em sua boca, e ele grunhiu. Lentamente, a cor voltou a seu rosto.

— É, ele tem uma cabeça bem dura — disse Leo. — Acho que vai ficar bem.

— Graças a Deus — suspirou Piper, depois olhou para Leo com um pouco de medo. — Como você... aquele fogo... você sempre...

Leo olhou para baixo.

— Sempre — ele respondeu. — Sou uma aberração perigosa. Sinto muito, deveria ter contado antes...

— Sinto muito? — disse Piper, dando um soco no braço dele.

Quando Leo ergueu o olhar, viu que ela sorria.

— Aquilo foi incrível, Valdez! Você salvou nossas vidas. Por que está pedindo desculpas?

Leo piscou. Abriu um sorriso, mas seu alívio foi embora quando ele notou algo entre os pés de Piper.

Uma poeira amarela — o que restara dos ciclopes, talvez de Torque — que se movia no chão, como se um vento invisível a ajudasse a se reagrupar.

— Eles estão se formando novamente — disse Leo. — Veja.

Piper afastou-se daquilo.

— Não pode ser. Annabeth me disse que os monstros se dissipam quando são mortos. Que voltam ao Tártaro e não conseguem retornar à Terra por um bom tempo.

— Mas ninguém disse isso a essa poeira — falou Leo, enquanto o pó se acumulava em um montinho e, bem devagar, se espalhava numa forma com braços e pernas.

— Ai, deus — Piper empalideceu. — Bóreas falou algo sobre isso... Sobre horrores saindo da terra. *Quando os monstros já não estiverem no Tártaro e as almas já não estiverem confinadas no Hades...* Quanto tempo acha que temos?

Leo pensou no rosto que se formara no chão lá fora — a mulher que dormia era, *definitivamente*, um horror saído da terra.

— Não sei, mas precisamos sair daqui.

XXV

JASON

Jason sonhou que estava enrolado em correntes, dependurado de cabeça para baixo como um pedaço de carne. Tudo doía: braços, pernas, peito, cabeça. Especialmente a cabeça. Era como se dentro dela houvesse um balão cheio d'água.

— Se estou morto — ele murmurou —, por que dói tanto?

— Você não está morto, meu herói — disse uma voz feminina. — Não chegou sua hora. Vá, fale comigo.

Os pensamentos de Jason deixaram seu corpo. Ele ouvira monstros berrando, seus amigos gritando, explosões furiosas, mas tudo parecia ter acontecido em outro plano... cada vez mais distante.

Ele então estava de pé numa cela de areia. Raízes de árvores e pedras se entrelaçavam como grades, confinando-o. Lá fora, podia ver o piso seco de um espelho-d'água, e uma espiral de terra se erguendo nele. Mais no alto, as ruínas avermelhadas de uma casa que fora incendiada.

Perto dele na cela havia uma mulher sentada com as pernas cruzadas, vestida de preto, a cabeça coberta por uma mortalha. Ela afastou o véu, revelando um rosto altivo e bonito... Mas também endurecido pelo sofrimento.

— Hera — disse Jason.

— Seja bem-vindo à minha prisão — disse a deusa. — Você não vai morrer hoje, Jason. Seus amigos o ajudarão... por enquanto.

— Por enquanto? — ele perguntou.

Hera fez um gesto em direção às grades.

— Provações piores estão por vir. A própria terra se ergue contra nós.

— Você é uma deusa — disse Jason. — Não pode simplesmente escapar?

Ela sorriu com tristeza. E começou a brilhar, tanto que a luz fazia doerem os olhos de Jason. O ar ficou cheio de poeira, moléculas que se rompiam como em uma explosão nuclear. Jason ficou em dúvida se ainda estava ali em carne e osso, pois poderia ter sido vaporizado.

A cela deveria ter virado entulho. O chão deveria ter rachado e a casa em ruínas ter sido tragada. Mas quando o brilho desapareceu, a cela não tinha mudado em nada. Nada lá fora mudara. Apenas Hera parecia diferente... um pouco mais curvada, cansada.

— Alguns poderes superam os dos deuses — ela disse. — Não é fácil me manter presa. Posso estar em vários lugares ao mesmo tempo. Mas quando grande parte da minha essência é contida, pode-se dizer que fico como um urso preso pelo pé numa armadilha. Não posso escapar, e os outros deuses não me enxergam. Só você pode me encontrar, e estou ficando mais fraca a cada dia.

— Então por que veio aqui? — perguntou Jason. — Como foi pega?

A deusa suspirou.

— Não saberia dizer ao certo. Seu pai, Júpiter, acha que pode escapar do mundo, e dessa forma fazer com que seus inimigos adormeçam novamente. Ele acredita que nós, olimpianos, nos envolvemos demais nos assuntos dos mortais, no destino de nossos filhos semideuses, sobretudo depois que concordamos em reclamá-los, após a guerra. Para ele, foi isso o que deu força aos nossos inimigos. Por isso ele fechou o Olimpo.

— Mas você não concorda.

— Não. Normalmente, não entendo as decisões e os humores do meu marido. Porém, mesmo para Zeus, isso parece paranoico. Não entendo por que ele insistiu tanto, por que estava tão convencido. Isso... não é característico dele. Como Hera, devo acatar a vontade de meu senhor. Mas também sou Juno. — A forma dela tremeluziu, permitindo que Jason entrevisse sua armadura sob as vestes negras, a capa de pele de cabra, símbolo dos guerreiros romanos, e um bastão de bronze. — Juno, Moneta como me chamavam... Juno, a que alerta. Era a guardiã do Estado, protetora da Roma Eterna. Não era capaz de ficar sentada enquanto os descendentes de meu povo eram atacados. Pressenti o perigo neste local sagrado. Uma voz... — ela hesitou. — Uma voz me disse que viesse aqui. Os deuses não têm o que vocês chamam de consciência, muito menos sonhos, mas a voz era como isso... doce e persistente, avisando-me que deveria vir. E no dia em que Zeus fechou o Olimpo, fugi sem contar o que planejava, para que ele não pudesse me deter. E vim aqui, investigar.

— Era uma armadilha — disse Jason.

A deusa fez que sim.

— Mas só descobri tarde demais que a terra estava se erguendo. Fui mais boba que Júpiter... Uma escrava de meus impulsos. Foi exatamente assim na primeira vez. Fui aprisionada pelos gigantes, e isso desencadeou uma guerra. Agora nossos inimigos voltam a se levantar. Os deuses só poderão derrotá-los com a ajuda dos maiores heróis vivos. E aquela a quem os gigantes servem... *Ela* jamais será vencida... poderá no máximo adormecer.

— Não entendo.

— Logo entenderá — Hera respondeu.

A cela começou a ficar mais apertada, as raízes os comprimiam. A forma de Hera tremeluzia como a chama de uma vela ao vento. Do lado de fora, Jason viu silhuetas ganhando forma ao lado da piscina — pesados humanoides, de costas largas e cabeça calva. A menos que seus olhos o estivessem traindo, os seres pareciam ter mais que um par de braços. Ele também ouviu o ruído de lobos, mas não os que vira com Lupa. Pelo modo como uivavam, Jason sabia que era outra alcateia. Mais famintos, mais agressivos, sedentos de sangue.

— Rápido, Jason — disse Hera. — Meus raptores se aproximam, e você começou a acordar. Não terei forças para voltar a aparecer, nem mesmo em sonho.

— Espere. Bóreas nos disse que você fez uma barganha perigosa. O que ele queria dizer com isso?

O olhar de Hera pareceu arredio, e Jason ficou imaginando se ela realmente não teria *feito* uma loucura.

— Uma troca — disse ela. — A única forma de trazer a paz. Os inimigos querem nos dividir, e se isso acontecer, *seremos* destruídos. Você é a minha oferta de paz, Jason... A ponte para superarmos um milênio de ódio.

— O quê? Eu não...

— Não posso dizer mais nada. Você só continua vivo porque roubei sua memória. Agora encontre este lugar. Volte a seu ponto de origem. Sua irmã vai ajudá-lo.

— Thalia?

A cena começou a se desfazer.

— Adeus, Jason. Cuidado em Chicago. Sua inimiga mais mortal o espera por lá. Se tiver de morrer, será pelas mãos dela.

— Quem? — ele perguntou.

Mas a imagem de Hera se desfez, e Jason acordou.

Ele abriu os olhos.

— Ciclopes!

— Calma, dorminhoco — disse Piper, sentada logo atrás dele no dragão de bronze, segurando-o pela cintura para que não caísse.

Leo estava sentado à frente, guiando. Eles voavam tranquilamente pelo céu de inverno, como se nada tivesse acontecido.

— D-Detroit — murmurou Jason. — Nós caímos, certo? Eu pensei...

— Está tudo bem — disse Leo. — Nós conseguimos fugir, mas você bateu seriamente com a cabeça. Como está?

A cabeça de Jason doía. Ele se lembrou da fábrica, de ter andado pela passarela, de uma criatura enorme se aproximando — um rosto com apenas um olho, um punho enorme — e, então, tudo ficou preto.

— Como vocês... Os ciclopes...

— Leo acabou com eles — disse Piper. — Foi incrível. Ele consegue produzir fogo...

— Não foi nada — disse Leo, rapidamente.

Piper riu.

— Cale a boca, Valdez. Vou contar tudo a ele. Deixe disso.

E assim ela fez. Contou que Leo, sozinho, venceu a família de ciclopes, que eles soltaram Jason e, depois, notaram que os monstros estavam se recompondo, que Leo consertou os estragos no dragão e colocou-o de volta no ar no exato momento em que eles escutaram os ciclopes dentro do armazém, esbravejando por vingança.

Jason ficou impressionado. Leo vencera três ciclopes com nada além de um kit de ferramentas? Nada mal. Ele não ficou assustado ao saber o quão próximo esteve da morte, mas sentiu-se mal. Caíra numa emboscada e ficara fora do ar o combate inteiro, derrotado, enquanto seus amigos lutavam por suas vidas. Que tipo de líder ele era?

Quando Piper contou sobre o outro garoto que os ciclopes disseram ter comido, o que usava camiseta roxa e falava latim, Jason sentiu a cabeça a ponto de explodir. Um filho de Mercúrio... Era como se conhecesse o tal garoto, mas não conseguia lembrar seu nome.

— Não estou sozinho, então — ele disse. — Existem outros como eu.

— Jason — disse Piper. — Você nunca esteve sozinho. Estamos com você.

— Eu... eu sei... Mas Hera disse algo. Foi em um sonho...

Ele contou o que viu, e o que a deusa lhe dissera dentro da cela.

— Uma barganha? — perguntou Piper. — O que isso significa?

Jason balançou a cabeça.

— Hera está jogando comigo. Sou *eu* a barganha. Ao me enviar ao acampamento Meio-Sangue, imagino que ela tenha quebrado alguma regra, algo que poderia dar muito errado...

— Ou nos salvar — disse Piper, esperançosa. — Essa história sobre o inimigo adormecido... Parece ter ligação com a senhora que apareceu para Leo.

Leo pigarreou.

— E quanto a isso... Ela apareceu mais uma vez em Detroit, numa poça com sujeira de banheiros químicos.

Jason ficou confuso. Será que entendera bem?

— Você disse banheiros químicos?

Leo contou a eles sobre o grande rosto que surgiu no canteiro da fábrica.

— Não sei se ela é completamente indestrutível, mas não vamos conseguir vencê-la com assentos de vasos sanitários. Isso, eu garanto. Ela queria que eu traísse vocês, e eu pensei: "Certo, não vou dar ouvidos a um rosto falante numa poça de sujeira de privada."

— Ela está tentando nos dividir — disse Piper, tirando seus braços da cintura de Jason, que mesmo sem olhá-la notou seu nervosismo.

— O que foi?

— Eu só... Por que eles estão nos usando? Quem é essa mulher e de que forma está conectada a Encélado?

— Encélado? — Jason achava que nunca ouvira aquele nome.

— É... — A voz de Piper falhou. — Um dos gigantes. Um dos nomes de que me lembro.

Jason notou que ela sabia mais, mas não quis pressioná-la. Piper tivera uma manhã difícil.

Leo coçou a cabeça.

— Bem, eu não sei nada sobre *enchillada*...

— Encélado — corrigiu Piper.

— Não importa. Mas a boa e velha Cara de Sanitário mencionou outro nome. Porfélio, algo assim...

— Porfiríon? — perguntou Piper. — Era o rei gigante, eu acho.

Jason lembrou da espiral de terra no espelho-d'água vazio, que aumentava ao mesmo tempo em que Hera enfraquecia.

— Vou dizer uma coisa um pouco louca. Nas velhas histórias, Porfiríon sequestrou Hera. Foi o estopim da guerra entre os gigantes e os deuses.

— Acho que sim — disse Piper. — Mas esses mitos são confusos e incoerentes. Às vezes, parece que não queriam que essa história fosse lembrada. Recordo apenas que houve uma guerra, e que era quase impossível matar os gigantes.

— Heróis e deuses tiveram que agir juntos — disse Jason. — Foi o que Hera me contou.

— Isso vai ser difícil — murmurou Leo —, já que os deuses não querem falar conosco.

Eles voavam para oeste, e Jason continuava perdido em seus pensamentos — todos ruins. Não saberia dizer quanto tempo passou até que o dragão mergulhasse em um clarão entre as nuvens e, logo abaixo, brilhando sob o sol, eles avistassem uma cidade à beira de um lago enorme. Uma fileira de arranha-céus margeava a água. Atrás deles, esparramada no horizonte, uma vasta mancha cinzenta e coberta de neve, com bairros e estradas.

— Chicago — disse Jason.

Pensou no que Hera lhe dissera no sonho. Sua inimiga mortal o esperava ali. Caso fosse morrer, seria pelas mãos dela.

— Menos um problema: chegamos vivos — disse Leo. — Mas, agora, como encontrar os espíritos da tempestade?

Jason notou um movimento rápido logo abaixo deles. Primeiro, imaginou ser um jatinho, mas era pequeno demais, muito escuro e muito ágil. A coisa dava voltas nos arranha-céus, oscilando e mudando de forma. Por um momento, ganhou os contornos de um cavalo enfumaçado.

— Que tal seguirmos aquele lá — sugeriu Jason — e vermos para onde vai?

XXVI

JASON

Jason teve receio de que perdessem o alvo. O *ventus* se movia como... bem, como o vento.

— Corre! — dizia.

— Cara — respondia Leo —, se eu me aproximar mais ele nos verá. O dragão de bronze não é exatamente um avião *stealth*.

— Mais devagar! — gritou Piper.

O espírito da tempestade mergulhou no emaranhado de ruas do centro da cidade. Festus tentou segui-lo, mas tinha uma envergadura muito grande. Antes que Leo pudesse desviá-lo, sua asa esquerda bateu na quina de um edifício e fez cair uma gárgula de pedra.

— Voe acima dos prédios — sugeriu Jason. — Vamos segui-lo do alto.

— Você quer dirigir essa coisa? — perguntou Leo, mas no final fez o que Jason sugeriu.

Passados alguns minutos, Jason viu o espírito novamente, zunindo pelas ruas, aparentemente sem propósito... Passava bem perto dos pedestres, balançava bandeiras, sacudia os carros.

— Ah, ótimo — disse Piper. — São dois.

E tinha razão. Um segundo *ventus* surgiu na esquina do Renaissance Hotel e juntou-se ao primeiro. Eles se misturaram numa dança caótica, subiram ao topo de um arranha-céu, envergaram uma torre de rádio e mergulharam de volta à rua.

— Esses caras *não* precisam de mais cafeína — disse Leo.

— Acho que Chicago deve ser um bom lugar para passarem o tempo — disse Piper. — Ninguém ia perceber mais uma ou duas ventanias do mal.

— Na verdade, mais que duas — disse Jason —, olhe!

O dragão sobrevoou uma avenida larga próxima ao parque que ficava às margens do lago. Os espíritos da tempestade estavam se reunindo... Pelo menos uma dúzia deles, rodopiando em meio a uma grande instalação de arte.

— Qual deles será Dylan? — perguntou Leo. — Quero atirar alguma coisa nele.

Jason, porém, estava atento à obra de arte. Quanto mais perto chegavam, mais rápido batia seu coração. Era apenas uma fonte, mas parecia bem familiar. Dois monólitos com a altura de cinco andares se erguiam em um longo espelho-d'água de granito. Os monólitos pareciam construídos com telas de tevê, que geravam imagens sincronizadas do rosto de um gigante que cuspia água.

Talvez fosse mera coincidência, mas parecia uma visão *high-tech*, em tamanho enorme, do espelho-d'água em ruínas que ele vira em seu sonho, com as duas grandes formas escuras nas extremidades. Enquanto Jason observava, a imagem nas telas mudou para a de uma mulher de olhos fechados.

— Leo... — ele disse, nervoso.

— Eu vi — disse Leo. — Não gostei dela, mas vi.

E as telas ficaram escuras. Os *venti* formaram um funil e começaram a atravessar a fonte, levantando uma cortina de água quase tão alta quanto os monólitos. Quando chegaram ao centro, uma tampa de ralo foi lançada para o alto e eles desceram, desaparecendo.

— Eles desceram por um ralo? — perguntou Piper. — Como vamos segui-los?

— Talvez não devêssemos — disse Leo. — Essa fonte está me passando vibrações muito ruins. E não deveríamos... bem... ter cuidado com a terra?

Jason sentia a mesma coisa, mas precisavam segui-los. Era a única maneira de ir adiante. Tinham de encontrar Hera, e faltavam apenas dois dias para o solstício.

— Aterrisse no parque — ele sugeriu. — Vamos checar isso a pé.

* * *

Festus pousou numa área descampada entre o lago e o horizonte. As placas informavam "Grant Park", e Jason imaginou que aquele devia ser um ótimo lugar no verão, mas, naquele momento, era um parque cheio de gelo, neve e trilhas cobertas com sal. As patas de metal quente do dragão chiaram ao tocarem o solo. Festus baixou as asas, triste, e lançou fogo para o céu. Não havia pessoas por perto que fossem notar. O vento vindo do lago era desagradavelmente gelado. Ninguém em seu juízo perfeito estaria na água. Os olhos de Jason ardiam tanto que ele mal podia enxergar.

Eles desmontaram e Festus bateu as patas no chão. Um de seus olhos de rubi falhou, como se piscasse para eles.

— Isso é normal? — perguntou Jason.

Leo pegou de seu cinto uma tira de borracha, passou no olho ruim do dragão e a luz voltou ao normal.

— Sim — respondeu Leo. — Mas Festus não pode ficar aqui, no meio do parque. Vão prendê-lo por vadiagem. Se eu tivesse um apito para cachorro...

Buscou em seu cinto, mas não encontrou nada.

— Talvez seja específico demais. Certo: um apito de trânsito. Muitas lojas vendem isso.

E Leo encontrou um grande apito de plástico laranja.

— O treinador Hedge ficaria com inveja! Certo, Festus: ouça. — E Leo apitou. O som deve ter cruzado o lago Michigan. — Se escutar isso, venha atrás de mim, certo? Mas, até ouvir, voe para onde quiser. Só tente não fazer churrasco de nenhum pedestre.

O dragão bufou — o que devia significar estar de acordo, caso tivessem sorte. Depois abriu as asas e voltou para o ar.

Piper deu um passo e se encolheu:

— Ai!

— Seu tornozelo? — Jason sentiu-se mal ao notar que se esquecera de que ela se machucara na fábrica dos ciclopes. — O néctar deve estar perdendo o efeito.

— Está tudo bem — ela respondeu, tremendo, e Jason lembrou-se da promessa de comprar para ela um novo casaco de *snowboard*.

Esperava poder viver o suficiente para conseguir. Ela deu mais alguns passos mancando discretamente, mas Jason percebeu que estava tentando não fazer cara feia.

— Vamos sair desse vento — ele sugeriu.

— E descer por um ralo? — disse Piper, tremendo. — Parece uma ideia bem aconchegante.

Agasalharam-se o máximo que puderam e seguiram em direção à fonte.

De acordo com a placa, chamava-se Crown Fountain. Toda a água fora pelo ralo, exceto algumas poças que começavam a congelar. Para Jason, era estranho que aquele chafariz tivesse água no inverno. Mais uma vez, os monitores enormes voltaram a estampar o rosto da Mulher de Poeira. Aquele lugar não era nada normal.

Caminharam em direção ao centro do espelho-d'água. Nenhum espírito tentou detê-los. As paredes de monitores gigantes continuavam escuras. O ralo era grande o suficiente para engolir uma pessoa, e uma escada de manutenção descia até a escuridão.

Jason foi o primeiro. Ao descer, preparou-se para o terrível cheiro de esgoto, mas a situação não era tão ruim. A escada terminava em um túnel de alvenaria que seguia de norte a sul. O ar era seco e quente, e apenas um fio de água corria pelo chão.

Piper e Leo desceram logo depois.

— Todos os esgotos são assim, bacanas? — perguntou Piper.

— Não — respondeu Leo. — Pode confiar que não.

— Como você sabe...? — perguntou Jason, franzindo a testa.

— Ei, cara, eu fugi seis vezes. E já dormi em lugares bem estranhos, o.k.? Mas então, para que lado vamos?

Jason olhou para os dois lados, ficou escutando alguma coisa, depois apontou em direção ao sul.

— Para lá.

— Como pode ter certeza? — perguntou Piper.

— Tem uma corrente soprando para o sul — respondeu Jason. — Talvez os *venti* a tenham aproveitado.

Não era nenhuma garantia, mas ninguém tinha ideia melhor.

Infelizmente, assim que começaram a caminhar, Piper tropeçou. Jason teve de segurá-la.

— Maldito tornozelo — disse.

— Vamos descansar — decidiu Jason. — Não paramos há mais de um dia. Leo, será que poderia encontrar algo de comer nesse cinto, além das pastilhas de menta?

— Imaginei que nunca me pediria isso. Chefe Leo em ação!

Piper e Jason sentaram-se num tijolo enquanto Leo mexia em seu cinto.

Jason ficou feliz por poder descansar um pouco. Estava cansado, tonto e com fome. Mas, acima de tudo, não tinha nenhuma vontade de encarar o que viria pela frente. Girou sua moeda de ouro com os dedos.

Se tiver de morrer, avisara Hera, *será pelas mãos dela.*

E quem seria "ela"? Após Quione, a mãe dos ciclopes e a estranha senhora que dormia, a última coisa de que Jason precisava era outra vilã psicótica na sua vida.

— Não foi culpa sua — disse Piper.

— O quê? — ele perguntou, olhando para ela, perdido.

— Ser pego pelos ciclopes — ela respondeu. — Não foi culpa sua.

Jason olhou para a moeda na palma de sua mão.

— Fui burro. Deixei você sozinha e caí em uma armadilha. Eu deveria saber...

Mas ele não terminou a frase. Devia saber muitas coisas: quem era, como derrotar monstros, como os ciclopes enganam suas vítimas imitando vozes e escondendo-se nas trevas, e várias outras coisas. Tudo isso deveria estar na sua cabeça. Ele podia sentir os locais onde essas informações deveriam estar... pareciam bolsos vazios. Se Hera queria que ele vencesse, por que roubara suas memórias, as memórias que poderiam ajudá-lo? Ela disse que a amnésia o manteve vivo, mas isso não fazia sentido. Começava a entender por que Annabeth queria manter a deusa em sua cela.

— Ei — disse Piper, tocando o ombro dele. — Pegue um pedaço. Ser filho de Zeus não quer dizer que você valha por um exército.

Alguns metros adiante, Leo acendeu uma pequena fogueira. Assobiava ao tirar suprimentos do cinto e da mochila.

À luz da fogueira, os olhos de Piper pareciam dançar. Jason os estivera estudando havia dias, e ainda não poderia dizer ao certo de que cor eram.

— Sei que isso deve ser uma droga para você — ele disse. — Não apenas a missão, quero dizer... A forma como eu apareci no ônibus, a Névoa confundindo seus pensamentos, e fazendo-a imaginar que... você sabe.

Ela baixou os olhos.

— Sim, eu sei. Mas não pedimos que essas coisas acontecessem. Não é sua culpa.

Ela tocou nas tranças caídas dos dois lados do seu rosto. Mais uma vez, Jason ficou feliz ao ver que a magia de Afrodite se dissipara. Com aquela maquiagem, o vestido e cabelos perfeitos, ela parecia ter vinte e cinco anos, ser uma jovem de muito glamour e totalmente inalcançável. Jason nunca encarou a beleza como fonte de poder, mas daquela forma era isso que Piper parecia: *poderosa*.

Ele preferia a Piper de sempre... uma menina ao seu alcance. Mas o estranho era que não podia tirar aquela imagem da mente. Não fora uma ilusão. Aquele lado de Piper seguia vivo. Ela simplesmente fazia o melhor que podia para escondê-lo.

— Lá na fábrica — disse Jason — você estava a ponto de contar algo sobre o seu pai.

Piper contornou o traçado dos tijolos com os dedos, como se quisesse escrever o que não era capaz de verbalizar.

— Estava?

— Piper — disse Jason —, ele está em perigo, certo?

Leo, ao lado do fogo, cozinhava carne e pimentão numa panela.

— Já está quase...

Piper parecia a ponto de chorar.

— Jason... Não posso falar sobre isso.

— Somos seus amigos. Deixe-nos ajudá-la.

Esse comentário pareceu deixá-la ainda pior. Ela respirou fundo e disse:

— Eu gostaria, mas não posso...

— Bingo! — anunciou Leo, e aproximou-se com três pratos apoiados nos braços, como se fosse um garçom.

Jason não tinha ideia de onde conseguira tanta comida, ou como a preparara tão rápido, mas parecia ótima: tacos de carne e pimentão acompanhados de batatas e molho.

— Leo — disse Piper, maravilhada: — Como você...?

— O Restaurante do Chefe Leo sempre resolve tudo! — disse, orgulhoso. — Aliás, isso é tofu, não é carne, rainha da beleza, e você pode comer tranquilamente. Vá em frente!

* * *

Jason não gostou muito do tofu, mas os tacos estavam tão bons quanto o aroma que saía deles. Enquanto comiam, Leo tentou elevar o humor deles com brincadeiras. Jason ficou grato por ter Leo por perto. Isso deixava a presença de Piper menos intensa e desconfortável. Porém, ao mesmo tempo, *gostaria* de estar sozinho com ela, mas repreendeu a si mesmo ao pensar nisso.

Quando Piper terminou de comer, Jason sugeriu que dormisse um pouco. Imediatamente, ela pousou a cabeça no seu colo. Em dois segundos estava roncando.

Jason olhou para Leo, que obviamente tentava não rir.

Ficaram em silêncio por alguns minutos, tomando a limonada que Leo preparara com a água do cantil e um pó.

— Está bom, né? — Leo sorriu.

— Você deveria abrir um restaurante — disse Jason. — Poderia fazer um bom dinheiro.

Porém, ao olhar para a brasa da fogueira, algo começou a preocupá-lo.

— Leo... essa história do fogo que você é capaz de fazer... Isso é verdade?

O rosto de Leo perdeu o sorriso.

— Sim, veja... — disse, abrindo as mãos, e uma pequena bola de fogo se acendeu, dançando em sua palma.

— Isso é muito legal — disse Jason. — Por que não disse nada antes?

Leo fechou a mão e o fogo se extinguiu.

— Não queria parecer estranho.

— Eu tenho o poder de controlar os raios e os ventos — disse Jason. — Piper é capaz de ficar linda e fazer com que as pessoas lhe deem BMWs. Você não é mais estranho que a gente. E, claro, talvez também saiba voar, saltar de um prédio e dizer: "Fogo!"

Leo sorriu.

— Se eu fizesse isso, você veria um menino em chamas caindo para a morte, e eu gritaria algo mais forte que um simples "Fogo!". Confie em mim, o chalé de Hefesto não encara isso com o fogo como algo tão legal. Nyssa me disse que é muito raro. Quando um semideus como eu aparece, coisas ruins acontecem. Coisas *realmente* ruins.

— Talvez seja o contrário — disse Jason. — Talvez as pessoas com dons especiais apareçam quando coisas ruins estão acontecendo, porque é nesses momentos que precisamos delas.

Leo limpou os pratos.

— Talvez. Mas eu garanto que... isso não é sempre um dom.

Jason ficou em silêncio.

— Você está falando sobre a sua mãe, certo? Sobre a noite em que ela morreu.

Leo não respondeu. Nem precisava. Por ter ficado em silêncio, sem brincar... Jason entendeu tudo.

— Leo, a morte da sua mãe não foi culpa sua. Seja lá o que tenha acontecido naquela noite... não foi culpa do seu poder de gerar fogo. Essa Mulher de Poeira, seja ela quem for, está tentando destruí-lo há anos, acabar com sua autoconfiança, tirar de você tudo de que gosta. Está tentando fazer com que se sinta um inútil. E você não é inútil. Você é importante.

— Foi o que ela disse. — E Leo levantou os olhos, a dor estampada neles. — Disse que eu estava destinado a fazer algo importante... algo que tem a ver com essa profecia dos sete semideuses. É isso o que me assusta. Eu não sei se quero participar.

Jason queria poder garantir que tudo terminaria bem, mas teria soado falso. Não sabia *o que* estava a ponto de acontecer. Eram semideuses, e isso significa que nem sempre tudo termina bem. Algumas vezes, viram comida de ciclope.

Se perguntar à maior parte das crianças se elas querem ter o poder de produzir fogo ou fazer maquiagem mágica, elas vão achar isso o máximo. Mas tais poderes também envolvem duras provas, como entrar num bueiro em pleno inverno, fugir de monstros, perder a memória, ver seus amigos sendo cozinhados e ter sonhos que anunciam sua morte.

Leo mexia no que restava da fogueira, revirando o carvão em brasa com as próprias mãos.

— Você já pensou nos outros quatro semideuses? Quer dizer... se nós somos três, onde estão os outros anunciados pela Grande Profecia? Quem são eles?

Sim, ele já pensara, mas preferia não ficar remoendo isso o tempo todo. Tinha uma terrível suspeita de que *seria* o líder dos sete, e tinha muito medo de falhar.

Você vai separá-los, prometera Bóreas.

Jason fora treinado para não demonstrar medo. Ficou certo disso após o sonho com os lobos. Deveria agir de forma confiante, mesmo não se sentindo assim. Mas Leo e Piper dependiam dele, e ele morria de medo de falhar. Se tivesse de liderar um grupo de seis pessoas — que talvez não fossem se dar bem — seria ainda pior.

— Não sei — disse, finalmente. — Acho que os outros quatro surgirão no momento certo. Quem sabe? Talvez estejam em outra missão agora.

— Tenho certeza de que o bueiro deles é melhor que o nosso — resmungou Leo.

A corrente de vento voltou, soprando para o sul.

— Descanse um pouco, Leo — disse Jason. — Eu fico de guarda primeiro.

Contar o tempo era complicado, mas Jason imaginou que seus amigos dormiram por quatro horas. Ele não se importava, não sentia necessidade de mais descanso. Já dormira em cima do dragão. Além do mais, precisava de tempo para pensar na missão, em sua irmã Thalia e nos avisos de Hera. Tampouco se importava que Piper o estivesse usando como travesseiro. Ela respirava de forma doce ao dormir... inalando pelo nariz, depois fazendo um biquinho. Ele quase ficou desapontado quando Piper acordou.

Finalmente, levantaram acampamento e seguiram pelo túnel.

O caminho se retorcia e parecia infinito. Jason não sabia o que esperar no final... um calabouço, o laboratório de um cientista maluco ou talvez um reservatório de esgoto, onde toda a sujeira dos banheiros químicos se acumulava, um lugar capaz de formar um rosto grande o suficiente para engolir o mundo.

Porém, o que encontraram foram as portas de um elevador de aço polido, ambas com a letra *M* gravada em itálico. Próximo ao elevador havia um mapa, como se aquilo fosse uma loja de departamentos.

— M de Macy's? — perguntou Piper. — Acho que tem uma loja dessas no centro de Chicago.

— Ou Monocle Motors? — perguntou Leo. — Gente, dê uma lida no mapa. É uma confusão só!

Estacionamento, canil, entrada principal	Andar do esgoto
Móveis e Café M	1
Moda feminina e aparelhos mágicos	2
Moda masculina e armamentos	3
Cosméticos, poções, venenos e miudezas	4

— Canil? — perguntou Piper. — E que tipo de loja de departamentos coloca a entrada num esgoto?

— Ou vende veneno? — perguntou Leo. — Cara, o que significa "miudezas"? Será roupa íntima?

Jason respirou fundo.

— Na dúvida, melhor começar por cima.

As portas se abriram no quarto andar e um cheiro de perfume tomou conta do elevador. Jason saiu na frente, com a espada em punho.

— Gente, vocês precisam ver isso.

Piper ficou sem fôlego.

— Isso *não* é a Macy's.

A loja de departamentos parecia um caleidoscópio. O teto era todo de mosaicos de vidro, com signos astrológicos em volta de um sol gigantesco. A luz do sol entrava pelos vidros, lançando todo tipo de cor no ambiente. Os andares superiores tinham jiraus em volta de um grande átrio, e assim era possível ver todos os andares, até o térreo. Os corrimãos dourados brilhavam tanto que era ruim olhá-los.

Além do teto de mosaico de vidro e do elevador, Jason não via nenhuma janela ou porta, e duas escadas rolantes de vidro ligavam os vários andares. O carpete era uma mistura de cores e desenhos orientais, e as estantes de mercadorias eram bem estranhas também. Era muita coisa para ser absorvida ao mesmo tempo, mas Jason encontrou camisetas normais e sapatos misturados a manequins com armamentos e casacos de pele que pareciam se mover.

Leo chegou à beira de um dos jiraus e olhou para baixo.

— Vejam isso.

No meio do átrio, um chafariz jorrava água seis metros acima do chão, mudando de cor de vermelho para amarelo, depois para azul. O espelho-d'água estava cheio de moedas de ouro, e em cada canto do chafariz havia uma gaiola dourada... como se fossem gaiolas de canários, mas de tamanho gigante.

Dentro de uma delas, um furacão em miniatura girava entre raios. Alguém prendera os espíritos do vento ali, e a gaiola tremia enquanto eles tentavam se libertar. Na outra, congelado como uma estátua, viram um sátiro baixinho segurando um bastão de galho de árvore.

— Treinador Hedge! — disse Piper. — Precisamos descer.

Mas uma voz perguntou:

— Posso ajudá-los a encontrar algo?

Os três deram um passo atrás.

Uma mulher *surgiu* na frente deles. Usava um elegante vestido preto e joias de diamante, parecia uma modelo aposentada — talvez com seus cinquenta anos, mas Jason não saberia dizer ao certo. Seus cabelos pretos e compridos caíam sobre o ombro, e seu rosto era incrível, como o de uma supermodelo: afilado, arrogante, frio... nada humano. Tinha unhas longas e vermelhas, seus dedos pareciam garras.

Ela sorriu.

— Que bom encontrar novos clientes. Como posso ajudá-los?

Leo olhou para Jason como quem diz: *Ela é toda sua.*

— Hum... — disse Jason — esta loja é sua?

A mulher fez que sim.

— Eu a encontrei abandonada, sabe. Sei que muitas lojas estão assim, hoje... Decidi que seria o local ideal. Adoro colecionar objetos de bom gosto, ajudar as pessoas, oferecer qualidade e bom preço. Então isso parecia... como se diz... um negócio da China.

Ela falava com um sotaque agradável, mas Jason não poderia dizer de onde era. Não era nada hostil. Jason começou a relaxar. Sua voz era melodiosa e exótica, e ele queria ouvir mais.

— Então você é nova aqui nos Estados Unidos? — perguntou.

— Eu... sou nova, sim — ela concordou. — Sou a Princesa de Colchis. Meus amigos me chamam Sua Alteza. Mas o que vocês estão procurando?

Jason já ouvira falar sobre estrangeiros comprando lojas de departamentos americanas. Claro que normalmente não vendiam veneno, casacos de pele vivos, espíritos da tempestade ou sátiros, mas ainda assim... com uma voz daquelas, a Princesa de Colchis não poderia ser má.

Piper o cutucou nas costelas.

— Jason...

— Ah, claro. Na verdade, Sua Alteza... — disse, apontando para a gaiola no primeiro andar. — Aquele lá é um amigo nosso, o treinador Hedge. O sátiro. Poderíamos... levá-lo de volta, por favor?

— Claro! — ela concordou, imediatamente. — Adoraria mostrá-los meu depósito. Mas, como vocês se chamam?

Jason hesitou. Não parecia boa ideia revelar os seus nomes. Algo voltou à sua mente... algo que Hera lhe dissera, mas parecia confuso.

Por outro lado, Vossa Alteza parecia disposta a cooperar. Se conseguissem o que queriam sem ter de lutar seria melhor. Além do mais, aquela mulher não parecia ser uma inimiga.

Piper começou a dizer:

— Jason, eu não...

— Ela é Piper. Ele é Leo. Eu sou Jason.

A princesa olhou bem para ele, e por um momento seu rosto brilhou de ódio, literalmente, tanto que Jason podia ver os ossos sob sua pele. A mente de Jason estava ficando confusa, enevoada, ele notava que algo não estava bem. Mas o momento passou, e Vossa Majestade voltou a parecer uma mulher normal e elegante, com um sorriso cordial e uma voz tranquilizadora.

— Jason. Que nome mais interessante — ela disse, com os olhos tão frios quanto o vento de Chicago. — Acho que deveríamos fazer negócio com você, algo especial. Venham, crianças. Vamos às compras.

XXVII

PIPER

Piper queria correr para o elevador.

Sua segunda opção seria atacar a princesa imediatamente, pois tinha certeza de que uma luta estava a ponto de começar. A forma como o rosto daquela mulher brilhara ao ouvir o nome de Jason já parecera ruim o bastante. E Vossa Alteza sorria como se nada tivesse acontecido. E Jason e Leo agiam como se tudo estivesse bem.

A princesa fez um gesto em direção ao balcão de cosméticos.

— Começamos com as poções?

— Legal — disse Jason.

— Meninos — interrompeu Piper —, estamos aqui pelos espíritos da tempestade e pelo treinador Hedge. Se essa... *princesa*... é realmente nossa amiga...

— Ah, eu sou mais que amiga, querida — disse Vossa Alteza. — Sou a vendedora. — Suas joias brilhavam, e seus olhos cintilavam como os de uma cobra... frios e sombrios. — Não se preocupe. Vamos chegar ao primeiro andar.

— Claro! Parece uma boa ideia. Certo, Piper? — disse Leo.

Piper fez um esforço para não gritar: *Não, não parece!*

— Claro que sim — disse Vossa Majestade, pondo suas mãos nos ombros de Jason e Leo e levando-os ao balcão de cosméticos. — Venham comigo, meninos.

Piper não teve escolha além de segui-los.

Ela odiava lojas de departamentos — especialmente porque fora pega roubando em várias. Bem, não exatamente *pega*, e não exatamente *roubando*. Convencia vendedores até que lhe dessem computadores, botas novas, anéis de ouro e cortadores de grama, mesmo sem saber por que queria cortadores de grama. Nunca ficava com nada daquilo. Só queria a atenção do pai. Normalmente, convencia o entregador da vizinhança a devolver tudo. Porém, entre uma coisa e outra, os vendedores notavam o que tinham feito e ligavam para a polícia, que encontrava Piper.

Seja lá como fosse, não estava animada ao voltar a uma loja de departamentos... especialmente àquela, dirigida por uma princesa louca que brilhava no escuro.

— E aqui... — disse a princesa — poderão encontrar a melhor variedade de poções mágicas do mundo.

O balcão estava repleto de béqueres borbulhantes. Nas gavetas, frascos de cristal — alguns em forma de cisne ou ursinhos. Os líquidos dentro deles eram de várias cores: de branco cintilante a multicoloridos. E os cheiros... argh! Alguns eram agradáveis, como cookies saídos do forno ou rosas, mas estavam misturados a cheiro de pneu queimado, de spray de gambá e de vestiário de academia de ginástica.

A princesa apontou para um frasco cor de sangue... um simples tubo de laboratório tapado com uma rolha.

— Este é capaz de curar qualquer doença.

— Mesmo câncer? — perguntou Leo. — Lepra? Unhas encravadas?

— Qualquer doença, meu garoto. E este... — disse, apontando para um frasco em forma de cisne com um líquido azul dentro — o matará de forma bem dolorosa.

— Incrível — disse Jason, e sua voz parecia confusa e sonolenta.

— Jason — disse Piper. — Temos um trabalho a fazer, lembra?

Piper tentou dosar sua voz, pois queria envolver Jason em seu charme e tirá-lo do transe, mas soava trêmula, nervosa. A princesa a assustava muito, acabava com sua confiança, como acontecera no chalé de Afrodite, com Drew.

— Trabalho a fazer — murmurou Jason. — Claro. Mas vamos às compras antes, certo?

— E temos poções para aumentar a resistência ao fogo... — disse a princesa.

— Disso eu não preciso — disse Leo.

— Sério? — perguntou ela, olhando o rosto de Leo mais de perto. — Você não parece usar meu protetor solar... mas não importa. Também temos poções que causam cegueira, insanidade, sono ou...

— Espere — disse Piper, ainda olhando para o frasco vermelho. — Aquela poção pode curar amnésia?

A princesa franziu a testa.

— É possível, sim. Bem possível. Mas por quê, minha querida? Você se esqueceu de algo importante?

Piper tentou manter sua expressão neutra, mas se aquilo pudesse curar a memória de Jason...

Depois pensou: eu quero mesmo que ele recupere a memória?

Se Jason soubesse quem ela era de verdade, talvez nem quisesse ser seu amigo. Hera roubara sua memória por alguma razão. Disse que era a única forma de ele sobreviver no Acampamento Meio-Sangue. Porém, caso Jason descobrisse que Piper era sua inimiga, ou algo parecido, talvez passasse a odiá-la. Aliás, talvez tivesse uma namorada onde vivia.

Mas isso não importava, ela pensou, e ficou surpresa por ter chegado a tal conclusão.

Jason sempre parecia muito angustiado ao tentar lembrar-se de algo. Piper odiava vê-lo assim. Queria ajudá-lo, pois se preocupava com ele, mesmo que isso significasse perdê-lo. E, quem sabe, comprando a tal poção, o passeio pela loja de departamentos de Vossa Maluquesa teria valido a pena.

— Quanto custa? — perguntou Piper.

A princesa tinha um olhar distante.

— Bem... O preço é algo relativo. Eu adoro ajudar às pessoas. Honestamente. E tento manter as ofertas, mas algumas vezes as pessoas me enganam — disse, olhando para Jason. — Certa vez, por exemplo, conheci um lindo rapaz que buscava um tesouro do reino de meu pai. Ele fez uma oferta, e eu prometi ajudá-lo a roubar.

— De seu próprio pai? — Jason dava a impressão de estar um pouco em transe, mas a história pareceu incomodá-lo.

— Ah, não se preocupe — disse a princesa. — Eu pedi um preço muito alto. O rapaz teria que me levar com ele. Ele era bem bonito, forte, elegante... — disse, olhando para Piper. — Eu sei, minha querida, que você é capaz de entender minha atração por um herói assim, e minha vontade de ajudá-lo.

Piper tentou controlar as emoções, mas devia estar corada. Algo lhe dizia que a tal princesa podia ler seus pensamentos.

E, na verdade, aquela história era bem familiar. Pareciam trechos de velhos mitos que lera com seu pai... mas aquela mulher não poderia ser quem ela imaginava...

— Seja como for — disse Vossa Alteza —, meu herói tinha de cumprir muitas missões impossíveis, e eu não minto ao dizer que ele não poderia ter levado nada daquilo a cabo sem a minha ajuda. Eu traí minha própria família para ajudar o herói, mas ainda assim ele me enganou no pagamento.

— Enganou? — perguntou Jason, franzindo a testa, como se tentasse se lembrar de algo importante.

— Que confusão — disse Leo.

Vossa Alteza acariciou o rosto de Leo, com carinho.

— Não precisa se preocupar, Leo. Você parece honesto. Sempre pagaria um preço justo, certo?

Leo fez que sim.

— O que estamos comprando? Eu quero dois.

Piper interrompeu:

— Então, a poção, Sua Alteza... quanto custa?

A princesa observou a roupa de Piper, seu rosto, sua postura, como se fosse colocar preço numa heroína seminova.

— Você daria qualquer coisa por isso, querida? — perguntou a princesa. — Acho que sim.

Tais palavras atingiram Piper como uma onda enorme. A força daquela sugestão quase tirou seus pés do chão. Sim, pagaria qualquer preço. Queria dizer que sim.

Então seu estômago revirou. Piper notou que estavam sob o efeito do charme. Já sentira isso antes, quando Drew falara durante a fogueira, mas com a princesa a sensação era cem vezes mais potente. Por isso seus amigos estavam daquela maneira. Então era assim que as pessoas se sentiam quando Piper usava seu charme? Um sentimento de culpa tomou conta dela.

Reuniu toda a sua força e disse:

— Não. Não estou disposta a pagar *qualquer* preço. Mas um preço justo, talvez sim. E depois vamos embora. Certo, meninos?

Por um momento, suas palavras pareceram surtir algum efeito. Os meninos pareciam confusos.

— Ir embora? — perguntou Jason.

— Você quer dizer... depois de fazer compras? — perguntou Leo.

Piper queria gritar, mas a princesa confundia sua cabeça, examinando Piper agora com respeito.

— Impressionante — disse a princesa. — Pouca gente é capaz de resistir às minhas sugestões. Você é filha de Afrodite, querida? Ah, sim... eu devia ter notado. Tudo bem. Talvez a gente possa comprar um pouco mais até que você se decida, o.k.?

— Mas a poção...

— Agora, meninos — disse a princesa, virando-se para Jason e Leo. Sua voz era muito mais poderosa que a de Piper, cheia de confiança. Piper não teria qualquer chance. — Querem ver mais coisas?

— Claro — disse Jason.

— Sim — respondeu Leo.

— Ótimo — disse a princesa. — Vou precisar de muita ajuda para chegarmos à Bay Area.

Piper tentou alcançar sua adaga. Pensou no sonho que tivera sobre o topo da montanha... a cena que Encélado mostrara, um lugar conhecido, onde trairia seus dois amigos, dentro de dois dias.

— Bay Area? — perguntou Piper. — Por que Bay Area?

A princesa sorriu.

— Bem, é onde eles vão morrer, certo?

Ela os levou até as escadas rolantes, e Jason e Leo ainda pareciam muito animados com as compras.

XXVIII

PIPER

Piper encurralou a princesa enquanto Jason e Leo observavam os casacos de pele vivos.

— Você quer que eles comprem a própria morte? — perguntou Piper.

— Hum... — A princesa tirou o pó de uma vitrine de espadas. — Sou uma vidente, querida. Conheço o seu pequeno segredo. Mas não queremos mexer nisso, certo? Os meninos estão se divertindo.

Leo sorriu ao experimentar um chapéu que parecia feito de pele de texugo encantada. A cauda se mexia, e as pequenas pernas se moviam freneticamente enquanto Leo caminhava. Jason deu uma olhada na seção de roupa masculina esportiva. Meninos interessados em comprar roupa? Mais um sinal de que estavam sendo vítimas de um feitiço do mal.

Piper olhou para ela.

— Quem é você?

— Eu já disse, querida. Sou a princesa de Colchis.

— Onde fica Colchis?

A expressão da princesa ficou um pouco triste.

— Onde *ficava* Colchis, você quer dizer? Meu pai governava as terras às margens do Mar Negro, até o ponto mais oriental aonde um barco grego podia chegar. Mas Colchis já não existe... desapareceu éons atrás.

— Éons? — perguntou Piper. A princesa parecia não ter mais de cinquenta anos, e Piper teve um mau pressentimento... Lembrou-se de algo que fora mencionado pelo rei Bóreas, em Quebec. — Quantos anos você tem?

A princesa sorriu.

— Uma dama não deveria perguntar nem responder isso. Mas vamos dizer que... o processo de imigração para entrar no seu país demorou um pouco. Porém, a minha patrona conseguiu, ela tornou isso possível — disse a princesa, acenando para a loja de departamentos.

— Sua patrona... — repetiu Piper, com um gosto metálico na boca.

— Ah, sim. Ela não traz qualquer pessoa, veja bem... só os que têm talentos especiais, como eu. Na verdade, ela só insistiu em poucos detalhes... Queria uma entrada por baixo da terra, para que pudesse monitorar meus clientes, e um favor vez ou outra... e eu cedi. Foi uma boa troca em nome de uma nova vida. A melhor barganha que fiz em séculos.

Rápido, pensou Piper. *Precisamos sair daqui.*

Porém, antes que ela pudesse transformar seu pensamento em palavras, Jason disse:

— Ei, olhem só!

De uma arara em que se lia “Roupas Penhoradas”, ele ergueu uma camisa roxa, igual à que usara na excursão da escola. Só que essa parecia ter sido rasgada por garras de tigres.

Ele franziu a testa:

— Por que essa camisa parece tão familiar?

— Jason, é idêntica à *sua* — disse Piper. — Mas precisamos sair daqui — continuou, embora não estivesse certa de que Jason a pudesse escutar, pois estava completamente envolvido no charme da princesa.

— Que bobagem — disse a princesa. — Os meninos ainda não terminaram, certo? E sim, meu querido, estas camisetas são muito comuns. Mercadoria trocada pelos clientes. Ficou perfeita em você.

Leo segurava uma camiseta laranja do Acampamento Meio-Sangue com um buraco no meio, como se tivesse sido atingida por uma flecha. Ao lado havia uma armadura para o peito corroída — por ácido, talvez? — e uma toga romana rasgada em pedaços, com algo que parecia sangue seco.

— Sua Alteza — disse Piper, tentando controlar os nervos. — Por que não conta aos meninos como traiu sua família? Tenho certeza de que eles gostariam de ouvir essa história.

As palavras não causaram qualquer efeito na princesa, mas os meninos viraram o corpo, interessados.

— Mais histórias? — perguntou Leo.

— Eu gosto de mais histórias — disse Jason.

A princesa olhou para Piper, irritada.

— Sabe, as pessoas fazem coisas estranhas por amor, Piper. Você deveria saber disso. Eu me apaixonei por aquele jovem guerreiro, pois sua mãe, Afrodite, me lançou uma maldição. Se não fosse por ela... Mas eu não poderia lutar contra uma deusa, certo?

Com o tom empregado na voz, a princesa queria deixar uma coisa bem clara: *Você não conseguirá me vencer!*

— Mas esse tal herói a levou quando fugiu de Colchis — lembrou Piper. — Certo, Sua Alteza? E se casou com você, como prometeu.

O olhar da princesa fez Piper sentir vontade de pedir desculpas, mas ela não voltou atrás.

— No início — admitiu Vossa Alteza —, ele pareceu disposto a manter sua palavra. Porém, mesmo após eu tê-lo ajudado a roubar a fortuna do meu pai, ele ainda precisava da minha ajuda. Enquanto fugíamos, a frota do meu irmão nos seguiu. Seus navios de guerra nos alcançaram. E nos teriam destruído, mas eu convenci meu irmão a subir a bordo. E ele confiou em mim.

— E você matou o seu irmão — disse Piper, lembrando-se da terrível história, e também de um nome... um nome infame que começava por *M*.

— O quê? — perguntou Jason. Por um momento, ele parecia ter voltado a si. — Matou o próprio...

— Não — disse a princesa, imediatamente. — Essas histórias são mentiras. Foram meu marido e os seus homens que mataram meu irmão, mas eles não poderiam ter feito isso sem a minha trapaça. Jogaram seu corpo no mar, e dessa forma os navios que nos perseguiam tiveram de parar para procurá-lo, pois queriam oferecer ao meu irmão um enterro digno. Isso nos deu tempo para fugir. Fiz tudo pelo meu marido. E ele se esqueceu do nosso trato. No final, ele me traiu.

Jason ainda parecia desconfortável.

— O que ele fez?

A princesa pôs a toga rasgada sobre o peito de Jason, como se o estivesse medindo para logo assassiná-lo.

— Você não conhece essa história, meu rapaz? Deveria conhecer. O seu nome é uma homenagem a ele.

— Jason — disse Piper. — O Jason *original*: Jasão. Mas você... deveria ter morrido!

A princesa sorriu.

— Como eu disse, uma nova vida em um novo país. Claro que cometi erros. E virei as costas ao meu próprio povo. Fui chamada de traidora, ladra, mentirosa, assassina. Mas agi por amor.

Ela olhou para os meninos, demonstrando pena, piscando várias vezes. Piper notava o encantamento tomando conta deles, com ainda mais força.

— Vocês não fariam o mesmo por alguém que amam, meus queridos?

— Ah, claro — disse Jason.

— Sim — respondeu Leo.

— Meninos! — gritou Piper, frustrada, rangendo os dentes. — Vocês não enxergam quem é ela? Não enxergam...

— Vamos em frente, certo? — disse a princesa, tranquilamente. — Acho que vocês queriam negociar o preço de uns espíritos da tempestade... e do seu sátiro.

Leo ficou distraído em meio aos equipamentos do segundo andar.

— Não pode ser! — ele disse. — Isso é uma fundição blindada?

Antes que Piper pudesse detê-lo, ele desceu pelas escadas e correu em direção a um grande forno oval que parecia uma churrasqueira gigante.

Quando se aproximou de Leo, a princesa disse:

— Você tem bom gosto. Este é o H-2000, desenhado pelo próprio Hefesto. Com calor suficiente para fundir bronze celestial e ouro imperial.

— Ouro imperial? — perguntou Jason, como se reconhecesse o termo.

A princesa fez que sim.

— Sim, meu querido. Como o da arma que esconde no seu bolso. Para ser bem fundido, o ouro imperial deve ser consagrado no templo de Júpiter, na colina do Capitólio, em Roma. Trata-se de um metal poderoso e raro. Mas, assim como os imperadores de Roma, muito volátil. Tome cuidado para nunca quebrar essa lâmina... — Ela sorriu, parecendo contente. — Roma veio *depois* de mim, claro, mas escutei histórias. E agora venham aqui... este trono de ouro é um dos meus itens mais luxuosos. Hefesto o construiu como punição para sua mãe, Hera. Sentem-se nele e serão imediatamente presos.

Leo aparentemente tomou aquilo como uma ordem. E caminhou para o trono, como se estivesse em transe.

— Leo, não! — gritou Piper.

Ele piscou.

— Quanto pelos dois?

— Ah, o trono você poderá ter por cinco boas ações. A fundição por sete anos de serviços... e por um pouco da sua força. — E levou Leo à seção dos aparelhos, dizendo-lhe o preço de várias coisas.

Piper não queria deixá-lo sozinho com ela, mas tinha de tentar abrir os olhos de Jason. Levou-o para um canto e deu um tapa de leve no seu rosto.

— Ai, para que isso?

— Cai fora dessa! — disse Piper.

— O quê?

— Ela está envolvendo você com charme. Você não nota?

— Parece boa gente — ele respondeu, levantando as sobrancelhas.

— Ela não é boa gente! Nem deveria estar viva! Foi casada com Jason... o outro Jason... Jasão... três mil anos atrás. Você se lembra do que disse Bóreas... algo sobre as almas já não estarem confinadas com Hades? Não são apenas os monstros que não permanecem mortos. Ela voltou do Mundo Inferior.

Jason balançou a cabeça, perdido.

— Ela não é um fantasma.

— Não, é pior! Ela é...

— Meninos — disse a princesa, voltando com Leo. — Se me dão licença, vamos ver o que vocês querem. É isso o que vocês querem, certo?

Piper teve de conter um grito na garganta. Queria empunhar sua adaga e resolver aquilo sozinha, mas não podia se arriscar tanto... muito menos ali, no meio da loja de departamentos de Vossa Alteza, com seus amigos sob o efeito do charme. Piper nem sabia se eles ficariam do seu lado no caso de uma luta. Precisava encontrar um plano melhor.

Usaram a escada rolante para chegar à base do chafariz. Pela primeira vez, Piper notou dois grandes relógios de sol de bronze — cada um do tamanho de um trampolim — incrustados no mármore do piso, ao sul e ao norte do chafariz. As grandes gaiolas estavam a oeste e a leste. E a que fora posta mais longe guardava os espíritos da tempestade. Estavam tão comprimidos e moviam-se como um tornado superconcentrado, que era impossível contar quantos seriam os espíritos presos lá dentro... dúzias, pelo menos.

— Ei — disse Leo. — O treinador Hedge parece bem.

E correram para a gaiola mais próxima. O velho sátiro parecia petrificado ao subir aos céus do Grand Canyon, com o bastão erguido, como se pedisse à turma de ginástica que fizesse cinquenta flexões. Seus cabelos cacheados permaneciam paralisados em posições estranhas. Se Piper pudesse concentrar-se em certos detalhes... na camisa polo laranja, no cavanhaque ralo, no apito dependurado no pescoço... talvez pudesse vê-lo como o treinador de sempre. Mas era complicado ignorar os grossos chifres na sua cabeça, e o fato de ele ter pernas peludas de bode e patas, em vez de calças e tênis Nike.

— Sim — disse a princesa. — Sempre mantenho minhas mercadorias em boas condições. Nós podemos fazer negócio pelo sátiro e pelos espíritos da tempestade. Um pacote. Se chegarmos a um acordo, posso incluir a poção curativa, e vocês poderão partir em paz. — E olhou para Piper, sagaz. — Isso é melhor do que começar a negociar sem vontade, certo, querida?

Não confie nela, avisou uma voz na cabeça de Piper. Se ela estivesse certa sobre a identidade daquela mulher, ninguém ficaria em paz. Um acordo justo não seria possível. Tudo era um truque. Mas seus amigos a observavam, fazendo que sim com a cabeça e dizendo: *Sim, claro!* Piper precisava de tempo para pensar.

— Podemos negociar — disse ela.

— Claro! — concordou Leo. — Diga qual é o seu preço.

— Leo! — gritou Piper.

A princesa de uma risadinha.

— O meu preço? Talvez não seja a melhor estratégia, meu rapaz, mas pelo menos você sabe que tudo tem um preço. A liberdade é muito valorizada, sabe?

Você poderia pedir que eu libertasse esse sátiro, o mesmo sátiro que atacou os meus espíritos da tempestade...

— Que nos atacaram — disse Piper.

Vossa Alteza deu de ombros.

— Como eu disse, minha patrona pede alguns favores de tempos em tempos. Enviar os espíritos da tempestade para sequestrá-los, por exemplo. Esse foi um dos favores que me pediu. Mas posso garantir que não foi nada pessoal. E não houve danos, já que, no final das contas, vocês vieram até aqui por vontade própria! Seja como for, vocês querem o sátiro livre e querem os meus espíritos da tempestade... que, aliás, são muito bons servos... para desta forma chegarem ao tirano Éolo. Isso não parece justo, certo? O preço será alto.

Piper notava que seus amigos estavam dispostos a pagar o que fosse, prometer qualquer coisa. Antes que pudessem falar, ela jogou a última carta.

— Você é Medeia —disse. — Ajudou o Jason original a roubar o Velocino de Ouro. Você é uma das maiores vilãs da mitologia grega. Jason, Leo... não confiem nela.

Piper empregou toda a intensidade que pôde àquelas palavras. Estava sendo completamente sincera, e pareceu surtir efeito. Jason afastou-se da feiticeira.

Leo coçou a cabeça e deu uma olhada em volta, como se estivesse acordando de um sonho.

— De novo: o que estamos fazendo?

— Meninos! — disse a princesa, abrindo os braços, como se estivesse dando as boas-vindas. Suas joias brilhavam, seus dedos com as unhas pintadas curvaram-se como garras sujas de sangue. — É verdade, sou Medeia. Mas as pessoas não me entenderam. Ah, Piper, querida, você não sabe o que era ser mulher naquela época. Não tínhamos poder nem influência. Normalmente, não podíamos nem escolher os nossos maridos. Mas *eu* era diferente. Escolhi meu destino, transformando-me em feiticeira. Isso é errado? Fiz um pacto com Jasão: ofereci a minha ajuda em troca do seu amor. Um acordo justo. E assim ele se tornou um guerreiro famoso! Sem a minha ajuda, teria morrido na obscuridade, na costa de Colchis.

Jason fechou a cara.

— Então... você realmente morreu há três mil anos? E voltou do Mundo Inferior?

— A morte já não me aprisiona, jovem herói — disse Medeia. — Graças à minha patrona, voltei a ser de carne e osso.

— Você... retomou sua forma? — perguntou Leo, piscando. — Como os monstros?

— Vocês não têm ideia do que está acontecendo, certo, meninos? — perguntou Medeia, estirando os dedos, e um vapor escapou de suas unhas, como água que respinga no ferro quente. — Isso é muito pior que monstros escapando do Tártaro. Minha patrona sabe que gigantes e monstros não são seus melhores servos. *Eu* sou mortal. Aprendi com meus erros. E agora que retornei ao mundo dos vivos, não vou ser enganada mais uma vez. Agora, eis meu preço para o que vocês querem levar.

— Meninos! — disse Piper. — Jasão deixou Medeia porque ela era uma louca com sede de sangue.

— Mentira! — disse Medeia.

— No caminho de volta a Colchis, o barco de Jasão atracou em outro reino, e ele concordou em deixar Medeia e casar-se com a filha do rei.

— Depois que lhe dei dois filhos! — disse Medeia. — Ainda assim ele quebrou sua promessa. E eu pergunto: isso foi certo?

Jason e Leo balançaram a cabeça, mas Piper não se deixou envolver.

— Talvez não — ela respondeu —, mas a vingança de Medeia também não foi. Ela matou os dois filhos para vingar-se de Jasão. Envenenou sua nova esposa e fugiu do reino.

Medeia rosnou.

— Isso foi uma invenção para arruinar a minha reputação! O povo de Corinto... aquela massa ingovernável... matou os meus filhos e me afastou. Jason não fez nada para me proteger. Ele roubou tudo de mim. Então, sim, eu voltei ao palácio e envenenei sua adorável esposa. Foi apenas um... preço justo.

— Você é louca — disse Piper.

— Eu sou a vítima! — gritou Medeia. — Morri com os meus sonhos despedaçados, mas isso acabou. Sei que não devo confiar nos heróis. Quando chegam aqui buscando tesouros, têm de pagar um preço alto. Especialmente quando quem pede se chama Jason!

O chafariz ficou vermelho. Piper sacou sua adaga, mas suas mãos tremiam tanto que era complicado mantê-la firme.

— Jason, Leo... hora de ir embora. *Agora*.

— Antes de fecharem o negócio? — perguntou Medeia. — E quanto à sua missão, rapazes? Alem do mais, o meu preço é baixo. Vocês sabem que esse chafariz é mágico? Se um homem morto for atirado nele, mesmo partido em pedaços, ele volta à vida... mais forte e mais poderoso que nunca.

— Sério? — perguntou Leo.

— Leo, ela está mentindo. — disse Piper. — Já fez isso antes... com um rei, eu acho. Convenceu sua filha a cortá-lo em pedaços para que voltasse das águas mais jovem e mais forte que antes, mas ela simplesmente o matou!

— Que coisa mais ridícula! — disse Medeia. — Leo, Jason... o meu preço é baixo. Por que vocês dois não lutam entre si? Caso se machuquem, ou sejam mortos, não haverá problema. Basta serem jogados no chafariz e ficarão melhores que nunca. E vocês *querem* lutar, certo? Estão ressentidos um com ou outro.

— Meninos, não! — disse Piper, mas eles já se entreolhavam, como se pensassem em quais eram seus verdadeiros sentimentos.

Piper nunca se sentira tão impotente. Agora entendia o que significava a verdadeira feitiçaria. Sempre imaginou que tivesse algo a ver com bolas de fogo, mas aquilo era muito pior. Medeia não precisava de poções e venenos. Sua arma mais potente era a voz.

— Jason é sempre o protagonista. Ele sempre ganha a atenção e eu fico em segundo plano — disse Leo, de cara feia.

— Você é chato, Leo. Nunca leva nada a sério. Nem mesmo é capaz de consertar um dragão.

— Chega! — disse Piper, mas os dois levantaram suas armas... Jason, sua espada de ouro, e Leo, um martelo de seu cinto de ferramentas.

— Deixe-os, Piper — disse Medeia. — Estou fazendo um favor a você. Deixe que isso aconteça agora, e sua escolha será bem mais fácil. Encélado vai ficar contente. E você poderá ter seu pai de volta ainda hoje!

O charme de Medeia não funcionava com ela, mas a feiticeira tinha uma voz persuasiva. *Ter seu pai de volta?* Apesar de suas melhores intenções, Piper queria isso. Queria tanto tê-lo ao seu lado novamente que doía.

— Você trabalha para Encélado — ela disse.

Medeia sorriu.

— Para um gigante? Não. Mas todos servimos à mesma grande causa... a uma patrona que não podemos desafiar. Vá embora, filha de Afrodite. Você não precisa morrer agora. Salve a sua vida, e liberte o seu pai.

Leo e Jason ainda se encaravam, prontos para lutar, mas pareciam confusos, sem saber muito bem o que fazer, esperando uma nova ordem. Parte deles estava resistindo, esperava Piper. Lutar seria completamente contra a sua natureza.

— Escute, garota — falou Medeia, pegando um diamante do seu bracelete e jogando na água que respingava do chafariz.

Quando ultrapassou a névoa multicolorida, Medeia disse:

— Oh, Íris, deusa do arco-íris, mostre-me o escritório de Tristan McLean.

A névoa tremeluziu e Piper viu o escritório do pai. Sentada à mesa dele, falando ao telefone, estava sua assistente, Jane, com seu terno escuro de sempre e os cabelos presos num coque.

— Oi, Jane — disse Medeia.

Jane desligou o telefone, tranquila.

— Como posso ajudá-la, senhora? Oi, Piper.

— Você... — Piper estava com tanta raiva que mal podia falar.

— Sim, querida — disse Medeia. — A secretária do seu pai. Uma pessoa fácil de ser manipulada. Tem a mente bastante organizada para uma mortal, mas incrivelmente fraca.

— Obrigada, senhora — disse Jane.

— Não há de quê — respondeu Medeia. — Só queria dar-lhe os parabéns, Jane. Por ter conseguido fazer com que o sr. McLean saísse da cidade tão rapidamente, tomasse seu jatinho para Oakland sem alertar a imprensa nem a polícia... muito bem! Acho que ninguém sabe onde ele está. E dizer que a vida de sua filha estava por um fio... foi uma ótima saída para conseguir sua cooperação.

— Sim — concordou Jane, em tom baixo, como se fosse uma sonâmbula. — Ele cooperou muito bem quando acreditou que Piper estaria em perigo.

Piper olhou para a sua adaga. A lâmina tremia em suas mãos. Não poderia usar aquilo melhor que Helena de Troia faria, mas ainda assim era um bom espelho, e o que viu foi uma menina assustada sem qualquer chance de vencer.

— Posso ter novas ordens para você, Jane — disse Medeia. — Se a menina cooperar, será o momento de trazer o sr. McLean de volta para casa. Você inventaria uma boa história para a ausência dele, certo? E imagino que o pobre homem precise passar um tempo em um hospital psiquiátrico.

— Sim, senhora. Ficarei de sobreaviso.

A imagem desapareceu, e Medeia virou-se para Piper.

— Viu?

— Você arrastou meu pai a uma armadilha. Ajudou o gigante...

— Ah, por favor, querida. Contenha-se. Estou me preparando para essa guerra há anos, mesmo antes de voltar à vida. Sou uma vidente, já disse. Posso prever o futuro tão bem quanto seu pequeno oráculo. Anos atrás, ainda sofrendo nos Campos da Punição, tive uma visão dos Sete na sua chamada Grande Profecia. Vi seu amigo Leo aqui, e notei que um dia ele seria um inimigo importante. Adentrei a consciência de minha patrona, avisei-a, e ela conseguiu despertar por um tempo... o tempo suficiente para visitá-lo.

— A mãe de Leo... — disse Piper. — Leo, ouça! Ela ajudou a matar sua mãe!

— Sei — murmurou Leo, perdido. E franziu a testa olhando para o seu martelo. — Então... Vou atacar Jason, certo?

— É perfeitamente seguro — respondeu Medeia. — E Jason, ataque-o com firmeza. Mostre que honra seu nome.

— Não! — gritou Piper, sabendo tratar-se de sua última chance. — Jason, Leo... ela está enganando vocês. Baixem suas armas.

A feiticeira revirou os olhos.

— Por favor, menina. Você não é páreo para mim. Eu fui treinada com a minha tia, a imortal Circe. Posso enlouquecer os homens ou curá-los com a minha voz. Que esperança esses dois pobres heróis têm contra mim? Agora, meninos, matem-se!

— Jason, Leo, escutem — disse Piper, pondo toda a emoção que pôde em sua voz. Por anos, ela tentou se controlar, não demonstrar fraqueza, mas naquele momento reuniu tudo o que sentia naquelas palavras: seu medo, seu desespero, sua raiva. Ela sabia que podia estar assinando a sentença de morte do pai, mas também se preocupava muito com os amigos, não deixaria que matassem um ao outro. — Medeia está usando seu charme contra vocês. É parte de sua magia. Vocês são grandes amigos. Não lutem entre si. Lutem contra *ela*!

Eles hesitaram, e Piper podia notar o feitiço se quebrando.

Jason piscou.

— Leo, eu estava a ponto de machucar você?

— Algo sobre a minha mãe...? — disse Leo, franzindo a testa, depois se virou para Medeia. — Você... trabalhando para a Mulher de Poeira. Você a enviou à loja. — E levantou um braço. — Senhora, eu tenho um martelo de dois quilos com o seu nome escrito.

— Bobagem! — disse Medeia. — Vou conseguir o pagamento de outra forma.

Ela apertou uma das lajotas do mosaico do piso e o prédio tremeu. Jason tentou golpear Medeia, mas ela se dissolveu em fumaça e reapareceu na base da escada.

— Você é muito lento, herói — ela gargalhou. — Alivie sua frustração com meus bichinhos de estimação.

Antes que Jason pudesse se aproximar dela, os dois relógios de bronze nas extremidades do chafariz se abriram. Duas bestas douradas — dragões alados de carne e osso — saíram dos calabouços logo abaixo. Cada um deles do tamanho de um trailer, talvez não tão grandes se comparados a Festus, mas ainda assim bem grandes.

— Então, é isso o que ela guarda no canil — disse Leo, desanimado.

Os dragões abriram as asas e sibilaram. Piper podia sentir o calor que emanava de sua pele brilhante. Um deles virou seus furiosos olhos alaranjados para ela.

— Não olhe nos olhos dele — avisou Jason. — Vai ficar paralisada.

— Exatamente! — disse Medeia, subindo as escadas rolantes, apoiada no corrimão, enquanto observava a cena divertida. — Essas duas belezuras estão comigo há tempos... dragões do sol, presentes do meu avô, Hélio. Puxaram minha carruagem quando deixei Corinto, e agora serão a sua destruição. Ha-ha!

Os dragões atacaram. Leo e Jason tentaram interceptá-los. Piper ficou admirada com a fúria dos meninos... que trabalhavam como uma equipe que há anos treina junto.

Medeia estava quase no segundo andar, onde poderia escolher entre os seus vários artefatos mortais.

— Ah, não, você não vai, não — disse Piper, correndo atrás dela.

Quando viu Piper, Medeia começou a ir mais depressa. Era bem rápida para uma senhora de três mil anos. Piper subiu três degraus por vez, e mesmo assim não pôde alcançá-la. Medeia não parou no segundo andar. Passou à outra escada rolante e seguiu subindo.

As poções, pensou Piper. Estava indo até elas. Era famosa por suas poções.

Lá embaixo, Piper ouvia a batalha. Leo assoprava seu apito e Jason gritava para prender a atenção do dragão. Piper não teve coragem de olhar... não enquanto estivesse correndo com uma adaga nas mãos. Poderia cair e machucar o próprio nariz. O que não seria nada heroico.

Pegou um escudo de um manequim do terceiro andar e continuou subindo. Na sua cabeça, imaginava o treinador Hedge gritando, como se estivessem na aula de ginástica da Escola da Vida Selvagem: *Ande, McLean! Você chama isso de subida de escada rolante?*

Ela chegou ao último andar, respirando com dificuldade, mas era tarde demais. Medeia alcançara o balcão de poções.

A feiticeira pegou um vidro em forma de cisne... o azul, que causava morte dolorosa... e Piper fez a única coisa que veio à sua mente: atirou o escudo em cima dela.

Medeia virou o corpo, triunfante, bem em tempo de ser atingida no peito pelo *frisbee* de metal de mais de vinte quilos. Ela caiu para trás, em cima do balcão, quebrando frascos e destruindo prateleiras. Quando levantou-se seu vestido estava salpicado de várias cores. Algumas manchas queimavam e brilhavam.

— Idiota! — gritou Medeia. — Você tem ideia do que acontece quando tantas poções são misturadas?

— Podem matar? — perguntou Piper, esperançosa.

O carpete começou a arder em volta dos pés de Medeia. Ela tossiu e seu rosto se contraiu de dor. Ou estaria fingindo?

Lá embaixo, Leo gritou:

— Jason, socorro!

Piper arriscou uma olhada rápida e quase chorou de desespero. Um dos dragões prendera Leo no chão. Estava com as garras à mostra, pronto para atacar. Jason estava do outro lado, lutando contra o segundo dragão, longe demais para ajudá-lo.

— Você amaldiçoou a todos nós — gritou Medeia. A fumaça tomava conta do carpete, soltando fagulhas e incendiando as araras de roupas. — Temos apenas alguns segundos antes que as chamas consumam tudo, destruindo o prédio. Não há tempo...

CRASH! O teto de vidro se partiu numa chuva de cacos multicoloridos, e Festus, o dragão de bronze, desceu na loja de departamentos.

Ele entrou na briga, capturando um dragão do sol com cada uma de suas garras. Naquele momento, Piper notou como seu amigo de metal era grande e forte.

— Esse é o meu garoto! — gritou Leo.

Festus deu um voo rasante pelo átrio, depois atirou os dragões no buraco de onde saíram. Leo correu até o chafariz e pressionou o piso de mármore, fechando os relógios de sol, que se sacudiram, pois os dragões forçavam para sair lá de dentro — mas, pelo menos por ora, ficariam presos.

Medeia praguejou em uma língua antiga. O quarto andar estava completamente em chamas e o ar tomado por um gás tóxico. Mesmo com o teto aberto, Piper sentia o calor cada vez mais forte. Deu passos para trás, em direção à grade do jirau, sempre com a adaga apontada para Medeia.

— Não vou ser abandonada mais uma vez! — disse a feiticeira, ajoelhando-se e pegando a poção vermelha, curativa, que de alguma forma sobrevivera intacta. — Quer restaurar a memória do seu namorado? Leve-me com você!

Piper deu uma olhada para trás. Leo e Jason estavam montados em Festus. O dragão de bronze abriu as asas, agarrou as gaiolas com o treinador e os espíritos da tempestade e começou a subir.

O prédio tremia. Fogo e fumaça erguiam-se nas paredes, derretendo as grades, deixando o ar cada vez mais ácido.

— Você nunca sobreviverá a essa missão sem mim — disse Medeia. — Seu herói permanecerá ignorante para sempre, e seu pai morrerá. Leve-me com você!

Por um segundo, Piper ficou em dúvida. Mas logo notou o sorriso sinistro de Medeia. A feiticeira conhecia os seus poderes de persuasão, confiava que sempre seria capaz de chegar a um acordo, escapar e vencer.

— Hoje não, bruxa — disse Piper, dando um salto. Ela mergulhou por apenas um segundo, até que Jason e Leo a agarraram, sentando-a no dragão.

Ouviu Medeia gritar de raiva enquanto escapavam pelo teto estilhaçado, sobrevoando o centro de Chicago. Lá atrás, a loja de departamentos explodiu.

XXIX

LEO

Leo não parava de olhar para trás. Esperava ver aqueles terríveis dragões de sol puxando uma carruagem voadora com uma vendedora mágica atirando poções, mas não havia nada atrás deles.

Guiou o dragão para sudoeste. Em algum momento, a fumaça da loja de departamentos em chamas desapareceu à distância, mas Leo não relaxou até os subúrbios de Chicago darem lugar a campos cobertos de neve, quando o sol começou a se pôr.

— Bom trabalho, Festus — disse ao dragão, acariciando seu corpo de metal. — Você foi incrível.

O dragão encolheu os ombros. Engrenagens saltaram e estalaram em seu pescoço.

Leo franziu a testa. Não gostava de ouvir aqueles barulhos. Se o disco de controle estivesse falhando novamente... Não, seria algo menos sério. Algo que poderia consertar.

— Vou dar uma geral em você na próxima vez que pousarmos — prometeu Leo. — Você merece um pouco de óleo com molho tabasco.

Festus trincou os dentes, mas parecia fraco. Ele voava tranquilamente, com suas grandes asas buscando melhor ângulo para os ventos, mas o peso que carregava era grande: duas gaiolas presas às garras e três pessoas nas costas... quanto mais Leo pensava nisso, mais preocupado ficava. Mesmo dragões de metal têm seus limites.

— Leo — disse Piper, tocando em seu ombro. — Você está bem?

— Sim... nada mal para um zumbi que sofreu uma lavagem cerebral. — Esperava não parecer tão envergonhado quanto se sentia. — Obrigado por nos salvar, rainha da beleza. Se não tivesse me livrado daquela bruxaria...

— Não se preocupe com isso — disse Piper.

Mas Leo se preocupava, e muito. Sentia-se mal por ter sido tão facilmente manipulado por Medeia contra seu melhor amigo. E tal sentimento não vinha do nada... era fruto do seu ressentimento pela forma como Jason sempre conseguia ser o protagonista, e parecia não precisar dele... Sentia-se assim às vezes, ainda que não se orgulhasse disso.

O que o deixava mais chateado eram as notícias sobre sua mãe. Medeia vira o futuro no Mundo Inferior. Por isso sua patrona, a mulher de negro em roupas feitas de terra, apareceu na loja, sete anos antes, para assustá-lo, para arruinar sua vida. Por isso sua mãe morreu... por algo que Leo poderia fazer um dia. Mesmo que não pudesse culpar sua habilidade com o fogo, a morte de sua mãe *ainda* era culpa sua.

Quando deixaram Medeia naquela loja a ponto de explodir, Leo sentiu-se melhor do que deveria. Esperava que ela não resistisse, que voltasse imediatamente aos Campos da Punição, aos quais pertencia. E tais sentimentos também não o deixavam orgulhoso.

Se almas estavam voltando do Mundo Inferior, seria possível resgatar sua mãe?

Tentou não pensar nisso. Seria como um Frankenstein. Não era natural. Não era certo. Medeia poderia ter voltado à vida, mas ela não parecia muito humana, com aquelas unhas em forma de garras, sua cabeça brilhante e tudo o mais.

Não, sua mãe morrera. E pensar qualquer outra coisa o deixaria louco. Ainda assim, aquela ideia não o abandonava, era como um eco da voz de Medeia.

— Vamos ter que descer logo — avisou aos amigos. — Podemos voar por mais algumas horas, talvez, para termos certeza de que Medeia não está nos seguindo. Mas acho que Festus não aguentaria muito mais.

— É verdade — concordou Piper. — O treinador Hedge também deve estar louco para sair dessa gaiola. A pergunta é: para onde estamos indo?

— Para Bay Area — sugeriu Leo. Suas memórias da loja de departamentos eram confusas, mas imaginava ter ouvido isso. — Medeia falou algo sobre Oakland, não?

Piper ficou um tempo sem responder, Leo pensou se não teria dito algo errado.

— O pai de Piper — disse Jason. — Algo aconteceu com o seu pai, não é isso? Ele caiu em alguma armadilha.

Piper suspirou, nervosa.

— Olhem, Medeia disse que vocês dois poderiam morrer em Bay Area. Além do mais... se fôssemos para lá, Bay Area é enorme! Antes precisamos encontrar Éolo e livrar-nos dos espíritos da tempestade. Bóreas disse que Éolo é o único que pode nos dizer exatamente aonde devemos ir.

— Mas como vamos encontrar Éolo? — perguntou Leo.

Jason inclinou-se para a frente.

— Você quer dizer que não está vendo? — perguntou, apontando à sua frente, mas Leo não via nada além de nuvens e cidades brilhando na escuridão.

— O quê? — perguntou Leo.

— Aquilo... seja lá o que for — disse Jason. — No ar.

Leo olhou para trás. Piper parecia tão confusa quanto ele.

— Certo — disse Leo. — Você poderia ser mais específico com o "seja lá o que for"?

— Uma espécie de trilha de vapor — disse Jason —, mas que brilha. Muito suave, mas está lá, definitivamente. Estamos seguindo isso desde Chicago, imaginei que tivessem visto.

Leo fez que não com a cabeça.

— Talvez Festus a tenha sentido. Você acha que é algo de Éolo?

— Bem, é uma trilha mágica no vento — disse Jason. — Éolo é o deus do vento. Deve saber que temos prisioneiros para ele e está nos dizendo para onde voar.

— Ou talvez seja outra armadilha — disse Piper.

Seu tom preocupou Leo. Ela não parecia apenas nervosa. Na verdade, parecia desesperada, como se os três já tivessem selado seu destino e a culpa fosse dela.

— Pips, você está bem? — ele perguntou.

— Não me chame assim.

— Certo, tudo bem. Você não gosta dos nomes que invento. Mas se o seu pai está em perigo e podemos ajudar...

— Não podem — ela disse, a voz agora falhando. — Olhem, estou cansada. Se não se importam...

Ela se recostou, apoiando-se em Jason, e fechou os olhos.

Tudo bem, pensou Leo, era um sinal claro de que Piper não queria conversar.

Voaram em silêncio por um tempo. Festus parecia saber para onde ir. Manteve o ritmo, fazendo uma curva suave para o sudoeste. Com sorte, seguiam em direção à fortaleza de Éolo. Outro deus do vento a visitar... E Leo não via a hora de encarar mais uma loucura.

Estivera com muita coisa na cabeça para conseguir dormir, mas, agora que não corria mais perigo, seu corpo queria outra coisa. Sua energia se extinguia. A batida monótona das asas do dragão fez seus olhos pesarem. Sua cabeça começou a cair.

— Durma um pouco — disse Jason. — Certo, deixe as rédeas comigo.

— Não, eu estou bem.

— Leo — disse Jason —, você não é uma máquina. Além do mais, eu posso ver a trilha no ar. Vou fazer de tudo para seguirmos o caminho.

Os olhos de Leo começaram a se fechar sozinhos.

— Tudo bem. Só... — Mas antes de terminar a frase caiu para a frente, agarrando-se ao pescoço do dragão.

Em seu sonho, Leo ouviu uma voz estranha, como se fosse uma rádio AM fora de sintonia.

— Oi? Isso funciona?

A visão de Leo entrou em foco... mais ou menos. Tudo estava cinza, confuso, com interferências... Nunca sonhara assim antes, com má conexão.

Parecia estar em uma oficina. Pelo canto do olho viu serras, tornos mecânicos e caixas de ferramentas. Uma forja brilhava orgulhosamente em uma parede.

Não era a forja do acampamento... era grande demais. Não era o bunker 9... era mais agradável e confortável, e obviamente não estava abandonado.

Então Leo notou que algo bloqueava sua visão, bem no centro. Algo grande e embaçado, e que estava perto. Abriu bem os olhos para ver o que era: um rosto grande e feio.

— Mãe do céu! — ele gritou.

O rosto se afastou e entrou em foco. Era um homem barbado que o observava, com avental de trabalho azul e encardido. Um rosto sujo, encaroçado, como se tivesse sido mordido por centenas de abelhas, arrastado por cascalhos, ou as duas coisas.

— Mãe do céu? — disse o homem. — É *pai* do céu, menino. Imaginei que soubesse a diferença.

— Hefesto? — perguntou Leo, piscando.

Estava na presença do seu pai pela primeira vez, e deveria estar sem voz, assustado ou qualquer coisa assim. Porém, após tudo o que acontecera nos dois últimos dias, com os ciclopes, a feiticeira e um rosto se formando entre resíduos de vasos sanitários, sentiu apenas uma onda total de irritação.

— Vai aparecer justo agora? — disse. — Após quinze anos? Que pai maravilhoso, Rosto Peludo! Como conseguiu colocar seu nariz horrível nos meus sonhos?

O deus levantou uma sobrancelha. Uma pequena fagulha surgiu na sua barba. Depois ele jogou a cabeça para trás e gargalhou bem alto, fazendo tremerem as ferramentas deixadas na mesa de trabalho.

— Você se parece com a sua mãe — disse Hefesto. — Eu sinto falta de Esperanza.

— Ela morreu há sete anos — disse Leo, com voz trêmula. — E você não pareceu se importar.

— Mas eu me importo, rapaz. Com vocês dois.

— Certo... deve ser por isso que nunca o vi antes.

Um barulho ribombou na garganta do deus, mas não parecia raivoso, apenas desconfortável. Ele pegou um motor em miniatura no bolso e ficou mexendo nas engrenagens... exatamente como Leo fazia quando estava nervoso.

— Não sou muito bom com crianças — confessou o deus. — Nem com pessoas. Na verdade, não sou bom lidando com nenhuma forma orgânica de vida. Pensei em falar com você no funeral de sua mãe. E também mais tarde, quando estava no sexto ano e fez aquele projeto de ciências... foi incrível.

— Você viu aquilo?

Hefesto apontou para a mesa de trabalho mais próxima, onde um reluzente espelho de bronze mostrava a imagem enevoada de Leo dormindo nas costas do dragão.

— Esse sou eu? — perguntou Leo. — Quer dizer... sou eu agora, tendo este sonho... e olhando para mim mesmo enquanto durmo?

Hefesto coçou a barba.

— Agora você me deixou confuso. Sim... é você. Estou sempre de olho em você, Leo. Mas conversar é... hum... diferente.

— Você está assustado — disse Leo.

— Pelas engrenagens! — gritou o deus. — Claro que não!

— Sim, você está assustado.

E a raiva de Leo se dissipou. Passara vários anos de sua vida pensando no que diria ao pai quando se encontrassem... Queria jogar muitas coisas na sua cara. Porém, olhando para aquele espelho de bronze, pensou em seu pai observando seus progressos ao longo do tempo, mesmo as suas experiências científicas mais bobas.

Talvez Hefesto não fosse mesmo um idiota, mas Leo de algum modo entendeu de onde vinha. Conhecia bem a sensação de querer fugir das pessoas, de não pertencimento. Sabia o que era esconder-se em uma oficina, em vez de lidar com as formas orgânicas de vida.

— Então — disse Leo. — Você observa todos os seus filhos? Tem uns doze lá no acampamento. Como consegue... Deixe para lá. Não quero saber.

Hefesto deve ter corado, mas seu rosto já era muito avermelhado, então Leo não poderia dizer com certeza.

— Nós, deuses, somos diferentes dos mortais, rapaz. Podemos estar em vários lugares ao mesmo tempo... Vamos aonde nos chamam, desde que esteja em nossa esfera de influência. Na verdade, é raro que nossa essência esteja por completo em apenas um lugar... a nossa forma verdadeira. Então, sim... vários filhos. E some a isso nossos aspectos romano e grego... — Hefesto parou de mexer na engrenagem que tinha nas mãos. — Ou seja, ser deus é complicado. E, sim, tento ficar de olho em todos os meus filhos, mas especialmente em você.

Leo tinha certeza de que Hefesto quase deixara escapar uma informação importante, mas não sabia ao certo o que seria.

— Por que está entrando em contato comigo agora? — perguntou. — Eu achava que os deuses estivessem em silêncio.

— É verdade — disse Hefesto. — Foram ordens de Zeus. Algo muito estranho... mesmo vindo dele. Bloqueou nossas visões, sonhos e mensagens de Íris. Hermes está chateado por não conseguir entregar mensagens. Felizmente, eu tenho meus equipamentos piratas de transmissão.

Hefesto pôs a mão em um equipamento na mesa. Parecia uma mistura de prato de satélite, motor V-6 e cafeteira de *espresso*. Quando o deus tocava na máquina, o sonho de Leo tremia e mudava de cor.

— Usei isso durante a Guerra Fria — disse o deus, orgulhoso. — Radio Free Hefesto. Que dias foram aqueles! Hoje mantenho o sistema em operação para *pay-per-view*, principalmente, ou vídeos mentais...

— Vídeos mentais?

— Mas agora voltou à ativa. Se Zeus souber que estou entrando em contato com você, ele me mata!

— Por que Zeus é tão idiota?

— Ele é famoso por isso, rapaz — disse Hefesto, que o chamava de *rapaz* como se fosse o nome da peça problemática de uma máquina... uma peça sobressalente, talvez, mas que ele não queria jogar fora com medo de um dia precisar.

Isso não era alentador, mas Leo não tinha certeza se gostaria de ser chamado de "filho". E tampouco gostaria de chamar aquele cara grande e feioso de "pai".

Hefesto ficou cansado de brincar com a engrenagem e jogou-a por cima do ombro. Antes que caísse no chão, a peça abriu asas de helicóptero e voou até a lata de reciclagem.

— Foi a segunda Guerra de Titãs, eu acho... que deixou Zeus tão chateado — disse Hefesto. — Nós, deuses, ficamos... envergonhados. Acho que não existe outra palavra para descrever o que sentimos.

— Mas vocês ganharam — disse Leo.

— Ganhamos porque os semideuses do... — mais uma vez ele hesitou, como se estivesse a ponto de dizer algo que não deveria — Acampamento Meio-Sangue tomaram a dianteira. Ganhamos porque nossas crianças lutaram por nós, melhor do que poderíamos fazer. Se confiássemos no plano de Zeus, teríamos ido todos para o Tártaro lutar contra o gigante da tempestade, Tifão, e Cronos teria vencido. Já era ruim que mortais tivessem vencido a guerra por nós, e então aquela jovem promessa, Percy Jackson...

— O cara que está sumido.

— Sim, esse aí. Ele teve coragem de resistir à nossa oferta de imortalidade e disse que deveríamos prestar mais atenção às nossas crianças. Mas, olhe, não se ofenda.

— Por que eu ficaria ofendido? Por favor, continue me ignorando.

— Muito compreensivo da sua parte — disse Hefesto, franzindo a testa, e depois suspirou, cansado. — Isso foi sarcasmo, não foi? Máquinas não usam sarcasmo, normalmente. Porém, como eu dizia, nós, deuses, ficamos envergonhados. Num primeiro momento, claro, ficamos felizes e gratos. Mas, após alguns meses, os sentimentos se tornaram amargos. Somos deuses, afinal de contas. Precisamos ser admirados, vistos como exemplo, reverenciados.

— Mesmo quando estão equivocados?

— Principalmente! E quando Jackson recusou nossa oferta, como se fosse *melhor* ser mortal que ser deus, como nós... Foi um golpe duro para Zeus. Ele decidiu que era hora de voltarmos aos valores tradicionais. Os deuses deveriam ser respeitados. Nossas crianças deveriam ser vigiadas, não visitadas. O Olimpo foi fechado. Pelo menos isso foi *parte* do seu raciocínio. E, claro, começamos a ouvir sobre coisas ruins vindas da terra.

— Os gigantes, você quer dizer. Monstros que renascem instantaneamente. Mortos voltando à vida. Coisas assim?

— Ai, rapaz...

E nesse momento Hefesto girou algo em seu transmissor pirata, deixando o sonho de Leo em cores. Mas o rosto do deus era composto de manchas vermelhas, amarelas e pretas. Leo preferia que tudo voltasse a ser preto e branco outra vez.

— Zeus acredita ser capaz de reverter a maré — disse o deus —, de fazer a terra adormecer novamente, e acha que alcançaremos tudo isso ficando quietos. Mas nenhum de nós acredita que seja possível. E eu não me importo em dizer: não estamos preparados para uma nova guerra. Mal sobrevivemos aos titãs. Se estivermos repetindo o velho padrão, o que está por vir será ainda pior.

— Os gigantes — disse Leo. — Hera disse que deuses e semideuses deveriam unir suas forças para vencê-los. Isso é verdade?

— Sabe... eu odeio concordar com a minha mãe em qualquer assunto, mas, sim, é verdade. Esses gigantes são duros de matar, rapaz. São uma raça diferente.

— Raça? Isso soa a cavalos de corrida.

— Na verdade, é algo mais parecido com cães de briga. Lá no início, toda a criação se originou dos mesmos pais: Gaia e Urano, Terra e Céu. Eles tiveram seus filhos, de tipos diferentes: os titãs, os primeiros ciclopes e assim por diante. Depois Cronos, o titã-chefe... bem, você deve ter ouvido falar no que ele fez ao pai, Urano, matando-o com uma foice e dominando o mundo. Depois nós, os deuses, aparecemos, filhos dos titãs, e derrotamos todos *eles*. Mas isso não foi o final da história.

A terra deu à luz novos filhos, mas eles eram crias do Tártaro, o espírito do eterno abismo... o lugar mais escuro e perverso do Mundo Inferior. Esses filhos, os gigantes, foram concebidos com um propósito: vingar a queda dos titãs. Eles se ergueram para destruir o Olimpo, e chegaram bem perto de conseguir seu intento.

A barba de Hefesto começou a arder em brasa. Mas ele, despreocupado, apagou as chamas.

— O que minha desfalecida mãe, Hera, está fazendo agora... está bancando a boba num jogo perigoso, mas tem razão sobre uma coisa: vocês, semideuses, precisam se unir. É a única forma de abrir os olhos de Zeus, convencê-lo de que os olimpianos devem aceitar a ajuda de vocês. E de que é a única forma de vencer o que está por vir. E você é parte importante nisso, Leo.

O olhar do deus parecia distante. Leo ficou imaginando se ele realmente era capaz de dividir-se em várias partes... Onde mais poderia estar naquele instante? Talvez seu lado grego estivesse consertando um carro ou saindo para um encontro, enquanto o romano estivesse vendo um jogo e pedindo pizza.

— Por que eu? — ele perguntou, e imediatamente novos questionamentos saltaram em sua mente. — Por que me reclamou agora? Por que não me reclamou aos treze anos, como deveria ser? Ou aos sete, antes da morte de minha mãe! Por que não me buscou antes? Por que não me avisou sobre *isso*?

As mãos de Leo explodiram em chamas.

Hefesto olhava para ele, triste.

— Essa é a parte mais difícil, rapaz. Deixar que as crianças sigam seu caminho. Interferir não funciona. As Parcas se asseguram disso. Quanto a reclamá-lo, saiba que você foi um caso especial, rapaz. Eu precisava esperar o momento certo. Não posso explicar muito mais, porém...

O sonho de Leo ficou embaçado. Por um momento, transformou-se em uma reprise do programa *Roletrando*. Depois Hefesto voltou a ficar em foco.

— Droga! Não posso falar por muito mais tempo. Zeus está notando um sonho ilegal. Ele é o senhor do ar, afinal, o que inclui as ondas que navegam pelo ar. Escute, rapaz, você tem um papel a assumir. Seu amigo Jason tem razão: o fogo é um dom, não uma maldição. E eu não ofereço essa bênção a qualquer um. Eles nunca vencerão os gigantes sem você, muito menos vencerão a senhora a que servem. Ela é pior que qualquer deus ou titã.

— Quem? — perguntou Leo.

Hefesto franziu a testa, e sua imagem ficou turva.

— Eu já disse. Sim, tenho certeza de que disse. Mas fique atento: ao longo do caminho você perderá amigos e ferramentas valiosas. Mas não será culpa sua, Leo. Nada dura para sempre, nem mesmo as melhores máquinas. E tudo pode ser reciclado.

— O que você quer dizer? Não gosto do que estou ouvindo.

— Não, não deveria mesmo. — A imagem de Hefesto era quase invisível nesse momento. — Só tome cuidado com...

O sonho de Leo transformou-se no programa *Roletrando*, bem no momento em que a roda parou em "perde tudo" e o público fez "Ahhh!"

E então Leo despertou com Jason e Piper gritando.

XXX

LEO

Eles estavam girando em queda livre em plena escuridão, ainda agarrados às costas do dragão, mas Festus ficara frio. Seus olhos rubi estavam quase apagados.

— De novo, não! — gritou Leo. — Você não pode cair outra vez!

Ele mal conseguia se segurar. O vento batia com força em seus olhos, mas ele conseguiu abrir o painel no pescoço do dragão. Apertou os botões. Mexeu nos fios. As asas do dragão bateram uma vez, mas Leo sentiu um cheiro de bronze queimado. O sistema principal estava sobrecarregado. Festus não tinha forças para seguir voando e Leo não poderia alcançar o painel de controle em sua cabeça... não em pleno voo. Olhou para as luzes da cidade logo abaixo... eram fagulhas na escuridão enquanto eles caíam em círculos. Em apenas alguns segundos seriam esmagados contra o chão.

— Jason! — ele gritou. — Agarre Piper e saia voando daqui!

— O quê?

— Precisamos diminuir a carga! Talvez eu consiga reativar Festus, mas ele está carregando muito peso!

— E você? — gritou Piper. — E se não conseguir reativá-lo?

— Vou ficar bem — gritou Leo. — Sigam-me em direção ao chão. Vão!

Jason agarrou Piper pela cintura. Os dois se soltaram das costas do dragão e desapareceram rapidamente... disparando no ar.

— Agora — disse Leo — estamos só nós dois, Festus... e duas gaiolas pesadas. Você pode, rapaz!

Leo conversava com o dragão enquanto trabalhava, e caíam em incrível velocidade. Ele podia ver as luzes da cidade lá embaixo, cada vez mais perto. Acendeu fogo na mão, para que pudesse ver o que fazia, mas o vento o apagou várias vezes.

Puxou um fio que, imaginou, conectava o centro nervoso do dragão à sua cabeça, esperando conseguir uma descarga que o despertasse.

Festus grunhiu... e logo depois Leo ouviu um barulho de metal no interior de seu pescoço. Seus olhos piscaram, fracos, voltando à vida, e ele abriu as asas. Os dois pararam de cair e voltaram a planar.

— Ótimo! — disse Leo. — Vamos, garotão! Vamos!

Ainda voavam com sobrecarga, e o chão estava muito perto. Leo precisava de um local para aterrissar, rápido.

Havia um rio bem grande... não... não seria uma boa ideia para um dragão que soltava fogo. Nunca conseguiria resgatá-lo, caso afundasse, especialmente com o frio que fazia. Às margens do rio, havia uma mansão branca com um enorme gramado nevado, cercado por um muro de tijolos bem alto... Deveria pertencer a alguém muito rico, e estava iluminado. Um campo de pouso perfeito. Leo fez o melhor que pôde para dirigir o dragão até lá, e Festus parecia a ponto de voltar completamente à vida. Eles conseguiriam!

Mas deu tudo errado. Ao se aproximarem do campo gramado, os holofotes apontaram para eles, cegando Leo, que ouviu o barulho de tiros e de metal estilhaçado... e *Bum*!

Leo desmaiou.

Quando voltou a si, Jason e Piper estavam debruçados sobre ele. Leo estava caído na neve, coberto de lama e óleo. E cuspiu um pouco de grama congelada.

— Onde...

— Fique deitado — disse Piper, com lágrimas nos olhos. — Você caiu muito feio quando... quando Festus...

— Onde ele está? — disse Leo, sentando-se, com a cabeça girando. Tinham aterrissado no gramado. Algo acontecera no caminho... tiros?

— Estamos falando sério, Leo — disse Jason. — Você poderia ter sido atingido. Não deveria...

Leo se levantou. Depois olhou para os escombros. Festus deve ter deixado cair as duas grandes gaiolas ao aproximar-se da cerca, pois elas rolaram para lados opostos. No entanto, não sofreram qualquer dano.

Mas o dragão não tivera tanta sorte.

Ele fora destruído. Seus membros estavam espalhados pelo campo. A cauda, presa à cerca. A parte principal do seu corpo deixara um longo rastro no gramado até o ponto onde se despedaçara. O que tinha sobrado da couraça era uma pilha de retalhos carbonizados, soltando fumaça. Apenas seu pescoço e sua cabeça pareciam intactos, em meio a rosas congeladas, como se fossem um travesseiro.

— Não — disse Leo.

E correu em direção à cabeça do dragão, acariciando-a. Os olhos de Festus piscaram, fracos. Óleo escorria de seu ouvido.

— Não me deixe — implorou Leo. — Você é a melhor coisa que já consertei na vida.

As engrenagens na cabeça do dragão fizeram barulho, como se ronronassem. Jason e Piper ficaram de pé ao lado de Leo, que mantinha os olhos fixos no dragão.

E lembrou-se do que lhe dissera Hefesto: *Não será culpa sua, Leo. Nada dura para sempre, nem mesmo as melhores máquinas.*

Seu pai tentara avisá-lo.

— Isso não é justo — ele disse.

O dragão fez um barulho. Um longo *click.* Depois dois *cliques* mais curtos. *Click. Click.* Quase seguindo um ritmo... fazendo renascer uma antiga memória na mente de Leo. Notou que Festus queria dizer alguma coisa: aquilo era código Morse. Exatamente como sua mãe lhe ensinara, anos atrás. Leo ouviu com mais atenção, traduzindo os cliques em letras: uma mensagem simples, que se repetia.

— Ah — disse Leo. — Entendo. Vou fazer isso. Prometo.

E os olhos do dragão ficaram escuros. Festus se fora.

Leo chorou. Não ficou envergonhado. Seus amigos permaneceram de pé ao seu lado, tocando seu ombro, dizendo palavras reconfortantes; mas o zumbido nos ouvidos de Leo as abafava.

Finalmente, Jason disse:

— Sinto muito, cara. O que você prometeu a Festus?

Leo fungou. Abriu o painel de controle na cabeça do dragão, para certificar-se. O disco de controle estava quebrado e muito queimado, não poderia ser consertado.

— Algo que meu pai me disse: "Tudo pode ser reciclado" — respondeu Leo.

— Seu pai falou com você? — perguntou Jason. — Quando?

Leo não respondeu. Mexeu no pescoço do dragão até a cabeça ser desconectada. Pesava quase cinquenta quilos, mas Leo conseguiu segurá-la nos braços. Depois olhou para o céu estrelado e disse:

— Leve-o de volta ao bunker, pai, por favor. Até que eu possa reutilizá-lo. Nunca lhe pedi nada.

O vento ficou mais forte, e a cabeça do dragão voou dos braços de Leo, como se não pesasse nada. Desapareceu no céu.

Piper ficou olhando para ele, admirada.

— Ele *atendeu* você?

— Eu tive um sonho — disse Leo. — Mais tarde contarei tudo.

Sabia que devia uma explicação melhor aos amigos, mas mal podia falar naquele momento. Por dentro, sentia-se como uma máquina destroçada. Como se alguém tivesse removido uma parte importante dele. E nunca mais voltaria a ser o mesmo. Poderia seguir em frente, falar, continuar o seu trabalho. Mas sempre estaria um pouco fora de órbita, nunca estaria bem-calibrado.

Ainda assim, não poderia deixar-se abater completamente. Ou Festus teria morrido à toa. Precisava terminar aquela missão... por seus amigos, por sua mãe, por seu dragão.

Olhou em volta. A enorme casa branca brilhava no centro da propriedade. Altos muros de tijolo com luzes e câmeras de segurança cercavam o perímetro, mas Leo podia ver... ou *sentir*... como aquela segurança toda funcionava.

— Onde estamos? — perguntou. — Quer dizer, em qual cidade?

— Omaha, Nebraska — respondeu Piper. — Vi um cartaz enquanto caíamos. Mas não sei o que é essa mansão. Caímos logo atrás de você. Porém, enquanto você aterrissava, Leo... juro que isso parecia... não sei...

— Raios laser — disse Leo.

Ele pegou uma peça do dragão, atirando-a em direção à cerca. Imediatamente um raio saiu da parede, incinerando a placa de bronze, transformando-a em cinzas.

Jason assoviou:

— Algum sistema de segurança. E como estamos vivos?

— Festus — disse Leo, triste. — Ele atraiu os raios, que o cortaram em pedaços enquanto ele descia, por isso não perceberam vocês. Eu o levei em direção a uma armadilha mortal.

— Sem saber, claro — disse Piper. — E salvou nossas vidas mais uma vez.

— Mas e agora? — perguntou Jason. — Os portões principais estão trancados, e acho que não poderíamos sair voando sem ser atingidos. Eu não posso levar vocês dois.

Leo olhou o caminho que levava à grande mansão.

— Já que não podemos sair, vamos ter que entrar.

XXXI

JASON

Se não fosse por Leo, Jason teria morrido umas cinco vezes até chegar à porta principal.

Primeiro foi o portão-armadilha na calçada, ativado por movimento; depois os raios laser nas escadas; um dispensador de gás na grade da varanda; os pregos envenenados acionados por pressão no capacho da entrada, e por fim a campainha explosiva.

Leo desativou tudo isso. Era como se pudesse farejar as armadilhas, e sempre conseguia a ferramenta adequada para cada uma delas no seu cinto.

— Você é incrível, cara — disse Jason.

Leo fez cara feia ao examinar a porta de entrada.

— Sim, sou incrível — ele disse. — Não sou capaz de consertar bem um dragão, mas sou incrível.

— Mas não foi sua...

— Porta destrancada — anunciou Leo.

Piper ficou olhando, descrente.

— Sério? Todas as armadilhas... e a *porta* destrancada?

Leo girou a maçaneta. A porta se abriu facilmente e ele entrou sem hesitar.

Antes que Jason o seguisse, Piper agarrou seu braço.

— Leo precisará de um tempo para superar a morte de Festus. Não tome como pessoal.

— Eu sei — disse Jason. — Eu sei, tudo bem.

Mas ainda assim ele se sentia mal. Na loja de Medeia, dissera coisas duras a Leo... coisas que um amigo nunca poderia dizer, e quase o atingira com a sua espada. Se não fosse por Piper, os dois estariam mortos. E Piper também não superara aquilo.

— Piper — ele disse. — Sei que fui um idiota em Chicago, mas aquela história sobre o seu pai... Se ele está em perigo, eu quero ajudar. Não ligo se é ou não uma armadilha.

Os olhos dela sempre estampavam cores diferentes, mas pareciam perdidos naquele momento, como se ela acabasse de ver algo que não entendia.

— Jason, o que você está dizendo? Por favor... não faça com que eu me sinta pior. Vamos. Temos que permanecer juntos.

Ela entrou.

"Juntos", disse Jason a si mesmo. "Sim, estamos nos saindo bem nisso."

Escuridão: essa foi a primeira impressão de Jason sobre a casa.

Pelo eco dos seus passos, notou que o hall de entrada era enorme, maior que o da cobertura de Bóreas; mas a única iluminação vinha de fora, das luzes do jardim. Uma luz tímida que passava pelas frestas das pesadas cortinas de veludo. As janelas tinham três metros de altura. Em intervalos regulares, junto às paredes, havia várias estátuas de metal em tamanho natural. Enquanto os olhos de Jason se acostumavam à penumbra, viu sofás dispostos em forma de U no meio da sala, com uma mesa de centro e uma grande poltrona na extremidade. Um enorme lustre pendia do teto. Na parede de trás, várias portas fechadas.

— Onde está o interruptor? — perguntou, e sua voz ecoou pela sala.

— Não vejo nenhum — respondeu Leo.

— Temos fogo? — sugeriu Piper.

Leo esticou a mão, mas nada aconteceu.

— Não está funcionando.

— Seu fogo acabou? Por quê? — perguntou Piper.

— Bem, se eu soubesse...

— Certo, tudo bem — ela disse. — O que faremos? Explorar?

Leo balançou a cabeça.

— Após todas aquelas armadilhas do lado de fora? Má ideia.

Jason sentiu um arrepio. Odiava ser um semideus. Dando uma olhada ao redor, não via uma sala confortável. Imaginava espíritos da tempestade observando tudo por trás das cortinas, dragões sob os tapetes e um lustre feito de cristais de gelo mortíferos, pronto para espetá-los.

— Leo tem razão — disse Jason. — Não vamos nos separar mais uma vez... como fizemos em Detroit.

— Ah, obrigada por me lembrar dos ciclopes — disse Piper, com voz trêmula. — Eu realmente precisava disso.

— Temos poucas horas até o amanhecer — disse Jason. — Está muito frio lá fora. Vamos trazer as gaiolas para dentro e acampar nesta sala. Esperaremos pela luz do dia; depois decidiremos o que fazer.

Nenhum deles teve uma ideia melhor, então pegaram as gaiolas com o treinador Hedge e com os espíritos da tempestade e voltaram a entrar. Felizmente, Leo não encontrou almofadas envenenadas ou estofamento eletrificado no sofá.

Ele não parecia disposto a preparar mais tacos. E não tinham fogo, por isso resolveram comer coisas frias.

Enquanto comia, Jason observou as estátuas de metal ao longo das paredes. Pareciam deuses gregos ou heróis. Talvez fosse um bom sinal. Ou talvez fossem usados para prática de tiro ao alvo. Na mesa de centro, havia um jogo de chá e uma pilha de livros grossos, mas Jason não enxergava o que diziam. A grande poltrona do outro lado parecia um trono. Mas ninguém tentou sentar nela.

As gaiolas não ajudavam a deixar aquele lugar menos assustador. Os *venti* não paravam de se mexer lá dentro, e Jason estava desconfortável, imaginando que eles o observavam. Sentia o ódio deles pelo filho de Zeus... o senhor do céu que obrigou Éolo a prender seus companheiros. Os *venti* adorariam fazer picadinho de Jason.

Quanto ao treinador Hedge, ele ainda estava congelado. Leo trabalhava na gaiola, tentando abri-la com várias ferramentas, mas a tranca parecia complicada. Jason não quis sentar-se ao seu lado, com receio de que o treinador se descongelasse de repente, transformando-se num sátiro ninja.

Mesmo sentindo-se mal, já com o estômago cheio, Jason começou a ficar com sono. Os sofás eram bem confortáveis — muito melhores que as costas do dragão — e ele ficara de guarda nas últimas duas vezes, enquanto os amigos dormiam. Estava exausto.

Piper já estava esticada no outro sofá. Jason imaginou se estaria realmente dormindo ou apenas pensando no pai. Seja lá o que Medeia tivesse insinuado em Chicago sobre Piper salvar o pai caso cooperasse... aquilo não soava nada bem. Se ela tivesse realmente arriscado a vida do pai para salvá-los, isso deixaria Jason sentindo-se ainda mais culpado.

E estavam ficando sem tempo. Caso Jason estivesse certo, aquela era a manhã do dia 20 de dezembro. Ou seja, no dia seguinte seria o solstício de inverno.

— Durma um pouco — disse Leo, ainda trabalhando na gaiola trancada. — É a sua vez.

Jason respirou fundo.

— Leo, sinto muito pelo que disse em Chicago. Aquele não era eu. Você não me chateia e leva *tudo* a sério, especialmente seu trabalho. Eu gostaria de poder fazer metade do que você é capaz.

Leo baixou a chave de fenda. Depois olhou para o teto e balançou a cabeça, como quem diz: *O que vou fazer com esse cara?*

— Eu me esforço para ser chato, com todas as minhas forças — disse Leo. — Não insulte minha capacidade de *ser chato*. Aliás, como vou ficar ressentido, se você está pedindo desculpas? Eu sou só um mecânico. Você é uma espécie de príncipe do céu, filho do Senhor do Universo. Sou *eu* quem deve invejá-lo.

— Senhor do Universo?

— Claro, você é... *tcham*! O homem dos raios. "Veja como voo bem. Sou um gavião..."

— Cale a boca, Valdez.

Leo abriu um pequeno sorriso.

— Viu? Eu *chateio* você, sim.

— E eu peço desculpas por ter pedido desculpas.

— Obrigado.

Leo voltou ao trabalho, mas a tensão entre eles diminuíra. Ele ainda parecia triste e exausto... mas não com tanta raiva.

— Durma, Jason — ordenou. — Vou demorar algumas horas para libertar o homem-bode. Depois vou tentar descobrir como colocar os *venti* numa gaiola menor, pois não pretendo carregar isso até a Califórnia.

— Você consertou Festus — disse Jason. — Conseguiu dar um novo propósito à sua existência. Acho que essa missão foi o ponto alto da vida dele.

Jason teve medo de ter estragado tudo e deixado o amigo chateado outra vez, mas Leo suspirou.

— Espero que sim — disse. — Agora durma, cara. Quero ficar um tempo longe das formas orgânicas de vida.

Jason não entendeu muito bem o que ele quis dizer, mas não argumentou. Fechou os olhos e dormiu profundamente por um bom tempo, sem sonhar.

Só acordou ao ouvir uma gritaria.

— Ahhhhhh!

Jason se levantou rapidamente. Não sabia o que o assustava mais: se a luz do sol entrando na sala ou o sátiro gritando.

— O treinador acordou — disse Leo.

O que foi um aviso desnecessário, pois Gleeson Hedge, com seu traseiro peludo, dava voltas pela sala, brandindo o bastão e gritando "Morra!" enquanto estraçalhava o conjunto de chá, os sofás e o trono.

— Treinador! — gritou Jason.

Ele virou o corpo, ofegante. Seus olhos eram selvagens, e Jason ficou com medo de que o atacasse. O sátiro ainda vestia sua camisa polo laranja e estava com o apito de treinador, mas seus chifres eram claramente visíveis acima dos cabelos encaracolados, e seu traseiro musculoso era sem dúvida o de um bode. Podemos chamar um bode de *musculoso*? Jason afastou tal pensamento da mente.

— Você é Jason, o menino novo — disse Hedge, baixando o taco. — Depois olhou para Leo e para Piper, que aparentemente também acordara. Seus cabelos pareciam um ninho de hamster.

— Valdez, McLean — disse o treinador. — O que está acontecendo? Onde está o Grand Canyon? Os *anemoi thuellai* que estávamos atacando e... — Olhou para a gaiola com os espíritos. — Morram!

— Cuidado, treinador! — disse Leo, interpondo-se em seu caminho, o que foi muito corajoso, ainda que Hedge fosse mais baixo que ele. — Está tudo bem. Eles estão presos. Nós acabamos de tirar você da outra gaiola.

— Gaiola? Gaiola? O que está acontecendo? Não é porque sou um sátiro que você vai escapar das flexões, Valdez!

Jason limpou a garganta.

— Treinador... Gleeson... ou seja lá como queira que o chamemos. Você nos salvou no Grand Canyon. Sua bravura foi enorme.

— Claro que foi!

— Uma equipe de resgate nos levou ao Acampamento Meio-Sangue. Imaginamos ter perdido você. Depois ficamos sabendo que os espíritos o tinham levado para seu... hum, comandante: Medeia.

— Aquela bruxa! Espere... isso é impossível. Ela é mortal. Está morta.

— Ah, mas — disse Leo —, de alguma maneira, já não está morta.

Hedge fez que sim, estreitando os olhos.

— Então vocês foram enviados em uma perigosa missão para me salvar. Ótimo!

— Mais ou menos... — disse Piper, levantando-se e erguendo as mãos para que o treinador Hedge não a atacasse. — Na verdade, Glee... posso continuar chamando-o de treinador Hedge? Gleeson não parece *certo*. Estamos numa missão por outra coisa. Mas o encontramos por sorte.

— Ah! — O bom humor do treinador pareceu perder intensidade, mas apenas por um segundo. Logo seus olhos estavam vivos outra vez. — A sorte não existe! Não em missões. Isso *tinha* de acontecer! Então este é o covil da bruxa, certo? Por que tudo está dourado?

— Dourado? — perguntou Jason, dando uma olhada em volta.

Pela forma como Leo e Piper ficaram sem fôlego, percebeu que eles também não tinham notado.

A sala era repleta de ouro — as estátuas; o conjunto de chá que o treinador destruíra; a poltrona, que definitivamente era um trono. Até as cortinas — que pareciam ter-se aberto sozinhas à luz do dia — também davam a impressão de ser feitas de fibra de ouro.

— Claro, por isso tanta segurança — disse Leo.

— Não é por isso... — disse Piper. — Não estamos na casa de Medeia, treinador. Esta é a mansão de algum rico de Omaha. Fugimos de Medeia e caímos aqui.

— É o destino, *cupcakes*! — insistiu o treinador. — Existo para protegê-los. Qual a missão de vocês?

Antes que Jason se decidisse entre explicar tudo ao treinador e atirá-lo de volta à gaiola, uma porta se abriu no fundo da sala.

Um homem gorducho, vestindo um roupão branco, apareceu com uma escova de dentes dourada na boca. Tinha barba branca e uma antiquada touca de dormir comprida cobrindo os cabelos brancos. Ficou paralisado quando os viu, e a escova caiu da sua boca. Depois olhou para trás e disse:

— Lit, meu filho? Venha aqui, por favor. Há um pessoal estranho na sala do trono.

O treinador Hedge fez o de sempre. Levantou seu bastão e gritou:

— Morram!

XXXII

JASON

Foram necessários os três para conter o sátiro.

— Calma, treinador — disse Jason. — Guarde a arma por um momento.

Um rapaz entrou na sala. Jason imaginou que seria Lit, o filho. Vestia uma calça de pijama e uma camisa sem manga na qual se podia ler CORNHUNSKERS, o nome do time de hóquei local, que pode ser traduzido por "debulhadores de milho". Porém, carregava uma espada que parecia capaz de cortar muita coisa além de milho. Seus braços nus eram cobertos de cicatrizes, e seu rosto era emoldurado por cabelos negros encaracolados. Seria um rapaz bonito, se não tivesse sido tão recortado.

Lit olhou imediatamente para Jason, como se fosse a maior ameaça, e caminhou na sua direção, balançando a espada acima da cabeça.

— Espere um pouco! — disse Piper, dando um passo à frente, tentando manter o tom de voz calmo. — Estamos confundindo as coisas aqui! Está tudo bem.

Lit parou, mas ainda parecia tenso.

E não ajudou nada que Hedge estivesse gritando:

— Deixem comigo. Eu cuido deles!

— Treinador — disse Jason —, eles podem ser amigáveis. Além do mais, fomos nós que entramos na casa deles.

— Obrigado! — disse o homem idoso de roupão. — Mas quem são vocês e o que estão fazendo aqui?

— Vamos baixando as armas — disse Piper. — Treinador, você primeiro.

Hedge trincou os dentes.

— Posso dar só um susto...?

— Não — disse Piper.

— Um acordo? Eu mato os dois, e se depois descobrirmos que eram mesmo nossos amigos, peço desculpas.

— Não! — insistiu Piper.

— Droga — disse o treinador, baixando seu bastão.

Piper deu um pequeno sorriso de "sinto muito por isso". Ainda que estivesse com os cabelos revoltos e usasse as mesmas roupas havia dois dias, ela parecia muito bonita, e Jason sentiu um pouco de ciúme ao ver que sorria daquela maneira para Lit.

Lit bufou e baixou a arma.

— Você fala muito bem, menina... sorte dos seus amigos, ou eu teria cravado a espada neles.

— Obrigado, porque prefiro não ser espetado antes do almoço — disse Leo.

O velho homem vestindo roupão suspirou, dando um chute no aparelho de chá destruído pelo treinador Hedge.

— Já que estão aqui. Por favor, sentem-se.

— Sua Majestade... — disse Lit, franzindo a testa.

— Está tudo bem, Lit — respondeu o velho homem. — Nova terra, novos costumes. Eles podem ficar sentados à minha presença. Afinal de contas, já me viram com roupa de dormir. Seria bobagem seguir formalidades agora. — Ele fez o melhor que pôde para sorrir, ainda que tenha parecido um pouco forçado. — Bem-vindos ao meu humilde mundo. Eu sou o rei Midas.

— Midas? Impossível — disse o treinador Hedge. — Ele morreu.

Estavam sentados em volta dos sofás, enquanto o rei se recostava no trono. Era perigoso recostar-se usando roupão, e Jason esperava que ele não cruzasse as pernas. Felizmente, usava uma cueca samba-canção dourada por baixo.

Lit ficou de pé ao lado do trono, com as duas mãos postas na espada, olhando para Piper e flexionando os músculos do braço, só para chatear. Jason ficou pensando se *ele* ficava com a mesma aparência ameaçadora ao segurar uma espada. Infelizmente, tudo indicava que não.

Piper curvou-se no sofá.

— O que nosso amigo sátiro quer dizer, Sua Majestade, é que você é o segundo mortal que conhecemos e que deveria estar... sinto muito... morto. O rei Midas viveu milhares de anos atrás.

— Interessante — disse o rei, olhando para fora das janelas, para o céu azul brilhante, para aquele sol de inverno. À distância, o centro de Omaha parecia um monte de blocos de montar... muito organizado e limpo para uma cidade real.

— Você sabe — disse o rei. — Acho que *estive* um pouco morto por um tempo. É estranho. Parece um sonho, certo, Lit?

— Um sonho bem longo, Sua Majestade.

— Mas agora estamos aqui. Estou me divertindo muito. Prefiro estar vivo.

— Mas como? — perguntou Piper. — Você não parece ter uma... patrona?

Midas hesitou, mas seus olhos franziram um pouco.

— Isso importa, minha querida?

— Poderíamos matá-los outra vez — sugeriu Hedge.

— Treinador, você não está ajudando — disse Jason. — Por que não fica lá fora, montando guarda?

— Você acha seguro? Eles têm muita segurança por aí — disse Leo.

— Ah, claro — disse o rei. — Sinto muito por isso. Mas é um material maravilhoso, certo? É incrível o que ainda posso comprar com todo esse ouro. Vocês têm brinquedos maravilhosos neste país!

E pegou um controle remoto no bolso do roupão e apertou alguns botões. Devia ser um código, pensou Jason.

— Pronto — disse o rei Midas. — Já é seguro ir lá fora.

O treinador grunhiu, depois disse:

— Certo. Mas se precisarem de mim...

E piscou para Jason. Depois apontou para si mesmo, em seguida apontou para seus anfitriões e passou um dedo pela garganta. Uma linguagem de sinais bem sutil.

— Sim, obrigado — disse Jason.

Quando o sátiro saiu, Piper tentou abrir mais um sorriso diplomático.

— Então... não sabe como chegou aqui?

— Ah, mais ou menos — disse o rei. E franziu a testa para Lit. — Por que escolhemos Omaha? Sei que não foi pelo clima.

— O oráculo — disse Lit.

— Ah! Disseram-me haver um oráculo em Omaha — disse o rei, dando de ombros. — Mas, aparentemente, foi um engano. A casa é linda, não é? Lit... é abreviatura de Litierses, aliás... que nome horrível, mas a mãe dele insistiu... Lit tem muito espaço por aqui para praticar com a espada. Ele é muito conhecido por isso. Costumavam chamá-lo Ceifeiro de Homens, nos tempos antigos.

— Ah! — disse Piper, tentando soar entusiasmada. — Que legal!

O sorriso de Lit não foi mais que um escárnio cruel. Jason tinha certeza absoluta de que não gostava daquele cara, e estava começando a se arrepender de ter mandado o treinador para fora.

— Então — disse Jason —, todo esse ouro...

O rei levantou os olhos.

— Você está aqui em busca de ouro, meu rapaz? Pegue um catálogo!

Jason deu uma olhada nos livros em cima da mesa de centro. O título era: *OURO, um investimento eterno*.

— Você... vende ouro?

— Não, não — respondeu o rei. — Eu fabrico. Em tempos incertos como estes, o ouro é o melhor investimento, não acha? Os governos caem. Os mortos se erguem. Gigantes atacam o Olimpo. Mas o ouro mantém o seu valor!

Leo franziu a testa.

— Eu já vi esse comercial.

— Ah, não se deixe enganar por imitadores baratos! — disse o rei. — Eu posso garantir: sou capaz de cobrir qualquer preço para um bom investidor. Posso fazer vários objetos de ouro em pouquíssimo tempo.

— Mas... — Piper sacudiu a cabeça, confusa. — Sua Majestade, você não transforma nada mais em ouro, certo?

— Não? — perguntou o rei, assustado.

— Acho que foi coisa de um rei... — disse Piper.

— Dioniso — disse o rei. — Eu resgatei um de seus sátiros, e em troca ele me prometeu um desejo. Eu escolhi o dom do "toque de ouro".

— Mas, acidentalmente, transformou sua própria filha em ouro — disse Piper. — E percebeu quão ganancioso fora, por isso se arrependeu.

— Arrependeu-se! — gritou o rei Midas, olhando para Lit, incrédulo. — Está vendo, meu filho? Ficamos fora por alguns séculos e veja como a história é distorcida. Minha querida, essas histórias *dizem* que eu perdi meu toque mágico?

— Não, acho que não. Na verdade, elas dizem que você aprendeu a reverter o efeito com água corrente, e assim trouxe sua filha de volta à vida.

— Isso é verdade. Algumas vezes preciso reverter o efeito do meu toque. Mas não temos água corrente nesta casa, pois não quero acidentes — disse, fazendo um gesto para as estátuas. — Porém, ainda assim, resolvemos morar perto de um rio, para o caso de uma emergência. Ocasionalmente, eu me esqueço e toco as costas de Lit...

Lit deu alguns passos para trás.

— Eu odeio isso.

— Eu *já* disse que sinto muito, filho. Mas, seja como for, o ouro é uma maravilha. Por que abriria mão dele?

— Bem... — Piper parecia perdida naquele momento. — Mas não é essa a moral da história? Que você aprendeu sua lição?

Midas riu.

— Minha querida, posso ver sua mochila por um momento? Jogue-a aqui.

Piper hesitou, mas não queria ofender o rei. Tirou tudo da mochila e jogou-a a Midas. Logo que a pegou, ela se transformou em ouro, como se uma camada de gelo tomasse conta do tecido. Ainda era macia e flexível, mas feita de ouro, definitivamente. O rei a atirou de volta.

— Como você pode ver, eu ainda transformo tudo em ouro — disse Midas. — E agora é uma mochila mágica também. Vá em frente... ponha seus pequenos espíritos da tempestade aí dentro.

— Sério? — Leo ficou interessado de repente.

Pegou a mochila das mãos de Piper e aproximou-se da gaiola. Assim que abriu a mochila, os ventos enlouqueceram, gritando. As barras da gaiola sacudiram, a porta voou longe e os espíritos foram aspirados diretamente para dentro da mochila. Leo fechou-a e foi obrigado a dizer:

— Tenho que admitir: isso é muito legal.

— Viu? — disse Midas. — Meu toque mágico é uma *maldição*? Por favor. Eu não aprendi nenhuma lição, e a vida não é um conto de fadas, menina. Honestamente, minha filha, Zoe, ficou bem mais simpática como estátua de ouro.

— Ela falava muito — disse Lit.

— Exatamente! E por isso eu a transformei em ouro — disse Midas, apontando para uma estátua dourada num canto, de uma menina com cara de susto, como se estivesse pensando: *Papai!*

— Isso é horrível! — disse Piper.

— Que bobagem! Ela não se importa. Além do mais, se eu tivesse aprendido alguma lição, será que teria isto?

Midas tirou sua touca exageradamente comprida e Jason não sabia se sorria ou vomitava. O rei tinha orelhas longas e peludas, que pendiam dos seus cabelos brancos, como se ele fosse um coelho, mas não eram orelhas de coelho. Eram de burro.

— Uau! — disse Leo. — Eu preferiria não ter visto isso.

— Terríveis, não? — disse Midas, suspirando. — Alguns anos após o problema com o toque de ouro, eu julguei um concurso de música entre Apolo e Pã, e declarei Pã vencedor. Apolo decretou que eu deveria ganhar orelhas de burro, e *voilà*. Eis o que ganhei por ser justo. Tentei mantê-las em segredo. Só o meu barbeiro via isso, mas não pude evitar as fofocas — disse Midas, apontando para outra estátua, a de um homem careca vestindo toga, com um par de navalhas nas mãos. — É ele. Não vai contar os segredos das pessoas a mais ninguém.

O rei sorriu. De repente, Jason já não o encarava como um senhor inofensivo de roupão. Seus olhos tinham um brilho dourado... Era o olhar de um homem louco, que sabe que é louco, aceita sua loucura e se diverte com ela.

— Sim, o ouro tem muitas utilidades. Talvez por isso eu tenha sido chamado de volta, certo, Lit? Para sanar os gastos de nossa patrona.

Lit fez que sim.

— Por isso e porque meu braço da espada é ótimo.

Jason olhou para os amigos. De repente, o ar naquela sala ficou muito mais frio.

— Então você tem uma patrona — disse Jason. — Trabalha para os gigantes.

O rei Midas balançou o braço, dando a entender que não se importava com isso.

— Eu não ligo para os gigantes, claro. Porém, mesmo os exércitos sobrenaturais precisam ser pagos. Tenho uma grande dívida com minha patrona. Tentei explicar isso ao último grupo que apareceu, mas eles não foram nada amigáveis. Não cooperaram nem um pouco.

Jason enfiou a mão no bolso e ficou segurando sua moeda de ouro.

— O último grupo?

— Caçadoras — disse Lit. — As malditas meninas de Ártemis.

Jason sentiu uma descarga elétrica pelo corpo — literalmente.

Sua *irmã* estivera ali.

— Quando? — ele perguntou. — O que aconteceu?

Lit deu de ombros.

— Há poucos dias, eu acho. Mas não consegui matá-las, infelizmente. Estavam em busca de lobos malvados, ou algo assim. Seguiam uma trilha para o oeste. Um semideus perdido... não me lembro.

Percy Jackson, pensou Jason. Annabeth mencionara que as Caçadoras estavam buscando por ele. E no sonho de Jason sobre aquela casa destruída, ouvira lobos inimigos. Hera os chamara de protetores. Isso tudo tinha de estar conectado, de alguma maneira.

Midas coçou as orelhas de burro.

— Eram jovens nem um pouco simpáticas, aquelas Caçadoras — lembrou-se. — Recusaram-se terminantemente a ser transformadas em ouro. Grande parte do sistema de segurança aí fora eu instalei para evitar que esse tipo de coisa voltasse a acontecer. Não tenho tempo para quem não seja investidor sério.

Jason se levantou e olhou para os amigos. Eles tinham entendido

— Bem — disse Piper, abrindo um sorriso. — Foi um prazer. Sejam bem-vindos de volta à vida. E muito obrigada por minha mochila de ouro.

— Ah, não... vocês não podem ir embora — disse Midas. — Sei que não são grandes investidores, mas não importa. Preciso renovar minha coleção.

O sorriso de Lit era cruel. O rei se levantou, e Leo e Piper afastaram-se dele.

— Não se preocupem — disse o rei. — Vocês não *precisam* ser transformados em ouro. Eu dou uma chance a todos os meus hóspedes... vocês podem entrar para a minha coleção ou morrer nas mãos de Litierses. São ambas boas opções.

Piper tentou usar seu charme.

— Sua Majestade, você não pode...

Mais rápido do que qualquer outro homem já de certa idade poderia se mover, Midas avançou e agarrou-a pela cintura.

— Não! — gritou Jason.

Mas um fio de ouro tomou conta de Piper, e em poucos segundos ela estava transformada em estátua dourada. Leo tentou fazer fogo com as mãos, mas esquecera que seu poder já não funcionava. Midas tocou a mão dele, e Leo se transformou em metal sólido.

Jason estava tão horrorizado que nem podia se mexer. Seus amigos... já não estavam *ali*. E ele não pôde fazer nada.

Midas sorriu.

— Acho que o ouro ganha do fogo... — Ele gesticulou para as cortinas e os móveis de ouro. — Nesta sala, o meu poder anula qualquer outro. Fogo... Charme... E isso só me deixa com mais chances de colecionar novos troféus.

— Hedge! — gritou Jason. — Preciso de ajuda aqui!

Mas o sátiro não respondeu. Jason ficou imaginando se não teria sido atingido por um raio laser ou estaria sentado no fundo de um poço-armadilha.

Midas sorriu mais uma vez.

— Nenhum bode pronto para ajudar? Que chato! Mas não se preocupe, meu rapaz. Isso não é nada doloroso. Pergunte a Lit.

Mas Jason pensou em algo:

— Escolho lutar. Você disse que eu poderia escolher entre ser transformado em estátua de ouro e lutar com Lit.

Midas parecia um pouco desapontado, mas deu de ombros.

— Eu disse que poderia escolher *morrer* lutando com Lit. Mas, claro, se é o que quer.

O rei deu um passo atrás e Lit ergueu a espada.

— Isso vai ser divertido — disse Lit. — Eu sou o Ceifeiro de Homens.

— Venha, Debulhador de Milho — disse Jason, evocando sua arma.

Dessa vez era uma lança, e ele ficou feliz pelo tamanho extra.

— Ah, uma arma de ouro! — disse Midas. — Que ótimo.

Lit atacou.

O cara era ágil. Atacava uma e outra vez, e Jason mal podia se defender. Porém, sua mente analisava os tipos de ataque, notando qual era o estilo de Lit, totalmente ofensivo, sem lugar para defesa.

Jason contou os passos, desviou dos ataques e bloqueou Lit, que parecia surpreso ao notar que ele permanecia vivo.

— Que estilo é esse? — perguntou Lit. — Você não luta como um grego?

— Treinamentos na Legião — disse Jason, apesar de não entender como sabia aquilo. — É estilo romano.

— Romano? — perguntou Lit, atacando mais uma vez, mas Jason conseguiu bloqueá-lo. — O que é *romano*?

— Atenção para as notícias... — disse Jason. — Enquanto você estava morto, Roma derrubou a Grécia, criando o império mais vasto de todos os tempos.

— Impossível — disse Lit. — Eu nunca ouvi falar deles.

Jason girou, atingiu Lit no peito com a base de sua lança e o enviou, tropeçando, diretamente para o trono do rei Midas.

— Oh, Lit! — disse o rei. — Lit?

— Estou bem — ele murmurou.

— Melhor ajudá-lo a se levantar — sugeriu Jason.

— Pai, não! — gritou Lit.

Tarde demais. Midas colocou a mão no ombro do filho, e de repente uma estátua de ouro bem zangada estava sentada no trono de Midas.

— Droga! — gritou o rei. — Que truque mais maldoso, semideus. Vou pegá-lo por isso — disse, acariciando o ombro de ouro do filho. — Não se preocupe, filho. Vamos ao rio assim que conseguir esse novo troféu.

Midas caminhou em direção a Jason, que tentou escapar, mas o rei era ágil. Jason chutou a mesa de centro em direção às pernas do rei, derrubando-o, mas ele não ficaria no chão por muito tempo.

Então Jason olhou para a estátua de Piper. Ficou cheio de raiva. Era filho de Zeus. Não poderia *falhar* com os amigos.

Sentiu um peso no abdome, e a pressão atmosférica caiu tão rápido que seus ouvidos estalaram. Midas também deve ter sentido o mesmo, pois levantou-se e pôs as mãos nas orelhas de burro.

— Ai! O que você está fazendo? — perguntou. — Meu poder é supremo aqui!

Ouviu-se um trovão. Do lado de fora, o céu ficou escuro.

— Você conhece outra boa utilidade para o ouro? — perguntou Jason.

— Qual? — perguntou Midas, animado, erguendo as sobrancelhas.

— É um ótimo condutor de eletricidade.

Jason ergueu a lança e o teto da casa explodiu. Um raio rompeu o telhado como se fosse uma casca de ovo, partindo da ponta da arma de Jason e descarregando arcos de energia que queimaram os sofás. Pedaços do teto caíram. O lustre soltou-se da corrente, e Midas gritou no momento em que aquilo caiu em cima dele, esmagando-o contra o chão. O vidro transformou-se imediatamente em ouro.

Quando os raios cessaram, uma chuva fria começou a cair na casa. Midas praguejava em grego antigo, mesmo esmagado pelo lustre. A chuva ensopava tudo, fazendo o lustre de ouro voltar a ser vidro. Piper e Leo, lentamente, também perdiam o revestimento dourado, assim como as outras estátuas daquela sala.

A porta da frente se abriu num estrondo. Era o treinador Hedge, com o bastão erguido. Sua boca estava coberta de sujeira, neve e grama.

— Perdi alguma coisa? — ele perguntou.

— Onde você estava? — retrucou Jason. Sua cabeça girava após todo o esforço, mas fora a única solução para evitar a morte. — Eu gritei pedindo ajuda.

Hedge soltou um arroto.

— Fazendo um lanchinho. Sinto muito. Quem deve ser morto?

— Ninguém! Agora, ninguém — disse Jason. — Mas vá pegar Leo, eu fico com Piper.

— Não me deixe aqui assim — gritou Midas.

Ao redor, as estátuas de suas vítimas voltavam à vida... sua filha, seu barbeiro e várias outras com expressões raivosas e espadas em riste.

Jason agarrou a mochila de ouro de Piper e as coisas dele. Depois jogou um tapete sobre a estátua de Lit, sentada no trono. Isso, com sorte, faria a transformação do Ceifeiro de Homens demorar um pouco mais para acontecer... pelo menos um pouco mais que a transformação das vítimas de Midas.

— Vamos sair daqui — disse Jason a Hedge. — Acho que esses caras vão querer passar algum tempo com Midas.

XXXIII

PIPER

Piper acordou tremendo de frio.

Acabara de sair de um sonho horrível em que um velho de orelhas enormes corria atrás dela, gritando: *É você!*

— Ai, meu Deus! — disse, batendo os dentes. — Ele me transformou em ouro!

— Você está bem agora — disse Jason, aproximando-se e colocando um cobertor quente em cima dela.

Ainda assim, Piper se sentia tão fria quanto uma boréada.

Piscou, tentando descobrir onde estavam. Perto dela, havia uma fogueira acesa, enchendo o ar de fumaça. A luz da fogueira se refletia num muro de pedra. Estavam numa caverna, mas o lugar não parecia oferecer muita proteção. Do lado de fora, o vento era forte. Nevava. Não podiam saber se era dia ou noite, pois a tempestade deixara tudo escuro.

— L-L-Leo... — conseguiu dizer Piper.

— Presente e *des*dourado — disse Leo, também envolto em cobertores.

Ele não parecia bem, mas talvez um pouco melhor que Piper.

— Eu também fiz o tratamento do metal precioso — ele disse —, mas voltei ao normal mais facilmente. Não sei por quê. Tivemos de mergulhá-la no rio para que retornasse por completo. Tentamos secá-la bem, mas está frio, muito frio.

— Você está com hipotermia — disse Jason. — Já usamos o máximo que podíamos de néctar. O treinador Hedge preparou uma poção natural...

— Remédios para atletas — ele disse, encarando-a com o seu rosto feio. — É uma espécie de hobby que tenho. Talvez você fique com hálito de cogumelos selvagens e Gatorade por alguns dias, mas vai passar. E provavelmente você não morrerá. Provavelmente.

— Obrigada — disse Piper, fraca. — Como conseguiu vencer Midas?

Jason contou a história, dizendo que grande parte foi sorte, mas o treinador o interrompeu:

— Ele está sendo modesto. Você deveria ter visto. *Ah! Ah! Corta!* E *bum* com o raio!

— Treinador, você não viu nada disso — disse Jason. — Estava do lado de fora, lanchando.

Mas o sátiro não parou.

— E então eu apareci com o meu bastão e dominamos a sala. Depois disso, eu disse: "Rapaz, estou orgulhoso de você! Caso tenha tempo, poderia exercitar um pouco seus músculos superiores..."

— Treinador — disse Jason.

— Sim?

— Cale-se, por favor.

— Claro.

O treinador sentou-se ao lado da fogueira e começou a dar pequenas mordidas no seu bastão.

Jason pousou uma das mãos na testa de Piper e checou sua temperatura.

— Leo, você pode atiçar o fogo?

— É para já — disse Leo, evocando uma bola de fogo nas mãos e jogando-a às chamas.

— Pareço tão mal? — perguntou Piper.

— Não... — respondeu Jason.

— Você é um péssimo mentiroso — disse ela. — Onde estamos?

— Pikes Peak — respondeu Jason. — Colorado.

— Mas isso fica a oitocentos quilômetros de Omaha.

— Mais ou menos — ele concordou. — Pus arreios nos espíritos da tempestade para nos trazerem aqui. Eles não gostaram nada... e viajaram um pouco mais rápido do que pedi, quase batendo contra as montanhas antes que eu pudesse colocá-los de volta na mochila. Não vou fazer isso de novo.

— Por que estamos aqui?

— Foi o que *eu* perguntei a ele — disse Leo.

Jason olhou para a tempestade, como se observasse alguma coisa concreta.

— A trilha que vimos ontem, lembram? Ainda estava no céu, mesmo que muito apagada. Eu a segui até deixar de vê-la. Depois... honestamente, não sei. Mas este parecia ser o lugar certo para descer.

— Claro que é — disse o treinador Hedge, cuspindo um pouco de grama. — O palácio flutuante de Éolo deve estar sobre as nossas cabeças, bem no pico da montanha. Esse é um dos seus lugares favoritos.

— Talvez seja isso — disse Jason, levantando as sobrancelhas. — Não sei. Deve haver algo mais também...

— As Caçadoras seguiam para o oeste — lembrou-se Piper. — Você acha que podem estar por aqui?

Jason esfregou o antebraço, como se as tatuagens o incomodassem.

— Não sei como alguém poderia sobreviver nesta montanha agora. A tempestade está bem forte. Estamos na tarde anterior ao solstício, mas não temos muita escolha além de esperar por aqui. E precisamos de um tempo para você se recuperar antes de seguirmos.

Ele não precisaria convencê-la. O vento fora da caverna a assustava, e ela tremia sem parar.

— Precisamos aquecê-la — disse Jason, sentando ao seu lado e abrindo os braços. — Ah, você se importaria se eu...

— Não — ela respondeu, tentando parecer indiferente.

Ele passou os braços em volta do seu corpo e a abraçou. Eles chegaram mais perto do fogo. O treinador Hedge mastigava o bastão e cuspia as sobras no fogo.

Leo providenciou alguns utensílios de cozinha e começou a fritar hambúrgueres numa grelha de ferro.

— Então, pessoal, já que estão todos em posição para a hora da contação de histórias... tenho algo a dizer... No caminho para Omaha eu tive um sonho. É um pouco complicado de entender, tinha a estática e a *Roda da fortuna*...

Roda da fortuna?

Piper imaginou que Leo estivesse brincando, mas quando ele levantou os olhos dos hambúrgueres sua expressão era bem séria.

— É o seguinte — ele disse —, meu pai, Hefesto, falou comigo.

Leo contou tudo sobre o seu sonho. Sob a luz da fogueira, com o vento soprando lá fora, a história era ainda mais assustadora. Piper podia imaginar a voz cheia de estática daquele deus avisando sobre os gigantes, filhos do Tártaro, e sobre Leo perder alguns amigos no caminho.

Piper tentou concentrar-se em algo positivo: tinha os braços de Jason ao redor do seu corpo, que estava mais aquecido, mas estava morta de medo.

— Eu não entendo. Se os semideuses e os deuses devem trabalhar juntos para matar os gigantes, por que os deuses ficariam em silêncio? Se eles precisam de nós...

— Ah — disse o treinador Hedge. — Os deuses *odeiam* precisar dos humanos. Eles gostam de ser clamados pelos humanos. Mas as coisas terão que piorar muito antes que Zeus admita ter cometido um erro ao fechar o Olimpo.

— Treinador — disse Piper —, esse foi um comentário quase inteligente.

— O quê? Eu sou inteligente! Não fico surpreso que vocês, *cupcakes*, não tenham ouvido falar sobre a Guerra dos Gigantes. Os deuses não gostam de falar sobre isso. É propaganda negativa admitir que precisaram dos humanos para vencer o inimigo. Isso é constrangedor.

— Mas não é só isso — disse Jason. — Quando eu sonhei com Hera, na cela, ela disse que Zeus estava agindo de forma estranha, paranoica. E Hera também... disse que foi até aquelas ruínas por ter escutado vozes na sua cabeça. E se alguém estiver influenciando os deuses, como Medeia nos influenciou, talvez?

Piper estremeceu. Ela pensara em algo parecido... que alguma força poderia estar manipulando a situação, ajudando os gigantes. Talvez fosse a mesma força que mantinha Encélado informado sobre seus movimentos e que fizera o dragão cair em Detroit. Talvez a Mulher de Poeira de Leo, ou outro servo dela...

Leo colocou pães de hambúrguer na grelha.

— Sim, Hefesto disse algo parecido, algo sobre Zeus estar agindo de forma estranha. Mas o que me deixou mais assustado foi o que ele *não* me disse. Como algumas vezes em que ficou falando sobre semideuses e sobre ter tantos filhos, essas coisas. Eu não sei. Ele agia como se reunir os melhores semideuses fosse tarefa quase impossível... como se Hera estivesse tentando, mas isso fosse algo idiota a se fazer... E existe algum segredo que ele não deveria me contar.

Jason se mexeu. Piper sentia a tensão em seus braços.

— Quíron também agiu assim, lá no acampamento — ele disse. — Falou sobre um juramento sagrado... sobre não poder conversar sobre... alguma coisa. Treinador, você sabe algo sobre isso?

— Não. Sou apenas um sátiro. Eles não contam nada importante para nós. Principalmente para um velho... — E parou de falar.

— Velho como você? — perguntou Piper. — Mas você não é tão velho, certo?

— Cento e seis anos — ele murmurou.

— O quê? — disse Leo, tossindo.

— Cuidado com o fogo, Valdez. Em números humanos, isso equivale a apenas 53 anos. Mas, claro, eu fiz alguns inimigos no Conselho dos Anciãos de Casco Fendido. Fui protetor por um *bom* tempo. Mas começaram a dizer que eu era imprevisível. Muito violento. Você imagina uma coisa dessas?

— Uau! — disse Piper, tentando não olhar para os seus amigos. — É duro de acreditar.

O treinador fez uma cara feia.

— É verdade, mas finalmente conseguimos uma boa guerra com os titãs. E eu pergunto: eles me puseram na linha de frente? Não! Me mandaram para o mais longe possível... para a fronteira com o Canadá, vocês acreditam? E depois da guerra me colocaram para pastar. Na Escola da Vida Selvagem. Ah! Como se eu fosse muito velho para ajudar em alguma coisa, só porque eu gosto de bancar o durão. Todos aqueles bobões do Conselho... falando sobre natureza.

— Eu achava que os sátiros gostavam da natureza — disse Piper.

— Claro, eu adoro a natureza — ele disse. — A natureza significa os grandes matando e comendo os menores! E quando você é... sabe... um sátiro como eu, quando está em boa forma, tem um bom bastão e não aceita levar desaforo para casa... Isso é a natureza — disse Hedge, soando indignado. — Bobões! Mas deixa para lá. Espero que tenha algo vegetariano para comer, Valdez. Eu não gosto de carne.

— Sim, treinador. Não mastigue seu bastão. Tenho tofu. Piper também é vegetariana. Preparo num segundo.

O cheiro dos hambúrgueres encheu o ar. Piper costumava odiar o cheiro de carne assando, mas seu estômago fez um barulho como se estivesse se rebelando.

Estou perdendo o controle, ela pensou. Brócolis, cenoura, lentilhas.

Seu estômago não era a única coisa rebelde por ali. Acomodada ao lado da fogueira, nos braços de Jason, a sua consciência parecia uma bala recém-disparada, aproximando-se lentamente do seu coração. Toda a culpa que aguentava havia uma semana, desde o primeiro sonho com o gigante Encélado, estava a ponto de matá-la.

Seus amigos queriam ajudá-la. Jason chegou a dizer que entraria numa armadilha para ajudá-la a salvar seu pai, caso fosse preciso. Mas Piper recusara.

Pelo que sabia, já destruíra seu pai ao atacar Medeia.

Ela conteve o choro. Talvez tivesse feito a coisa certa lá em Chicago, salvando seus amigos, mas a verdade é que só estava adiando um problema. Não poderia trair seus amigos, mas uma pequeníssima parte dela estava desesperada, pensando: *E se eu fizesse isso?*

Tentou imaginar o que o seu pai diria: *Então, pai, caso um dia você fosse acorrentado por um gigante canibal e eu precisasse trair alguns amigos para salvá-lo, o que deveria fazer?*

O engraçado é que isso nunca fora tema das famosas Três Perguntas. Seu pai nunca levaria isso a sério. Provavelmente terminaria contando uma das histórias do vovô Tom — algo sobre ouriços brilhantes e pássaros falantes — e depois sorriria, como se o seu conselho fosse uma bobagem.

Piper gostaria de lembrar mais coisas sobre o avô. Algumas vezes, sonhava com aquela pequena casa de dois quartos em Oklahoma. Imaginava como teria sido crescer ali.

Seu pai diria que estava louca. Passara a vida fugindo daquele lugar, distanciando-se da tribo, aceitando todos os papéis, menos o de nativo americano. Sempre disse a Piper que ela tivera muita sorte em crescer rica e bem-cuidada, numa linda casa da Califórnia.

Piper aprendera a sentir um vago desconforto com relação a seus antepassados — como com as velhas fotos do seu pai nos anos 1980, quando usava um cabelo horrível e roupas loucas. *Você acredita que eu já fui assim?*, ele diria. Ser cherokee era o mesmo para ele — algo divertido e um pouco vergonhoso.

Mas o que mais eles seriam? Seu pai não parecia saber. Talvez por isso sempre fora tão infeliz, mudando de papel todo o tempo. E talvez por isso Piper roubasse coisas, buscando algo que seu pai não poderia oferecer.

Leo colocou tofu na grelha. O vento continuava a soprar. Piper lembrou-se de uma velha história contada por seu pai... e que talvez respondesse algumas de suas dúvidas.

Certo dia, no segundo ano, ela voltara para casa chorando e perguntando por que se chamava Piper. As crianças zombavam dela, pois Piper Cherokee era o nome de um avião.

Seu pai sorriu, como se nunca tivesse pensado naquilo.

— Não, Pipes. É um bom avião. Mas eu não lhe dei esse nome por conta de um avião. O vovô Tom escolheu o seu nome. Na primeira vez que a ouviu chorar, disse que sua voz tinha muito poder, mais que qualquer flautista encantado teria. *Piper* é flautista em inglês. E disse também que você aprenderia a cantar as mais complicadas canções cherokees, até mesmo a canção da cobra.

— Canção da cobra?

E seu pai lhe contou uma lenda. Certo dia, uma mulher cherokee viu uma cobra muito perto de seu filho e matou-a com uma pedra, sem saber que aquele era o rei das cobras. Pois bem, as cobras prepararam uma guerra contra os humanos, e o marido da mulher tentou fazer as pazes. Prometeu fazer qualquer coisa que as recompensasse. As cobras aceitaram o trato. Disseram a ele que mandasse sua esposa ao poço, para que as cobras a picassem e tirassem sua vida. Ele ficou com o coração partido, mas fez o que lhe pediram. Então as cobras ficaram impressionadas com a capacidade do homem de abrir mão de tudo e manter sua promessa. Ensinaram-lhe a canção da cobra para que todos os cherokees a aprendessem. Daquele momento em diante, qualquer cherokee que encontrasse uma cobra e cantasse tal canção seria reconhecido como amigo e ela não o morderia.

— Isso é horrível — disse Piper ao seu pai. — Ele deixou a própria mulher ser morta?

Seu pai esticou os braços.

— Foi um duro sacrifício. Porém, aquela vida perdida garantiu gerações de paz entre as cobras e os cherokees. Vovô Tom acreditava que a música cherokee era capaz de resolver qualquer problema. Achava que você aprenderia várias, e seria a melhor cantora da família. Por isso seu nome é Piper.

Um duro sacrifício. Seu avô tivera algum pressentimento sobre ela, ainda bebê? Notara que era filha de Afrodite? Seu pai lhe diria que estava louca. Vovô Tom não era um oráculo.

Mas, ainda assim... Ela fizera a promessa de ajudar naquela missão. Seus amigos contavam com ela. Salvaram-na quando o rei Midas a transformou em ouro. E a trouxeram de volta à vida. Não poderia pagar tanta ajuda com mentiras.

Pouco a pouco, começou a sentir-se mais aquecida. Parou de tremer e aninhou-se no peito de Jason. Leo serviu a comida. Piper não queria se mexer, falar nem fazer nada que interrompesse aquele momento. Mas não poderia.

— Precisamos conversar — disse, sentando-se e encarando Jason. — Não quero esconder mais nada de vocês.

Eles a olharam com a boca cheia de hambúrguer. Era tarde para mudar de ideia.

— Três noites antes da viagem ao Grand Canyon eu tive um sonho... um gigante me disse que meu pai fora sequestrado. E pediu que eu cooperasse, ou ele seria morto.

As chamas crepitaram.

Finalmente, Jason perguntou:

— Encélado? Você já disse esse nome.

O treinador Hedge assobiou.

— Grande gigante. Cospe fogo. Não gostaria de estar perto dele.

Jason olhou para o treinador como quem diz: *Cale-se*.

— Vá em frente, Piper. O que aconteceu depois?

— Eu... eu tentei localizar o meu pai, mas tudo o que consegui foi encontrar sua assistente, e ela disse que não me preocupasse.

— Jane? — lembrou-se Leo. — Medeia não disse algo sobre controlá-la?

Piper fez que sim.

— Para ter meu pai de volta, eu deveria sabotar uma missão. Não sabia que seria a nossa. Porém, quando começamos a viagem, Encélado me enviou outro aviso: disse que queria vocês dois mortos. Queria que eu os levasse a uma montanha. Não sei exatamente qual, mas fica em Bay Area... eu podia ver a ponte Golden Gate lá do topo. Preciso estar lá no fim do dia do solstício. Seria uma troca.

Ela não conseguia encarar os amigos. Esperava que fossem gritar, virar as costas ou jogá-la na tempestade.

Mas Jason ficou ao seu lado e abraçou-a novamente.

— Piper, eu sinto muito.

Leo balançou a cabeça.

— Não me diga que está guardando isso há uma semana? Piper, a gente podia *ajudar*.

Piper olhou para eles.

— Por que não gritam comigo ou algo parecido? Eu recebi uma ordem para matá-los!

— Mas você nos salvou nessa missão — disse Jason. — Eu colocaria a minha vida nas suas mãos a qualquer hora.

— Eu também — disse Leo. — Posso ganhar um abraço também?

— Vocês não entenderam! — disse Piper. — Eu já devo ter matado o meu pai a essa altura, só por ter contado tudo a vocês.

— Duvido — disse o treinador, que comia seu hambúrguer de tofu enrolado num prato de papel, como se fosse um *taco*. — O gigante ainda não conseguiu o que quer, precisará manter seu pai como refém. Esperará até que o caso se esgote, esperará a sua chegada. Quer que você desvie nossa missão para a montanha, certo?

Piper fez que sim, confusa.

— Isso significa que Hera está presa em algum outro lugar — disse Hedge. — E precisa ser salva nesse mesmo dia. Então você terá de escolher: salvar seu pai ou salvar Hera. Se for em busca de Hera, Encélado cuidará do seu pai. Mas ele nunca a deixaria livre, mesmo que você cooperasse. Você obviamente é uma dos sete da Grande Profecia.

Uma dos sete. Já conversara sobre isso com Jason e Leo, e imaginava que deveria ser verdade, mas ainda era complicado acreditar. Não se sentia tão importante. Era apenas uma filha estúpida de Afrodite. Como poderia valer a pena matá-la e enganá-la?

— Então não temos escolha. — Piper chorou. — Temos de salvar Hera ou o rei gigante será libertado. Essa é a nossa missão. O mundo depende disso. E Encélado parece me observar o tempo todo. Ele não é estúpido. Saberá se mudarmos de caminho e seguirmos em direção contrária. E matará o meu pai.

— Ele não vai matar o seu pai — disse Leo. — Nós vamos salvá-lo.

— Não temos tempo! — gritou Piper. — Além do mais, é uma armadilha.

— Somos seus amigos, rainha da beleza — disse Leo. — Não vamos deixar que o seu pai morra. Temos que encontrar uma maneira.

O treinador Hedge resmungou.

— Ajudaríamos caso soubéssemos onde fica a tal montanha. Talvez Éolo possa nos dizer. Bay Area tem má reputação entre os semideuses. O antigo lar dos titãs, o Monte Otris, fica sobre o Monte Tam, onde Atlas segura o céu. Espero que essa não seja a montanha do seu sonho.

Piper tentou lembrar-se do que vira.

— Não creio. Era uma ilha.

Jason franziu a testa ao olhar para o fogo, como se quisesse lembrar algo.

— Má reputação... isso não parece certo. Bay Area...

— Você acha que já esteve por lá? — perguntou Piper.

— Eu... — Ele parecia a ponto de enlouquecer. A angústia era clara em seus olhos. — Não sei. Hedge, o que aconteceu no Monte Otris?

Hedge comeu mais um pedaço de papel e de hambúrguer.

— Bem, Cronos construiu um novo palácio por lá no último verão. Um lugar grande e terrível, que serviria como quartel-general de seu novo reino e tudo o mais. Mas não houve batalha ali. Cronos marchou sobre Manhattan, tentou ocupar o Olimpo. Se eu lembro bem, deixou alguns titãs tomando conta do palácio, mas, após a derrota em Manhattan, o palácio ruiu.

— Não — disse Jason.

Todos olharam para ele.

— O que você quer dizer com "não"? — perguntou Leo.

— Não foi isso que aconteceu. Eu... — Ele ficou tenso, olhando para a entrada da caverna. — Vocês ouviram isso?

Durante um segundo, não houve qualquer som. Depois Piper ouviu: uivos cortavam a noite.

XXXIV

PIPER

— Lobos — disse Piper. — E parecem perto.

Jason se levantou e evocou sua espada. Leo e o treinador Hedge também se levantaram. Piper tentou, mas viu pontos negros dançando na frente dos seus olhos.

— Fique aí — disse Jason. — Vamos proteger você.

Ela trincou os dentes. Odiava se sentir daquela maneira. Não *queria* que ninguém precisasse protegê-la. Primeiro o maldito tornozelo. Agora a maldita hipotermia. Queria ficar de pé, com sua adaga em punho.

E então, fora do alcance da claridade da fogueira, na entrada da caverna, ela viu um par de olhos vermelhos brilharem no escuro.

Tudo bem, ela pensou. Talvez um pouco de proteção seja legal.

Mais lobos se aproximaram da fogueira — animais enormes, maiores que um dogue alemão, com gelo e neve presos à pelagem. As presas reluziam e os olhos vermelhos pareciam perturbadoramente inteligentes. O lobo que estava à frente era quase tão alto quanto um cavalo, e sua boca salivava como se tivesse acabado de matar uma caça.

Piper desembainhou sua adaga.

Então Jason deu um passo à frente e disse algo em latim.

Piper não sabia que uma língua morta poderia surtir tanto efeito em animais selvagens, mas o lobo alfa curvou os lábios. Seu pelo ficou eriçado ao longo da coluna. Um de seus companheiros quis avançar, mas o alfa mordeu sua orelha. E todos se afastaram, voltando à escuridão.

— Cara, eu tenho que estudar latim — disse Leo, o martelo tremendo em suas mãos. — O que você disse, Jason?

Hedge praguejou.

— Seja lá o que tenha dito, não foi suficiente. Vejam.

Os lobos voltavam, mas o alfa não estava entre eles. Não atacaram. Esperaram. Agora eram pelo menos doze, e formaram um semicírculo fora do alcance da claridade da fogueira, bloqueando a saída da caverna.

O treinador levantou o bastão.

— Eis o plano: eu mato todos eles e vocês escapam.

— Treinador, você vai ser destroçado — disse Piper.

— Não, eu sou bom nisso.

Piper notou a silhueta de um homem avançando no meio da tempestade, abrindo caminho entre os lobos.

— Fiquem juntos — disse Jason. — Eles respeitam outra alcateia. E, Hedge, não faça nenhuma loucura. Não vou deixar você nem ninguém para trás.

Piper ficou com um nó na garganta. Era a mais fraca do grupo naquele momento. E sem dúvida os lobos podiam farejar seu medo. Era como se houvesse um letreiro em sua testa: COMIDA GRÁTIS.

Os lobos deram passagem e a fogueira iluminou o homem. Os cabelos dele estavam sujos e revoltos, e tinham a cor da fuligem da fogueira. Ele usava uma coroa feita com o que pareciam ser ossos de dedos. Sua roupa era de peles esfarrapadas — de lobo, coelho, texugo, veado e vários outros animais que Piper não reconhecia. Não pareciam peles curadas, e pelo cheiro não estavam muito frescas. A estrutura do homem era ágil e musculosa, como a de um corredor de longa distância. Mas o mais terrível era seu rosto. A pele fina e pálida parecia esticada no crânio. Os dentes eram afiados como presas. Seus olhos brilhavam como os dos lobos, vermelhos, e se fixaram em Jason, demonstrando ódio absoluto.

— *Ecce* — disse ele — *filli Romani*.

— Fale em inglês, homem-lobo! — gritou Hedge.

O homem-lobo rosnou.

— Diga a seu fauno que cale a boca, filho de Roma. Ou ele será o primeiro de minha refeição.

Piper percebeu que *fauno* era o nome romano para *sátiro*. O que não era uma informação muito útil. Porém, se ela lembrasse quem era aquele lobo na mitologia grega, e como vencê-lo, *isso*, sim, poderia ser proveitoso.

O homem-lobo estudou o pequeno grupo. Suas narinas se dilataram.

— Então é verdade — ele murmurou. — Uma filha de Afrodite. Um filho de Hefesto. Um fauno. E nada mais, nada menos que um filho de Roma, do Senhor Júpiter. Todos juntos, sem matar uns aos outros. Que interessante...

— Você sabia sobre nós? — perguntou Jason. — Quem contou?

O homem rosnou — podia ser um sorriso, ou talvez uma provocação.

— Ah. Buscamos vocês por todo o oeste, semideus, esperando que fôssemos os primeiros a encontrá-los. O rei gigante vai me recompensar quando se reerguer. Eu sou Licáon, rei dos lobos. E minha alcateia está faminta.

Os lobos rosnaram na escuridão.

Pelo canto do olho, Piper notou que Leo segurava seu martelo e tirava alguma coisa do cinto de ferramentas: uma garrafa de vidro cheia de um líquido claro.

Piper vasculhou sua mente tentando situar o nome do homem-lobo. Ela sabia que já o escutara antes, mas não conseguia se lembrar dos detalhes.

Licáon olhou para a espada de Jason. Ele se movia de um lado para outro, como se buscasse uma brecha para entrar, mas a lâmina do garoto o acompanhava.

— Vá embora — ordenou Jason. — Aqui não há comida para você.

— A menos que queira hambúrgueres de tofu — ofereceu Leo.

Licáon mostrou suas presas. Aparentemente, não era fã de tofu.

— Por mim — disse Licáon, com arrependimento —, você seria o primeiro a morrer, filho de Júpiter. Seu pai me transformou no que sou. Eu era o poderoso rei de Arcádia, um mortal. Tinha cinquenta e nove filhos, e Zeus assassinou todos eles com seus raios.

— Por uma boa razão — disse o treinador Hedge.

Jason olhou para trás.

— Treinador, você conhece esse palhaço?

— *Eu* conheço — respondeu Piper.

E os detalhes do mito voltaram à sua mente — uma história curta e terrível da qual ela e o pai tinham rido no café da manhã. Mas ela não estava rindo naquele momento.

— Licáon convidou Zeus para jantar — ela disse —, mas não estava certo se aquele era mesmo Zeus. E, para testar seus poderes, ofereceu-lhe carne humana. Zeus ficou ofendido...

— E matou meus filhos! — disse Licáon, uivando, e os lobos atrás dele fizeram o mesmo.

— Então Zeus o transformou em lobo — disse Piper. — Por isso... por isso os lobisomens são chamados de *licantropos*, por causa dele, o primeiro lobisomem.

— O rei dos lobos — disse o treinador Hedge. — Um imortal fedorento, vira-lata e odioso.

Licáon uivou.

— Vou rasgá-lo em dois, fauno!

— Quer provar um pouco de bode, cara? Então venha aqui que eu lhe dou.

— Parem! — disse Jason. — Licáon, você disse que *queria* me matar primeiro, mas...?

— Infelizmente, filho de Roma, você já tem dono. Como essa aí — disse ele, apontando as garras para Piper — falhou em destruí-lo, preciso levá-lo vivo à Casa dos Lobos. Uma de minhas aliadas quer ter a honra de matá-lo pessoalmente.

— Quem? — perguntou Jason.

O rei lobo reprimiu um sorriso.

— Ah, uma grande admiradora sua. Aparentemente, você deixou nela uma boa impressão. Quer se ocupar de você o mais rápido possível, e eu não posso reclamar. Espalhar seu sangue pela Casa dos Lobos será uma boa maneira de demarcar meu novo território. Lupa pensará duas vezes antes de desafiar minha alcateia.

O coração de Piper estava a ponto de saltar do peito. Ela não entendera tudo o que Licáon dizia, mas uma mulher queria matar Jason, certo? Medeia, imaginou. De alguma forma, ela sobrevivera à explosão.

Piper conseguiu se levantar. Manchas dançavam na frente de seus olhos mais uma vez. A caverna parecia girar.

— É melhor ir embora agora — ela disse —, ou nós o destruiremos.

Tentou falar com autoridade, mas estava fraca demais. Tremendo nos lençóis, pálida e suada, quase incapaz de segurar uma faca, sua aparência não devia ser muito ameaçadora.

Os olhos vermelhos de Licáon se estreitaram de modo debochado.

— Foi uma tentativa corajosa, menina. Admirável. Talvez eu acabe com você de forma rápida. Só precisamos do filho de Júpiter vivo. O restante de vocês, sinto muito, será o jantar.

E nesse momento Piper viu que ia morrer. Mas pelo menos morreria lutando ao lado de Jason, que deu um passo à frente e disse:

— Você não vai matar ninguém, homem-lobo. Não sem antes passar por cima de mim.

Licáon uivou e mostrou as presas. Jason o golpeou com a espada, mas a lâmina de ouro passou direto pelo rei lobo, como se não houvesse nada ali.

Licáon gargalhou.

— Ouro, bronze, aço... nada disso faz frente a meus lobos, filho de Júpiter.

— Prata! — gritou Piper. — Não é a prata que pode ferir os lobisomens?

— Não temos nada de prata! — disse Jason.

Os lobos avançaram para perto da fogueira. Hedge foi na direção deles e soltou um grito presunçoso.

Mas Leo atacou primeiro. Atirou a garrafa de vidro, que se espatifou no chão, e todo o líquido espirrou nos lobos — junto do inconfundível cheiro de gasolina. Depois disparou uma labareda na poça, e um muro de chamas se ergueu.

Os lobos uivaram e recuaram. Alguns estavam em chamas e tiveram de voltar para a neve. Mesmo Licáon parecia não saber o que fazer diante da barreira de fogo que agora separava os lobos dos semideuses.

— Ah, vamos... — reclamou o treinador Hedge. — Não posso acertá-los se estão do outro lado!

Sempre que um lobo se aproximava, as mãos de Leo lançavam outra onda de labaredas, mas o esforço o deixava cada vez mais fraco e a gasolina já estava se extinguindo.

— Não tenho como soltar mais gases! — avisou Leo, e então seu rosto corou. — Cara, quer dizer, combustível! Vai demorar um pouco até que o cinto de ferramentas se recarregue. O que vocês tem aí?

— Nada — disse Jason. — Nenhuma arma que vá funcionar.

— Nem raios? — perguntou Piper.

Jason se concentrou, mas nada aconteceu.

— Acho que a nevasca está interferindo, ou algo assim.

— Liberte os *venti*! — disse Piper.

— Mas assim não teremos nada para oferecer a Éolo — disse Jason. — Tudo pelo que passamos terá sido por nada.

Licáon sorriu.

— Posso farejar seu medo. Alguns momentos mais de vida, heróis. Rezem aos deuses que preferirem. Zeus não me ofereceu misericórdia, e vocês não a terão de mim.

As chamas começaram a extinguir-se. Jason praguejou e largou sua espada, colocando-se em posição para a luta corpo a corpo. Leo pegou seu martelo. Piper levantou sua adaga... não era muito, mas era tudo o que tinha. O treinador Hedge ergueu seu bastão, e era o único que parecia animado com a ideia de morrer.

Mas naquele momento um som cortante rasgou o vento, como o de um papelão sendo cortado. Algo fino e comprido surgiu no pescoço do lobo que estava mais próximo a eles — era a ponta de uma flecha de prata. O animal contorceu-se e caiu, desfazendo-se em uma poça de sombras.

Mais flechas. Mais lobos caindo. A alcateia ficou desnorteada. Uma flecha foi na direção de Licáon, mas o rei dos lobos a agarrou em pleno ar. E depois gritou de dor. Quando largou a flecha, havia um corte chamuscante na palma de sua mão. Outra flecha o atingiu no ombro, e o rei cambaleou.

— Malditos! — gritou. Ele rugiu para a alcateia, que deu meia-volta e fugiu. Então, com seus olhos vermelhos, fitou Jason: — Isso ainda não terminou, garoto.

O rei dos lobos desapareceu na noite.

Segundos mais tarde, Piper ouviu mais latidos de lobos, mas o som era diferente — menos ameaçador, mais parecido com cães farejando a caça. Um lobo menor, branco, irrompeu na caverna, seguido de outros dois.

— Matamos? — perguntou Hedge.

— Não! — disse Piper. — Espere.

Os lobos inclinaram a cabeça e observaram os campistas com grandes olhos dourados.

Passado um instante, seus senhores surgiram: um grupo de caçadores com traje branco e cinza de camuflagem na neve. Eram pelo menos uma dúzia. Todos carregavam arcos e tinham nas costas aljavas com reluzentes flechas de prata.

Os rostos estavam cobertos pelos capuzes forrados com pele, mas eram mulheres, claramente. Uma, um pouco mais alta que as demais, agachou-se à luz da fogueira e pegou a flecha que ferira a mão de Licáon.

— Cheguei muito perto — disse, e virou-se para as companheiras. — Phoebe, fique comigo. Guarde a entrada. As outras, sigam Licáon. Não podemos perdê-lo agora. Eu alcançarei vocês.

As Caçadoras murmuraram, acatando as ordens, e desapareceram, seguindo o rastro da alcateia de Licáon.

A garota vestida de branco se virou para eles, com o rosto ainda escondido pelo capuz.

— Estamos no rastro desse demônio há mais de uma semana. Vocês estão bem? Alguém foi mordido?

Jason estava paralisado, olhando fixamente para a menina. Piper notou algo familiar no tom de voz dela. Era difícil dizer com certeza, mas o modo como falava, como formava as frases, a fazia lembrar Jason.

— Você é ela — disse Piper. — É Thalia.

A menina ficou nervosa. Piper teve medo de que ela preparasse seu arco, mas, em vez disso, ela baixou o capuz. Tinha cabelo preto e arrepiado, e uma tiara de prata na testa. Seu rosto tinha aspecto saudável, como se ela não fosse apenas humana, e seus olhos eram de um azul brilhante. Era a menina na fotografia de Jason.

— Eu conheço você? — perguntou Thalia.

Piper respirou fundo.

— Talvez seja uma surpresa, mas...

— Thalia — disse Jason, dando um passo à frente, com a voz trêmula. — Eu sou Jason, seu irmão.

XXXV

LEO

Leo chegou a uma conclusão: era o menos sortudo do grupo, isso estava claro. Por que não tinha uma irmã havia muito desaparecida? Ou um pai astro de cinema que precisava ser resgatado? Tudo o que tinha era um cinto de ferramentas e um dragão, que se espatifou no meio do caminho, em plena missão. Talvez fosse culpa daquela maldição estúpida do chalé de Hefesto, mas Leo achava que não. Sua vida já era azarada antes de ele entrar no acampamento.

Dali a cem anos, quando aquela missão fosse contada ao redor de uma fogueira, já sabia que as pessoas comentariam sobre um corajoso Jason, uma linda Piper e um coadjuvante: o Valdez Flamejante, que os acompanhava com uma bolsa de chaves de fenda mágicas e ocasionalmente preparava hambúrgueres de tofu.

Se isso já não fosse ruim o bastante, Leo ainda se apaixonava por todas as meninas que via... desde que fossem completamente inalcançáveis.

Na primeira vez que viu Thalia, imediatamente pensou que ela era muito bonita para ser irmã de Jason. Mas achou melhor não comentar nada para não arranjar confusão. Gostava dos seus cabelos pretos, dos seus olhos azuis e da sua atitude confiante. Parecia ser o tipo de menina que enfrentaria qualquer um, num baile ou num campo de batalha, e que não daria qualquer chance a Leo... Ou seja: o seu tipo!

Por um minuto, Jason e Thalia ficaram olhando um para o outro, atordoados. Mas logo Thalia correu e abraçou o irmão.

— Meus deuses! Ela me disse que você estava morto! — E agarrou o rosto de Jason, parecendo examinar cada detalhe. — Graças a Ártemis, é você. Essa pequena cicatriz no lábio... Você comeu um grampeador aos dois anos de idade!

— Sério? — perguntou Leo, sorrindo.

Hedge aprovou o gosto de Jason.

— Grampeadores... ótima fonte de ferro.

— Espere... — murmurou Jason. — Quem disse que eu estava morto? O que aconteceu?

Na entrada da caverna, um dos lobos brancos latiu. Thalia olhou para trás e balançou a cabeça, mas manteve as mãos no rosto de Jason, como se tivesse medo de que ele desaparecesse.

— Minha loba está dizendo que não temos muito tempo, e ela tem razão. Mas *precisamos* conversar. Vamos sentar.

Piper fez melhor que isso. Desmaiou. Teria batido com a cabeça no chão se Hedge não a tivesse agarrado.

Thalia aproximou-se.

— O que está acontecendo com ela? Ah... tudo bem, já sei. Hipotermia. Tornozelo. — E franziu a testa para o sátiro. — Você não conhece métodos de cura natural?

Hedge zombou dela.

— Por que acha que ela está com aparência tão boa? Não sente o cheiro de Gatorade?

Thalia olhou para Leo pela primeira vez, e é claro que foi um olhar acusatório, como quem diz: *Por que deixou que o bode fosse o médico?* Como se fosse culpa de Leo.

— Você e o sátiro — ordenou Thalia —, levem essa menina à minha amiga, que está na entrada. Phoebe é uma ótima curandeira.

— Está frio lá fora! — disse Hedge. — Vai congelar os meus chifres.

Mas Leo sabia quando era hora de sair.

— Vamos, Hedge. Esses dois precisam conversar um pouco.

— Certo, tudo bem — murmurou o sátiro.

Hedge carregou Piper para a entrada. Leo ia segui-lo quando Jason disse:

— Na verdade, cara... você poderia ficar por aqui?

Leo notou algo nos olhos de Jason que não esperava: ele estava pedindo ajuda. Queria ter alguém por perto. Estava com medo.

Leo sorriu.

— Ficar por aqui é a minha especialidade.

Thalia não pareceu muito feliz com isso, mas os três se sentaram perto da fogueira. Por alguns minutos, ninguém disse nada. Jason estudou sua irmã como se fosse uma máquina assustadora... que poderia explodir caso fosse mal manejada. Thalia parecia mais à vontade, como se estivesse acostumada a encontrar coisas mais estranhas que parentes desaparecidos há anos. Mas ainda olhava para Jason numa espécie de transe, talvez lembrando-se do irmão de dois anos que tentara comer um grampeador. Leo pegou dois fios de cobre no bolso e ficou os enrolando.

Finalmente, não aguentou mais o silêncio.

— Então... as Caçadoras de Ártemis. As que "não namoram"... Isso é para sempre ou só às vezes, de tempos em tempos?

Thalia o olhou como se ele acabasse de emergir de um poço de lama. Sim, Leo estava gostando dela, definitivamente.

Jason o atingiu na canela.

— Não ligue para Leo. Ele está apenas querendo quebrar o gelo. Mas, Thalia... o que aconteceu com a nossa família? Quem disse que eu estava morto?

Thalia tocou um bracelete de prata que levava no pulso. À luz da fogueira, e vestindo sua camuflagem de inverno, ela parecia Quione, a princesa da neve... igualmente bonita e fria.

— Você se lembra de algo? — ela perguntou.

Jason balançou a cabeça.

— Acordei há três dias num ônibus, com Piper e Leo.

— O que não foi culpa nossa — disse Leo, rapidamente. — Hera roubou a memória dele.

Thalia ficou tensa.

— Hera? Como você sabe disso?

Jason explicou-lhe sobre a missão — a profecia no acampamento, Hera presa, o gigante levando o pai de Piper e o solstício de inverno: o final do prazo. Leo entrou na conversa para incluir os dados mais importantes: como consertou o dragão, e que atirava bolas de fogo e fazia ótimos tacos.

Thalia era boa ouvinte. Nada parecia surpreendê-la: os monstros, as profecias, os mortos se erguendo. Mas quando Jason mencionou o rei Midas, ela xingou em grego antigo.

— Sabia que devíamos ter queimado aquela casa. Esse homem é uma ameaça. Mas estávamos tão decididas a encontrar Licáon... Tudo bem, fico feliz que tenha conseguido escapar. Então Hera... o quê? Escondeu você todos esses anos?

— Não sei — disse Jason, tirando uma foto do bolso. — Ela deixou apenas a memória necessária para que eu reconhecesse o seu rosto.

Thalia olhou para a foto, e sua expressão suavizou.

— Eu tinha me esquecido disso. Deixei no chalé 1, certo?

Jason fez que sim.

— Acho que Hera queria que nos encontrássemos. Quando chegamos a esta caverna... Senti que seria importante. Sabia que estávamos próximos. Isso é loucura?

— Não — disse Leo. — Estávamos sem dúvida destinados a conhecer sua linda irmã.

Thalia o ignorou. Provavelmente, não queria deixar transparecer quanto Leo a estava impressionando.

— Jason — ela disse —, quando estamos envolvidos com deuses, nada é uma loucura. Mas *não* confie em Hera, especialmente sendo filho de Zeus. Ela *odeia* todos os filhos de Zeus.

— Mas Hera disse algo sobre Zeus lhe ter oferecido a minha vida em troca de paz. Isso faz algum sentido?

O rosto de Thalia ficou lívido.

— Meus deuses. Mamãe não poderia... Você não se lembra... Não, claro que não.

— O quê? — perguntou Jason.

As feições de Thalia pareceram envelhecer sob a luz da fogueira, como se a sua imortalidade perdesse força.

— Jason... Não sei muito bem como dizer isso. Nossa mãe não era exatamente uma pessoal estável. Atraiu Zeus porque era uma estrela da televisão, e *era* bonita, mas não lidava muito bem com a fama. Ela bebia e namorava com dublês estúpidos. Estava sempre nos tabloides. Não se cansava de tanta exposição. Mesmo antes de você nascer, discutíamos o tempo todo. Ela... sabia que papai era

Zeus, e acho que não conseguia lidar bem com isso. Para ela, conquistar o Senhor dos Céus era uma espécie de desafio final, e não conseguiu aceitar quando ele foi embora. Essas coisas dos deuses... que nunca ficam num lugar.

Leo lembrou-se de sua mãe, da forma como sempre lhe garantiu que o seu pai um dia reapareceria. Mas nunca pareceu chateada com isso. Não queria ter Hefesto de volta em sua vida, mas que Leo pudesse conhecer seu pai. Ela se virava com seu trabalho pesado e um pequeno apartamento, sem nunca ter dinheiro suficiente... e parecia contente. Enquanto estivesse com o seu filho, ela sempre dizia, sua vida seria boa.

Ele olhou para o rosto de Jason — cada vez mais devastado enquanto Thalia descrevia a mãe deles — e pela primeira vez não sentiu ciúmes do amigo. Talvez tenha perdido a mãe. E tenha enfrentado momentos difíceis. Mas pelo menos se lembrava dela. Resolveu escrever uma mensagem em código Morse no joelho: *Eu te amo*. Sentiu-se mal por Jason, por ele não ter esse tipo de memória... não ter ninguém a quem recorrer.

— Então... — Jason não parecia capaz de terminar sua pergunta.

— Jason, você tem amigos — disse Leo. — E agora tem uma irmã. Não está sozinho.

Thalia estendeu a mão, e Jason a pegou.

— Quando eu tinha sete anos, mais ou menos — disse Thalia —, Zeus voltou a visitar mamãe. Acho que se sentia mal por ter destruído sua vida, e parecia... diferente, de alguma maneira. Um pouco mais velho e carinhoso, mais pai. Por um momento, mamãe melhorou. Adorava ter Zeus por perto, trazendo presentes, fazendo o céu retumbar. Ela sempre queria mais e mais atenção. E foi então que você nasceu. Mamãe... bem, eu nunca me dei muito bem com ela, mas você foi uma razão para que eu ficasse por ali. Você era muito bonitinho. E eu não confiava nela para cuidar de você. Claro que logo Zeus deixou de aparecer em casa. Provavelmente, já não aguentava as exigências de mamãe, sempre pedindo que a deixasse visitar o Olimpo ou que a fizesse imortal e eternamente bonita. Quando ele a deixou para sempre, ela ficou cada vez mais instável. E foi nessa época que os monstros começaram a me atacar. Mamãe culpou Hera. Dizia que a deusa viria buscá-lo... que ela mal tolerara meu nascimento, mas ter dois semideuses na mesma família era um insulto muito grande. Mamãe chegou a dizer que ela não queria chamá-lo Jason, mas assim quis Zeus, como forma de agradar Hera, pois a deusa gostava muito desse nome. Não sei no que acreditar.

Leo continuava brincando com seus fios de cobre. Sentia-se um intruso. Não deveria estar ouvindo aquilo, mas ao mesmo tempo tinha a impressão de que finalmente conhecia Jason, como se estar ali compensasse os quatro meses na Escola da Vida Selvagem, tempo em que Leo "imaginava" que eram amigos.

— Como vocês foram separados? — ele perguntou.

Thalia apertou a mão do irmão.

— Se eu soubesse que você estava vivo... Meus deuses, tudo seria tão diferente... Mas quando você fez dois anos mamãe nos colocou num carro e saímos numa viagem em família. Fomos para o norte, em direção à área dos vinhedos, pois ela queria nos mostrar um tal parque. Eu me lembro de ter achado tudo estranho, pois ela nunca nos levava a lugar nenhum, e estava muito nervosa. Eu segurava a sua mão, levando-o para um grande edifício no meio do parque e... — Thalia parou e respirou fundo. — Mamãe disse que eu deveria voltar ao carro e pegar a cesta de piquenique. Não queria deixar você sozinho com ela, mas seriam apenas alguns minutos. Quando voltei... mamãe estava ajoelhada no caminho de pedras, encolhida e chorando. Ela disse... disse que você tinha desaparecido. Que Hera pedira você e que estava morto. Eu não sabia o que ela tinha feito. Fiquei com medo de que estivesse completamente louca. Corri por toda parte, mas não o encontrei. Ela teve de me arrastar dali, gritando e esperneando. Fiquei histérica por dias. Não me lembro de tudo, mas eu chamei a polícia e mamãe ficou um bom tempo respondendo a um interrogatório. Disse que eu a traíra, que deveria apoiá-la, como se *ela* fosse a única coisa que importava. Até um momento em que não aguentei. O seu desaparecimento foi a gota d'água. Fugi de casa e nunca voltei, nem mesmo quando mamãe morreu, alguns anos atrás. Imaginei que você tivesse desaparecido para sempre. Nunca contei nada a ninguém... nem mesmo a Annabeth e Luke, meus dois melhores amigos. Era muito doloroso.

— Quíron sabia — disse Jason, e sua voz soava distante. — Quando cheguei ao acampamento, ele me olhou e disse que eu deveria estar morto.

— Isso não faz sentido — insistiu Thalia. — Eu nunca contei nada a ele.

— Ei — disse Leo. — O importante é que se encontraram novamente, certo? Vocês têm muita sorte.

Thalia fez que sim.

— Leo tem razão. Olhe só para você. Tem a *minha* idade. Cresceu.

— Mas onde eu estive? — perguntou Jason. — Como fiquei desaparecido por tanto tempo? E a história romana...

— Romana? — perguntou Thalia, franzindo a testa.

— Seu irmão fala latim — disse Leo. — Chama os deuses pelos nomes romanos e tem tatuagens.

Ele apontou para o braço de Jason. Depois fez um resumo sobre tudo o que acontecera: Bóreas se transformando em Áquilo, Licáon chamando Jason de "filho de Roma", e os lobos respondendo quando Jason falou com eles em latim.

Thalia puxou o fio de seu arco.

— Latim. Zeus algumas vezes falava em latim quando voltou para a mamãe. Como eu disse, ele parecia diferente, mais formal.

— Acha que ele estava em seu aspecto romano? — perguntou Jason. — Deve ser por isso que eu me vejo como filho de Júpiter.

— Provavelmente — respondeu Thalia. — Eu nunca ouvi nada sobre esse tipo de coisa, mas talvez explique por que você pensa como um romano, e por que fala latim, em vez de grego antigo. Isso faria de você uma pessoa única. Ainda assim, não explica como sobreviveu fora do Acampamento Meio-Sangue. Um filho de Zeus, ou Júpiter, ou seja lá como queira chamá-lo... deveria estar sempre cercado de monstros. Se estava sozinho, deveria ter morrido há anos. Eu, por exemplo, sei que não poderia sobreviver sem amigos. Você precisava de treinamento, de um lugar seguro...

— Ele não estava sozinho — disse Leo. — Já ouvimos falar de outros como ele.

Thalia olhou para Leo, assustada.

— O que você quer dizer?

Leo contou sobre a camiseta roxa destroçada na loja de Medeia e sobre os ciclopes terem dito algo sobre um filho de Mercúrio que falava latim.

— Não existe outro lugar para semideuses? — perguntou Leo. — Quer dizer, além do Acampamento Meio-Sangue? Talvez uma professora louca de latim abduza filhos de deuses, ou algo parecido, e os faça pensar como romanos.

Logo que disse isso, Leo percebeu que tal ideia soava muito estúpida. Os estonteantes olhos azuis de Thalia o estudavam atentamente, fazendo-o sentir-se o suspeito de um crime.

— Eu estive em todos os cantos do país — disse Thalia. — Nunca vi nenhuma professora de latim louca nem semideuses de camiseta roxa. Porém...

Sua voz falhou, como se uma ideia ruim a perturbasse.

— O quê? — perguntou Jason.

Thalia balançou a cabeça.

— Vou ter que falar com a deusa. Talvez Ártemis nos guie.

— Ela ainda fala com você? — perguntou Jason. — A maior parte dos deuses se silenciou.

— Ártemis segue regras próprias — disse Thalia. — Tem tomado cuidado para Zeus não ficar sabendo, mas acha que ele está agindo de forma ridícula ao fechar o Olimpo. Ela nos enviou atrás de Licáon. Disse que encontraríamos a pista de um amigo perdido.

— Percy Jackson — disse Jason. — O cara que Annabeth está buscando.

Thalia fez que sim, com cara de preocupação.

Leo ficou imaginando se alguém tinha ficado com aquela mesma cara alguma das vezes que *ele* desaparecera de onde vivia. Duvidava disso.

— Mas o que Licáon tem a ver com isso? — perguntou Leo. — E como isso tem a ver conosco?

— Precisamos descobrir o mais rápido possível — admitiu Thalia. — Se seu prazo termina amanhã, estamos perdendo tempo. Éolo poderia lhes dizer...

A loba branca reapareceu na entrada e uivou insistentemente.

— Preciso ir — disse Thalia, levantando-se. — Ou perderemos a trilha das demais Caçadoras. Mas antes, no entanto, vou levá-los ao palácio de Éolo.

— Se não pode, tudo bem — disse Jason, apesar de ter soado angustiado.

— Por favor, não comece — disse Thalia, sorrindo e ajudando-o a se levantar. — Passei anos sem ter um irmão. Acho que poderia aguentar alguns minutos com você antes de me cansar. Agora, vamos!

XXXVI

LEO

Quando Leo viu como Piper e Hedge estavam sendo bem tratados, ficou claramente ofendido.

Imaginara os dois congelando na neve, mas a Caçadora Phoebe levantara uma tenda prateada bem na entrada da caverna. Como fizera isso tão rapidamente, ele não tinha ideia. Lá dentro, porém, um aquecedor a querosene mantinha a temperatura amena, e havia pilhas de almofadas macias. Piper parecia ter voltado ao normal, e vestia casaco, luvas e calças iguais às das Caçadoras. Ela, Hedge e Phoebe estavam recostados, bebendo chocolate quente.

— Ah, não — disse Leo. — Nós sentados em uma *caverna* e eles com todo esse luxo? Quero uma hipotermia, já! E também chocolate quente e um casaco!

— Garotos... — disse Phoebe, suspirando, como se chamá-los assim fosse um grande insulto.

— Tudo bem, Phoebe — disse Thalia. — Eles vão precisar de agasalhos. E acho que podemos preparar um pouco de chocolate.

Phoebe resmungou, mas em pouco tempo Leo e Jason também estavam vestidos com aquelas roupas de inverno prateadas incrivelmente quentes e leves. O chocolate quente era maravilhoso.

— Saúde! — disse o treinador Hedge, e mastigou seu copo térmico de plástico.

— Isso não pode ser bom para os seus intestinos — disse Leo.

Thalia cutucou as costas de Piper e perguntou:

— Pronta para seguir em frente?

Piper fez que sim.

— Graças a Phoebe, claro. Vocês são realmente muito boas em técnicas de sobrevivência na selva. Eu me sinto capaz de correr quinze quilômetros.

Thalia piscou para Jason.

— Ela é bem durona para uma filha de Afrodite. Gostei dela.

— Ei, eu também sou capaz de correr quinze quilômetros — disse Leo. — O filho de Hefesto, o durão aqui. Vamos apostar.

Como sempre, Thalia o ignorou.

Phoebe precisou de exatos seis minutos para desarmar a tenda, algo em que Leo não pôde acreditar. A tenda se transformou em um quadrado do tamanho de um pacote de chicletes. Leo queria perguntar detalhes, mas não tinham tempo.

Thalia subiu pela neve, abrindo um caminho estreito na lateral da montanha, e Leo se arrependeu de ter tentado parecer tão macho, pois as Caçadoras o deixavam no chinelo.

O treinador Hedge zanzava como um feliz bode montanhês, comandando-os como costumava fazer na escola.

— Vamos, Valdez! Aperte o passo! Vamos cantar: "Tenho uma namorada em..."

— Não vamos! — cortou-o Thalia.

E andaram em silêncio.

Leo aproximou-se de Jason, na retaguarda do grupo.

— Como vai, meu amigo?

A expressão de Jason disse tudo: *Nada bem*.

— Thalia parece muito calma — disse Jason. — Como se a minha reaparição não fosse nada demais. Não sei o que eu esperava, mas... ela não se parece comigo. É muito mais *tranquila*.

— Ela não está lutando contra uma amnésia — disse Leo. — Além do mais, está acostumada a essa história de ser filha de um deus. Se você luta contra monstros e fala com deuses por algum tempo, provavelmente também se acostuma às surpresas.

— Talvez — disse Jason. — Tudo o que eu queria era entender o que aconteceu quando eu tinha dois anos, por que minha mãe se livrou de mim. Thalia fugiu por *minha* causa.

— Seja lá o que tenha acontecido, não foi culpa sua. E sua irmã é bem legal. Parece *muito* você.

Jason ficou em silêncio. Leo ficou pensando se dissera a coisa certa. Queria fazer com que Jason se sentisse melhor, queria meter a mão no seu cinto de ferramentas e encontrar o utensílio certo para consertar a memória de Jason, talvez um pequeno martelo... se desse uma batida no local danificado talvez tudo voltasse ao normal. Isso seria mais fácil do que tentar conversar. *Não sou bom com formas de vida orgânicas*. Obrigado por essa herança, pai.

Leo estava tão perdido em seus pensamentos, que não notou que as Caçadoras tinham parado. Por isso chocou-se contra Thalia e quase os atirou montanha abaixo. Felizmente, a Caçadora foi rápida, equilibrou os dois e apontou para cima.

— Aquilo — Leo engasgou — é uma pedra bem grande.

Pararam perto do topo de Pikes Peak. Lá embaixo o mundo estava encoberto por nuvens. O ar era rarefeito, Leo mal podia respirar. A noite caíra, mas uma lua cheia brilhava e as estrelas eram incríveis. Ao sul e ao norte, picos de outras montanhas surgiam entre as nuvens, como se fossem ilhas... ou dentes.

Mas o verdadeiro espetáculo estava acima deles. Pairando no céu, a cerca de quinhentos metros, havia uma enorme ilha flutuante de rocha lilás. Calcular o seu tamanho era complicado, mas Leo imaginou que devia medir tanto quanto um estádio de futebol, e que seria igualmente alta. As laterais terminavam em penhascos abruptos, com cavernas, e de vez em quando surgia uma rajada de vento que soava como um tubo de órgão. No topo, muros grossos cercavam uma espécie de fortaleza.

A única conexão com Pikes Peak era uma estreita ponte de gelo que brilhava sob a luz da lua.

Leo notou que o material da ponte não era exatamente gelo, porque não era sólido. Quando os ventos mudavam de direção, ela serpenteava, ficava mais fluida, mais fina, e em alguns pontos transformava-se em uma linha pontilhada de vapor, como o rastro deixado por um avião.

— Não vamos atravessar isso, certo? — perguntou Leo.

Thalia deu de ombros.

— Não sou fã de altura, eu admito. Mas se querem chegar à fortaleza de Éolo, é o único caminho.

— Essa fortaleza está sempre flutuando ali? — perguntou Piper. — Como as pessoas não notam isso no topo de Pikes Peak?

— A Névoa — disse Thalia. — Mas, de alguma forma, os mortais a notam. Certos dias, Pikes Peak fica lilás. Dizem que é um efeito de luz, mas na verdade é a cor do palácio de Éolo refletindo-se na montanha.

— Isso é enorme — disse Jason.

Thalia sorriu.

— Você precisava ver o Olimpo, meu irmãozinho.

— Sério? Você esteve lá?

Thalia fez uma careta, como se não fosse uma boa lembrança.

— Deveríamos nos dividir em dois grupos. A ponte é frágil.

— Bom saber... — disse Leo. — Jason, você poderia nos levar voando até lá?

Thalia sorriu. Depois notou que Leo não estava brincando.

— Espere... Jason, você pode... *voar*?

Jason olhou para a fortaleza flutuante.

— Mais ou menos. Na verdade, consigo controlar os ventos. Mas lá em cima eles são fortes, não sei se gostaria de tentar. Thalia, você... não pode voar?

Por um segundo, ela pareceu verdadeiramente assustada. Depois controlou sua expressão. Leo notou que tinha muito mais medo de altura do que queria admitir.

— Na verdade — ela disse —, eu nunca tentei. Melhor seguirmos pela ponte.

O treinador Hedge experimentou a trilha de vapor apoiando uma das patas, depois subiu na ponte, que admiravelmente aguentou o seu peso.

— É fácil! Eu vou na frente. Piper, venha, menina. Vou ajudá-la.

— Não precisa — ela começou a dizer, mas o treinador agarrou seu braço e arrastou-a para cima da ponte.

Quando estavam no meio do caminho, a estrutura ainda parecia aguentar bem. Thalia disse à sua amiga Caçadora:

— Phoebe, volto já. Vá encontrar as outras. Diga que estou a caminho.

— Tem certeza? — disse Phoebe, estreitando os olhos ao virar-se para Jason e Leo, como se eles fossem sequestrar Thalia ou algo parecido.

— Sim, está tudo bem — ela prometeu.

Phoebe fez que sim, relutante, e desceu correndo a montanha, com os lobos brancos logo atrás.

— Jason, Leo, só pisem onde eu pisar — disse Thalia. — Isso quase nunca se quebra.

— Eu ainda não me convenci — murmurou Leo, mas ele e Jason seguiram os passos de Thalia pela ponte.

No meio do caminho as coisas deram errado, e é claro que foi culpa de Leo. Piper e Hedge já tinham chegado a salvo no topo e acenavam para eles, encorajando-os a continuar subindo, mas Leo se distraiu. Estava pensando em pontes, em como projetaria algo bem mais estável que aquele caminho de vapor, caso o palácio fosse seu. Pensava em colunas e braços de apoio quando uma ideia súbita o fez parar.

— Por que eles têm uma ponte? — perguntou.

Thalia franziu a testa.

— Leo, não estamos num bom momento para parar. O que você quer dizer?

— São espíritos do vento. Não podem voar?

— Sim, mas algumas vezes precisam de uma conexão com o mundo lá embaixo.

— Então a ponte não está sempre aqui? — perguntou Leo.

Thalia fez que não com a cabeça.

— Os espíritos do vento não gostam de estar ancorados à terra, mas algumas vezes é necessário. Como agora. Eles sabem que vocês estão chegando.

A mente de Leo estava a mil por hora. Ele estava tão agitado que quase podia sentir a temperatura do seu corpo subindo. Mal conseguia expressar seus pensamentos com palavras, mas sabia que estava no caminho para algo importante.

— Leo — disse Jason —, no que você está pensando?

— Ah, meus deuses! — disse Thalia. — Siga em frente. Olhe para seus pés.

Leo recuou. Horrorizado, notou que a temperatura do seu corpo estava subindo *mesmo*, como acontecera anos atrás, naquela mesa de piquenique, quando sua raiva explodiu. Naquele momento, a agitação estava causando o mesmo efeito. Suas calças fumegavam no ar frio. Saía fumaça dos seus sapatos, e a ponte não gostava nada disso. O gelo estava ficando cada vez mais fino.

— Leo, pare com isso — avisou Jason. — Você vai derreter a ponte.

— Vou tentar — disse Leo, mas seu corpo não respondia. — Jason, como Hera o chamou no seu sonho? Ela o chamou de *ponte*.

— Leo, sério, acalme-se — disse Thalia. — Não sei do que está falando, mas a ponte está...

— Escutem — insistiu Leo. — Se Jason é a ponte, o que ele está conectando? Talvez dois lugares que normalmente não estariam unidos, como o palácio aéreo e a terra? Você estava em outro lugar antes, certo? E Hera disse que fora uma troca.

— Uma troca — repetiu Thalia, com os olhos arregalados. — Meus deuses!

Jason franziu a testa.

— Do que vocês dois estão falando?

Thalia murmurou algo, uma espécie de reza.

— Agora entendo por que Ártemis me enviou aqui. Jason... ela pediu que eu buscasse Licáon, pois assim encontraria uma pista de Percy. *Você* é a pista. Ártemis queria que nos encontrássemos para que eu pudesse ouvir sua história.

— Não entendo — disse Jason. — Eu não tenho história. Não me lembro de nada.

— Mas Leo tem razão — disse Thalia. — Tudo está conectado. Se soubéssemos onde...

Leo estalou os dedos.

— Jason, como se chamava a casa dos seus sonhos? Aquela casa em ruínas. A Casa do Lobo?

Thalia tremeu.

— Casa do Lobo? Jason, por que não me contou isso antes? Hera está *lá*?

— Você sabe onde fica? — perguntou Jason.

E a ponte se dissolveu. Leo ia cair em direção à morte, mas Jason agarrou seu casaco e o salvou. Eles continuaram seguindo a ponte e, quando olharam para trás, viram Thalia do outro lado da fissura de quase dez metros. E a ponte continuava a derreter.

— Vão! — gritou Thalia descendo a ponte, que desaparecia. — Encontrem o local onde o gigante esconde o pai de Piper. Salvem-no! Eu vou levar as Caçadoras à Casa do Lobo e esperar a chegada de vocês. Podemos fazer as duas coisas!

— Mas onde *fica* a Casa do Lobo? — perguntou Jason.

— Você sabe, irmãozinho!

Thalia estava tão longe que Jason mal podia ouvir sua voz através do vento. Leo tinha certeza de ter ouvido: "Nos vemos lá, prometo."

Mas ela se virou e desceu correndo pela ponte que se dissolvia.

Leo e Jason não tinham tempo para ficar olhando. Subiram, salvando suas vidas, pois o vapor de gelo desaparecia sob os seus pés. Várias vezes, Jason agarrou Leo e usou os ventos para mantê-los no ar, mas aquilo parecia mais um salto de *bungee jump* que um voo.

Quando chegaram à ilha flutuante, Piper e o treinador Hedge os agarraram antes que o último vapor da ponte desaparecesse. Ficaram de pé, recuperando o fôlego, na base de uma escadaria de pedra cravada na beira do penhasco, que ia em direção à fortaleza.

Leo olhou para baixo. O topo de Pikes Peak flutuava embaixo deles num mar de nuvens, mas não havia qualquer sinal de Thalia. E Leo acabara de *derreter* a única saída disponível para eles.

— O que aconteceu? — perguntou Piper. — Leo, por que suas roupas estão fumegando?

— Eu fiquei um pouco esquentado — ele murmurou. — Sinto muito, Jason. Honestamente. Eu não queria...

— Tudo bem — disse Jason, mas sua expressão era dura. — Temos menos de 24 horas para resgatar uma deusa e o pai de Piper. Vamos encontrar o rei dos ventos.

XXXVII

JASON

Jason encontrara sua irmã e a perdera em menos de uma hora. Enquanto subiam os penhascos da ilha flutuante, continuara olhando para trás, mas Thalia se fora.

Apesar de ela ter falado sobre encontrá-lo outra vez, Jason ficou imaginando... Ela encontrara uma nova família nas Caçadoras, uma nova mãe em Ártemis. Parecia confiante e confortável em sua nova vida, e Jason não sabia se poderia fazer parte daquilo. Ela parecia muito determinada a encontrar seu amigo Percy. Será que algum dia procurara assim por Jason?

Não é justo, disse a si mesmo. *Ela pensava que eu estivesse morto.*

Mal podia tolerar o que descobrira sobre sua mãe. Era como se Thalia lhe tivesse dado um bebê — um bebê realmente feio e chorão — e dito: *Toma, é seu. Leve-o.* Ele não queria carregá-lo. Não queria saber que tivera uma mãe instável, alguém que se livrara dele para apaziguar a fúria de uma deusa. Não era de se estranhar que Thalia tivesse fugido daquela maneira.

Depois lembrou-se do chalé de Zeus, no Acampamento Meio-Sangue, e da pequena alcova que Thalia usara como beliche, fora da vista da estátua brilhante do deus do céu. Seu pai não deveria ser grande coisa também. Jason entendera por que Thalia renunciara a mais essa parte de sua vida, mas ainda assim estava ressentido. Não pudera fazer o mesmo. Fora deixado sozinho para carregar o fardo, literalmente.

A mochila dourada com os ventos estava nas suas costas. Quanto mais perto chegavam do palácio de Éolo, mais pesada ela ficava. Os ventos ficavam mais raivosos, agitados.

O único que parecia manter o passo era o treinador Hedge. Não parava de subir e descer a escada escorregadia.

— Vamos, *cupcakes*! Só mais uns cem degraus!

Enquanto subiam, Leo e Piper deixaram Jason em silêncio. Talvez notassem seu mau humor. Piper não parava de olhar para trás, preocupada, como se fosse ele quem quase morrera de hipotermia, e não ela. Ou talvez estivesse pensando na ideia de Thalia. Os dois lhe haviam contado o que Thalia dissera na ponte — que poderiam salvar seu pai e Hera —, mas Jason não entendia exatamente como fariam isso, e não tinha certeza se essa possibilidade deixara Piper mais esperançosa ou apenas mais ansiosa.

Leo seguia batendo nas pernas, em busca de sinais de que suas calças estivessem em chamas. Ele não fumegava mais, mas o acidente na ponte deixara Jason realmente assustado. Leo parecia não ter notado que tinha fumaça saindo pelos ouvidos e chamas dançando pelos seus cabelos. Se ele começasse uma combustão instantânea sempre que ficasse nervoso, seria um problema levá-lo a qualquer lugar. Jason os imaginou tentando pedir comida num restaurante. *Eu quero um cheesebúrguer e... Ah! Meu amigo está em chamas! Preciso de um balde!*

Mas Jason se preocupava sobretudo com o que Leo lhe dissera. Não queria ser uma ponte, uma troca, nada. Ele só queria saber de onde vinha. E Thalia ficara muito nervosa quando Leo mencionara a casa queimada do seu sonho... o local que a loba Lupa dissera ser seu ponto inicial. Como Thalia podia conhecer aquele lugar, e por que dizia que Jason encontraria tal casa?

A resposta parecia próxima. Porém, quanto mais Jason se aproximava, menos ela cooperava, como os ventos às suas costas.

Finalmente, chegaram ao topo da ilha. Muros de bronze cercavam todos os lados da fortaleza, embora Jason não entendesse como alguém poderia atacar aquele lugar. Portões de seis metros de altura se abriram para eles, e um caminho de pedra polida lilás levava à cidadela principal — uma rotunda de colunas brancas em estilo grego — como os monumentos de Washington D.C., exceto pelos satélites e pelas várias antenas de rádio no telhado.

— Isso é bizarro — disse Piper.

— Imagino que não tenham televisão a cabo na ilha flutuante — disse Leo. — Cara, olhem a entrada da casa desse cara.

A rotunda estava no centro de um círculo de quinhentos metros. O revestimento do piso era incrível, assustador. Estava dividido em quatro seções, como fatias de pizza, que pareciam representar as estações do ano.

A seção à direita era um campo de gelo, com árvores sem folhas e um lago congelado. Bonecos de neve rolavam pela paisagem enquanto o vento soprava — por isso Jason não tinha certeza se eram decoração ou se estavam vivos.

À esquerda, um parque outonal com árvores em tons de dourado e vermelho. Folhas dançavam ao vento formando várias imagens: deuses, pessoas, animais que corriam uns atrás dos outros e depois se espalhavam novamente em folhas.

À distância, Jason via duas outras áreas atrás da rotatória. Uma delas parecia um campo verdejante com carneiros feitos de nuvens. A última seção era um deserto onde ervas formavam estranhos desenhos na areia, como letras gregas, rostos sorridentes e um grande cartaz onde se lia: ESTA NOITE, ÉOLO!

— Uma seção para cada um dos quatro deuses do vento — disse Jason. — Quatro pontos cardeais.

— Estou adorando aquele pasto — disse o treinador Hedge, mordendo os lábios. — Vocês se importariam...

— Vá em frente — disse Jason.

Na verdade, ficaria aliviado ao ter o sátiro longe por um tempo. Poderia ser difícil conseguir despertar o lado generoso de Éolo com o treinador brandindo seu taco e gritando: "Morra!"

Enquanto Hedge corria para a seção da primavera, Jason, Leo e Piper caminhavam em direção aos degraus que levavam ao palácio. Passaram pelas portas da frente, entrando num hall de mármore branco decorado com bandeiras lilás onde se lia: *Canal do Tempo Olimpiano* e *CTO!*

— Olá! — disse uma mulher, flutuando até eles.

Literalmente flutuando. Ela era bonita, exatamente como Jason imaginava que seriam os espíritos da natureza: pequena, com orelhas pontudas e um rosto sem idade; poderia ter dezesseis ou trinta anos. Seus olhos castanhos piscaram alegremente. Mesmo que não houvesse vento, seus cabelos pretos dançavam em câmera lenta, como se fosse um comercial de xampu. Seu vestido branco flutuava ao redor do corpo como se fosse feito do material de um paraquedas. Jason não saberia dizer se ela tinha pés, mas não tocava o chão. Carregava um pequeno computador portátil.

— Vocês vêm em nome do Senhor Zeus? — ela perguntou. — Estamos esperando por vocês.

Jason tentou responder, mas ficou difícil pensar em qualquer coisa quando percebeu que aquela mulher era transparente. Suas formas desapareciam e voltavam a surgir, como se fosse feita de fumaça.

— Você é um fantasma? — ele perguntou.

E imediatamente notou que a insultara. Seu sorriso transformou-se em uma cara de enfado.

— Sou uma aura, senhor. Uma ninfa do vento, como você pode imaginar, trabalhando para o senhor dos ventos. Meu nome é Mellie. Não temos *fantasmas* por aqui.

Piper aproximou-se para ajudá-lo.

— Claro que não! Meu amigo a confundiu com Helena de Troia, só isso. A mortal mais bonita de todos os tempos. É um erro comum.

Uau, ela era boa nisso. O elogio pareceu um pouco exagerado, mas Mellie, a aura, ficou corada.

— Ah... entendi. Então vocês *vêm* por parte de Zeus?

— É... — disse Jason. — Eu sou filho de Zeus, sim.

— Ótimo! Por favor, venham por aqui. — E guiou-os através de portas de segurança em direção a um novo hall, consultando seu computador enquanto flutuava. Não olhava para onde ia, o que aparentemente não importava, pois cruzou uma pilastra de mármore sem sofrer qualquer dano. — Não estamos em horário nobre, o que é bom — ela murmurou. — Vou encaixá-los antes da entrada dele, às 11h12.

— Hum, tudo bem — disse Jason.

O hall era um lugar onde qualquer um se distrairia facilmente. Os ventos sopravam ao redor deles, e Jason sentia-se preso entre uma multidão invisível. As portas se abriam e fechavam sozinhas.

As coisas que Jason *podia ver* eram igualmente bizarras. Aviõezinhos de papel de todos os tamanhos cruzavam o teto; as outras ninfas do vento e auras ocasionalmente pegavam-nos no ar, abriam-nos e liam o que levavam escrito, depois os atiravam novamente, as dobras se refaziam e eles continuavam voando.

Uma feia criatura passou por ali. Parecia uma mistura de senhora de idade com galinha criada com esteroides. Seu rosto era cheio de rugas, seus cabelos pretos estavam presos numa touca, tinha braços humanos e asas de galinha, e um corpo gordo e com penas, com garras no lugar de pés. Era incrível que pudesse voar. Vagava por ali e se chocava contra tudo como se fosse um balão de gás.

— Isso não é uma aura, certo? — Jason perguntou a Mellie enquanto a criatura seguia vagando por ali.

Mellie sorriu.

— É uma harpia, é claro. Nossas... meias-irmãs feiosas. Vocês não têm harpias no Olimpo? São espíritos de rajadas violentas, diferente das auras. Nós somos brisas gentis. — E pregou os olhos em Jason.

— Claro que são — ele disse.

— Então... — disse Piper, interrompendo. — Vai nos levar para ver Éolo?

Mellie os conduziu por uma série de portas que lembravam uma câmara de vácuo. Lá dentro, uma luz verde piscava.

— Temos alguns minutos antes que ele comece — disse Mellie, em tom alegre. — Não acredito que os mate se entrarmos agora. Venham!

XXXVIII

JASON

Jason ficou de queixo caído. A área central da fortaleza de Éolo era tão grande quanto uma catedral, com teto alto e abobadado coberto de prata. Equipamentos de televisão flutuavam pelo ar — câmeras, luzes, objetos de cenário. E não havia chão. Leo quase caiu no abismo antes que Jason o puxasse.

— Caramba...! — disse Leo, engolindo em seco. — Mellie, que tal um pequeno aviso da próxima vez?

Um enorme poço circular o faria despencar em direção ao coração da montanha. Deveria ter mais ou menos um quilômetro de profundidade, repleto de cavidades, como favos de mel. Alguns dos túneis provavelmente levavam para o lado de fora. Jason lembrava-se de ter notado ventos saírem deles quando estavam em Pikes Peak. Outras cavidades estavam fechadas com material cintilante, como vidro ou cera. A caverna estava repleta de harpias, auras e aviõezinhos de papel, mas para quem não podia voar seria uma queda longa e fatal.

— Ah... — disse Mellie —, sinto muito. — E pegou um comunicador em algum lugar dentro de sua roupa, dizendo: — Olá, cenário? Nuggets? Oi, Nuggets. Será que você poderia colocar um chão no estúdio principal, por favor? Sim, algo sólido. Obrigada.

Poucos segundos mais tarde, um exército de harpias surgiu do buraco — mais ou menos três dezenas de senhoras-galinhas demoníacas, todas carregando vários tipos de materiais de construção. E começaram a trabalhar, martelando e colando — e usando muitos metros de fita isolante, o que não deixou Jason muito tranquilo. Em pouco tempo estava montado o piso provisório. Construído com compensado, blocos de mármore, pedaços de tapetes e grama... havia de tudo por ali.

— Isso não pode ser seguro — disse Jason.

— Ah, claro que é — assegurou Mellie. — As harpias são muito boas nisso.

Para ela era fácil dizer, pois flutuava. Jason sabia que teria mais condições de sobreviver, pois sabia voar, então foi o primeiro a pisar. Incrivelmente, o chão suportou-o.

Piper agarrou a mão dele e o seguiu.

— Se eu cair, você me salva.

— Ah, claro — disse Jason, esperando não estar corado.

Leo entrou em seguida.

— Vai me salvar também, super-homem. Mas não vou segurar sua mão.

Mellie os levou em direção ao centro do estúdio, onde uma esfera feita de telas planas de vídeo flutuava como se fosse um centro de controle. Um homem pairava lá dentro, checando os monitores e lendo mensagens enviadas em aviõezinhos de papel.

Não notou que eles entravam, com Mellie à frente. Ela tirou uma tela Sony de 42 polegadas do meio do caminho e levou-os à zona de controle.

Leo assobiou.

— Preciso conseguir uma sala assim.

As telas flutuantes estampavam todos os tipos de programas de televisão. Alguns deles Jason reconhecia: telejornais, principalmente. Mas outros eram um pouco mais estranhos: lutas de gladiadores, semideuses enfrentando monstros. Talvez fossem filmes, mas pareciam reality shows.

Do outro lado da esfera havia um fundo de seda azul que parecia uma tela de cinema, com câmeras e luzes de estúdio flutuando ao redor.

O homem no centro falava num fone de ouvido. Tinha um controle remoto em cada mão e os apontava para várias telas, aparentemente de modo aleatório.

Usava um terno que parecia o céu — em grande parte azul, mas com algumas nuvens que mudavam de tamanho e escureciam, movendo-se pelo tecido. Ele parecia ter sessenta anos, mais ou menos, com cabelos brancos, mas usava muita maquiagem e seu rosto parecia ter sofrido muitas operações plásticas. Ou seja, não parecia velho nem novo, mas *errado*... Como um boneco Ken que tivesse sido colocado no micro-ondas. Seus olhos moviam-se de tela em tela, tentando absorver tudo de uma vez. Murmurava coisas no fone, sua boca não parava de se mexer. Estava admirado ou era louco, ou as duas coisas ao mesmo tempo.

Mellie flutuou na direção dele.

— Ah, senhor... Sr. Éolo, estes semideuses...

— Espere! — Ele levantou uma das mãos para silenciá-la, depois apontou para uma das telas. — Veja isso!

Era um desses programas sobre gente que caça tempestades, com motoristas loucos correndo atrás de tornados. Enquanto Jason olhava, um jipe entrou numa nuvem afunilada e foi sugado para o céu.

Éolo adorava o que via.

— O Canal dos Desastres. As pessoas fazem isso *de propósito*! — disse, virando-se para Jason com um sorriso maldoso. — Não é incrível? Vamos ver de novo.

— Ah, senhor — disse Mellie. — Este é Jason, filho de...

— Sim, claro, eu lembro — disse Éolo. — Você voltou. Como foi?

Jason hesitou.

— Sinto muito, mas acho que o senhor está me confundindo...

— Não, não, Jason Grace, certo? Foi... quando... ano passado? Você estava indo lutar contra um monstro marinho, eu acho.

— Eu... eu não lembro.

Éolo sorriu.

— Não deve ter sido um monstro muito bom... Mas eu me lembro de todos os heróis que vêm pedir minha ajuda. Odisseu... esse ficou na minha ilha por um mês! Pelo menos você ficou apenas alguns dias. Mas veja este vídeo. Esses patos são sugados por um...

— Senhor — interrompeu Mellie. — Dois minutos para entrar no ar.

— Ar! — gritou Éolo. — Eu adoro o ar. Como estou? Maquiagem!

Imediatamente, um pequeno tornado de blushes, cremes e pincéis desceu até Éolo. Dançaram no seu rosto, deixando sua cor ainda mais estranha que antes. O vento passou por seu cabelo e o deixou como se fosse uma árvore de Natal congelada.

— Sr. Éolo — disse Jason, tirando a mochila dourada das costas. — Trouxemos esses espíritos da tempestade arruaceiros para o senhor.

— Sério? — perguntou Éolo, olhando para a mochila como se fosse o presente de um fã... algo que na verdade não queria. — Ah, que bom.

Leo deu uma cotovelada e Jason ofereceu-lhe a mochila.

— Bóreas nos enviou para capturá-los para o senhor. Espero que os aceite e deixe... o senhor sabe... de ordenar a morte de semideuses.

Éolo gargalhou, olhando para Mellie, incrédulo.

— Morte de semideuses? Eu ordenei isso?

Mellie checou seu computador.

— Sim, senhor. Dia quinze de setembro. "Espíritos da tempestade soltos pela morte de Tifão, semideuses devem ser responsabilizados" etc. Sim, uma ordem geral para que todos fossem mortos.

— Ah, droga — disse Éolo. — Eu estava muito ranzinza. Retire essa ordem, Mellie, e... quem está de guarda? Teriyaki?... Teri, leve esses espíritos da tempestade à cela 14E, por favor.

Uma harpia surgiu do nada, pegou a mochila dourada e sumiu no abismo.

Éolo sorriu para Jason.

— Sinto muito sobre essa história das mortes. Mas, deuses, eu estava zangado de verdade, certo? — E seu rosto ficou sombrio de repente, assim como o seu terno, cujas lapelas estampavam raios. — Você sabe... eu lembro agora. Era como se uma voz me desse o comando para essa ordem. Uma pequena voz gélida na minha nuca.

Jason ficou tenso. Um arrepio gélido na nuca... Por que isso soa familiar?

— Uma... voz na sua cabeça, senhor?

— Sim. Que estranho. Mellie, *deveríamos* matá-los?

— Não, senhor — ela respondeu, paciente. — Eles acabam de trazer espíritos da tempestade, está tudo bem.

— Claro — disse Éolo, sorrindo. — Sinto muito. Mellie, vamos dar algo bom aos semideuses. Uma caixa de chocolates, talvez.

— Uma caixa de chocolates para *cada* semideus do mundo, senhor?

— Não, isso vai ser muito caro. Esqueça. Espere, está na hora. Estou no ar!

Éolo voou em direção ao fundo azul enquanto a música anunciando o programa de notícias começava a soar.

Jason olhou para Piper e Leo, que pareciam tão confusos quanto ele.

— Mellie — disse Jason —, ele é sempre assim?

Ela sorriu, calma.

— Você sabe o que costumam dizer? Se você não está gostando do humor de Éolo, espere cinco minutos. A expressão "ver para onde sopra o vento" nasceu com ele.

— E essa história de monstro marinho? — perguntou Jason. — Eu estive aqui antes?

Mellie ficou corada.

— Sinto muito, eu não me lembro. Sou a nova assistente do sr. Éolo. Já estou com ele há mais tempo que a maioria... mas nem tanto.

— Quanto tempo costumam durar as assistentes? — perguntou Piper.

— Ah... — Mellie pensou por um momento. — Eu estou fazendo isso há... doze horas?

Uma voz saiu dos alto-falantes flutuantes.

— E agora, o tempo a cada doze minutos! Eis o nosso homem do tempo do Canal do Tempo Olimpiano: Éolo!

As luzes se acenderam sobre Éolo, que estava na frente do fundo azul. Seu sorriso era branco, nada natural, e ele parecia ter tomado tanta cafeína que seu rosto estava a ponto de explodir.

— Olá, olimpianos! Sou Éolo, Senhor dos Ventos, com o tempo a cada doze minutos! Teremos um sistema de baixa pressão movendo-se sobre a Flórida, então esperem temperaturas amenas, pois Deméter quer ajudar os plantadores de frutas cítricas! — Ele fez um gesto em direção ao fundo azul. Quando Jason checou os monitores, viu que uma imagem digital estava sendo projetada por trás de Éolo, e ele parecia estar à frente de um mapa dos Estados Unidos, com sóis sorridentes e nuvens com o cenho franzido. — Ao longo da Costa Leste... ah, esperem. — E arrumou o aparelho que usava no ouvido. — Sinto muito, pessoal! Poseidon está chateado com Miami hoje, então parece que o frio voltará à Flórida! Sinto muito, Deméter. No Meio-oeste... não sei exatamente o que St. Louis fez para chatear Zeus, mas esperem tempestades de inverno! O próprio Bóreas está sendo chamado para punir a área com muito gelo. Más notícias, Missouri! Não, esperem. Hefesto está com pena do Missouri central, então vocês terão temperaturas moderadas e céu azul.

Éolo seguiu em frente... dando a previsão para cada área do país e mudando as previsões duas ou três vezes ao receber mensagens pelo fone de ouvido... Os deuses aparentemente davam ordens de novos ventos e temperaturas.

— Isso não pode estar certo — murmurou Jason. — O tempo não se comporta assim tão aleatoriamente.

Mellie sorriu, afetada.

— E quantas vezes os mortais acertam a previsão do tempo? Falam sobre frentes, pressão do ar e umidade, mas o tempo os surpreende sempre. Pelo menos Éolo nos explica *por que* tudo é tão imprevisível. Um trabalho duro, pois ele tenta ouvir todos os deuses ao mesmo tempo. Pode deixar qualquer um...

Ela parou, mas Jason sabia o que estava a ponto de dizer: *louco*. Éolo estava completamente louco.

— E esta é a previsão do tempo — concluiu Éolo. — Vejo vocês em doze minutos, pois tenho certeza de que tudo mudará!

As luzes se apagaram, os monitores de vídeo voltaram a cobrir vários canais ao mesmo tempo e, por um momento, o rosto de Éolo parecia vencido pelo cansaço. Mas logo lembrou-se dos convidados e abriu um sorriso de novo.

— Então vocês me trouxeram espíritos da tempestade — disse Éolo. — Imagino que... obrigado! E querem algo mais? Creio que sim. Semideuses sempre querem algo mais.

Mellie disse:

— Senhor, este é o filho de Zeus.

— Ah, sim. Eu sei disso. Já disse que me lembrava de outra visita.

— Mas, senhor, eles estão aqui pelo *Olimpo*.

Éolo pareceu assustado. Depois riu tão abruptamente que Jason quase se atirou no abismo.

— Você quer dizer que desta vez está aqui em nome de seu pai? Finalmente! Eu *sabia* que ele enviaria alguém para renegociar meu contrato!

— O quê? — perguntou Jason.

— Ah, graças à deusa! — disse Éolo, suspirando aliviado. — Estou esperando há... trezentos anos, desde que Zeus me nomeou senhor dos ventos. Não que não esteja agradecido, claro que estou! Mas realmente... o meu contrato é tão vago. Sou imortal, mas... "senhor dos ventos". O que isso significa? Sou um espírito da natureza? Um semideus? Um deus? Quero ser o *deus* dos ventos, pois os benefícios são *bem* maiores. Podemos começar por aí?

Jason olhou para os amigos, perdido.

— Cara — disse Leo —, você acha que estamos aqui para oferecer uma promoção?

— Acho — disse Éolo, sorrindo, e seu terno ficou completamente azul, sem nenhuma nuvem. — Maravilha! Quer dizer, acho que eu já fiz muito pelo Canal do Tempo, certo? E é claro que estou na imprensa o tempo todo. Tantos livros foram escritos sobre mim: *E o vento levou...*, por exemplo.

— Eu não tenho tanta certeza de que esse livro seja sobre o senhor — disse Jason, antes de notar que Mellie balançava a cabeça.

— Isso não faz sentido — disse Éolo. — Mellie, são biografias minhas, certo?

— Claro, senhor — ela respondeu, estridente.

— Estão vendo? Eu não leio. Quem tem tempo? Mas os mortais me amam, isso é óbvio. Então, vamos alterar meu título oficial para *deus* dos ventos. Depois conversaremos sobre salário e pessoal...

— Senhor — disse Jason —, não somos do Olimpo.

— Mas... — disse Éolo, piscando.

— Sou filho de Zeus, sim, mas não estamos aqui para renegociar seu contrato. Estamos numa missão e precisamos da sua ajuda.

A expressão de Éolo endureceu.

— Como da última vez? Como *todos* os heróis que aparecem por aqui? Semideuses! Sempre preocupados *consigo mesmos*, certo?

— Senhor, por favor, eu não me lembro da última vez, mas se me ajudou antes...

— Estou sempre ajudando! Bem, algumas vezes destruo, mas normalmente ajudo, e certas vezes sou chamado para fazer as duas coisas ao mesmo tempo! Porque Eneias, o primeiro da sua espécie...

— Minha espécie? — perguntou Jason. — Um semideus, o senhor quer dizer?

— Ah, por favor! — disse Éolo. — Da sua *linhagem* de semideuses, eu quero dizer. Você sabe, Eneias, filho de Vênus... o único herói sobrevivente de Troia. Quando os gregos queimaram sua cidade, ele escapou para a Itália, onde fundou o reino que eventualmente se transformaria em Roma, blá-blá-blá. É *isso* o que eu quero dizer.

— Não entendo — admitiu Jason.

Éolo revirou os olhos.

— A história é a seguinte: eu fui atirado no meio do conflito! Juno clamou: "Ah, Éolo, destrua os barcos de Eneias por mim. Eu não gosto dele." Então Netuno disse: "Não, não faça isso! Esse território é meu. Acalme os ventos." E Juno replicou: "Não, acabe com os barcos, ou direi a Júpiter que você não coopera!" Você acha fácil estar entre pedidos desse calibre?

— Não — disse Jason —, imagino que não seja nada fácil.

— Sem falar em Amelia Earhart! Eu ainda recebo chamadas raivosas do Olimpo por ter chutado ela do céu!

— Só queremos informações — disse Piper, com o tom de voz mais calmo que pôde empregar. — Disseram-nos que você sabe de tudo.

Éolo arrumou sua lapela e parecia um pouco mais calmo.

— Bem... *isso* é verdade, claro. Aliás, sei que essa história que temos *aqui*... — disse, apontando para os três. — Esse esquema enlouquecido de Juno para reuni-los, provavelmente terminará em um banho de sangue. Quanto a você, Piper McLean, sei que seu pai está com sérios problemas.

Ele estendeu a mão, pegando um papel que flutuava por perto. Era uma foto de Piper com um homem que deveria ser o seu pai. Aquele rosto *parecia* familiar. Jason tinha certeza de que já o vira em algum filme.

Piper pegou a foto. Suas mãos tremiam.

— Esta foto... estava na carteira dele.

— É verdade — disse Éolo. — Tudo o que se perde no vento em algum momento chega aqui. A foto saiu voando quando um Nascido da Terra o capturou.

— O quê? — perguntou Piper.

Éolo fez um sinal de "esqueça" com a mão e estreitou os olhos na direção de Leo.

— Agora *você*, filho de Hefesto... Sim, eu vejo o seu futuro. — E outro papel caiu nas mãos do deus... um antigo desenho feito com canetinhas.

Leo olhou para o desenho como se estivesse envenenado. E deu um passo para trás.

— Leo? — disse Jason. — O que é isso?

— Algo que eu... que eu desenhei quando criança — disse, dobrando rapidamente o papel e guardando-o no casaco. — Não... não é nada.

Éolo sorriu.

— Tem certeza? Trata-se simplesmente da chave do seu sucesso! Mas onde estávamos? Ah, sim, vocês queriam uma informação. Têm certeza disso? Algumas vezes uma informação pode ser algo perigoso.

Ele sorriu para Jason, como se o desafiasse. Atrás dele, Mellie balançou a cabeça, num aviso.

— Sim — disse Jason. — Precisamos encontrar o covil de Encélado.

O sorriso de Éolo desapareceu.

— O gigante? Por que querem ir até lá? Ele é horrível! E não assiste a meu programa!

Piper pegou a foto.

— Éolo, ele está com o meu pai. Precisamos resgatá-lo e encontrar Hera, que também está presa.

— Não, *isso* é impossível — disse Éolo. — Nem eu posso ver isso, e tentei, juro. Há uma magia cobrindo o lugar onde está Hera... algo muito forte, impossível de localizar.

— Ela está num lugar chamado Casa do Lobo — disse Jason.

— Espere! — Éolo pôs a mão na testa e fechou os olhos. — Estou vendo algo! Sim, ela está num lugar chamado Casa do Lobo! Infelizmente, não sei onde fica isso.

— Encélado sabe — disse Piper. — Se nos ajudar a encontrá-lo, podemos descobrir a localização da deusa...

— É verdade — disse Leo, entrando na conversa. — E se a salvarmos, ela será muito grata a você...

— E Zeus poderá promovê-lo — disse Jason.

Éolo arregalou os olhos.

— Uma promoção... E tudo o que vocês querem saber é a localização do gigante?

— Bem... se pudesse nos levar até lá — disse Jason. — Seria ótimo.

Mellie bateu palmas, animada.

— Ah, ele poderia fazer isso! Ele sempre envia ventos favoráveis...

— Mellie, quieta! — disse Éolo. — Estou quase despedindo você por deixar esse pessoal ter falsas esperanças.

— Sim, senhor. Sinto muito, senhor — desculpou-se ela, pálida.

— Não foi culpa dela — disse Jason. — Mas sobre essa ajuda...

Éolo inclinou a cabeça, como se estivesse pensando. Depois Jason notou que ele estava ouvindo vozes em seu fone.

— Bem... Zeus aprova — murmurou Éolo. — Mas ele diz... que seria melhor se vocês pudessem evitar salvá-la até o final de semana, pois ele tem uma grande festa planejada... Ai! Afrodite chamando, gritando com Zeus, lembrando que o solstício começa ao anoitecer. Ela diz que eu deveria ajudá-los. E Hefesto... Sim. Sei... Que estranho, ele concorda com tudo. Esperem...

Jason sorriu para os amigos. Finalmente estavam tendo sorte. Seus pais, deuses, os ajudavam.

Jason ouviu o som de uma campainha. O treinador Hedge entrava pelo hall, cheio de grama na cara. Mellie o viu e ficou sem fôlego.

— O que é *isso*?

Jason segurou um acesso de tosse.

— Isso? É apenas o treinador Hedge. Quer dizer... Gleeson Hedge. Ele é o nosso... — Jason não sabia bem como dizer: *professor*, *amigo*, *problema*?

— Nosso guia.

— Ele é tão *bode* — murmurou Mellie.

Atrás dela, Piper fingia vomitar.

— E aí, pessoal? — perguntou Hedge. — Nossa, que lugar legal. Ah! Grama.

— Treinador, você acabou de comer — disse Jason. — E estamos usando essa grama como chão. Essa é... Mellie...

— Uma aura! — disse Hedge, sorrindo. — Linda como uma brisa de verão.

Mellie ficou corada.

— E Éolo está a ponto de nos ajudar — disse Jason.

— Sim — murmurou o Senhor dos Ventos. — É o que parece. Vocês encontrarão Encélado no Monte Diablo.

— Montanha do diabo? — perguntou Leo. — Isso não soa nada bem.

— Eu me lembro desse lugar — disse Piper. — Estive lá uma vez com o meu pai. Fica a leste da baía de São Francisco.

— Bay Area mais uma vez? — perguntou o treinador, balançando a cabeça. — Nada bom. Nada bom mesmo.

— Agora... — Éolo começou a sorrir. — Quanto a chegarem lá...

De repente, seu rosto ficou carrancudo. Ele se curvou e colocou as mãos nos fones de ouvido, como se não estivessem funcionando bem. Quando se esticou novamente, seus olhos estavam endiabrados. Mesmo com a maquiagem, ele parecia um homem velho — um homem velho e muito assustado.

— Ela não falava comigo havia séculos. Não posso... sim, sim, eu entendo.

E engoliu em seco, olhando para Jason como se ele, de repente, tivesse se transformado numa barata gigante.

— Sinto muito, filho de Júpiter. Novas ordens. Vocês terão que morrer.

Mellie tremeu.

— Mas... mas, senhor! Zeus disse que os ajudasse. Afrodite, Hefesto...

— Mellie! — gritou Éolo. — Seu trabalho está por um fio. Além do mais, certas ordens transcendem até mesmo os desejos dos deuses, especialmente quando vêm das forças da natureza.

— Ordens de *quem*? — perguntou Jason. — Saiba que Zeus vai despedir o senhor caso não nos ajude.

— Duvido — disse Éolo, movendo o punho, e à distância uma porta se abriu.

Jason podia ouvir os espíritos da tempestade gritando, agitando-se em direção a eles, loucos por sangue.

— Até mesmo Zeus entende a ordem das coisas — disse Éolo. — E se *ela* está acordando... por todos os deuses... ela não pode ser esquecida. Adeus, heróis. Sinto muitíssimo, mas preciso ser rápido nisso. Voltarei ao ar em quatro minutos.

Jason evocou sua espada. O treinador Hedge pegou seu bastão. Mellie, a aura, gritou:

— Não!

Ela mergulhou aos pés deles no momento em que os espíritos da tempestade chegaram como um furacão, destruindo o piso, transformando pedaços de carpete, mármore e linóleo no que seriam projéteis letais se o vestido de Mellie não tivesse se aberto como um escudo e absorvido o impacto. Os cinco caíram no poço, e Éolo gritou lá de cima:

— Mellie, você está *despedida*!

— Rápido — disse Mellie. — Filho de Zeus, você tem algum poder sobre o ar?

— Um pouco.

— Então me ajude ou todos vocês morrerão! — disse, pegando sua mão e passando uma descarga elétrica para o corpo de Jason.

Ele entendeu quando ela fez um sinal com a cabeça. Tinham de controlar sua queda e entrar em um dos túneis abertos. Os espíritos da tempestade os seguiam, aproximando-se rapidamente, trazendo uma nuvem de estilhaços mortais.

Jason agarrou a mão de Piper.

— Todos juntos!

Hedge, Leo e Piper tentaram se unir uns aos outros, agarrando-se a Jason e a Mellie enquanto caíam.

— Isso NÃO É NADA BOM! — gritou Leo.

— Venham, suas bolas de gás! — gritou Hedge para os espíritos da tempestade. — Vou pulverizar vocês!

— Ele é incrível — disse Mellie, suspirando.

— Concentrada? — perguntou Jason.

— Sim! — ela respondeu.

Eles canalizaram o vento, fazendo sua queda ser bem mais suave em direção ao túnel mais próximo. Ainda assim entraram muito rapidamente e rolaram uns sobre os outros por um buraco de ventilação que não fora desenhado para humanos. E não havia como pararem.

A roupa de Mellie inflou-se em seu corpo. Jason e os outros se agarravam a ela, desesperadamente, e começaram a desacelerar, mas os espíritos da tempestade estavam gritando pelo túnel, vindo atrás deles.

— Não posso... aguentar... por muito tempo — avisou Mellie. — Fiquem juntos! Quando os ventos nos atingirem...

— Você está fazendo tudo muito bem, Mellie — disse o treinador. — Minha mãe era uma aura, sabe? E não poderia ter feito trabalho melhor.

— Uma mensagem de Íris para mim? — disse Mellie.

O treinador franziu a testa.

— Vocês poderiam namorar mais tarde? — gritou Piper. — Olhem!

Atrás deles, o túnel ficava escuro. Jason sentia os ouvidos estalarem com a pressão.

— Não posso detê-los — avisou Mellie. — Mas vou tentar agir como um escudo, conceder a vocês mais um favor.

— Obrigado, Mellie — disse Jason. — Espero que consiga um novo trabalho.

Ela sorriu, depois se dissolveu, envolvendo-os em uma brisa suave e quente. Então os ventos de verdade surgiram, atirando-os ao céu a toda velocidade, tanta que Jason desmaiou.

XXXIX

PIPER

Piper sonhou que estava no telhado do alojamento da Escola da Vida Selvagem.

A noite no deserto era fria, mas ela levara lençóis e tinha Jason ao seu lado, não precisava de mais nada para se aquecer.

O ar tinha cheiro de sálvia e de arbustos queimados. No horizonte, as Montanhas Spring pareciam dentes negros e pontiagudos, com a claridade de Las Vegas logo atrás.

As estrelas brilhavam muito, e Piper temia que talvez não conseguissem ver a chuva de meteoros. Não queria que Jason pensasse que o levara ali com segundas intenções. (Mesmo que suas intenções fossem *completamente* segundas.) Mas os meteoros não os desapontaram. Aparecia um a cada minuto, cruzando o céu — linhas de fogo branco, amarelo e azul. Piper tinha certeza de que seu avô Tom teria algum mito cherokee para contar-lhes, mas naquele momento ela estava ocupada criando sua própria história.

Jason pegou sua mão — finalmente — e apontou quando dois meteoros cruzaram o céu, formando uma cruz.

— Uau — ele disse. — Não acredito que Leo não quis ver isso.

— Na verdade, eu não o convidei — disse Piper, casualmente.

— Ah, não? — perguntou Jason, sorrindo.

— Não. Às vezes você não acha que três... podem ser demais?

— Acho — admitiu Jason. — Como agora. Mas você sabe a confusão em que vamos nos meter caso nos encontrem aqui?

— Ah, mas eu já pensei numa saída — disse Piper. — E posso ser bem persuasiva. Quer dançar?

Ele sorriu. Seus olhos eram incríveis, e seu sorriso, ainda melhor sob o brilho das estrelas.

— Sem música. À noite. Num telhado. Parece perigoso.

— Eu sou uma garota perigosa.

— Disso eu não duvido.

Ele se levantou e ofereceu sua mão. Dançaram lentamente por um tempo, mas logo se entregaram a um beijo. Piper mal pôde beijá-lo de novo, pois estava muito ocupada sorrindo.

Mas seu sonho mudou... ou talvez ela estivesse morta, no Mundo Inferior... pois quando percebeu estava de volta à loja de departamentos de Medeia.

— Por favor, que isso seja um sonho — ela murmurou — e não a punição eterna.

— Não, querida — disse uma voz feminina bem suave. — Nada de punições.

Piper virou o corpo, com medo de ver Medeia, mas outra mulher estava ao seu lado, olhando o balcão de descontos de cinquenta por cento.

A mulher era linda — cabelos na altura dos ombros, um pescoço gracioso, feições perfeitas, uma figura maravilhosa vestindo jeans e camiseta branca.

Piper já vira muitas atrizes — grande parte das namoradas do seu pai eram incrivelmente belas —, mas aquela mulher era diferente. Era naturalmente elegante, fashion sem fazer esforço, linda mesmo sem maquiagem. Após ver as horríveis operações plásticas e toda a maquiagem de Éolo, aquela mulher parecia ainda mais incrível. Não havia nada artificial nela.

Mas sua aparência mudou. Piper não saberia dizer qual era a cor dos seus olhos ou o tom exato dos seus cabelos. A mulher ficava mais e mais bonita a cada minuto, como se Piper absorvesse sua imagem aos poucos... aproximando-se de seu próprio ideal de beleza.

— Afrodite — disse Piper. — Mãe?

A deusa sorriu.

— Isso é apenas um sonho, querida. Se alguém perguntar, diga que eu não estive por aqui, certo?

— Eu... — Piper queria perguntar mil coisas, mas tudo se misturou em sua mente.

Afrodite pegou um vestido turquesa. Piper o achou lindo, mas a deusa torceu a cara.

— Não é a minha cor, não acha? Que pena, porque é bem bonito. Medeia tem coisas incríveis por aqui.

— Este... este prédio explodiu — murmurou Piper. — Eu vi.

— Eu sei — concordou Afrodite. — Talvez por isso tudo esteja em liquidação. Agora é apenas uma lembrança. Sinto muito arrancá-la do seu sonho. Era muito mais agradável, eu sei.

Piper ficou corada, seu rosto parecia a ponto de pegar fogo. Ela não sabia se estava com raiva ou sem graça, mas sentia um grande desapontamento.

— Aquilo não era real. Nunca aconteceu. Mas por que eu me lembro com tantos detalhes?

Afrodite sorriu.

— Porque você é minha filha, Piper. Enxerga as possibilidades de forma muito mais vívida que os outros. Você enxerga o que *poderia* ter acontecido. E ainda pode, não desista. Infelizmente... — A deusa fez um gesto, apontando para a loja. — Você tem outras coisas a encarar primeiro. Medeia retornará, junto a outros inimigos. As portas da morte se abriram.

— O que você quer dizer?

Afrodite piscou para ela.

— Você é inteligente, Piper. Você sabe.

Piper sentiu um frio na espinha e disse:

— A mulher que dormia, a que Medeia e Midas chamavam de patrona. Ela conseguiu abrir uma nova porta para o Mundo Inferior. E está deixando os mortos escaparem para o mundo.

— Exatamente... Mas não *qualquer* morto. Só os mais poderosos, os que mais odeiam os deuses.

— Os monstros também estão voltando do Tártaro — disse Piper. — Por isso não se desintegram.

— Sim. A *patrona*, como você a chama, tem uma relação especial com o Tártaro, o espírito do buraco — disse Afrodite, pegando um top dourado de lantejoulas. — Não... isso me deixaria ridícula.

Piper sorriu, desconfortável.

— Você? Você é sempre perfeita, nunca ficaria ridícula.

— Você é um doce — disse Afrodite. — Mas a beleza é encontrar o que melhor nos serve, o que é mais natural em nós. Para ser perfeita, você precisa sentir-se perfeita consigo mesma... Evite tentar ser algo que não é. Para uma deusa, isso é particularmente complicado. Podemos nos transformar muito facilmente.

— Meu pai a achava perfeita — disse Piper, com voz trêmula. — Ele nunca esqueceu você.

O olhar de Afrodite ficou distante.

— Sim... Tristan. Ah, ele era incrível. Tão gentil, divertido e bonito. Mas tinha muita tristeza dentro dele.

— Você poderia parar de falar dele no tempo passado, por favor?

— Sinto muito, querida. Eu não queria deixar seu pai, claro. É sempre muito duro, mas era o melhor a ser feito. Se ele soubesse quem eu realmente era...

— Espere, ele não sabia que você é uma deusa?

— Claro que não — respondeu Afrodite, ofendida. — Eu nunca faria isso. Para a maior parte dos mortais, é algo muito duro de aceitar. Pode arruinar suas vidas! Pergunte ao seu amigo Jason... um menino adorável, aliás. Sua pobre mãe ficou arrasada quando descobriu que se apaixonara por Zeus. Não, era bem melhor que Tristan acreditasse que eu era uma mortal que o abandonara sem explicação. Melhor ter uma lembrança amarga que saber que eu sou uma imortal inatingível. E isso nos leva a um ponto importante...

Afrodite abriu a mão e mostrou a Piper um tubo de vidro com um líquido vermelho dentro.

— Esta é uma das poções de Medeia. Apaga apenas as memórias recentes. Quando salvar seu pai, *caso* consiga salvá-lo, dê isso a ele.

Piper mal acreditava no que estava escutando.

— Você quer que eu drogue meu pai? Que ele se esqueça do que aconteceu?

Afrodite segurava o vidro. O líquido criava um tom róseo em seu rosto.

— Seu pai parece confiante, Piper, mas ele caminha numa corda bamba entre dois mundos. Lutou a vida inteira para negar velhas histórias sobre deuses e espíritos, mas tem medo de que sejam verdadeiras. Ele teme ter perdido uma importante parte de si mesmo, algo que um dia poderá destruí-lo. Agora está nas mãos de um gigante. Está vivendo um pesadelo. Mesmo sobrevivendo... se tiver que passar o resto da vida remoendo essas lembranças, sabendo que deuses e espíritos andam pela terra, ficará muito mal. E é isso o que quer a nossa inimiga. Ela o destruirá, e depois destruirá seu espírito.

Piper queria gritar que Afrodite estava errada. Seu pai era a pessoa mais forte que conhecia. Piper nunca roubaria suas memórias como Hera fizera com Jason.

Mas por algum motivo não conseguia ficar chateada com Afrodite. Lembrou-se do que seu pai lhe dissera meses antes, na praia de Big Sur: "Não acredito nessas histórias. São divertidas de serem contadas, mas, se eu realmente acreditasse, acho que não dormiria à noite. Sempre buscaria um culpado."

Naquele momento Piper também queria culpar alguém.

— Quem é ela? — perguntou Piper. — Quem controla os gigantes?

Afrodite ficou calada e seguiu para a arara ao lado, com armaduras e togas destruídas, olhando-as como se fossem peças de alta costura.

— Você é muito forte e determinada — murmurou. — Eu nunca tive muito crédito entre os deuses, pois eles costumam rir dos meus filhos, que são vistos como vaidosos e fúteis.

— Alguns são mesmo.

Afrodite sorriu.

— Certo. Talvez eu seja vaidosa e fútil, às vezes. Nós, meninas, temos que nos permitir. Ah, isso é legal — disse, pegando um prato de bronze queimado e levantando-o para que Piper o visse. — Não?

— Não — respondeu Piper. — Então, não vai responder à minha pergunta?

— Paciência, querida — disse a deusa. — O que eu quero dizer é que o amor é o maior motivador do mundo. O mais poderoso. Leva os mortais a fazerem grandes coisas. Seus atos mais nobres e grandiosos são impulsionados pelo amor.

Piper pegou sua adaga e observou a lâmina reluzente.

— Como Helena dando início à Guerra de Troia?

— Katoptris! — disse Afrodite, sorrindo. — Fico feliz que a tenha encontrado. Não gosto dessa guerra, mas, honestamente, Paris e Helena eram lindos. E os heróis da batalha se transformaram em imortais... pelo menos na memória dos homens. O amor é poderoso, Piper. É capaz de deixar os deuses de joelhos. Eu disse isso ao meu filho, Eneias, quando ele escapou de Troia. Ele imaginava ter falhado. Imaginava ser um perdedor! Mas viajou à Itália...

— E se transformou no precursor de Roma.

— Exatamente. Está vendo, Piper, meus filhos podem ser muito poderosos. *Você* pode ser poderosa, pois a minha linhagem é única. Estou mais perto do começo da criação que qualquer outro olimpiano.

Piper tentou lembrar-se do nascimento de Afrodite.

— Você não... surgiu do mar? De uma concha?

A deusa sorriu.

— O pintor Botticelli tinha mesmo muita imaginação, mas eu nunca estive de pé em uma concha, obrigada. No entanto, sim, eu surgi no mar. Os primeiros seres a surgirem do Caos foram a Terra e o Céu — Gaia e Urano. Quando o filho deles, o Titã Cronos, matou Urano...

— Cortando-o em pedaços com uma foice — lembrou-se Piper.

Afrodite torceu o nariz.

— Sim. As partes do corpo de Urano caíram no mar. Sua essência imortal criou a espuma do mar. E dessa espuma...

— Nasceu você. Agora eu me lembro. Então, você...

— Sou a última filha de Urano, que era maior que qualquer deus ou titã. Então, ainda que de maneira estranha, sou a mais velha deusa do Olimpo. E eu já disse: o amor é a força mais poderosa que existe. E você, minha filha, é muito mais que um rosto bonito. E por isso já sabe quem está despertando os gigantes, e quem tem o poder de abrir as portas das profundezas da terra.

Afrodite esperou, como se notasse que Piper tentava montar um quebra-cabeça que formava uma figura horrível.

— Gaia — disse Piper. — A própria Terra. Ela é a nossa inimiga.

Gostaria que Afrodite dissesse que não, mas a deusa manteve os olhos pregados à armadura destruída.

— Gaia dormiu por éons, mas está acordando lentamente. Mesmo dormindo, ela é poderosa, mas uma vez acordada... seremos destruídos. Você precisa vencer os gigantes antes que isso aconteça e levar Gaia de volta ao seu sono. Caso contrário, a rebelião estará apenas começando. As mortes aumentarão. Monstros se regenerarão ainda mais rápido. Os gigantes chegarão ao local de nascimento dos deuses. E, se fizerem isso, toda a civilização será destruída.

— Mas *Gaia*? A Mãe-Terra?

— Não a subestime — avisou Afrodite. — Ela é uma divindade cruel. Orquestrou a morte de Urano. Entregou a foice a Cronos e disse que matasse seu pai. Enquanto os titãs governaram o mundo, ela dormiu em paz. Mas quando os deuses os venceram, Gaia voltou a despertar com toda a raiva, dando à luz uma nova raça, a dos gigantes, para destruir o Olimpo de uma vez por todas.

— E isso está acontecendo mais uma vez — disse Piper. — Os gigantes estão voltando.

Afrodite fez que sim.

— Agora que você já sabe de tudo, diga-me: o que pensa em fazer?

— Eu? — perguntou Piper, as mãos fechadas. — Mas o que eu deveria fazer? Colocar um vestido bonito e conversar com Gaia, para que ela volte a dormir?

— Eu gostaria que isso pudesse funcionar — disse Afrodite. — Mas, não, você precisa encontrar forças próprias e lutar pelo que ama. Como os meus favoritos: Helena e Paris. Como o meu filho Eneias.

— Helena e Paris morreram — disse Piper.

— E Eneias transformou-se em herói — replicou a deusa. — O primeiro grande herói de Roma. O resultado dependerá de você, Piper, mas vou lhe dizer uma coisa: os sete maiores semideuses devem se reunir para vencer os gigantes, e esse esforço não valerá nada sem você. Quando os dois lados se encontrarem... você será a mediadora. Você determinará se haverá amizade ou banho de sangue.

— Quais dois lados?

A visão de Piper começou a se embaçar.

— Você precisa acordar, minha filha — disse a deusa. — Eu nem sempre concordo com Hera, mas ela aceitou um risco alto, e acho que isso deve ser feito. Somente juntos vocês terão o poder para salvar o Olimpo. Agora, acorde, e espero que goste das roupas que encontrei para você.

— Quais roupas? — perguntou Piper, mas o sonho desapareceu.

XL

PIPER

Piper acordou sentada à mesa de um café.

Por um segundo, imaginou que ainda dormia. Era uma manhã ensolarada. O ar estava fresco, mas não exageradamente, e era possível ficar sentada do lado de fora. Nas outras mesas, uma mescla de gente com bicicletas, homens e mulheres de negócios e crianças em idade escolar, todos conversando e tomando café.

Piper sentia cheiro de eucaliptos. Passava muita gente a pé em frente a várias lojinhas. A rua era margeada por árvores frondosas e azaleias em flor, como se o inverno fosse algo distante.

Em outras palavras: estava na Califórnia.

Seus amigos estavam sentados à sua volta: todos com as mãos calmamente cruzadas sobre o peito, cochilando. E todos com roupas novas. Piper olhou para a roupa que usava e gritou:

— Mãe!

Na verdade, acabou gritando mais alto que queria. Jason encolheu-se, bateu na mesa com os joelhos e acordou os demais.

— O quê? — perguntou Hedge. — Lutar contra quem? Onde?

— Caindo! — disse Leo, agarrando a mesa. — Não... não estamos caindo. Onde estamos?

Jason piscou, tentando entender o que acontecia. Focou o olhar em Piper e fez um som de engasgo.

— O que você está vestindo?

Piper deve ter ficado corada. Ela usava o vestido turquesa que vira no seu sonho, com *legging* preta e botas de couro também pretas. Tinha seu bracelete preferido no pulso, ainda que o tivesse deixado em Los Angeles, e a velha jaqueta de *snowboard* do seu pai, que ficou perfeita com o restante do visual. Ela pegou Katoptris e, julgando pelo reflexo na lâmina, seus cabelos também estavam perfeitamente penteados.

— Nada — ela respondeu. — É minha... — E lembrou-se de Afrodite pedindo que não comentasse nada sobre aquele encontro. — Nada.

Leo sorriu.

— Afrodite ataca mais uma vez, certo? Você vai ser a guerreira mais bem-vestida da cidade, rainha da beleza.

— Ei, Leo — disse Piper, tocando seu braço. — Já deu uma olhada em você mesmo?

— O quê... ah!

Todos tinham recebido um banho de loja. Leo vestia uma calça listrada, sapatos de couro preto, uma camisa branca sem colarinho, suspensórios e seu cinto de ferramentas, além de óculos Ray Ban e um chapéu coco.

— Meu Deus, Leo — disse Piper, tentando não rir. — Acho que meu pai usou isso no último lançamento, com exceção do cinto.

— Ei, cale a boca!

— Ele está bonito — disse o treinador Hedge. — Mas é claro que eu estou melhor.

O sátiro era um verdadeiro pesadelo em tom pastel. Afrodite o vestira com um terno amarelo-canário e sapatos bicolores que serviam perfeitamente às suas patas. Na cabeça, usava um chapéu também amarelo, com aba larga, além de uma camisa cor-de-rosa, gravata azul-bebê e um cravo azul na lapela, que Hedge cheirou e depois comeu.

— Bem — disse Jason —, pelo menos sua mãe não se preocupou tanto comigo.

Piper sabia que aquilo não era bem a verdade. Olhando para ele, seu coração retumbou. Jason vestia uma simples calça jeans e uma camiseta roxa limpa, como a que usara no Grand Canyon. Tinha tênis novos e seu cabelo estava bem-cortado. Seus olhos eram da cor do céu. A mensagem de Afrodite era clara: *Ele não precisava de melhorias*.

E Piper concordava.

— Enfim... — ela disse, desconfortável. — Como chegamos aqui?

— Ah, deve ter sido coisa de Mellie — disse Hedge, mastigando sua flor, feliz. — Aqueles ventos nos levaram país afora, eu acho. Teríamos batido com força no chão, mas o último presente de Mellie, uma brisa suave, nos amorteceu.

— E ela foi despedida por nossa culpa — disse Leo. — Cara, a gente não presta!

— Mellie vai ficar bem — disse Hedge. — Além do mais, para ela seria impossível evitar, pois sou irresistível para as ninfas. Vou mandar uma mensagem quando terminarmos essa missão e ajudá-la a encontrar algo. Acho que eu poderia arrumar minha vida ao lado dessa aura e ter alguns bebês-bodes.

— Com esse papo eu vou passar mal — disse Piper. — Alguém quer café?

— Café! — O sorriso de Hedge estava azul por conta da flor. — Eu adoro café!

— Sei — disse Jason. — Mas... dinheiro? Nossas mochilas?

Piper olhou para baixo. Tinham as mochilas aos seus pés, e tudo parecia continuar ali dentro. Ela buscou nos bolsos do casaco e encontrou duas coisas que não esperava. Uma era dinheiro. A outra, um tubo... a poção para causar amnésia. Deixou o vidro no bolso e pegou o dinheiro.

— Mesada? Cara, sua mãe é incrível!

— Garçonete! — chamou Hedge. — Seis *espressos* duplos, e o que mais eles quiserem. Coloque na conta dessa menina.

Não demorou muito para descobrirem onde estavam. O menu dizia: "Café Verve, Walnut Creek, Califórnia." E, de acordo com a garçonete, eram nove da manhã do dia 21 de dezembro, o dia do solstício de inverno: tinham três horas até o prazo dado por Encélado.

Não sabiam como chegar ao Monte Diablo. Podiam vê-lo no horizonte, na direção do final da rua. Porém, após as Montanhas Rochosas, o Diablo não parecia muito grande, nem estava coberto de neve. Parecia um local calmo, com ondulações douradas e árvores verdejantes. Mas o tamanho era enganoso, tratando-se de montanhas, Piper sabia muito bem. De perto, devia ser bem maior. E as aparências enganam, também. Lá estavam eles, de volta à Califórnia, que supostamente era a sua casa: com céu azul, temperatura amena, pessoas tranquilas e um prato de biscoitos de chocolate e café. Apenas alguns quilômetros adiante, em algum lugar daquela montanha aparentemente em paz, um gigante superpoderoso e muito mau estava a ponto de fazer seu pai de almoço.

Leo pegou algo no bolso... o velho desenho a giz de cera que Éolo lhe dera. Afrodite devia ter pensado tratar-se de algo importante, já que o manteve no bolso da roupa nova.

— O que é isso? — perguntou Piper.

Leo dobrou mais uma vez o papel com cuidado e o guardou.

— Nada. Não vão querer ver meus trabalhos do jardim de infância.

— É mais que isso — disse Jason. — Éolo disse que era a chave do nosso sucesso.

Leo balançou a cabeça.

— Mas não hoje. Ele estava falando sobre... o futuro.

— Como você pode ter tanta certeza? — perguntou Piper.

— Confie em mim — disse Leo. — Agora... qual é o plano de ataque?

O treinador Hedge deu um arroto. Já tomara três *espressos* e comera um prato de *donuts*, dois guardanapos e uma flor que estava no vaso sobre a mesa. Teria comido os talheres, mas Piper bateu na sua mão.

— Subir a montanha — disse Hedge. — Matar todos, exceto o pai de Piper. Depois bater em retirada.

— Obrigado, general Eisenhower — disse Jason.

— Ei, estou apenas respondendo uma pergunta.

— Pessoal — disse Piper —, vocês precisam saber de outra coisa.

Era complicado, pois não poderia mencionar sua mãe, mas contou a eles que, em sonho, chegara a uma conclusão. E contou sobre quem era o inimigo verdadeiro: Gaia.

— Gaia? — perguntou Leo, sacudindo a cabeça. — Não é a Mãe Natureza? Ela deveria ter... sei lá... flores nos cabelos e pássaros cantando ao seu redor, além de cervos e coelhinhos lavando suas roupas.

— Leo, essa é a Branca de Neve — disse Piper.

— Certo, mas...

— Ouçam, meninos — disse o treinador Hedge, já no seu sexto *espresso*. — Piper está nos contando algo sério. Gaia não é boazinha. Nem *eu* sei se poderia enfrentá-la.

— Sério? — disse Leo, assobiando.

Hedge fez que sim.

— Essa senhora da terra... ela e seu velho homem do céu eram clientes desagradáveis.

— Urano — disse Piper, que não aguentou e olhou para o céu, imaginando se ele os estaria vendo.

— É — disse Hedge. — Esse Urano não é o melhor pai do mundo. Ele se livrou dos primeiros filhos, os ciclopes, atirando-os ao Tártaro. Isso deixou Gaia louca de raiva. Mas ela esperou. Depois tiveram mais filhos, e Gaia ficou com medo de que ele também os colocasse na prisão. Então recorreu a seu filho Cronos...

— Aquele cara grande e malvado — disse Leo. — O que foi vencido no verão passado.

— Certo. E foi Gaia quem deu a ele a foice, dizendo: "Ei, por que não chama seu pai aqui? Enquanto eu converso com ele, tentando distraí-lo, você o corta em pedacinhos. Depois poderá conquistar o mundo. Não seria ótimo?"

Ninguém disse nada. O biscoito que Piper comia já não parecia tão gostoso. Ela ouvira aquela história antes, mas nem assim conseguia entendê-la. Tentou imaginar uma criança confusa, a ponto de matar seu pai apenas para ter poder. Depois imaginou uma mãe louca a ponto de convencer o próprio filho a fazer isso.

— Definitivamente, essa história não tem nada a ver com a da Branca de Neve — ela disse.

— Não, Cronos era um cara malvado — disse Hedge. — Mas Gaia é, literalmente, a *mãe* de todos os caras malvados. Ela é tão antiga e poderosa, *enorme*, tão grande que não consegue estar totalmente consciente. Na maior parte do tempo, ela dorme, e nós gostamos de vê-la roncando.

— Mas ela falou comigo — disse Leo. — Como poderia estar dormindo?

Gleeson limpou algumas migalhas da lapela de seu terno amarelo. Já tinha tomado seis cafés e suas pupilas estavam superdilatadas.

— Mesmo dormindo, parte de sua consciência continuava ativa: sonhando, observando e fazendo coisas pequenas, como explodir vulcões e reerguer monstros. Agora mesmo ela não está completamente acordada. Acreditem em mim, vocês não gostariam de vê-la totalmente desperta.

— Mas ela está ficando mais poderosa — disse Piper. — Está conseguindo reerguer os gigantes. E quando o rei deles voltar... esse tal Porfiríon...

— Reunirá um exército para destruir os deuses — disse Jason. — Começando com Hera. Será outra guerra. E Gaia despertará completamente.

Gleeson concordou.

— Por isso é uma boa ideia que a gente fique o máximo de tempo possível afastado do chão.

Leo olhou para o Monte Diablo.

— Então... escalar uma montanha. Isso seria ruim.

O coração de Piper ficou apertado. Primeiro pediram que traísse seus amigos. Mas agora eles a ajudariam a resgatar seu pai, mesmo sabendo que poderiam cair numa armadilha. A ideia de lutar contra um gigante já era bem assustadora. Mas saber que Gaia poderia estar por trás de tudo... uma força mais poderosa que um titã...

— Meninos, não posso pedir que façam isso — disse Piper. — É muito perigoso.

— Você está brincando? — perguntou Gleeson, arrotando e depois abrindo seu sorriso azul. — Quem está pronto para subir?

XLI

LEO

Leo esperava que o táxi pudesse levá-los até o topo.

Mas não teve tanta sorte. O carro engasgava e gemia ao subir a montanha, e no meio do caminho encontraram o posto da guarda-florestal fechado e uma corrente bloqueando a estrada.

— Não posso ir adiante — disse o taxista. — Vocês têm certeza do que estão fazendo? Vai ser um longo caminho de volta, e meu carro não está bom. Não vou poder esperar por vocês.

— Temos certeza — disse Leo, o primeiro a descer.

Ele tinha um mau pressentimento sobre qual poderia ser o problema daquele táxi, e quando olhou para baixo viu que estava certo. As rodas estavam afundando na estrada, como se fosse feita de areia movediça. Lentamente... mas o bastante para que o motorista imaginasse ter um problema na transmissão ou no eixo do carro. Porém, Leo sabia que não era nada disso.

A via era de terra batida. Não havia como aquilo ser macio, mas os sapatos de Leo já começavam a afundar. Gaia estava brincando com eles.

Enquanto seus amigos saíam do carro, Leo pagou ao taxista. Foi generoso... por que não seria? Era o dinheiro de Afrodite. Além do mais, tinha um pressentimento de que nunca sairia daquela montanha.

— Fique com o troco — disse Leo. — E saia daqui. Rápido.

O motorista não argumentou. Em pouco tempo, tudo o que viam era uma trilha de poeira.

A vista da montanha era incrível. O vale ao redor era como uma teia de cidades — grades de ruas arborizadas e bairros de classe média, com lojas e escolas. Toda aquela gente vivia uma vida normal, do tipo que Leo nunca conhecera.

— Isso é Concord — disse Jason, apontando ao norte. — Walnut Creek está embaixo de nós. Ao sul, Danville, atrás dessas colinas. E naquela direção...

Apontou para oeste, onde uma cadeia de colinas douradas estava quase oculta por uma camada de neblina.

— Isso é Berkeley Hills. East Bay. Mais à frente, São Francisco.

— Jason? — disse Piper, tocando seu braço. — Você está se lembrando de algo? Já esteve aqui antes?

— Sim... não. — Jason olhou para ela, confuso. — E só que... parece importante.

— Aquela é a terra dos titãs — disse o treinador, apontando em direção ao oeste. — Um lugar ruim, Jason. Confie em mim, estamos o mais próximo que gostaríamos de São Francisco.

Mas Jason olhava para a neblina com tanto anseio que Leo se sentiu desconfortável. Por que Jason parecia tão conectado àquele lugar... um lugar que Hedge dizia ser ruim, cheio de magia do mal e velhos inimigos? E se ele tivesse vindo dali? Todos diziam que Jason poderia ser um inimigo, que sua chegada ao Acampamento Meio-Sangue fora um erro perigoso.

Não, pensou Leo. Isso é ridículo. Jason era amigo deles.

Leo tentou mover o pé, que estava afundado no solo até o tornozelo.

— Pessoal, vamos em frente.

Os outros estavam com o mesmo problema.

— Gaia é mais forte aqui — disse Hedge. E tirou as patas dos sapatos, que entregou a Leo.

— Guarde-os para mim, Valdez. São bonitos.

Leo bufou.

— Claro, treinador. O senhor gostaria que eu os polisse?

— Essa é a cabeça de um universitário, Valdez — disse Hedge, aprovando-o. — Mas primeiro vamos subir esta montanha enquanto ainda podemos.

— Como vamos saber onde está o gigante? — perguntou Piper.

Jason apontou para o pico. No topo havia certa fumaça. A distância, aquilo parecera uma nuvem aos olhos de Leo, mas não era. Algo estava queimando.

— Onde há fumaça, há fogo — disse Jason. — Melhor corrermos!

A Escola da Vida Selvagem obrigara Leo a participar de várias marchas. Imaginava estar em boa forma. Mas subir uma montanha enquanto a terra tentava engolir seus pés era como correr numa esteira forrada com fita adesiva.

Ele logo arregaçou as mangas de sua camisa sem gola, mesmo com o vento frio e cortante. Gostaria que Afrodite lhe tivesse dado shorts de corrida e sapatos mais confortáveis, mas ainda assim estava agradecido pelo chapéu, que mantinha seus olhos protegidos do sol. Enfiou as mãos no cinto de ferramentas em busca de algo mais: engrenagens, uma pequena chave inglesa, fios de bronze. Enquanto caminhava, construía algo — sem pensar muito no que fazia, apenas encaixando peças.

Quando chegaram perto do topo da montanha, Leo era o herói mais bem--vestido, suado e sujo do mundo. Suas mãos estavam cobertas de graxa.

O pequeno objeto que construíra parecia um brinquedo de dar corda, do tipo que anda em cima de mesas. Não sabia exatamente o que fazer com ele, mas guardou-o no cinto.

Sentia falta dos bolsos de seu colete militar. Mais que isso, sentia falta de Festus. Poderia usar um dragão que soltava fogo, naquele momento. Mas Leo sabia que Festus não voltaria... pelo menos não em sua forma antiga.

Odiava aquele desenho que levava no bolso — o que fizera na mesa de piquenique, sob a nogueira, aos cinco anos. Lembrou-se de *Tía* Callida cantando enquanto ele desenhava, e de como ficara chateado quando os ventos levaram embora o desenho. "Ainda não é a hora, pequeno herói", dissera ela. "Algum dia você deverá enfrentar sua missão. Encontrará o seu destino, e sua difícil jornada finalmente fará sentido."

Agora, Éolo pusera o desenho novamente nas suas mãos. Leo sabia que seu destino estava se aproximando. Porém, a jornada era tão frustrante quanto escalar aquela estúpida montanha. Sempre que imaginava terem chegado ao topo, percebia que não passara de mais uma subida e viria outra ainda maior.

Devemos começar pelo começo, ele disse a si mesmo. Hoje, a tarefa é sobreviver. Pensar no destino era algo que deixaria para mais tarde.

Finalmente, Jason se agachou atrás de uma parede de pedra. Gesticulou para todos, pedindo que fizessem o mesmo. Leo engatinhou até ficar ao seu lado. Piper teve de puxar o treinador Hedge para baixo.

— Não quero sujar minha roupa! — reclamou Hedge.

— Calado — disse Piper.

Relutante, o treinador se ajoelhou.

Logo após o lugar onde se escondiam, nas sombras da última parte da montanha, havia uma depressão arborizada, do tamanho de um campo de futebol, onde o gigante Encélado montara seu acampamento.

Árvores foram cortadas para construir a alta fogueira roxa. A margem da clareira estava cheia de lenha e de materiais de construção: uma escavadeira, um grande braço mecânico com lâminas que giravam como um barbeador elétrico — deve ser um cortador de árvores, pensou Leo —, e uma coluna alta de metal com uma lâmina de machado, como uma guilhotina posta de lado — um machado hidráulico.

Por que o gigante precisava de tanto material de construção, Leo não sabia muito bem. E não entendia como a criatura à sua frente poderia caber no assento do condutor. O gigante Encélado era tão grande, tão feio, que Leo não queria olhar para ele.

Mas forçou-se a focar seu olhar no monstro.

Para começo de conversa, devia ter quase dez metros de altura — tão alto quanto a copa das árvores. Leo tinha certeza de que o gigante poderia vê-los, mas parecia concentrado na louca fogueira roxa, rodeando-a e cantando baixinho. Da cintura para cima, parecia um humanoide, com seu peito musculoso protegido por uma armadura de bronze decorada com desenhos de chamas. Seus braços estavam completamente machucados. Os bíceps eram maiores que Leo. Sua pele era bronzeada, mas suja de fuligem. Seu rosto tinha formas duras, como se fosse um desenho não terminado, mas seus olhos brilhavam, brancos, e seus cabelos eram *dreadlocks* desgrenhados até a altura dos ombros, presos com ossos.

Da cintura para baixo ele era ainda mais medonho. Suas pernas eram escamosas e verdes, com garras em vez de pés — como as patas traseiras de um dragão. Em uma das mãos, Encélado carregava um arpão do tamanho de um mastro de bandeira. De tempos em tempos, mergulhava a ponta da arma na fogueira, deixando o metal avermelhado.

— Certo — murmurou o treinador Hedge. — Eis o nosso plano...

Leo pôs-se na frente dele.

— Você não vai cuidar dele sozinho!

— Ah, por favor...

— Olha aquilo — disse Piper, contendo o choro.

Do outro lado da fogueira havia um homem atado a um mastro. Sua cabeça pendia, como se estivesse inconsciente, e Leo não podia ver o seu rosto, mas Piper não parecia ter dúvida.

— Papai — ela disse.

Leo engoliu em seco. Gostaria que aquilo não passasse de um filme de Tristan McLean. Se fosse assim, a inconsciência do pai de Piper seria fingimento. Ele desataria aqueles nós e derrubaria o inimigo com um gás antigigante, que levava espertamente escondido em algum lugar. Uma música heroica começaria a tocar e Tristan McLean faria sua incrível escapada, correndo em câmera lenta, enquanto a montanha explodiria logo atrás.

Mas aquilo não era um filme. Tristan McLean estava quase morto e a ponto de ser devorado. As únicas pessoas capazes de deter aquilo eram três jovens semideuses com roupas fashion e um bode megalomaníaco.

— Nós somos quatro — murmurou Hedge, nervoso. — E ele é apenas um.

— Mas você não notou que ele tem quase dez metros de altura? — perguntou Leo.

— Certo — disse Hedge. — Então, Jason, você e eu vamos distraí-lo. Piper se aproxima e liberta seu pai.

Todos olharam para Jason.

— O quê? — ele perguntou. — Eu não sou o líder.

— Sim — disse Piper —, você é.

Na verdade, nunca tinham conversado sobre isso, mas todos concordavam, até mesmo Hedge. Chegar ali fora um esforço de equipe, mas quando o assunto envolvia uma decisão de vida ou morte, Leo sabia que deveria perguntar a Jason. Mesmo sem memória, o garoto tinha bom discernimento. Era como se já tivesse estado em batalhas anteriores e soubesse manter a calma. Leo não costumava confiar tanto nas pessoas, mas confiava em Jason cegamente.

— Odeio ter que dizer isso — suspirou Jason —, mas o treinador Hedge tem razão. A melhor chance para Piper libertar o pai seria distrairmos o gigante.

Não era uma boa saída, pensou Leo. Nem uma saída que lhes garantisse sobreviver. Mas era a *melhor* que tinham.

E não poderiam ficar ali sentados, argumentando, o dia inteiro. Devia ser quase meio-dia — o prazo do gigante — e a terra ainda tentava tragá-los. Os joelhos de Leo já tinham afundado cinco centímetros no solo.

Leo olhou para os equipamentos de construção e teve uma ideia louca. Pegou o brinquedo que fizera enquanto subiam a montanha e percebeu o que aquilo poderia fazer — se ele tivesse sorte, claro... o que quase nunca acontecia.

— Vamos em frente — ele disse. — Antes que eu recupere a razão.

XLII

LEO

O PLANO DEU ERRADO QUASE imediatamente. Piper rastejou pelo alto da montanha, tentando manter a cabeça baixa, enquanto Jason, Leo e o treinador Hedge caminhavam em direção à clareira.

Jason evocou sua lança de ouro, brandiu-a sobre a cabeça e gritou: "Gigante!" Soou bastante bom, muito mais confiante que Leo poderia ter feito, já que estava pensando em frases mais parecidas com: "Somos formigas patéticas! Não nos mate!"

Encélado parou de cantar para as chamas. Virou-se para eles e sorriu, revelando presas como as de um tigre-dentes-de-sabre.

— Bem — disse o gigante —, que surpresa boa.

Leo não gostou da sua voz. Segurou com mais força o brinquedo na palma da mão. Andou um pouco para o lado, aproximando-se da escavadeira.

O treinador Hedge gritou:

— Liberte o ator famoso, seu *cupcake* grande e feioso! Ou vou dar um pontapé na sua...

— Treinador — disse Jason. — Cale-se.

Encélado soltou um rugido e sorriu.

— Eu tinha me esquecido de como os sátiros são divertidos. Quando governarmos o mundo, acho que vou deixar vocês por perto. Poderão me entreter enquanto eu devoro os outros mortais.

— Isso é um elogio? — Hedge franziu a testa para Leo. — Pois não me parece.

Encélado abriu a boca, e seus dentes começaram a brilhar.

— Espalhem-se! — gritou Leo.

Jason e Hedge se jogaram para a esquerda quando o gigante cuspiu fogo — uma rajada tão quente que até Festus ficaria com inveja. Leo escondeu-se atrás da escavadeira, mexeu no aparelho que construíra e o deixou no assento do motorista. Depois correu para a direita, seguindo para o trator.

Pelo canto dos olhos, viu Jason levantar-se e desafiar o gigante. O treinador Hedge tirou seu paletó amarelo-canário, que estava em chamas, e uivou, raivoso.

— Eu *gostava* dessa roupa! — disse. Depois levantou o bastão e também partiu para o ataque.

Antes que pudessem ir longe demais, Encélado bateu com o arpão no chão. A montanha tremeu por inteira.

O impacto jogou Leo para o lado. Ele piscou, momentaneamente atordoado. Em meio ao mato queimado e à fumaça, viu Jason cambaleando na outra extremidade da clareira. O treinador Hedge foi atingido e caiu para a frente, batendo com a cabeça num tronco. Seu traseiro peludo estava para o alto, e sua calça amarela, na altura dos joelhos — Leo preferiria não ter visto aquela cena.

O gigante vociferou:

— Estou vendo você, Piper McLean! — disse, virando o corpo e cuspindo fogo na direção de alguns arbustos à direita de Leo.

Piper correu em direção à clareira, a vegetação rasteira em chamas atrás dela. Encélado gargalhou.

— Fico feliz que tenha chegado. E trouxe meus prêmios!

Leo ficou com um nó na garganta. Era o momento sobre o qual Piper os avisara. Estavam nas mãos de Encélado.

O gigante deve ter lido a expressão de Leo, pois riu ainda mais alto.

— É verdade, filho de Hefesto. Não esperava que vocês ficassem vivos por tanto tempo, mas isso não importa. Trazendo-os aqui, Piper McLean cumpriu o acordo. Caso ela realmente traia vocês, eu vou cumprir minha palavra e libertar seu pai. Por que ficaria com uma estrela de cinema?

Leo podia ver o pai de Piper mais claramente. Vestia uma camisa de botão esfarrapada e uma calça larga. Seus pés descalços estavam cheios de lama. Não estava completamente inconsciente, pois levantou a cabeça e murmurou algo. Sim, Tristan McLean estava bem. Leo já vira o seu rosto em vários filmes. Mas agora tinha um corte repugnante de um lado do rosto e parecia magro e cansado — nada heroico.

— Papai! — gritou Piper.

O sr. McLean piscou, tentando focar a visão.

— Pipes...? Onde...

Piper sacou a adaga e encarou Encélado.

— Liberte o meu pai!

— Claro, minha querida — rufou o gigante. — Jure sua fidelidade a mim e não teremos problema nenhum. Só os outros precisam morrer.

Piper olhou várias vezes para o seu pai e para Leo.

— Ele vai matar você — disse Leo. — Não confie nele.

— Ah, vamos — disse Encélado. — Você sabe que eu nasci para destruir Atena? A mãe Gaia criou cada um de nós, gigantes, para algo específico. Fomos destinados a lutar e destruir um determinado deus. Eu sou o castigo de Atena, o *anti*-Atena, se você preferir. Comparado a outros, sou pequeno! Mas sou inteligente. E mantenho minha palavra com você, Piper McLean. Faz parte do meu plano!

Jason estava de pé, com sua lança preparada; mas antes que pudesse fazer qualquer coisa Encélado soltou um bramido — um chamado que ecoou pelo vale, e provavelmente foi ouvido em toda a São Francisco.

Na mata, surgiram meia dúzia de criaturas com aspecto de ogros. Leo notou — com uma certeza de que lhe dava náuseas — que eles não estavam simplesmente escondidos ali. Tinham se levantado da terra.

Os ogros se aproximaram. Eram pequenos comparados a Encélado, tinham cerca de dois metros. Cada um tinha seis braços — um par onde deveriam, outro em cima dos ombros e outro dependurado ao lado do corpo. Vestiam apenas tangas de trapos de couro e, mesmo estando do outro lado, Leo podia sentir o cheiro deles. Seis caras que nunca tinham tomado banho, com seis axilas cada um. Leo pensou que, caso sobrevivesse àquele dia, teria de tomar um banho de três horas para conseguir esquecer aquele cheiro.

E deu um passo, aproximando-se de Piper.

— Quem... quem são esses?

A lâmina de Piper refletia o tom roxo da fogueira.

— Gegenes.

— O quê? — perguntou Leo.

— Os Nascidos da Terra — ela respondeu. — Gigantes armados de seis braços, que lutaram contra Jasão.

— Muito bem, minha querida! — disse Encélado, satisfeito. — Eles viviam num lugar miserável da Grécia, chamado Montanha do Urso. O Monte Diablo é bem melhor! São filhos inferiores da Mãe-Terra, mas servem ao seu propósito. São bons com equipamentos de construção.

— Vruum, vruum! — gritou um dos Nascidos da Terra; os outros repetiram o barulho, cada um deles movendo suas seis mãos como se dirigissem um carro, como se isso fosse uma espécie de estranho ritual religioso. — Vruum, vruum!

— Sim, obrigado, meninos — disse Encélado. — Eles também têm contas a acertar com os heróis. Especialmente qualquer um chamado Jason.

— Jei-zon! — gritou um dos Nascidos da Terra. E todos pegaram pedaços de terra, que se solidificaram transformando-se em pedras pontiagudas. — Jei-zon onde? Matar Jei-zon!

Encélado sorriu.

— Viu, Piper, você tem uma escolha. Salve seu pai ou... *tente* salvar seus amigos e termine morta.

Piper deu um passo à frente. Seus olhos brilhavam com tamanha fúria que até os Nascidos da Terra se afastaram. Ela irradiava poder e beleza, mas isso não tinha nada a ver com sua maquiagem ou suas roupas.

— Você não vai tirar de mim as pessoas que eu amo — disse ela. — Nenhuma delas.

Suas palavras atravessaram a clareira com tanta força que os Nascidos da Terra murmuraram:

— Certo, certo, sinto muito. — E começaram a recuar.

— Fiquem, idiotas! — gritou Encélado. E rosnou para Piper: — É por isso que a queremos viva, minha querida. Você poderá ser útil para nós. Mas faça como preferir. Nascidos da Terra! Vou mostrar a vocês quem é Jason.

O coração de Leo quase parou de bater. Mas o gigante não apontou para Jason, e sim para o outro lado da fogueira, onde Tristan McLean estava dependurado, quase inconsciente.

— Aqui está Jason — disse Encélado, com prazer. — Acabem com ele!

Para a grande surpresa de Leo, com apenas um olhar de Jason eles três souberam exatamente o que fazer. Quando isso acontecera? Quando começaram a ter tanta sintonia?

Jason atacou Encélado enquanto Piper corria em direção ao pai, e Leo em direção ao trator, que estava entre o sr. McLean e um dos Nascidos da Terra.

O Nascido da Terra foi ágil, mas Leo correu como um espírito da tempestade. Pulou na máquina que estava a um metro e meio de distância e sentou-se no assento do condutor. Passou as mãos pelos controles, e a máquina respondeu com velocidade incomum — ganhando vida como se soubesse que se tratava de algo importante.

— Ah! — gritou Leo, guiando o braço mecânico em direção à fogueira, derrubando troncos em chamas sobre os Nascidos da Terra e espalhando fagulhas para todos os lados. Dois gigantes acabaram sob uma avalanche e se desintegraram, voltando à terra — e com sorte ficariam um bom tempo por ali.

Os outros quatro ogros deparavam com madeira queimando e carvão quente enquanto Leo se deslocava com a máquina. Ele apertou um botão e na ponta do braço mecânico as lâminas começaram a girar.

Pelo canto dos olhos, ele viu Piper libertando o pai. Do outro lado da clareira, Jason lutava contra o gigante, conseguindo de alguma forma esquivar-se do enorme arpão e das rajadas de fogo.

Logo todo aquele lado da montanha se consumiria em fogo, mas isso não preocupava Leo. Porém, caso seus amigos ficassem presos lá em cima... Não. Era preciso agir, e rápido.

Um dos Nascidos da Terra — aparentemente o menos inteligente — atacou o cortador de árvores, e Leo virou o braço mecânico na sua direção. Assim que as lâminas tocaram o ogro, ele se dissolveu como barro molhado, espalhando-se pela clareira. Uma boa parte do monstro espirrou no rosto de Leo, que cuspiu o barro e levou o cortador em direção aos três Nascidos da Terra restantes, que se afastaram rapidamente.

— Vruum, vruum mau! — gritou um deles.

— Sim, muito mau! — gritou Leo. — Querem ver um vruum, vruum mau de verdade? Venham!

Infelizmente, eles se aproximaram. Três ogros com seis braços, todos atirando pedras grandes e pesadas, com muita velocidade. Leo sabia que estava perdido. De alguma forma, conseguiu saltar para trás da máquina antes que uma das pedras destruísse o assento do motorista. Os pedregulhos batiam contra o metal. Quando Leo ficou de pé outra vez, a máquina parecia uma lata de refrigerante amassada afundando na lama.

— A escavadeira! — gritou Leo.

Os ogros estavam pegando mais terra, mas dessa vez apontavam na direção de Piper.

Nove metros à frente, a escavadeira despertou. O brinquedinho de Leo fez seu trabalho, metendo-se entre as engrenagens e dando-lhe vida. A máquina seguiu em direção ao inimigo.

Enquanto Piper conseguia libertar seu pai e tomava-o nos braços, os gigantes atiravam a segunda leva de pedras. A escavadeira movia-se na lama, tentando interceptá-los, e grande parte das pedras a atingiram. A força era tanta que a máquina andava para trás. Duas pedras ricochetearam e atingiram seus arremessadores. Outros dois Nascidos da Terra viraram lama. Infelizmente, um pedregulho atingiu o motor da escavadeira, levantando uma fumaça oleosa, e a máquina parou de funcionar. Outro bom brinquedo estragado.

Piper carregava o pai. O último dos Nascidos da Terra foi em sua direção.

Os truques de Leo tinham acabado, mas ele não podia deixar o monstro alcançar Piper. Correu, passando pelas chamas, e pegou alguma coisa — *qualquer coisa* — de seu cinto.

— Ei, idiota! — gritou, e atirou uma chave de fenda no Nascido da Terra.

Ela não matou o ogro, mas certamente chamou sua atenção. Cravou-se na testa do monstro como se ele fosse feito de massa de modelar.

O Nascido da Terra gritou de dor. Depois, arrancou a chave de fenda da testa, virou-se e olhou para Leo. Infelizmente, era o maior e mais terrível de todos. Gaia se esmerara ao criá-lo... com músculos extras e um rosto horrível. Enfim, um pacote completo.

Ah, ótimo, pensou Leo. Fiz um amigo.

— Vai morrer! — rugiu o Nascido da Terra. — Amigo de Jei-zon morre!

O ogro encheu as mãos com terra, que logo endureceu e se transformou em mísseis.

Leo não conseguia pensar. Enfiou a mão no cinto de ferramentas, mas não imaginava nada que pudesse ajudá-lo. Deveria ser esperto, mas não seria capaz de criar, montar ou soldar nada naquele momento.

Certo, ele pensou. Vou tentar o fogo.

Ele entrou em combustão, gritou "Hefesto!" e atacou o ogro com as mãos vazias.

Mas não chegou lá.

Um borrão turquesa e negro surgiu logo atrás do ogro. Uma lâmina de bronze brilhante subiu e desceu nas laterais do corpo do Nascido da Terra.

Seis grandes braços caíram no chão, e as pedras rolaram das suas mãos inúteis. O Nascido da Terra olhou para baixo, muito surpreso. E murmurou: "Braços, adeus."

Depois dissolveu-se no solo.

Piper estava paralisada, respirando com dificuldade, sua adaga coberta de barro. Seu pai estava sentado, confuso e ferido, mas ainda vivo.

A expressão de Piper era feroz, quase enlouquecida, como um animal encurralado. Leo ficou feliz por ela estar do lado deles.

— Ninguém machuca os meus amigos — disse Piper, e com uma sensação agradável Leo percebeu que ela se referia a ele. Depois ela gritou: — Venha!

Leo percebeu que a batalha não terminara. Jason ainda lutava contra o gigante Encélado — e aquela luta não ia nada bem.

XLIII

JASON

Quando a lança de Jason se partiu, ele sentiu que morreria.

A batalha começara muito bem. Os instintos de Jason estavam em alerta, e algo lhe dizia que ele já lutara contra inimigos quase tão grandes quanto aqueles. Tamanho e força significavam lentidão, então tudo o que Jason precisava era de ser mais rápido — manter um ritmo, cansar o oponente e evitar ser esmagado ou atingido por uma chama.

Desviou do primeiro ataque de Encélado e lhe deu um golpe no tornozelo. A lança de Jason conseguiu furar a espessa pele de dragão, fazendo escorrer o icor dourado — o sangue dos imortais — no pé em formato de garra do gigante.

Encélado gritou de dor e cuspiu fogo em Jason, que driblou o ataque, rolou para trás do gigante e o atingiu na parte posterior do joelho.

Foi assim por alguns segundos, minutos — era difícil saber. Jason ouviu ruídos de um combate acontecendo do outro lado da clareira — equipamentos de construção rangendo, fogo crepitando, monstros gritando e pedras atingindo metais. Escutou Leo e Piper gritando em tom de desafio, o que significava que ainda estavam vivos. Mas tentou não pensar nisso. Não podia se distrair.

Por um milímetro o arpão de Encélado não o tocou. Jason continuou a esquivar-se, mas o chão ficava grudado em seus pés. Gaia estava ficando mais forte, e o gigante, mais rápido. Encélado podia ser lento, mas não era bobo. Começou a se antecipar aos movimentos de Jason, e os ataques do herói só o deixavam nervoso, aumentando sua fúria.

— Não sou um monstro menor — gritou Encélado. — Sou um gigante, nascido para matar deuses! Seu palito de dentes dourado não pode me matar, garoto.

Jason não queria desperdiçar energia respondendo. Ele já estava cansado. O chão aderia a seus pés, fazendo-o se sentir como se tivesse ganhado uns cinquenta quilos. O ar continha tanta fumaça que queimava seus pulmões. Chamas subiam ao seu redor, alimentadas pelos ventos, e a temperatura se aproximava à de um forno.

Jason levantou sua lança para impedir o ataque seguinte do gigante, o que foi um grande erro. *Não use a força para vencer a força*, uma voz martelou em sua cabeça — a loba Lupa lhe falara isso muito tempo atrás. Ele conseguiu aparar o arpão do gigante, mas ele passou de raspão em seu ombro, e seu braço ficou paralisado.

O garoto deu um passo para trás e quase caiu sobre um tronco em chamas.

Jason precisava protelar, prender a atenção do gigante enquanto seus amigos lutavam contra os Nascidos da Terra e resgatavam o pai de Piper. Ele não podia falhar.

Deu mais passos para trás, tentando conduzir o gigante à margem da clareira. Encélado notava seu cansaço. O gigante sorriu, mostrando suas presas.

— O poderoso Jason Grace — provocou. — Sim, nós conhecemos você, filho de Júpiter. Aquele que liderou o ataque ao Monte Otris. Aquele que sozinho matou o titã Crios e derrubou o trono negro.

A mente de Jason vacilou. Ele não conhecia aqueles nomes, mas sentiu um arrepio, como se seu corpo se lembrasse de uma dor de que sua mente se esquecera.

— Do que está falando? — ele perguntou. E notou seu erro quando Encélado cuspiu fogo.

Distraído, Jason moveu-se muito lentamente. A chama não o atingiu, mas lhe raspou as costas. Ele caiu no chão, suas roupas queimando. Estava cego de tanta fuligem e fumaça e engasgou-se ao tentar respirar.

Deu um passo para trás quando o arpão do gigante se cravou no espaço entre seus pés.

Jason conseguiu ficar de pé.

Se pudesse reunir forças para lançar um único raio... Mas ele já estava exausto, e naquelas condições o esforço poderia matá-lo. E tampouco sabia se a eletricidade feriria o gigante.

Morrer em batalha é honrável, disse a voz de Lupa.

Isso é reconfortante, pensou Jason.

Uma última tentativa: Jason respirou fundo e atacou.

Encélado deixou que se aproximasse, sorrindo por antecipação. No último segundo, Jason fingiu um ataque e rolou entre as pernas do gigante. Depois levantou-se rapidamente, usando toda a sua força, pronto para golpeá-lo bem no meio das costas, mas Encélado antecipou-se à armadilha. Deu um passo para o lado com tanta rapidez e agilidade que nem parecia um gigante, como se a terra o ajudasse a se mover. Ele riscou o ar com o arpão, encontrando a lança de Jason, e com um movimento rápido, como se fosse um ataque com arma de fogo, a lança de ouro se desintegrou.

A explosão foi mais quente que o hálito do gigante, e a luz dourada cegou Jason. A força fez o menino tombar e o deixou sem ar.

Quando seus olhos conseguiram se focar novamente, ele estava sentado à beira de uma cratera. Encélado mantinha-se de pé do outro lado, cambaleante e confuso. A destruição da lança liberara tanta energia que criara um buraco em forma de cone, de mais de nove metros de profundidade, misturando lama e pedras, numa substância opaca e pegajosa. Jason não sabia muito bem como sobrevivera, mas suas roupas estavam chamuscadas. Ele não tinha energia. Nem arma. E Encélado seguia bem vivo.

Jason tentou se levantar, mas suas pernas pareciam feitas de chumbo. Encélado piscou ao ver a destruição, depois sorriu.

— Impressionante! Infelizmente, foi seu último truque, semideus.

Encélado pulou sobre a cratera com um único movimento, plantando cada pé de um lado de Jason. O gigante ergueu sua lança, com a ponta a menos de dois metros do peito de Jason.

— E agora chegou a hora de fazer o meu primeiro sacrifício a Gaia — disse Encélado.

XLIV

JASON

O tempo parecia passar mais lentamente, o que era realmente frustrante, pois Jason ainda não conseguia se mover. Sentia o corpo afundando na terra, como se estivesse sobre um colchão de água — algo confortável, que o estimulava a relaxar e se entregar. Ele ficou imaginando se as histórias que ouvira do Mundo Inferior eram verdadeiras. Terminaria nos Campos da Punição ou no Elísio? Como não podia se lembrar de nenhum de seus atos, será que eles ainda seriam levados em consideração? Perguntava a si mesmo se os juízes considerariam isso, ou se seu pai, Zeus, escreveria a eles um recado: "Por favor, livrem Jason da maldição eterna. Ele teve amnésia."

Jason não sentia seus braços. Podia ver a ponta do arpão aproximando-se de seu peito em câmera lenta. Sabia que deveria se mover, mas não se sentia capaz. Engraçado, ele pensou. Tanto esforço para manter-se vivo e, de repente, *bum*! Caído ali, sem poder fazer nada, com um gigante que lançava fogo sobre ele.

Até o momento em que Leo gritou:

— Olhem para cima!

Um enorme bastão preto de metal bateu em Encélado, fazendo um enorme barulho. O gigante cambaleou e caiu no buraco.

— Jason, levante-se — gritou Piper. Sua voz lhe deu energia, tirando-o de seu estupor. Ele se levantou, sentindo-se zonzo, enquanto Piper segurava seus braços e o ajudava a ficar de pé.

— Não me deixe na mão — ela ordenou. — Você *não* vai falhar comigo.

— Certo, madame.

Ele se sentia tonto, mas Piper era a coisa mais linda que já vira. Seu cabelo era atraente. Seu rosto estava sujo de fuligem. Tinha um corte no braço, o vestido estava rasgado e ela perdera uma das botas. Linda.

A cerca de trinta metros de distância, Leo estava de pé em uma máquina de construção — comprida como um canhão, com um único e enorme pistão, do qual faltava a ponta.

Jason olhou para o buraco e viu onde fora parar o restante daquele machado hidráulico. Encélado lutava para subir, com um machado do tamanho de uma máquina de lavar cravado no peitoral.

De forma incrível, o gigante conseguiu livrar-se do machado. Gritou de dor e a montanha tremeu. Icor dourado encharcou a frente de sua armadura, mas ele manteve-se de pé.

Trôpego, ele se agachou e recuperou seu arpão.

— Boa tentativa. — O gigante recuou. — Mas eu não posso ser vencido.

Enquanto observavam, a armadura do gigante recuperou-se sozinha, e seu icor já não escorria. Mesmo os cortes nas pernas, que tinham a proporção das patas de um dragão e que Jason lutara tanto para atingir, não passavam de pálidas cicatrizes.

Leo correu até eles, viu o gigante e praguejou:

— *Qual* é o problema desse cara? Morra, logo!

— Meu destino está predeterminado — disse Encélado. — Gigantes não podem ser mortos por deuses ou por heróis.

— Só pelos dois juntos — disse Jason. O sorriso do gigante desapareceu, e Jason notou em seus olhos algo parecido com medo. — É verdade, não é? Deuses e semideuses devem trabalhar juntos para matá-lo.

— Você não vai viver por tempo suficiente para tentar! — O gigante atrapalhou-se ao começar a subir as paredes da cratera, derrapando na superfície lamacenta.

— Alguém tem um deus à mão? — perguntou Leo.

O coração de Jason encheu-se de medo. Ele olhou para o gigante logo abaixo, lutando para voltar à superfície, e sabia o que estava a ponto de acontecer.

— Leo — ele disse —, caso você tenha uma corda no cinto, prepare-a.

Ele saltou sobre o gigante sem qualquer arma, apenas com as próprias mãos.

— Encélado! — gritou Piper. — Olhe atrás de você!

Era um truque óbvio, mas seu tom de voz foi tão persuasivo que convenceu inclusive Jason. O gigante perguntou:

— O quê? — E virou-se como se tivesse uma aranha enorme presa às costas.

Jason imobilizou as pernas dele no momento certo. O gigante perdeu o equilíbrio. Encélado caiu pesadamente na cratera e escorregou até o fundo. Enquanto tentava subir, Jason agarrou-lhe o pescoço. Quando tentou se levantar, o garoto ficou em cima de seus ombros.

— Saia daqui — gritou Encélado. E tentou agarrar as pernas de Jason, que não parava de se mexer, puxando e escalando os cabelos do gigante.

Pai, pensou Jason. *Se eu já tiver feito algo bom, algo que o senhor aprove, ajude-me agora. Ofereço minha própria vida... apenas para que salve a dos meus amigos.*

De repente, sentiu o cheiro metálico de uma tempestade. A escuridão dominou o sol. O gigante tremeu ao notar isso.

— Aproximem-se da plataforma! — Jason gritou a seus amigos.

E todos os pelos de sua cabeça ficaram arrepiados.

Crack!

Um raio atravessou o corpo de Jason, atingiu Encélado diretamente e chegou ao chão. O gigante retesou-se, e Jason foi arremessado. Quando voltou a si, estava em uma das paredes da cratera, que se abria. O raio rachara a própria montanha. A terra retumbava e se separava, e as pernas de Encélado escorregaram no abismo. Ele tentava subir pelas paredes do buraco, usando as garras de modo incontrolável, e por um momento conseguiu agarrar-se à margem, mas suas mãos tremiam.

Ele lançou para Jason um olhar de raiva.

— Você não ganhou nada, menino. Meus irmãos estão se reerguendo, e são dez vezes mais fortes que eu. Vamos destruir os deuses e arrancar suas raízes! Você vai morrer, e o Olimpo vai evaporar com...

O gigante perdeu o equilíbrio e caiu no abismo.

A terra tremeu. Jason caiu em uma brecha.

— Segure firme — gritou Leo.

Os pés de Jason estavam na beira do abismo quando conseguiu agarrar a corda, e Leo e Piper puxaram-no para cima.

Estavam juntos, exaustos e mortos de medo, e o abismo fechou-se como uma boca raivosa. A terra parou de sugar seus pés.

Por enquanto, Gaia se fora.

A montanha estava em chamas. A nuvem de fumaça subia alto. Jason avistou um helicóptero — talvez fossem bombeiros ou repórteres — aproximando-se.

Tudo ao redor deles era uma carnificina. Os Nascidos da Terra haviam se derretido em montes de lama, deixando para trás suas pedras e alguns pedaços de roupa suja, mas Jason sabia que em pouco tempo recuperariam a forma. Os equipamentos de construção estavam arruinados. O chão, cheio de buracos e sujo.

O treinador Hedge começou a se mover. Com um gemido, sentou-se e coçou a cabeça. Suas calças amarelo-canário ganharam um tom de mostarda Dijon misturada com lama.

Ele piscou e olhou para o cenário de guerra ao redor.

— Eu fiz isso?

Antes que Jason pudesse responder, Hedge pegou seu bastão e ficou de pé, trêmulo.

— Ah, vocês querem uma patada? Posso dar umas patadas, seus *cupcakes*! Quem é o bode aqui, hein?

Ele fez uma dancinha, chutando pedras e fazendo gestos rudes que deviam ser comuns entre sátiros, apontando para as pilhas de lama.

Leo abriu um sorriso e Jason não conseguiu resistir: começou a rir. Talvez parecesse um pouco histérico, mas era um alívio estar vivo, por isso ele não ligava.

Então um homem levantou-se do outro lado da clareira. Tristan McLean cambaleava adiante. Seus olhos estavam fundos, traumatizados, como alguém que tivesse acabado de caminhar por um campo nuclear devastado.

— Piper? — ele chamou com voz trêmula. — Pipes, o quê... o que é...?

Ele não conseguia completar o pensamento. Piper correu até ele e abraçou-o com força, mas ele pareceu quase não tê-la reconhecido.

Jason sentira algo parecido... naquela manhã no Grand Canyon, quando acordou sem memória. Mas o sr. McLean tinha o problema oposto. Eram *muitas* lembranças, muitos traumas com os quais ele não conseguia lidar. Ele estava desmoronando.

— Precisamos sair daqui — disse Jason.

— Sim, mas como? — perguntou Leo. — Ele não está em condições de caminhar.

Jason olhou para o helicóptero, que circulava acima deles.

— Você pode nos conseguir um megafone ou algo parecido? — perguntou a Leo. — Piper precisa dizer algumas coisas.

XLV

PIPER

Conseguir o helicóptero foi fácil, difícil foi colocar seu pai a bordo.

Piper precisou gritar apenas algumas palavras no megafone improvisado de Leo para convencer a pilota a aterrissar na montanha. O helicóptero do parque era bem grande, usado para resgastes médicos e para buscas e salvamentos, mas quando Piper disse à ótima pilota que seria uma grande ideia levá-los ao aeroporto de Oakland, ela concordou imediatamente.

— Não — murmurou seu pai, enquanto o levantavam do chão. — Piper... havia monstros... havia monstros...

Ela precisou da ajuda de Leo e Jason para segurá-lo, enquanto o treinador Hedge levava as coisas deles. Felizmente, Hedge ajeitara suas calças e pusera seus sapatos, e assim Piper não teve de explicar suas pernas de bode.

Piper ficou com o coração partido ao ver seu pai daquela maneira — arrasado, chorando como uma criança. Ela não sabia exatamente o que o gigante fizera, como os monstros tinham destruído seu espírito, e achava que não suportaria descobrir.

— Tudo vai ficar bem, papai — ela disse, com o tom de voz mais tranquilizador que pôde. Não queria usar o charme com o próprio pai, mas parecia a única maneira. — Essas pessoas são meus amigos. Vamos ajudá-lo. Você está seguro agora.

Ele piscou, observando as pás do helicóptero.

— Lâminas. Eles tinham uma máquina com muitas lâminas. E tinham seis braços...

Quando se aproximaram, a pilota veio ajudar e perguntou:

— O que aconteceu com ele?

— Inalou muita fumaça — disse Jason. — Talvez esteja exausto por causa do calor.

— Temos que levá-lo a um hospital — disse a pilota.

— Não é preciso — respondeu Piper. — O aeroporto basta.

— Sim, o aeroporto basta — concordou a pilota, automaticamente, depois franziu a testa, sem saber muito bem por que mudara de ideia. — Ele não é Tristan McLean, o ator de cinema?

— Não — respondeu Piper. — São parecidos, nada mais. Esqueça isso.

— Certo — disse a pilota. — São parecidos. Eu... — Ela piscou, confusa — Esqueci o que ia dizer. Vamos.

Jason ergueu as sobrancelhas ao olhar para Piper, impressionado, mas Piper sentia-se muito mal. Não queria confundir a cabeça das pessoas, convencê-las de coisas em que não acreditavam. Isso era tão arrogante, tão errado... como Drew fizera no acampamento e Medeia na loja de departamentos. E como isso poderia ajudar seu pai? Não seria capaz de convencê-lo de que ele ficaria bem, de que nada acontecera. Seu trauma fora muito profundo.

Finalmente, conseguiram colocá-lo a bordo e o helicóptero levantou voo. A pilota não parava de receber mensagens pelo rádio, perguntavam aonde ia, mas ela as ignorava. Partiram da montanha em chamas e seguiram em direção a Berkeley Hills.

— Piper — disse seu pai, pegando sua mão e agarrando-a, como se tivesse medo de cair. — É você? Eles me disseram... disseram que você ia morrer. Disseram... que aconteceriam coisas horríveis.

— Sou eu, papai. — Ela reuniu toda a força do mundo para não chorar. Precisava manter-se forte por ele. — Vai ficar tudo bem.

— Eram monstros — ele disse. — Monstros de verdade. Espíritos da terra, como os das histórias do seu avô Tom... e a Mãe-Terra estava com raiva de mim. E o gigante, Tsul'kälû, cuspia fogo... — Ele voltou a encarar Piper, os olhos vazios, refletindo uma luz estranha. — Disseram que você é uma semideusa. Que sua mãe era...

— Afrodite — disse Piper. — A deusa do amor.

— Eu... eu... — Ele inspirou fundo, trêmulo, mas parecia não saber como expirar.

Os amigos de Piper tentavam não ficar olhando. Leo brincava com um parafuso que tirara do cinto. Jason olhava para o vale logo abaixo — as estradas cheias enquanto os mortais paravam seus carros para ver a montanha em chamas. Glesson tinha mastigado a haste de seu cravo, e pela primeira vez não parecia ter vontade de gritar ou se gabar de nada.

Tristan McLean não deveria ser visto daquela maneira. Ele era um astro de cinema. Confiante, estiloso, amável... sempre no controle. Era a imagem que projetava para o público. Piper o vira titubear antes. Mas aquilo era diferente. Ele estava destruído, fora de si.

— Eu não sabia sobre minha mãe — disse Piper. — Até você ser sequestrado. Quando descobrimos onde estava, viemos rapidamente. Meus amigos me ajudaram. Ninguém vai machucá-lo outra vez.

O pai dela não parava de tremer.

— Vocês são heróis... você e seus amigos. Eu não acredito! Você é uma heroína de verdade, não como eu. Não está desempenhando um papel. Estou tão orgulhoso de você, Pipes. — Mas as palavras eram murmuradas sem emoção, como se ele estivesse em transe.

Ele olhou para o vale e soltou um pouco a mão de Piper.

— Sua mãe nunca me contou nada.

— Ela achava que assim seria melhor.

A própria Piper achava a resposta pouco convincente, e não havia charme que pudesse mudar isso. Porém, não contou ao pai o que realmente preocupara Afrodite: *Se ele tiver que passar o resto da vida com essas lembranças, sabendo que deuses e monstros caminham pela terra, ficará muito mal.*

Piper mexeu no bolso interno de sua jaqueta. O vidro ainda estava lá, quente.

Mas como poderia apagar as memórias do pai? Ele finalmente sabia quem ela era. Estava orgulhoso dela, e pela primeira vez na vida era ela a sua heroína, não o contrário. Nunca a mandaria embora outra vez. Eles compartilhavam um segredo.

Como poderia fazer tudo voltar a ser como antes?

Ela agarrou a mão dele, falando sobre coisas mais amenas: sobre o tempo que passou na Escola da Vida Selvagem, sobre o chalé no Acampamento Meio-Sangue. Contou-lhe que o treinador Hedge comia cravos e que fora nocauteado no Monte Diablo, que Leo domara um dragão e que Jason afastara os lobos falando em latim. Seus amigos sorriram relutantes enquanto ela contava suas aventuras. Seu pai parecia relaxar enquanto ela falava, mas não sorria. Piper nem tinha certeza de que ele realmente a estava escutando.

Quando passaram pelas colinas e chegaram a East Bay, Jason ficou tenso. Debruçou-se tanto na porta de carga que Piper ficou com medo de que ele caísse.

— O que é aquilo? — perguntou Jason, apontando.

Piper olhou para baixo, mas não viu nada interessante — apenas colinas, campos, casas e pequenas estradas entre os *canyons*. Uma estrada maior passava por um túnel, ligando East Bay às cidades do interior.

— Onde? — perguntou Piper.

— Aquela estrada — ele respondeu. — A que segue pelas colinas.

Piper pegou o capacete com microfone que a pilota lhe dera e perguntou pelo rádio. A resposta não foi muito animadora.

— Ela disse que é a Rodovia 24 — disse Piper. — Aquele é o túnel Caldecott. Por quê?

Jason ficou olhando para a entrada do túnel, mas não disse nada. Ela desapareceu da paisagem quando o helicóptero começou a sobrevoar o centro de Oakland, mas Jason não parava de olhar para trás, com uma expressão tão confusa quanto a do pai de Piper.

— Monstros — disse o pai dela, com uma lágrima descendo pelo rosto. — Eu vivo num mundo cheio de monstros.

XLVI

PIPER

O controle de tráfego aéreo não queria permitir que um helicóptero desconhecido descesse no aeroporto de Oakland — até Piper entrar no rádio. Depois disseram que não havia problema algum.

Quando eles desembarcaram, na pista de pouso, todos olharam para Piper.

— E agora? — perguntou Jason.

Ela não se sentia confortável. Não queria ficar no comando, mas pelo bem do pai precisava parecer confiante. Não tinha qualquer plano. Lembrava-se apenas de que seu pai voara para Oakland, então seu jato particular ainda deveria estar por ali. Mas era o dia do solstício. Tinham de salvar Hera. E não sabiam para onde ir ou se já era tarde demais. Mas como Piper poderia deixar seu pai sozinho naquelas condições?

— Primeiro — ela disse —, eu... eu preciso levar meu pai para casa. Sinto muito, meninos.

A expressão deles foi de desânimo.

— Ah — disse Leo —, quer dizer, claro. Ele precisa de você. Podemos seguir sozinhos a partir daqui.

— Pipes, não — disse o pai dela, sentado na porta de carga do helicóptero, com uma manta sobre os ombros. Depois se levantou. — Você tem uma missão, uma jornada. Eu não posso...

— Eu vou cuidar dele — disse o treinador Hedge.

Piper olhou-o. O sátiro era a última pessoa que ela imaginava ser capaz de se oferecer.

— Você? — ela perguntou.

— Sou um protetor — disse Gleeson. — Meu trabalho é esse, e não lutar.

Parecia abatido, e Piper pensou que não deveria ter mencionado a derrota dele na batalha anterior. À sua maneira, o sátiro talvez fosse tão sensível quanto o seu pai.

— Claro que também sou bom lutador — disse o sátiro, esticando o corpo e olhando para todos eles, desafiando-os a discordar.

— Claro — disse Jason.

— Você é um ótimo lutador — concordou Leo.

O treinador grunhiu.

— Porém sou um protetor, e posso fazer isso muito bem. Seu pai está certo, Piper. Você precisa seguir em frente com a missão.

— Mas... — Os olhos de Piper ardiam, como se ela estivesse mais uma vez na floresta em chamas. — Papai...

Ele esticou os braços, e Piper o abraçou. Ele estava frágil, tremia muito, e isso a assustou.

— Vamos dar um minuto a eles — disse Jason, e levaram a pilota até um pouco mais adiante.

— Não posso acreditar — disse seu pai. — Eu falhei com você.

— Não, papai!

— As coisas que eles fizeram, Piper, as coisas que me mostraram...

— Pai, escute — ela disse, pegando o vidro no bolso. — Afrodite me deu isso, para você. Apagará sua memória recente. Será como se nada disso tivesse acontecido.

Ele a encarou, como se estivesse traduzindo o que ela dissera em outro idioma.

— Mas você é uma heroína. Eu me esqueceria disso?

— Sim — ela murmurou, e forçou um tom de voz que transmitisse segurança. — Você esquecerá. Será tudo como... antes.

Ele fechou os olhos e respirou fundo, incerto.

— Amo você, Piper. Sempre amei. Eu... eu a afastei de casa pois não queria expô-la à minha vida. Não queria que crescesse como eu cresci... na pobreza, sem esperança. Nem queria que se envolvesse na loucura de Hollywood. Eu imaginava... que a estava protegendo. — Ele conseguiu abrir um leve sorriso. — Como se a sua vida longe de mim fosse melhor, ou mais segura.

Piper pegou sua mão. Já ouvira aquela história sobre protegê-la, mas nunca acreditara. Sempre pensou que fosse uma bobagem, que ele estivesse apenas racionalizando. Seu pai parecia um homem confiante e tranquilo, como se sua vida fosse uma brincadeira. Como poderia dizer que queria proteger sua filha disso?

Mas finalmente Piper entendeu que, sim, ele agia para protegê-la, para não demonstrar o quanto era inseguro e assustado. E naquele momento sua habilidade de lidar com suas fraquezas estava destruída.

Ela lhe ofereceu o vidro com a poção.

— Tome. Talvez um dia possamos conversar sobre isso novamente. Quando você estiver preparado.

— Quando eu estiver preparado — ele murmurou. — Você faz isso soar como... como se *eu* fosse o adolescente aqui. Mas eu deveria ser o pai — disse, e pegou o tal vidro. Seus olhos brilhavam com uma esperança angustiada. — Eu amo você, Pipes.

— Eu também, papai.

Ele tomou o líquido rosa. Seus olhos se reviraram e ele se curvou para a frente. Piper segurou-o e seus amigos correram para ajudar.

— Peguei — disse Hedge. O sátiro se desequilibrou, mas foi forte o bastante para erguer Tristan McLean. — Já pedi que trouxessem seu jato particular. Está a caminho. Endereço de casa?

Piper estava a ponto de passar o endereço quando pensou em algo. Checou o bolso do pai, e seu BlackBerry estava ali. Parecia estranho que ainda carregasse algo tão corriqueiro após tudo o que acontecera, mas imaginou que Encélado não tivesse qualquer razão para ficar com o aparelho.

— Está tudo aqui — disse Piper. — Endereço, telefone do motorista. Só tome cuidado com Jane.

Hedge ergueu os olhos, como se pressentisse um possível enfrentamento.

— Quem é Jane?

Quando Piper acabou de explicar, o Gulfstream branco e reluzente do pai já taxiava na pista.

Hedge e a comissária de bordo conseguiram colocar o sr. McLean a bordo. O treinador foi mais uma vez se despedir. Deu um abraço em Piper e olhou para Jason e Leo.

— Vocês, rapazes, tomem conta dessa menina, ouviram? Ou vou obrigá-los a fazer flexões.

— Certo, treinador — disse Leo, com um começo de sorriso no rosto.

— Não vamos precisar de flexões — prometeu Jason.

Piper deu mais um abraço no sátiro.

— Obrigada, Gleeson. Cuide dele, por favor.

— Não se preocupe, McLean. Já vi que teremos cerveja sem álcool e *enchillada* vegetariana nesse voo, e guardanapos de linho puro... delícia! Acho que posso me acostumar a isso.

Subindo as escadas, dele caiu um dos sapatos e sua pata ficou visível por um momento. A comissária de bordo arregalou os olhos, mas olhou para o outro lado e fingiu estar tudo bem. Piper pensou que ela já devia estar acostumada a ver coisas estranhas ao trabalhar para Tristan McLean.

Enquanto o avião seguia para a pista de decolagem, Piper começou a chorar. Estava se segurando havia muito tempo e não aguentou mais. Jason rapidamente a abraçou, e Leo ficou por perto, sem saber o que fazer, tirando um lenço de papel do cinto.

— Seu pai está em boas mãos — disse Jason. — Você foi fantástica.

Ela chorava na camisa de Jason, e permitiu-se ficar nos braços dele enquanto respirava fundo seis vezes. Sete. Mas teve de se recompor. Precisavam dela. A pilota do helicóptero já parecia impaciente, como se começasse a imaginar o que estava fazendo ali.

— Obrigada, meninos — disse Piper. — Eu...

Queria dizer o quanto eles significavam para ela. Sacrificaram tudo, talvez a própria missão, para ajudá-la. Piper nunca poderia retribuir isso, menos ainda traduzir em palavras tanta gratidão. Mas a expressão no rosto de seus amigos deixava claro que eles tinham entendido.

Então, ao lado de Jason, o ar ficou bruxuleante. Piper imaginou que fosse por conta do asfalto aquecido ou do escapamento do helicóptero, mas já vira algo parecido no chafariz de Medeia. Era uma mensagem de Íris. Uma imagem apareceu no ar — uma menina de cabelos pretos e trajes de inverno camuflados, segurando um arco.

Jason ficou surpreso:

— Thalia!

— Graças aos deuses! — disse a Caçadora. A cena atrás dela era difícil de entender, mas Piper ouviu gritos, barulho de metal se chocando e explosões.

— Nós a encontramos — disse Thalia. — Onde vocês estão?

— Oakland — ele respondeu. — E você?

— Na Casa do Lobo! Oakland... então vocês não estão muito longe. Estamos contendo os comparsas do gigante, mas não vamos aguentar muito tempo. Cheguem aqui antes do pôr do sol ou tudo estará acabado.

— Não é tarde demais? — perguntou Piper, recuperando um pouco de esperança, que logo perdeu ao ver a expressão no rosto de Thalia.

— Ainda não — respondeu Thalia. — Mas, Jason... é pior do que eu imaginava. Porfiríon está se erguendo. Corra!

— Mas onde fica a Casa do Lobo?

— Nossa última viagem — respondeu Thalia, e sua imagem começou a desaparecer. — O parque. Jack London. Lembra?

Aquilo não fazia sentido para Piper, mas Jason parecia ter sido atingido em cheio. Ele balançou a cabeça, com o rosto pálido, e a imagem de Íris desapareceu.

— Cara, você está bem? — perguntou Leo. — Sabe onde ela está?

— Sei — disse Jason. — Sonoma Valley. Não é longe, principalmente se formos voando.

Piper virou-se para a pilota, que observava tudo com expressão de espanto.

— Senhora — disse Piper, com seu melhor sorriso. — Você se importaria em nos ajudar mais uma vez?

— Claro que não — ela respondeu.

— Não podemos levar uma mortal a uma batalha — disse Jason. — É muito perigoso. — E virou-se para Leo: — Você acha que poderia pilotar essa coisa?

— Hum...

A expressão de Leo não foi muito tranquilizadora para Piper. Mas ele apoiou uma das mãos no helicóptero, concentrando-se, como se lesse o manual da máquina.

— Bell 412 HP, um helicóptero utilitário — disse Leo. — Motor principal de quatro pás, velocidade de cruzeiro de vinte e dois nós, teto de voo de vinte mil pés. O tanque está quase cheio. Claro que posso pilotar isso.

Piper sorriu para a pilota mais uma vez.

— Algum problema se um menor de idade, sem brevê, pegar emprestado seu helicóptero? Nós vamos devolver, claro.

— Eu... — A pilota não sabia o que dizer, mas concordou: — Não tem problema.

Leo sorriu.

— Subam, crianças. O tio Leo vai levar vocês para dar um passeio.

XLVII

LEO

Pilotar um helicóptero? Claro, por que não? Leo já fizera muita loucura aquela semana.

O sol se punha enquanto eles voavam em direção ao norte, passando pela ponte Richmond, e Leo não podia acreditar que o dia havia passado tão rápido. Mais uma vez, nada como TDAH combinado a luta pela vida para fazer o tempo passar voando.

Pilotando, ele oscilava entre a confiança e o pânico. Se não pensasse no que fazia, ligava apenas os botões necessários, checava o altímetro, controlava o helicóptero com segurança e seguia voo tranquilamente. Mas quando pensava no que deveria fazer, começava a se desesperar. Imaginou sua tia Rosa gritando em espanhol, dizendo que ele era um delinquente lunático que ia bater e morrer carbonizado. E parte dele suspeitava de que tia Rosa tivesse razão.

— Tudo bem? — perguntou Piper, do assento do copiloto.

Ela parecia mais nervosa do que ele, então Leo armou-se com uma expressão corajosa.

— Excelente — ele disse. — Então, o que é a Casa do Lobo?

Jason meteu-se entre os dois assentos.

— Uma mansão abandonada no Sonoma Valley. Um semideus a construiu... Jack London.

Leo não conhecia o nome.

— Um ator?

— Escritor — disse Piper. — De livros de aventura, certo? *O chamado da floresta*, *Caninos brancos*?

— Certo — disse Jason. — Ele era filho de Mercúrio... Quer dizer, de Hermes. Um aventureiro, viajou pelo mundo todo. Foi até meio vagabundo por um tempo. Depois fez fortuna escrevendo. Comprou um grande rancho nos Estados Unidos e decidiu construir ali essa mansão: a Casa do Lobo.

— Que chamou assim pois escrevia sobre lobos? — perguntou Leo.

— Mais ou menos — respondeu Jason. — Mas o local e a razão por que escrevia sobre lobos... eram dicas de sua própria experiência. Há muitas coisas misteriosas na história de sua vida... como ele nasceu, como era o seu pai, por que viajava tanto... e isso só pode ser explicado quando sabemos que ele era um semideus.

A baía ficou para trás e o helicóptero seguiu para o norte. À frente deles, colinas douradas cobriam tudo até onde Leo podia enxergar.

— Então Jack London esteve no Acampamento Meio-Sangue? — perguntou Leo.

— Não — disse Jason. — Não esteve.

— Cara, você está me deixando louco com esse papo misterioso. Está se lembrando do passado ou não?

— De algumas coisas — respondeu Jason. — Só algumas coisas. Mas nada muito bom. A Casa do Lobo está em um local sagrado. Foi onde Jack London começou sua jornada, ainda criança, onde descobriu que era semideus. Por isso voltou para lá. Imaginou que poderia viver lá, comprar aquela terra, mas não era para ser assim. A Casa do Lobo estava amaldiçoada. Ardeu em chamas uma semana antes que ele e sua esposa se mudassem para lá. Poucos anos mais tarde, London morreu e suas cinzas foram espalhadas no terreno.

— Mas — disse Piper —, como você sabe disso tudo?

Uma sombra passou pelo rosto de Jason. Provavelmente era apenas uma nuvem, mas Leo poderia jurar que tinha o formato de uma águia.

— Eu também comecei minha jornada lá — disse Jason. — É um lugar poderoso para os semideuses, um lugar perigoso. Se Gaia puder reclamá-lo para si e usar seu poder para enterrar Hera no solstício e reerguer Porfiríon... Isso poderá ser o bastante para que ela desperte completamente.

Leo manteve a mão no manche, guiando o helicóptero na velocidade máxima, seguindo para o norte. Podia ver um pouco de água à frente, e algo escuro, como nuvens ou uma tempestade, bem no lugar para onde seguiam.

O pai de Piper o chamara de herói. E nem Leo podia acreditar em algumas das coisas que eles fizeram... Destruir ciclopes, desarmar campainhas explosivas, lutar contra ogros de seis braços usando equipamentos de construção. Pareciam ações de outra pessoa. Ele era apenas Leo Valdez, um menino órfão de Houston. Passou sua vida fugindo, e parte dele queria fugir mais uma vez. O que fazia pilotando aquele helicóptero em direção a uma casa mal-assombrada para lutar contra monstros terríveis?

A voz de sua mãe ecoou em sua mente: *Não há nada que não possa ser consertado.*

Exceto o fato de que você se foi para sempre, pensou Leo.

Ver Piper e seu pai mais uma vez juntos o transportara de volta para casa. Mesmo se Leo sobrevivesse à missão e salvasse Hera, não voltaria para sua família feliz. Não voltaria para um lar. Não veria sua mãe.

O helicóptero balançou. O metal estalava, e Leo pensou que poderia ser código Morse para: *Não é o fim. Não é o fim.*

Ele estabilizou o aparelho e o barulho parou. Estava ouvindo coisas. Não podia ficar obcecado pela mãe ou pela ideia que não o deixava em paz — Gaia estava trazendo almas de volta do Mundo Inferior. Por que ele não poderia tirar proveito disso? Pensar assim o deixaria louco. Tinha um trabalho a fazer.

Deixou-se levar pelos instintos... como fazia ao pilotar aquele helicóptero. Se pensasse muito, ou se ficasse imaginando o que aconteceria depois, entraria em pânico. A solução era não pensar... só seguir em frente.

— Trinta minutos para chegar — disse aos amigos, embora não tivesse ideia de como sabia disso. — Se quiserem descansar um pouco, é um bom momento.

Jason recostou-se na parte de trás do helicóptero e dormiu quase imediatamente. Piper e Leo permaneceram bastante acordados.

Após alguns minutos de silêncio, Leo disse:

— Seu pai vai ficar bem. Ninguém se meterá com ele enquanto aquele bode louco estiver por perto.

Piper olhou para ele, e Leo ficou admirado ao ver que ela se transformara tanto. Não apenas fisicamente. Sua aura era mais forte. Ela parecia mais... *presente*. Na Escola da Vida Selvagem passara muito tempo tentando não ser notada, escondendo-se nas últimas fileiras das salas de aula, na parte de trás do ônibus, num canto do refeitório, longe dos meninos mais barulhentos. Mas agora seria impossível não percebê-la. E não importava o que ela estivesse vestindo: você seria *obrigado* a olhar para ela.

— Meu pai — ela disse, pensativa. — Sim, eu sei. Estava pensando em Jason. Estou preocupada com ele.

Leo fez que sim. Quanto mais se aproximavam das nuvens negras, mais Leo se preocupava também.

— Ele está começando a recuperar a memória. Isso poderá deixá-lo um pouco perdido.

— Mas e se... e se ele for uma pessoa diferente?

Leo pensara o mesmo. Se a Névoa afetava suas memórias, será que a personalidade de Jason era apenas uma ilusão? Se o amigo deles não fosse realmente um amigo... Eles estavam seguindo em direção a uma mansão amaldiçoada, um lugar perigoso para os semideuses... O que aconteceria caso Jason recuperasse totalmente sua memória no meio da batalha?

— Bobagem — decidiu Leo. — Após tudo o que passamos juntos? Não acredito. Somos um time. Jason vai aguentar.

Piper passou a mão por seu vestido azul, queimado e rasgado depois da luta no Monte Diablo.

— Espero que você tenha razão. Eu preciso dele... — disse, limpando a garganta. — Quer dizer, eu preciso confiar nele...

— Eu sei — disse Leo.

Após ver o pai dela daquela maneira, Leo entendera que Piper não aguentaria perder Jason também. Ela vira Tristan McLean, seu pai, um astro de cinema, reduzido quase à insanidade. Leo mal pôde aguentar assistir àquilo; como deve ter sido para Piper? Talvez ela tenha ficado insegura sobre si mesma. Se a fraqueza for hereditária, deveria estar imaginando, não terminaria como o seu pai?

— Ei, não se preocupe — disse Leo. — Piper, você é a rainha da beleza mais forte e poderosa que vi na vida. Confie em si mesma. E, para tudo o que precisar, confie em mim também.

O helicóptero mergulhou num redemoinho de vento, e Leo levou um baita susto. Ele praguejou e conseguiu estabilizar a máquina.

Piper sorriu, nervosa.

— Confiar em você?

— Fique caladinha, certo? — ele disse, sorrindo, e por um segundo parecia estar conversando tranquilamente com uma amiga.

Até o momento em que alcançaram as nuvens de tempestade.

XLVIII

LEO

Num primeiro momento, Leo imaginou que eram pedras batendo no para--brisa. Mas logo percebeu que era granizo. Uma camada de gelo tomou conta dos cantos do vidro, e o gelo borrava sua visão.

— Uma tempestade de gelo? — perguntou Piper, tentando falar mais alto para vencer o barulho. — É normal fazer tanto frio assim em Sonoma?

Leo não sabia, mas algo naquela tempestade parecia maligno — como se os atingisse de forma intencional.

Jason acordou, levantando-se rapidamente. E agarrou os assentos dos dois.

— Devemos estar bem perto.

Leo estava muito ocupado tentando manter o helicóptero estável. Já não era tão fácil pilotá-lo. Os movimentos eram lentos e aos trancos. A máquina sofria com o vento gelado. Provavelmente o helicóptero não fora projetado para voar em ambiente tão frio. Os controles não respondiam, e eles começaram a perder altitude.

Logo abaixo, o chão era uma mistura escura de árvores e neblina. O topo da colina surgiu à frente deles e Leo forçou o manche, roçando nas copas das árvores.

— Olhem! — gritou Jason.

Um pequeno vale se abria à frente, com a forma vaga de um edifício no centro. Leo dirigiu o helicóptero para aquele ponto. Tudo em volta eram lampejos que fizeram Leo se lembrar de quando se aproximavam da casa de Midas.

Árvores se partiam e explodiam em volta da clareira. Formas se alteravam pela névoa. Parecia haver luta por todos os lados.

Pousou o helicóptero num campo de gelo a cerca de 45 metros da casa e desligou o motor. Estava a ponto de relaxar quando ouviu um som e viu uma figura escura movendo-se na direção deles, no meio da névoa.

— Corra! — gritou Leo.

Eles abandonaram o helicóptero e logo ouviram um alto estrondo contra o chão, que fez Leo perder o equilíbrio e ficar todo respingado por gelo.

Levantou-se rapidamente e viu a imensa bola de neve — um pedaço de neve, gelo e poeira do tamanho de uma garagem — que cobrira inteiramente o Bell 412.

— Você está bem? — perguntou Jason, aproximando-se dele, com Piper ao seu lado. Os dois pareciam bem, mas estavam cobertos de neve e lama.

— Sim — disse Leo. — Mas acho que devemos um helicóptero novo àquela senhora.

Piper apontou para o sul.

— A luta está para lá — Depois franziu a testa. — Não... está em todos os lados.

Ela estava certa. Os sons da luta vinham de todos os cantos do vale. A neve e a névoa não permitiam que pudessem dizer com certeza, mas parecia haver um círculo de batalhas em volta da Casa do Lobo.

Atrás deles surgia a casa dos sonhos de Jack London — uma enorme ruína de pedras cinzentas e avermelhadas, além de vigas de madeira corroídas. Leo podia imaginar como era antes de arder em chamas — um misto de casa de campo e castelo, bem ao gosto de um lenhador bilionário. Mas, entre a névoa e o granizo, o local tinha uma aura assombrada, solitária. Leo quase acreditava tratar-se realmente de ruínas amaldiçoadas.

— Jason! — gritou uma voz feminina.

Thalia apareceu saindo da neblina, com a parca coberta de neve. Tinha o arco nas mãos, e seu suprimento de flechas estava quase no fim. Correu em direção ao irmão, mas após alguns passos um ogro de seis braços — um dos Nascidos da Terra — surgiu do meio da tempestade, logo atrás dela, com um bastão erguido em cada mão.

— Cuidado! — gritou Leo.

Eles correram para ajudá-la, mas Thalia tinha tudo sob controle. Armou-se com uma flecha e deu um salto como se fosse um ginasta, caindo de joelhos. A flechada atingiu o ogro bem no meio dos olhos, e ele perdeu a forma, transformando-se em um monte de lama.

Thalia levantou-se e recuperou a flecha, mas a ponta estava destruída.

— Era a última — disse, chutando o monte de lama. — Ogro estúpido.

— Bela pontaria, pelo menos — disse Leo.

Thalia o ignorou, como sempre (mas isso sem dúvida significava que o achava muito legal). Abraçou Jason e acenou para Piper.

— Chegaram bem na hora. As Caçadoras estão cuidando da área em volta da casa, mas em pouco tempo não aguentarão. Serão vencidas.

— Pelos Nascidos da Terra? — perguntou Jason.

— *E* pelos lobos... subordinados de Licáon — respondeu Thalia, limpando um pedaço de gelo preso ao seu nariz. — E também espíritos da tempestade.

— Mas nós os entregamos a Éolo! — disse Piper.

— Que tentou nos matar — lembrou-lhe Leo. — Talvez ele esteja ajudando Gaia de novo.

— Eu não sei — disse Thalia. — Mas os monstros recuperam suas formas quase tão rapidamente quanto nós os podemos matar. Tomamos a Casa do Lobo sem problema: surpreendemos os vigias e os enviamos de volta ao Tártaro. Mas veio essa tempestade louca. E ondas e ondas de monstros começaram a atacar. Agora estamos cercadas por eles. Não sei quem ou o que desatou o assalto, mas acho que já estava planejado. É uma armadilha para matar quem tentasse resgatar Hera.

— Onde ela está? — perguntou Jason.

— Lá dentro — respondeu Thalia. — Tentamos libertá-la, mas não sabemos como abrir a cela. Mais alguns minutos e o sol vai se pôr. Hera acha que nesse momento Porfiríon renascerá. Além disso, a maior parte dos monstros é mais forte durante a noite. Se não a libertarmos rapidamente...

Ela nem precisou terminar de falar.

Leo, Jason e Piper a seguiram em direção à casa arruinada.

Assim que Jason pôs um pé no limiar da porta, desmaiou imediatamente.

— Ei! — disse Leo. — Nada disso, cara. O que está acontecendo?

— Este lugar... — Jason balançou a cabeça. — Sinto muito... Mas sempre bate forte em mim.

— Então você já *esteve* aqui... — perguntou Piper.

— Nós dois estivemos — respondeu Thalia. Sua expressão era fechada, como se revivesse a morte de alguém. — Foi aqui que minha mãe nos trouxe quando Jason era criança. Ela deixou Jason aqui e me disse que ele estava morto. Ele simplesmente desapareceu.

— Ela me entregou aos lobos — murmurou Jason. — Por insistência de Hera. Ela me deu a Lupa.

— Isso eu não sabia — disse Thalia, franzindo a testa. — Quem é Lupa?

Uma explosão sacudiu o prédio. Do lado de fora, uma nuvem azul em forma de cogumelo subiu ao céu, fazendo chover flocos de neve e gelo, como uma explosão nuclear fria, em vez de quente.

— Talvez não seja hora para explicações — disse Leo. — Leve-nos à deusa.

Lá dentro, Jason parecia mais centrado. A casa tinha a forma de um U gigante, e Jason os guiou por entre as alas, chegando a um pátio com uma piscina vazia. Nela, exatamente como no sonho de Jason, duas espirais de pedra e raízes subiam do chão.

Uma das espirais era bem maior que a outra — uma massa escura e sólida de cerca de seis metros de altura, que para Leo parecia um saco de dormir feito de pedra. Por baixo da massa de raízes emboladas ele pôde ver a forma de uma cabeça, ombros largos, peito forte e braços, como se uma criatura estivesse presa nas profundezas da terra. Presa não... *erguendo-se*.

Do outro lado da piscina, a segunda espiral era menor e menos densa. Porém, os tentáculos das raízes tinham a grossura de um poste, e com muito pouco espaço entre eles, fazendo com que Leo pensasse que não poderia passar o braço ali. Ainda assim, podia ver o que havia sob as raízes. E ali, no centro da cela, estava *Tía* Callida, de pé.

Exatamente como Leo se lembrava dela: cabelos pretos cobertos com um xale, vestido negro de viúva e um rosto enrugado, com olhos assustadores.

Ela não brilhava nem irradiava qualquer tipo de poder. Parecia uma mulher mortal, a mesma babá psicótica de sempre.

Leo desceu na piscina e aproximou-se da cela.

— *Hola, Tía*. Está com algum problema?

Ela cruzou os braços e suspirou, exasperada.

— Não fique olhando para mim como se eu fosse uma das suas máquinas, Leo Valdez. Tire-me daqui!

Thalia ficou parada ao lado dele, olhando para a cela — ou talvez olhasse para a deusa.

— Já tentamos tudo em que podíamos pensar, Leo, mas talvez meu coração não estivesse ali. Por mim, eu a deixaria presa aí dentro.

— Ah, Thalia Grace! — disse a deusa. — Quando eu sair daqui, você vai se arrepender de ter nascido.

— Chega! — disse Thalia. — Você amaldiçoou todos os filhos de Zeus. Mandou várias vacas raivosas contra a minha amiga Annabeth...

— Ela não me respeitou!

— E jogou uma estátua nas minhas pernas.

— Foi um acidente!

— *E* levou meu irmão embora! — gritou Thalia, com voz embargada de emoção. — Aqui... neste mesmo lugar, você arruinou as nossas vidas. Deveríamos deixá-la nas garras de Gaia!

— Tudo bem — disse Jason. — Thalia... eu sei. Mas não é hora para isso. Você deveria ajudar as outras Caçadoras.

Thalia trincou os dentes.

— Certo. Por você, Jason. Mas se quiser saber minha opinião, ela não merece isso.

Thalia saiu da piscina e saiu correndo da casa.

Leo virou-se para Hera e perguntou:

— Vacas raivosas?

— Foque sua atenção na cela, Leo — ela murmurou. — E Jason... você é mais esperto que sua irmã. Eu escolhi bem o meu campeão.

— Não sou seu campeão, senhora — disse Jason. — Só estou ajudando porque você roubou minhas memórias e não tenho alternativa além de você para recuperá-las. Aliás, o que é aquilo?

E apontou com a cabeça para a outra cela, a que parecia um saco de dormir feito de granito. Seria imaginação de Leo, ou a cela estava mais alta do que quando chegaram ali?

— Aquilo, Jason — disse Hera —, é o rei dos gigantes renascendo.

— Que repulsivo — disse Piper.

— Demais — disse Hera. — Porfiríon, o mais forte de todos. Gaia precisava de muito poder para erguê-lo novamente... o *meu* poder. Estou ficando mais fraca a cada dia, e minha essência o ajuda a se reerguer em uma nova forma.

— Você é uma espécie de incubadora? — perguntou Leo. — Ou de fertilizante?

A deusa o encarou, mas Leo não ligou. Aquela velha senhora perturbara sua vida desde a infância. Ele tinha todo o direito de debochar.

— Brinque o quanto quiser — ela disse, num tom macabro. — Mas quando vier o pôr do sol será tarde demais. O gigante irá despertar. E eu terei que escolher: casar-me com ele ou ser consumida pela terra. Eu não posso me casar com ele pois todos seríamos destruídos. E quando morrermos, Gaia irá acordar.

Leo franziu a testa ao olhar para a espiral do gigante.

— Não podemos explodi-la ou algo assim?

— Sem a minha ajuda, vocês não poderão fazer nada — disse Hera. — Comigo, poderiam destruir uma montanha.

— Já fizemos isso hoje — disse Jason.

— Vamos, libertem-me daqui — exigiu Hera.

— Leo, você pode fazer isso? — perguntou Jason, coçando a cabeça.

— Eu não sei — respondeu Leo, tentando não entrar em pânico. — Além do mais, se ela é uma deusa, por que não escapa sozinha?

Hera caminhava impaciente dentro da cela, xingando em grego antigo.

— Use sua cabeça, Leo Valdez. Eu o *escolhi* porque você é inteligente. Quando presos, os poderes dos deuses são inúteis. Inclusive seu pai, uma vez, me prendeu em uma cadeira de ouro. Foi humilhante! Eu precisei implorar... *implorar* que ele me libertasse e pedi desculpas por tê-lo expulsado do Olimpo.

— Parece justo — disse Leo.

Hera olhou para ele, fulminante.

— Eu observo você desde criança, filho de Hefesto, pois sabia que poderia me ajudar neste momento. Se existe alguém capaz de encontrar um caminho para destruir essa coisa *abominável*, é você.

— Mas isso não é uma máquina. É como se Gaia estivesse levantando uma das mãos da terra e... — Leo se sentiu tonto. Um verso da profecia voltou à sua mente: *A forja e a pomba devem abrir a cela.* — Espere. Eu tive uma ideia. Piper, vou precisar da sua ajuda. E precisamos de tempo também.

O ar ficou gélido. A temperatura caía rapidamente, deixando secos os lábios de Leo e fazendo sua respiração se condensar. O gelo tomou conta dos muros da Casa do Lobo. Os *venti* apareceram... mas, em vez de homens com asas, tinham a forma de cavalos, com os corpos escuros como a tempestade e crinas que soltavam faíscas. Alguns deles tinham flechas presas ao flanco. Atrás deles vinham lobos com olhos vermelhos e Nascidos da Terra com seis braços.

Piper brandiu sua adaga. Jason pegou uma longa tábua coberta de neve do chão da piscina. Leo meteu a mão no seu cinto de ferramentas, mas estava tão confuso que tudo o que conseguiu tirar dali foi uma caixa de balas de menta. Voltou a guardá-la, esperando que ninguém tivesse notado, e, na vez seguinte, sacou um martelo.

Um dos lobos deu um passo à frente. Arrastava uma estátua presa a uma das patas. Na borda da piscina, o lobo mostrou os dentes e depois exibiu a estátua a todos — uma escultura de gelo em tamanho real de uma menina, uma arqueira com cabelos curtos e espetados e um olhar assustado.

— Thalia! — gritou Jason, aproximando-se, mas Leo e Piper o agarraram. A grama em torno da estátua de Thalia já estava cheia de gelo. Leo tinha medo de que, se Jason tocasse nela, também congelasse.

— Quem fez isso? — berrou Jason. Seu corpo estremeceu com a eletricidade. — Por que *eu mesmo* vou matá-lo!

Em algum lugar atrás dos monstros, Leo ouviu o sorriso de uma menina, claro e frio. Ela deu um passo à frente da névoa, em seu vestido branco como a neve, uma coroa de prata no topo da cabeça. Fitou-os com os olhos marrom-escuros que, em Quebec, pareceram tão bonitos a Leo.

— *Bonsoir, mes amis* — disse Quione, a deusa da neve. E abriu um sorriso frio a Leo. — Poxa, filho de Hefesto, você disse precisar de tempo? Sinto muito, mas acho que essa é uma ferramenta que você não tem.

XLIX

JASON

Após a luta no Monte Diablo, Jason não imaginou que poderia se sentir mais devastado ou com tanto medo.

Agora sua irmã estava congelada a seus pés. E ele, cercado de monstros. Sua espada de ouro fora quebrada e no seu lugar tinha um pedaço de madeira. Para terminar, restava aproximadamente cinco minutos até que o rei dos gigantes despertasse e acabasse com eles. Jason já usara seu maior às, pedindo a Zeus que os ajudasse a lutar contra Encélado, e não sabia se teria força ou influência para conseguir isso outra vez. O que significaria contar apenas com uma deusa aprisionada, uma pretensa namorada com uma adaga na mão, e Leo, que aparentemente imaginava poder vencer um exército daqueles usando balas de menta como arma.

Além disso tudo, as piores memórias de Jason estavam voltando à sua mente. Ele tinha certeza de que passara por muitos perigos na vida, mas nunca estivera tão perto da morte quanto naquele momento.

Sua inimiga era bonita. Quione sorriu, seus olhos pretos e escuros brilhavam, assim como a adaga de gelo que crescia em sua mão.

— O que você fez? — perguntou Jason.

— Ah, muitas coisas — respondeu a deusa da neve. — Sua irmã não está morta, se é o que você quer saber. Ela e as Caçadoras serão brinquedos legais para os lobos. Acho que vamos descongelá-las e assustá-las, para nos divertirmos um pouco. Elas vão adorar ser caçadas.

Os lobos rosnaram, apreciando a decisão.

— Sim, meus queridos — disse Quione, com os olhos em Jason. — Sua irmã quase matou o rei deles, sabe? Licáon está escondido em uma caverna, em algum lugar, afiando suas garras, claro. Mas esses lacaios nos auxiliarão vingar o seu mestre. E logo Porfiríon renascerá e nós vamos governar o mundo.

— Traidora! — gritou Hera. — Sua deusa de meia-tigela. Você não é útil para servir um vinho, muito menos para governar o mundo.

Quione suspirou.

— Chata como sempre, rainha Hera. Estou querendo calar sua boca há milênios.

Quione fez um gesto com a mão e uma camada de gelo revestiu a cela, fechando as brechas entre os tentáculos de terra.

— Melhor assim — disse a deusa da neve. — Agora, semideuses, sobre a sua morte...

— Foi você quem trouxe Hera até aqui — disse Jason. — Você deu a Zeus a ideia de fechar o Olimpo.

Os lobos rosnaram, os espíritos da tempestade se agitaram, prontos para atacar, mas Quione levantou a mão.

— Paciência, meus queridos. Se ele quer falar, qual o problema? O sol está se pondo, e o tempo está a nosso favor. Claro, Jason Grace. Assim como a neve, a minha voz é calma e gentil, e muito fria. Para mim, é tarefa fácil murmurar aos outros deuses, especialmente quando estou apenas confirmando seus próprios medos. Também sussurrei a Éolo que ele deveria ordernar que matassem os semideuses. Trata-se de um pequeno serviço que faço a Gaia, mas estou certa de que serei recompensada quando seus filhos, os gigantes, tomarem o poder.

— Você poderia nos ter matado em Quebec — disse Jason. — Por que nos deixou vivos?

Quione franziu o nariz.

— Assunto complicado... eu não poderia matá-los na casa do meu pai, especialmente porque ele insiste em receber todas as visitas. Eu *tentei*, você lembra? E teria sido ótimo transformá-los em gelo. Mas quando ele abriu o caminho, eu não poderia me opor. Meu pai é um bobo velho. Vive com medo de Zeus e Éolo, mas ainda assim é bem poderoso. Porém, em pouco tempo, quando meus novos senhores estiverem despertos, vou derrotar Bóreas e assumir o trono do Vento Norte, mas por enquanto não. Além do mais, meu pai tem razão numa coisa. A missão de vocês é suicida. E eu espero com todas as minhas forças que vocês falhem.

— E para nos ajudar — disse Leo — atirou nosso dragão ao chão, em Detroit. Aqueles cabos congelados na cabeça dele... foram culpa *sua*. Você vai pagar por isso.

— E manteve Encélado informado sobre nós — disse Piper. — Fomos seguidos por tempestades de gelo durante toda a viagem.

— Sim, eu me sinto muito próxima a vocês — respondeu Quione. — Quando passaram por Omaha, resolvi pedir a Licáon que os seguisse, para que Jason morresse aqui, na Casa do Lobo. — Ela sorriu. — Sabe, Jason. Caso o seu sangue seja derramado aqui, este chão sagrado ficará maculado por gerações. Seus companheiros semideuses ficarão horrorizados, especialmente quando encontrarem os corpos desses dois que vieram do Acampamento Meio-Sangue. Imaginarão que os gregos conspiraram junto aos gigantes. Vai ser... uma delícia.

Piper e Leo não pareciam entender o que ela dizia. Mas Jason sim. Suas memórias estavam voltando, e ele sabia que o plano de Quione poderia ser perigosamente eficaz.

— Você quer colocar semideuses contra semideuses — ele disse.

— Isso é muito fácil! — ela respondeu. — Como já disse, eu só encorajo o que, de qualquer maneira, vocês fariam.

— Mas por quê? — perguntou Piper, gesticulando. — Quione, você vai destruir o mundo. Os gigantes destruirão tudo. E você não quer que isso aconteça. Desmobilize os seus monstros.

Quione hesitou, depois sorriu.

— Seu poder de persuasão está melhorando, querida. Mas eu sou uma deusa. Você não poderá usá-lo contra mim. Nós, ventos, somos criaturas do caos! Vou conseguir que Éolo liberte os espíritos da tempestade. E se destruirmos o mundo mortal, melhor! Eles nunca me honraram, nem nos tempos dos gregos. Os humanos e essa história de aquecimento global. Bobagem! Vou congelá-los rapidamente. Quando retomarmos os locais antigos, vou cobrir a Acrópole de neve.

— Os locais antigos — disse Leo, arregalando os olhos. — Foi isso o que Encélado quis dizer sobre destruir as raízes dos deuses. Ele quis dizer a Grécia.

— Você poderia vir comigo, filho de Hefesto — disse Quione. — Sei que me acha bonita. Para o meu plano, seria suficiente que os outros dois morressem. Rejeite esse ridículo destino que lhe foi dado. Fique vivo e transforme-se no meu campeão. Suas habilidades serão muito úteis.

Leo parecia assustado. Olhou para trás, como se Quione estivesse falando com outra pessoa. Por um segundo, Jason ficou preocupado. Nem todos os dias Leo ouvia coisas assim de lindas deusas.

Mas Leo gargalhou bem alto.

— Ir com vocês, claro. Até vocês se cansarem e me transformarem em picolé de Leo? Senhora, ninguém faz o que *você* fez com o meu dragão e saí impune. Não posso acreditar que eu pensei que você fosse tão *caliente*.

O rosto de Quione ficou vermelho.

— *Caliente*? Como ousa me insultar? Eu sou fria, Leo Valdez. Muito, muito fria.

E atirou granizo nos semideuses, mas Leo levantou a mão. Uma parede de fogo ganhou vida à frente deles e a neve se derreteu.

Leo sorriu.

— Viu, senhora, o que acontece quando neva no Texas? A neve... derrete.

Quione suspirou.

— Chega. Hera está perdendo força. Porfiríon está se levantando. Matem os semideuses. Que eles sejam o primeiro jantar do nosso rei!

Jason levantou sua tábua congelada — que arma idiota com que lutar! — e os monstros o desafiaram.

L

JASON

Um dos lobos saltou em direção a Jason. Ele deu um passo atrás e atingiu o focinho do animal com a tábua, emitindo um barulho muito alto. Talvez só morresse se atingido por prata, mas uma boa e velha madeira já faria um bom estrago, e o lobo precisaria de um Tylenol para curar a dor de cabeça.

Virou-se para onde vinham sons de uivos e viu um espírito da tempestade em forma de cavalo por perto. Concentrou-se e o desafiou. Pouco antes que o espírito o atacasse, Jason lançou-se ao ar, agarrando o pescoço do cavalo e sentando-se nele.

O espírito da tempestade recuou. Tentou desestabilizar Jason, depois tentou transformar-se em névoa, mas de alguma forma Jason conseguiu permanecer sobre ele. Obrigou-o a ficar parado, e o cavalo não foi capaz de resistir ao seu comando. Jason sentia que lutava contra ele. Podia notar seus pensamentos conflitantes, um caos louco para se libertar. Precisou usar todo o seu poder para impor sua vontade e controlar o cavalo. Pensou em Éolo controlando centenas de espíritos como aquele, o que seria muito pior. Por isso o Mestre dos Ventos ficara um pouco louco após séculos de tanta pressão. Mas Jason só teria de controlar um espírito, e precisava conseguir.

— Você é meu agora — disse Jason.

O cavalo deu um coice, mas Jason segurou-se com força. Sua crina soltava faíscas enquanto ele rodeava a piscina vazia, suas patas causavam pequenas tempestades onde quer que tocassem.

— Tempestade? — perguntou Jason. — É esse o seu nome?

O espírito-cavalo sacudiu sua crina, feliz por ter sido reconhecido.

— Ótimo — disse Jason. — Vamos lutar agora.

E começou a batalha, erguendo sua tábua congelada, batendo em lobos e atingindo os demais *venti*. Tempestade era um espírito forte, e sempre que partia para cima de um dos *venti* descarregava tanta energia que o outro desaparecia numa inofensiva nuvem de pó.

Em meio ao caos, Jason viu os amigos. Piper estava cercada de Nascidos da Terra, mas parecia controlar a situação. Era tão linda lutando que os Nascidos da Terra a contemplavam, esquecendo-se de que deveriam matá-la. Baixaram seus porretes e observaram enquanto ela sorria e os desafiava. Eles sorriam de volta... até que ela os cortava com a adaga, e eles desapareciam em montes de lama.

Leo ficara com a própria Quione. Embora lutar contra uma deusa pudesse ser um ato suicida, Leo era o homem certo para o trabalho. Ela não parava de lançar contra ele adagas de gelo, ventos gélidos, tornados de neve. Leo queimou tudo aquilo. Seu corpo lançava chamas vermelhas, como se estivesse banhado em gasolina. Atacava a deusa e usava dois martelos de prata para destruir os monstros que eventualmente se aproximavam.

Jason notou que Leo era quem os mantinha vivos. Sua aura feroz fazia subir a temperatura daquele lugar, contendo a magia de Quione. Sem ele, já estariam todos congelados como as Caçadoras. Onde Leo tocava, o gelo derretia. Thalia começou a descongelar quando Leo passou perto dela.

Lentamente, Quione recuava. Sua expressão se transformou, passando de raiva a um leve pânico, enquanto Leo se aproximava.

Jason estava ficando sem inimigos. Os lobos se retraíam. Alguns esconderam-se entre as ruínas, uivando. Piper atingiu o último Nascido da Terra, que foi ao chão transformando-se numa pilha de lama. Jason cavalgou Tempestade em direção ao último *ventus*, que se dissolveu em vapor. Depois deu meia-volta e viu Leo destruindo a deusa da neve.

— É tarde demais — disse Quione. — Ele está acordado! E não pensem que ganharam o que quer que seja, semideuses. O plano de Hera nunca funcionará. Vocês serão destruídos antes que possam nos deter.

Leo atirou seus martelos em cima de deusa, mas ela transformou-se em neve. Os martelos atingiram um boneco de neve, que se partiu em um monte disforme.

Piper respirava fundo, mas sorriu para Jason.

— Ótimo cavalo.

Tempestade moveu suas patas traseiras, lançando raios pela crina. Uma demonstração completa de seus poderes.

Mas Jason ouviu o som de algo se quebrando logo atrás. O gelo estava derretendo na cela de Hera, e a deusa disse:

— Ah, não se preocupem. Sou apenas a rainha do céu, que está morrendo!

Jason desmontou do cavalo e disse a Tempestade que ficasse preparado. Os três semideuses desceram à piscina, correndo em direção à espiral.

Leo franziu a testa.

— *Tía* Callida, você está ficando menor?

— Não, estúpido! A terra está me clamando. Rápido!

Por mais que Jason não gostasse de Hera, quando olhou para a cela ficou alarmado. Não era apenas Hera quem diminuía, o chão também subia em volta dela, como água num tanque.

— O gigante está despertando! — ela avisou. — Vocês têm apenas alguns segundos.

— Certo — disse Leo. — Piper, preciso de sua ajuda. Fale com a cela.

— O quê? — ela perguntou.

— Fale com ela. Use todo o charme o que puder. Convença Gaia a dormir. Faça com que fique mais lenta, tente afrouxar seus tentáculos enquanto eu...

— Certo! — disse Piper, limpando a garganta e dizendo: — Oi, Gaia. Que noite, né? Cara, eu estou morta. E você? Pronta para dormir um pouco?

Quanto mais falava, mais confiante soava. Jason sentiu seus olhos pesarem, e teve de forçar-se a não escutar suas palavras. Também parecia surtir efeito sobre a cela. O chão subia em menor velocidade. Os tentáculos se moveram suavemente, muito pouco, tornando-se mais parecidos com raízes de árvores do que com pedras. Leo pegou uma serra circular do seu cinto. Como aquilo cabia ali, Jason não tinha ideia. Depois Leo olhou para o fio e grunhiu, frustrado.

— Preciso ligar isso em alguma tomada!

O cavalo-espírito, Tempestade, lançou-se na piscina e relinchou.

— Sério? — perguntou Jason.

Tempestade baixou a cabeça e aproximou-se de Leo, que ficou em dúvida, mas aproximou a tomada e uma brisa saiu do flanco do cavalo. Raios conectaram o animal à tomada, e a serra circular ganhou vida.

— Ótimo! — disse Leo, sorrindo. — Seu cavalo vem com adaptadores de tomada!

Mas o bom humor não durou muito tempo. Do outro lado da piscina, a espiral do gigante balançou, fazendo um barulho como se fosse uma árvore se partindo ao meio. Seus tentáculos explodiram de cima a baixo, lançando pedras e madeira enquanto o gigante se libertava, levantando-se da terra.

Jason nunca imaginou que algo poderia ser mais assustador que Encélado.

Mas estava enganado.

Porfiríon era mais alto, e bem mais violento. Não irradiava calor nem demonstrava qualquer sinal de cuspir fogo, mas havia algo terrível nele — uma espécie de força, magnetismo, como se o gigante fosse tão rude e denso que tivesse seu próprio campo gravitacional.

Assim como Encélado, o rei gigante era humanoide da cintura para cima, com uma armadura de bronze no tórax, e da cintura para baixo tinha pernas de dragão; mas sua pele era da cor de limão. Seus cabelos eram verdes como folhas novas, presos em grandes *dreadlocks* decorados com armas — adagas, machados e espadas enormes, algumas encurvadas e sangrando. Talvez fossem troféus tomados de semideuses vencidos no passado. Quando o gigante abriu os olhos, eles eram brancos, como mármore polido. Respirou fundo.

— Estou vivo! — gritou. — Graças a Gaia!

Jason soltou um discreto som heroico, mas esperou que seus amigos não tivessem escutado. Tinha uma certeza: não havia semideus capaz de vencer aquele cara. Porfiríon tinha o poder de mover montanhas. E o de destruir Jason com um único dedo.

— Leo — disse Jason.

— O quê? — perguntou Leo, com a boca aberta. Até mesmo Piper parecia completamente perdida.

— Continuem trabalhando — disse Jason. — Libertem Hera!

— O que você vai fazer? — perguntou Piper. — Você não pode estar falando sério...

— Vou entreter o gigante — ele respondeu. — Não tenho escolha.

— Ótimo! — disse o gigante enquanto Jason se aproximava. — Um tira-gosto! Quem é você? Hermes? Ares?

Jason pensou em deixá-lo em dúvida, mas algo lhe disse que deveria esclarecer.

— Sou Jason Grace. Filho de Júpiter.

Os olhos do gigante o fuzilaram. Atrás dele, a serra de Leo fez um barulho e Piper conversava com a cela em tom doce, tentando não transparecer medo em sua voz.

Porfiríon jogou a cabeça para trás e sorriu.

— Incrível! — disse, olhando para o céu. — Então, Zeus, você vai sacrificar seu filho por mim? Que gesto lindo, mas eu não vou salvá-lo.

O céu não deu qualquer sinal. Jason não teria ajuda. Estava por conta própria.

Deixou o pedaço de madeira de lado. Suas mãos estavam cobertas de lascas, mas isso não importava. Tinha de conseguir um tempo para Leo e Piper, e não poderia fazer isso sem uma arma apropriada.

Era hora de parecer mais confiante do que realmente estava.

— Se você soubesse quem eu sou de verdade — disse ao gigante —, ficaria preocupado comigo, não com o meu pai. Espero que aproveite seus minutos de vida, gigante, pois vou mandá-lo de volta a Tártaro.

O gigante estreitou os olhos. Colocou um dos pés para fora da piscina e tentou olhar melhor para o seu oponente.

— Então... vamos começar nos vangloriando, certo? Como nos velhos tempos! Ótimo, semideus. Eu sou Porfiríon, rei dos gigantes, filho de Gaia. Nos velhos tempos, surgi do Tártaro, do abismo do meu pai, para desafiar os deuses. E, para começar a guerra, roubei a rainha de Zeus — e sorriu para a cela de Hera. — Oi, Hera.

— Meu marido já o destruiu uma vez, monstro! — ela disse. — E vai fazer isso outra vez.

— Ele não me destruiu, querida! Zeus não foi poderoso o suficiente para me matar. Teve de confiar num semideus fraco, e nós quase vencemos. Desta vez vamos terminar o que começamos. Gaia está despertando. Ela nos forneceu muitos lacaios excelentes. Nossos exércitos vão sacudir a terra... e destruir suas raízes.

— Você não ousaria — disse Hera, mas ela estava cada vez mais fraca. Jason notava isso em sua voz. Piper seguia murmurando para a cela e Leo continuava serrando, mas a terra não parava de subir pelo corpo de Hera, cobrindo sua cintura.

— Ah, sim — disse o gigante. — Os titãs tentaram atacar sua casa em Nova York. Ousado, porém ineficaz. Gaia é mais inteligente e mais paciente. E nós, seus melhores filhos, somos muito, muito mais fortes que Cronos. Sabemos como matar os olimpianos de uma vez por todas. Vocês cairão como árvores mortas, suas velhas raízes serão arrancadas e queimadas.

O gigante franziu a testa para Leo e Piper, como se finalmente notasse seu trabalho. Jason deu um passo à frente e gritou para atrair a atenção de Porfiríon.

— Você disse que um semideus matou você? Como, se ele era tão fraco?

— Ah! E você acha que vou revelar o que ele fez? Eu fui criado para substituir Zeus, nascido para destruir o Senhor do Céu. Tenho que tomar o seu trono. Tomarei sua mulher... ou, se ela não aceitar, deixarei que a terra consuma todas as suas energias. O que você está vendo agora, menino, é apenas minha forma enfraquecida. Vou ficar mais forte a cada hora, até tornar-me invencível. Mas já sou capaz de esmagar você!

Levantou-se e esticou a mão. Uma lança de seis metros surgiu da terra. Ele a agarrou, depois bateu no chão com seus pés de dragão. As ruínas tremeram. Tudo o que havia ao redor, os monstros — espíritos da tempestade, lobos, Nascidos da Terra —, tudo respondia ao chamado do rei.

— Ótimo — murmurou Leo. — Mais inimigos, exatamente o que precisávamos.

— Rápido — disse Hera.

— Eu sei! — respondeu Leo.

— Vá dormir, cela — disse Piper. — Durma, cela... Sim, estou falando com tentáculos da terra, e isso não é nenhuma loucura.

Porfiríon passou sua lança acima das ruínas, destruindo uma chaminé e espalhando madeira e pedras por todos os lados.

— Então, filho de Zeus! Já terminei minha apresentação. Agora é a sua vez. O que vai dizer, o que pensa fazer para me destruir?

Jason olhou para os vários monstros, que esperavam impacientes a ordem do mestre para atacar. A serra de Leo seguia trabalhando, e Piper conversava com os tentáculos, mas aquilo parecia inútil. A cela de Hera estava quase completamente cheia de terra.

— Eu sou filho de Júpiter! — ele gritou, e para fazer efeito controlou alguns ventos e ergueu-se alguns metros acima da terra. — Sou um filho de Roma, cônsul dos semideuses, protetor da Primeira Legião. — Jason não sabia muito bem sobre o que falava, mas repetia aquelas palavras como se já tivesse dito várias vezes a mesma coisa. Esticou o braço, mostrando a tatuagem da águia e o SPQR, e para sua surpresa o gigante pareceu reconhecer.

Por um momento, Porfiríon hesitou.

— Eu destruí o monstro marinho de Troia — Jason continuou. — Eu derrubei o trono de Cronos e destruí o titã Crios com minhas próprias mãos. E agora eu vou destruí-lo, Porfiríon, e alimentar seus próprios lobos com seus restos.

— Muito bem, cara — murmurou Leo. — Tem comido muita carne vermelha ultimamente?

Jason atirou-se contra o gigante, determinado a destruí-lo.

A ideia de lutar contra um imortal de nove metros de altura era tão ridícula que até o gigante parecia surpreso. Meio voando, meio saltando, Jason pousou no joelho de réptil do gigante e, antes que Porfiríon entendesse o que estava acontecendo, escalou seu corpo até chegar ao braço.

— Como você ousa? — perguntou o gigante.

Jason chegou aos seus ombros e conseguiu pegar uma espada das costas do gigante, gritando:

— Por Roma! — E enfiou a espada no alvo mais próximo: o enorme ouvido do gigante.

Um raio retumbou no céu e atingiu a espada, derrubando Jason. Ele caiu e rolou no chão. Quando olhou para cima, viu que o gigante cambaleava. Seus cabelos estavam pegando fogo e um lado do seu rosto ficara negro pela queimadura. A espada ficara em chamas no seu ouvido. Seu icor dourado escorria pelo queixo. Outras armas soltavam faíscas e ardiam nas suas costas.

Porfiríon quase caiu no chão. O círculo de monstros deixou escapar um murmúrio maciço e deu um passo à frente... lobos e ogros tinham os olhos fixos em Jason.

— Não! — gritou Porfiríon, recuperando o equilíbrio e encarando o semideus. — Eu mesmo vou matá-lo.

O gigante levantou sua lança, que começou a brilhar.

— Quer brincar com raios, menino? Esqueça. Eu sou o oposto de Zeus. Fui criado para destruir seu pai, e isso significa que sei exatamente como matar *você*.

Algo na voz de Porfiríon dizia a Jason que ele não estava blefando.

Jason e seus amigos tinham feito tudo muito bem, coisas incríveis. Sim, fizeram coisas *heroicas*. Mas quando o gigante brandiu sua lança, Jason percebeu que seria impossível resistir.

Era o fim.

— Agora! — berrou Leo.

— Durmam! — disse Piper, com tanta força que as folhas mais próximas dela caíram no chão e começaram a roncar.

A cela de pedra e madeira se quebrou. Leo serrara sua base e aparentemente cortara a conexão com Gaia. Os tentáculos viraram pó. A terra em volta de Hera se desintegrou. A deusa cresceu, brilhando, cheia de poder.

— Sim! — ela disse. E tirou sua túnica preta, revelando um vestido branco, os braços cobertos de joias douradas. Seu rosto era ao mesmo tempo terrível e lindo, e uma coroa dourada brilhava sobre seus cabelos negros. — Chegou a hora da minha vingança!

O gigante Porfiríon deu um passo atrás. Ele não disse nada, mas lançou um último olhar para Jason. Sua mensagem era clara: *Ainda nos veremos*. E atirou a lança ao chão, desaparecendo na terra como se escorresse por um ralo.

Os monstros entraram em pânico e fugiram, mas não havia escapatória para eles.

Hera brilhava com ainda mais intensidade, e gritou:

— Cubram os seus olhos, meus heróis.

Mas Jason estava em choque. Demorou muito para entender.

E viu Hera transformando-se numa supernova, explodindo num anel de força que vaporizava todos os monstros instantaneamente. Jason caiu, a luz tomando sua mente, e seu último pensamento foi que seu corpo estava queimando.

LI

PIPER

— JASON!

Piper seguia gritando seu nome ao segurá-lo, mesmo quase perdendo as esperanças. Ele ficou inconsciente por dois minutos, depois seu corpo começou a tremer, seus olhos se reviraram. Piper não sabia se ele estava respirando.

— Isso é inútil, menina — disse Hera, de pé, usando sua túnica preta e xale.

Piper não vira a transformação nuclear da deusa. Felizmente tinha fechado os olhos, mas notara os efeitos. Todos os vestígios de inverno tinham desaparecido do vale. Não restara nenhum sinal de luta tampouco. Os monstros haviam virado vapor. As ruínas foram restauradas à forma que tinham antes — ainda eram ruínas, mas sem evidência de terem sido destruídas por uma horda de lobos, espíritos da tempestade e ogros de seis braços.

Até mesmo as Caçadoras voltaram à vida. Grande parte delas observava a distância, respeitosamente, mas Thalia ajoelhou-se ao lado de Piper, pondo a mão na testa de Jason.

Thalia olhou para a deusa.

— A culpa é sua. Faça alguma coisa!

— Não fale comigo assim, menina. Eu sou a rainha...

— Ajude-o!

E os olhos de Hera se iluminaram com o poder.

— Eu *avisei* a ele. Nunca o machucaria intencionalmente. Ele tinha de ser o meu campeão. Eu disse que fechasse os olhos antes que eu revelasse minha forma verdadeira.

— Sei... — disse Leo. — A forma verdadeira é ruim, certo? Então por que fez isso?

— Eu liberei meu poder para salvá-los, idiota! — gritou Hera. — Transformei-me em pura energia para desintegrar os monstros, restaurar este lugar e salvar do gelo as miseráveis Caçadoras.

— Mas os mortais não podem olhar para você quando está assim! — gritou Thalia. — Você o matou!

Leo balançou a cabeça, arrasado.

— Era o que dizia a nossa profecia. E liberar a morte pela raiva de Hera. Vamos, senhora, você é uma deusa. Faça alguma mágica por ele! Traga-o de volta.

Piper ouvia a conversa, mas estava concentrada no rosto de Jason.

— Ele está respirando! — ela anunciou.

— Impossível — disse Hera. — Adoraria que fosse verdade, menina, mas nenhum mortal jamais...

— Jason — disse Piper, chamando-o com toda a sua força. Ela *não* iria perdê-lo. — Escute. Você pode. Volte. Você vai ficar bem.

Nada aconteceu. A respiração... seria imaginação dela?

— A cura não é um dos poderes de Afrodite — disse Hera, triste. — Nem eu posso curar isso, menina. Seu espírito mortal...

— Jason — disse Piper mais uma vez, e imaginou ouvir sua voz ressoar na terra, em direção ao Mundo Inferior. — Acorde.

Ele soluçou e seus olhos se abriram completamente. Por um momento estavam cheios de luz, eram ouro puro. Depois a luz se foi e seus olhos voltaram ao normal.

— O que... o que aconteceu?

— Isso é impossível! — disse Hera

Piper o abraçou forte, até que ele disse:

— Está me machucando.

— Sinto muito — desculpou-se Piper, aliviada, sorrindo ao mesmo tempo em que secava uma lágrima.

Thalia segurou uma das mãos do irmão.

— Como você está?

— Quente — ele murmurou. — Minha boca está seca. Vi algo... realmente terrível.

— Você viu Hera — disse Thalia. — Sua Majestade, essa mulher que sempre nos põe em perigo.

— Tudo bem, Thalia Grace — disse a deusa. — Vou transformá-la em tamanduá, por que não me ajuda...

— Chega, vocês duas — disse Piper. E incrivelmente as duas se calaram.

Piper ajudou Jason a se levantar, oferecendo-lhe o último néctar de seus suprimentos.

— Agora — disse Piper, olhando para Thalia e Hera. — Hera... Sua Majestade... nós não poderíamos tê-la resgatado sem a ajuda das Caçadoras. E Thalia, você nunca veria Jason novamente... e *eu* nunca o encontraria... se não fosse por Hera. As duas fizeram um bom trabalho, pois nossos problemas eram grandes.

Elas olharam para Piper, e por três longos segundos era impossível prever quem mataria quem primeiro.

Finalmente, Thalia disse:

— Você tem espírito, Piper. — E pegou um cartão de prata no bolso de sua parca, colocando-o no bolso da jaqueta de Piper. — Caso um dia queira se transformar em Caçadora, ligue para mim. Você seria bem útil.

Hera cruzou os braços.

— Para a sorte *dessa* Caçadora, você tem razão, filha de Afrodite. — E olhou para Piper, como se a enxergasse melhor naquele momento. — Você deve ter ficado pensando por que a escolhi para esta missão, por que não revelei o seu segredo logo no início, mesmo sabendo que Encélado a estava usando. E devo admitir: até agora, eu não tinha certeza. Algo me dizia que você seria vital à missão. Agora vejo que eu tinha razão. Você é ainda mais forte do que eu imaginava. E tem razão sobre os perigos que estão por vir. Devemos trabalhar juntas.

Piper sentiu seu rosto ficar quente. Não sabia como responder ao elogio de Hera, mas Leo interrompeu:

— Eu não imaginava que aquele cara, o Porfiríon, fosse simplesmente desaparecer, dissolvendo-se.

— Claro — concordou Hera. — Ao me salvar, e salvando este lugar, vocês evitaram que Gaia despertasse. E ganhamos tempo. Mas Porfiríon estava despertando. Ele sabia que era melhor ele ficar aqui, principalmente porque ainda estava ganhando força. Os gigantes só podem ser mortos pela união de deuses e semideuses trabalhando juntos. Quando você me libertou...

— Ele fugiu — disse Jason. — Mas para onde?

Hera não respondeu, mas um sentimento de medo invadiu Piper. Ela se lembrou do que Porfiríon dissera sobre matar os olimpianos destruindo suas raízes. *Grécia*. Olhou para a expressão dura de Thalia e imaginou que as Caçadoras também tinham chegado à mesma conclusão.

— Preciso encontrar Annabeth — disse Thalia. — Ela precisa saber o que aconteceu por aqui.

— Thalia... — disse Jason, segurando sua mão. — Não conversamos sobre este lugar, nem...

— Eu sei — ela disse, com expressão mais suave. — Eu já perdi você aqui uma vez, não vou perdê-lo novamente. Vamos nos encontrar logo, no Acampamento Meio-Sangue — disse, olhando para Hera. — Eles chegarão lá a salvo? É o mínimo que você pode fazer.

— Não cabe a você me dizer...

— Rainha Hera — intercedeu Piper.

A deusa suspirou.

— Certo. Tudo bem. Mas você não, Caçadora.

Thalia deu um abraço em Jason e despediu-se de todos. Quando as Caçadoras foram embora, o pátio ficou estranhamente silencioso. A piscina seca não tinha qualquer sinal dos tentáculos de terra que haviam trazido o gigante de volta à terra e aprisionado Hera. O céu naquela noite estava claro e estrelado. O vento soprava no bosque. Piper pensou na noite em Oklahoma, quando ela e seu pai dormiram no jardim da casa do avô Tom. Pensou na noite no telhado do dormitório da Escola da Vida Selvagem... quando Jason a beijou — o que só aconteceu nas suas memórias envoltas na Névoa, claro.

— Jason, o que aconteceu com você aqui nesta casa? — ela perguntou. — Quero dizer... sei que sua mãe o abandonou. Mas você disse que era um lugar sagrado para os semideuses. Por quê? O que aconteceu quando você já estava sozinho?

Jason balançou a cabeça, um pouco perdido.

— Ainda é muito confuso. Os lobos...

— Você ganhou um destino — disse Hera. — Entrou para o meu serviço.

Jason fez uma careta.

— Isso aconteceu porque você forçou minha mãe a fazer isso. Não aguentou o fato de saber que Zeus tinha dois filhos com minha mãe, que ele esteve com ela *duas vezes*. Eu fui o preço que você pediu para deixar o restante da minha família em paz.

— Mas também era a melhor opção para você, Jason — insistiu Hera. — Na segunda vez, sua mãe conseguiu atrair Zeus porque o via com aspecto diferente... aspecto de Júpiter. Isso nunca acontecera... dois filhos, um grego e outro romano, nascidos na mesma família. Você *precisava* ser separado de Thalia. E foi então que todos os semideuses do seu tipo começaram a sua jornada.

— Do *tipo* dele? — perguntou Piper.

— Romano, ela quer dizer — explicou Jason. — Os semideuses foram deixados aqui. Encontramos a deusa-loba, Lupa, a mesma loba imortal que alimentou Rômulo e Remo.

Hera fez que sim.

— Os que forem fortes sobreviverão.

— Mas... — perguntou Leo, parecendo perdido. — O que aconteceu após isso? Quero dizer, Jason nunca chegou ao acampamento.

— Ao Acampamento Meio-Sangue, não — confirmou Hera.

Piper sentia como se o céu girasse rapidamente sobre ela, deixando-a tonta.

— Você foi para outro lugar. Onde esteve todos esses anos. Um lugar para semideuses... mas onde?

Jason virou-se para a deusa.

— Minhas memórias estão voltando, mas não o local. E você não vai me contar, certo?

— Não — respondeu Hera. — Isso é parte do seu destino, Jason. Você deve encontrar o próprio caminho de volta. Porém, quando fizer isso, unirá dois grandes poderes. E nos dará esperança contra os gigantes. E mais importante: contra a própria Gaia.

— Você quer que a gente coopere — disse Jason —, mas está escondendo informações.

— Dar respostas a você as tornaria inválidas — disse Hera. — O destino funciona assim. Devemos criar o nosso caminho para que ele signifique algo. E vocês três já me surpreenderam. Jamais imaginei que fosse possível... — Mas a deusa balançou a cabeça. — Basta dizer que vocês se saíram bem, semideuses. Mas isso é apenas o início. Agora vocês devem voltar ao Acampamento Meio--Sangue, onde começarão a planejar a próxima fase.

— Sobre a qual você não contará nada — disse Jason, de mau humor. — E eu imagino que você tenha destruído meu incrível cavalo espírito da tempestade. Como voltaremos para casa?

Hera driblou a pergunta.

— Espíritos da tempestade são criaturas do caos. Eu não destruí aquele cavalo, mas não tenho ideia de para onde foi, nem sei se você o verá novamente. Mas existe uma maneira mais fácil de voltar para casa. Como vocês fizeram um bom trabalho para mim, eu posso ajudá-los... pelo menos desta vez. Adeus, semideuses, por enquanto.

O mundo virou de cabeça para baixo. E Piper quase desmaiou.

Quando voltou a si, estava outra vez no acampamento, no pavilhão de refeições, no meio do jantar. Os três estavam de pé em cima da mesa do chalé de Afrodite, e Piper estava com um pé na pizza de Drew. Sessenta campistas se levantaram ao mesmo tempo, olhando para eles, estupefatos.

Seja lá o que Hera tenha feito para transportá-los ao outro lado do país, aquilo não fez nada bem ao estômago de Piper. Ela mal podia controlar a náusea. Mas Leo estava pior. Pulou da mesa, correu ao braseiro de bronze mais próximo e vomitou — o que provavelmente não era uma boa oferenda aos deuses.

— Jason? — disse Quíron, aproximando-se. Sem dúvida, o centauro vira muita coisa estranha em seus séculos de vida, mas ainda assim parecia embasbacado. — O quê? Como?

Os campistas de Afrodite olhavam para Piper boquiabertos. Piper pensou que devia estar horrível.

— Oi — ela disse, da forma mais casual possível. — Estamos de volta.

LII

PIPER

Piper não se lembrava muito bem do restante da noite. Eles contaram sua história e responderam a milhões de perguntas dos demais campistas, mas finalmente Quíron percebeu o quanto estavam cansados e ordenou que fossem para a cama.

Foi ótimo dormir num colchão de verdade, e Piper estava tão cansada que dormiu imediatamente, o que a poupou da preocupação sobre como seria retornar ao chalé de Afrodite.

Na manhã seguinte, acordou em seu beliche, sentindo-se revigorada. O sol entrava pelas janelas, acompanhado de uma brisa suave. Devia ser primavera, e não inverno. Pássaros cantavam. Monstros uivavam nos bosques. Do pavilhão de refeições emanava o cheiro do café da manhã — bacon, panquecas e todo tipo de coisas maravilhosas.

Drew e seus amigos a encaravam com as testas franzidas e os braços cruzados.

— Bom dia — disse Piper, sentando-se ereta e sorrindo. — Que lindo dia!

— Você vai nos atrasar para o café da manhã — disse Drew —, e isso significa que caberá a *você* a limpeza do chalé antes da inspeção.

Uma semana antes, Piper teria dado um soco na cara de Drew ou se escondido debaixo das cobertas. Mas pensou nos ciclopes em Detroit, Medeia, em Chicago, e Midas, que a transformou em ouro em Omaha. E olhando para Drew, que costumava tirá-la do sério, Piper riu.

A expressão presunçosa de Drew se desfez e ela recuou, mas rapidamente lembrou que deveria parecer raivosa e disse:

— O que...

— Proponho um desafio — disse Piper. — Que tal hoje à noite na arena? Você pode escolher as armas.

Piper se levantou da cama, espreguiçando-se e sorrindo, radiante, para seus companheiros de chalé. Olhou para Mitchell e Lacy, que a ajudaram a preparar a mochila para a missão. Eles sorriam, hesitantes, olhando de Piper para Drew, como se aquilo fosse uma interessante partida de tênis.

— Cara, senti falta de vocês! — disse Piper. — Vamos ser felizes quando eu for a conselheira-chefe.

Drew ficou vermelha como um tomate. E seus ajudantes mais próximos pareciam um pouco nervosos. Aquilo não estava no roteiro.

— Você... — disse Drew, nervosa. — Sua bruxa feiosa! Eu estou aqui há mais tempo. Você não pode simplesmente...

— Desafiá-la? — perguntou Piper. — Claro que posso. São as regras do acampamento: eu fui reclamada por Afrodite. Terminei uma missão, e você não terminou *nenhuma*. Se considero que posso fazer um trabalho melhor, posso desafiá-la. A menos que você prefira renunciar. Será que eu entendi tudo direitinho, Mitchell?

— Muito bem, Piper — respondeu Mitchell, mostrando um largo sorriso, enquanto Lacy movia o corpo para cima e para baixo, como se tentasse decolar.

Alguns outros campistas começaram a sorrir, divertindo-se ao verem as diferentes cores que se estampavam no rosto de Drew.

— *Renunciar?* — gritou Drew. — Você está louca!

Piper deu de ombros. Então, num movimento muito rápido, pegou a Katoptris debaixo de seu travesseiro, brandiu-a e apontou-a para o queixo de Drew. Todos deram um passo atrás, imediatamente. Um dos meninos tropeçou na mesa de maquiagem, levantando uma nuvem de pó rosa.

— Um duelo, então — disse Piper, animada. — Caso não queira esperar até a noite, podemos resolver agora mesmo. Você transformou este chalé em uma ditadura, Drew. Silena Beauregard sabia disso. Afrodite é a deusa do amor e da beleza. Trata-se de *ser amorosa. Transmitir beleza*. Bons amigos. Bons tempos. Boas ações. Não apenas imagem, só parecer bom. Silena cometeu erros, mas ficou ao lado dos amigos. Por isso é uma heroína. Eu vou consertar as coisas, e acho que Mamãe estará a meu lado. Quer comprovar?

Drew ficou vesga de tanto olhar para a lâmina da adaga de Piper.

Um segundo se passou. Dois. Piper não ligava. Estava completamente feliz e confiante. Isso devia estar evidente em seu sorriso.

— Eu... renuncio — disse Drew, resmungando. — Mas se acha que vou me esquecer disso, McLean...

— Ah, espero que não — disse Piper. — Agora vá até o pavilhão de refeições e explique a Quíron por que estamos atrasados. Houve uma mudança de líder por aqui.

Drew seguiu para a porta, mas nem mesmo seus ajudantes mais próximos a acompanharam. Estava quase na saída quando Piper disse:

— Ah, Drew, querida...

A ex-conselheira olhou para trás, relutante.

— Caso pense que não sou uma verdadeira filha de Afrodite — disse Piper —, nem mesmo *dirija o olhar* a Jason Grace. Talvez ele ainda não saiba, mas é *meu*. Caso tente qualquer coisa, eu a coloco numa catapulta e você vai parar do outro lado de Long Island.

Drew se virou rapidamente e correu para a porta. Depois desapareceu.

O chalé ficou silencioso. Os demais campistas olhavam para Piper. Agora, ela não estava muito certa sobre o que fazer. Não queria governar fazendo uso do medo. Não era como Drew, mas não sabia se a aceitariam.

Porém, espontaneamente, os campistas de Afrodite fizeram uma algazarra tão grande, em comemoração, que deve ter sido ouvida pelo campo inteiro. Levaram Piper para fora do chalé, colocando-a sobre os ombros, e carregaram-na até o pavilhão de refeições. Ela ainda vestia pijama, o cabelo estava completamente desalinhado, mas ela não ligava. Nunca se sentira tão bem.

À tarde, Piper já usava a confortável roupa do acampamento e tinha liderado o chalé de Afrodite em suas tarefas matinais. Estava pronta para um momento de folga.

Um pouco da alegria por sua vitória desaparecera depois do encontro na Casa Grande.

Quíron, em sua forma humana, sentado na cadeira de rodas, a esperava na entrada.

— Entre, querida. A videoconferência está pronta.

O único computador do acampamento ficava no escritório de Quíron, e a sala estava completamente revestida de escudos de metal.

— Semideuses e tecnologia não combinam — explicou Quíron. —Ligações telefônicas, mensagens de texto, até mesmo buscar algo na internet... tudo isso pode atrair monstros. Por conta disso, no último outono tivemos de resgatar um herói numa escola em Cincinnati: ele pesquisou as górgonas no Google e obteve um pouco mais do que buscava. Mas não se preocupe. Aqui no acampamento você está protegida. Ainda assim... tentamos tomar cuidado. Você só poderá falar por alguns minutos.

— Entendi — disse Piper. — Obrigada, Quíron.

Ele sorriu, deu meia-volta e saiu do escritório. Piper hesitou antes de apertar o botão de chamada. O escritório de Quíron era bagunçado e acolhedor. Uma das paredes estava coberta com camisetas de diferentes convenções: Pôneis de Festa 2009, Vegas; Pôneis de Festa 2010, Honolulu, e outras. Piper não sabia o que eram os pôneis de festa, mas, a julgar pelos buracos de bala, manchas e chamuscados que havia nas camisetas, devia ter relação com encontros bastante selvagens. Na prateleira sobre a escrivaninha havia um toca-fitas antigo e fitas cassete em cujas etiquetas se liam "Dean Martin" e "Frank Sinatra", além de uma de "O melhor da década de 40". Quíron era tão velho, que poderia ser a década de 1940, de 1840 ou mesmo o ano 40, pensou Piper.

As paredes eram quase totalmente ocupadas com fotos de semideuses, como se fosse uma galeria da fama. Uma das mais recentes mostrava um adolescente de cabelos pretos e olhos verdes. Como estava de braço dado com Annabeth, Piper imaginou que deveria ser Percy Jackson. Em algumas das fotos mais antigas, reconheceu gente famosa: homens de negócios, atletas e mesmo alguns atores conhecidos de seu pai.

— Incrível — ela murmurou.

Piper ficou imaginando se sua foto algum dia faria parte daquela galeria. Pela primeira vez, sentia-se inserida em algo grande, maior que ela mesma. Os semideuses estão por aí há séculos. Tudo o que fazia, fazia por todos eles.

Respirou fundo e fez a ligação. A tela de vídeo se acendeu.

Gleeson Hedge sorria à mesa do escritório do pai de Piper.

— Viu as notícias?

— É impossível não ver — disse Piper. — Espero que saiba o que está fazendo.

Mais cedo, durante o almoço, Quíron lhe mostrara um jornal. A notícia do retorno misterioso de seu pai, vindo de lugar nenhum, ocupava a primeira página. Sua assistente, Jane, fora despedida por encobrir seu desaparecimento e não notificá-lo à polícia. Novos ajudantes foram contratados e pessoalmente avaliados pelo "consultor pessoal" de Tristan McLean, Gleeson Hedge. De acordo com o jornal, o sr. McLean disse não se lembrar de nada referente à semana, e os jornais especulavam. Alguns imaginavam se tratar de uma engenhosa jogada de marketing para um filme — talvez McLean fosse interpretar uma pessoa que sofresse de amnésia. Outros imaginaram que tivesse sido sequestrado por terroristas ou por fãs enlouquecidas, ou que tivesse escapado heroicamente de sequestradores usando as habilidades que aprendera ao filmar *O Rei de Esparta*. Qualquer que fosse a verdade, Tristan McLean estava mais famoso que nunca.

— Isso vai ser ótimo — assegurou Hedge. — Mas não se preocupe. Vamos mantê-lo afastado dos olhos do público no próximo mês, ou até que tudo se acalme. Seu pai tem coisas mais importantes a fazer... como descansar, ou conversar com a filha dele.

— Não fique muito à vontade aí em Hollywood, Gleeson — disse Piper.

— Você está brincando? — perguntou Hedge, bufando. — Esse pessoal deixa Éolo no chinelo, faz com que ele pareça um cara normal. Vou voltar o mais rápido que puder, mas antes tenho de colocar os pés de seu pai no chão outra vez. Ele é um cara legal. Ah, eu também cuidei daquela outra pequena questão. O Park Service da Bay Area... recebeu um presente anônimo: um novo helicóptero. E aquela pilota que nos ajudou recebeu uma ótima proposta para trabalhar para o sr. McLean.

— Obrigada, Gleeson — disse Piper. — Por tudo.

— Sim, tudo bem. Eu não tento ser incrível. É algo natural. Ah, e falando sobre Éolo, quero que conheça a nova assistente de seu pai.

Hedge foi empurrado de leve e uma linda jovem apareceu toda sorridente em frente à câmera.

— Mellie? — perguntou Piper, arregalando os olhos. Mas era ela, sem dúvida: a aura que os ajudara a escapar da fortaleza de Éolo. — Você está trabalhando para meu pai agora?

— Não é ótimo?

— Ele sabe que você é... você sabe... um espírito do vento?

— Ah, não. Mas eu adoro esse trabalho. É... hum... uma brisa.

Piper não podia fazer nada, a não ser sorrir.

— Fico feliz. Isso é incrível. Mas onde...

— Só um segundo — disse Mellie, depois beijou a bochecha de Gleeson. — Vamos, seu bode velho, pare de ficar ocupando toda a tela.

— O quê? — reclamou Hedge. Mas Mellie o afastou e chamou: — Sr. McLean? Ela está conectada!

Um segundo mais tarde, o pai de Piper apareceu.

— Pipes! — disse, abrindo um enorme sorriso.

Ele parecia ótimo, de volta ao normal, com os brilhantes olhos castanhos, a barba já por fazer, o sorriso confiante e os cabelos recém-cortados, como se ele estivesse pronto para rodar uma cena. Piper sentiu-se aliviada, mas também um pouco triste. Que o pai estivesse de volta ao normal não era exatamente o que ela queria.

Em sua mente, começou a contar. Numa ligação normal como aquela, num dia normal de trabalho, ela não teria a atenção do pai por mais de trinta segundos.

— Oi — disse, em tom baixo. —Está se sentindo bem?

— Querida, sinto muito por tê-la deixado preocupada com essa história do desaparecimento. Eu não sei... — Seu sorriso vacilou. Piper imaginou que ele estivesse tentando se lembrar... buscar uma lembrança que deveria estar por ali, mas não estava. — Não sei muito bem o que aconteceu, de verdade. Mas estou bem. O treinador Hedge tem sido um presente de Deus.

— Um presente de Deus — ela repetiu. Muito apropriado, boa escolha de palavras.

— Ele me contou sobre sua nova escola — disse sr. McLean. — Sinto muito que não tenha dado certo na Escola da Vida Selvagem, mas você tinha razão. Jane estava equivocada. Eu fui um bobo ao escutar o que ela dizia.

Restavam dez segundos, talvez. Mas pelo menos seu pai soava sincero, como se realmente sentisse remorso.

— Você não se lembra de nada? — ela perguntou, sentindo uma ansiosa melancolia.

— Claro que me lembro.

— Lembra? — ela perguntou, sentindo um arrepio na nuca.

— Lembro que a amo — ele disse. — E que estou orgulhoso de você. Está feliz na nova escola?

Piper piscou. Não iria chorar naquele momento. Depois de tudo por que passara, seria ridículo.

— Sim, papai. É mais uma espécie de acampamento, não uma escola, mas... É, acho que vou ser feliz aqui.

— Ligue sempre que puder — ele disse. — E venha para casa no Natal. E Pipes...

— O quê?

Ele tocou a tela como se tentasse atravessá-la.

— Você é uma jovem maravilhosa. Eu não lhe digo isso tanto quanto deveria. Você faz com que eu me lembre muito de sua mãe. Ela estaria orgulhosa. E seu avô Tom... ele sempre disse que você seria a voz mais poderosa da família. Você será mais brilhante que eu um dia, você sabe disso. Vão se lembrar de mim como o pai de Piper McLean, e esse é o melhor legado que eu posso imaginar deixar.

Piper tentou responder, mas ficou com medo de chorar. Apenas tocou a tela e fez que sim com a cabeça.

Mellie disse alguma coisa, e Tristan suspirou.

— O estúdio está chamando. Sinto muito, querida. — E parecia realmente chateado por ter de ir.

— Tudo bem, papai — ela disse. — Amo você.

Ele piscou, e então a tela ficou escura.

Quarenta e cinco segundos? Talvez um minuto inteiro!

Piper sorriu. Não passava de uma pequena melhora, mas era um progresso.

Nas áreas comuns, encontrou Jason relaxando num banco, com uma bola da basquete entre os pés. Estava suado do exercício, mas lindo com sua camiseta laranja e short da mesma cor. As várias feridas e contusões da batalha estavam ficando boas, graças aos medicamentos do chalé de Apolo. Os braços e pernas eram puro músculo, bronzeados... enlouquecedores como sempre. Os cabelos loiros, cortados muito curtos, capturavam a luz da tarde e pareciam dourados, ao estilo de Midas.

— Ei — ele disse. — Como foi?

Ela precisou de um tempo para se concentrar na pergunta, depois disse:

— Ah... claro. Tudo bem.

Sentou-se a seu lado e os dois ficaram observando os campistas que passavam por ali. Duas filhas de Deméter pregavam uma peça em dois filhos de Apolo que jogavam basquete: faziam crescer grama ao redor de seus tornozelos enquanto arremessavam do garrafão. Na loja do acampamento, os meninos do chalé de Hermes dependuravam uma placa: SAPATOS VOADORES SEMINOVOS, SÓ HOJE: 50% DE DESCONTO! Os filhos de Ares circundavam seu chalé com arame farpado novo. O chalé de Hipnos roncava. Enfim, mais um dia normal no acampamento.

Enquanto isso, os filhos de Afrodite observavam Piper e Jason, mas tentavam fingir que não olhavam para eles. Piper tinha certeza de que vira dinheiro passar de mão em mão, como se apostassem se haveria ou não um beijo.

— Conseguiu dormir um pouco? — ela perguntou.

Ele a olhou como se Piper tivesse lido seus pensamentos.

— Não muito. Tive muitos sonhos.

— Sobre seu passado?

Ele fez que sim.

Ela não insistiu. Se ele quisesse conversar, tudo bem, mas Piper sabia que não deveria forçar. Ela não se preocupava que seu conhecimento sobre Jason estivesse baseado em três meses de memórias falsas. *Você é capaz de enxergar as possibilidades*, dissera sua mãe. E Piper estava determinada a transformar tais possibilidades em realidade.

Jason girou a bola de basquete.

— Não são boas notícias — ele avisou. — Minhas lembranças não são boas... para nenhum de nós.

Piper tinha certeza de que ele estivera a ponto de dizer "para nós", e ficou pensando se Jason se lembrara de alguma menina do passado. Mas não se deixaria levar por essa preocupação. Não num dia de sol como aqueles, mesmo em pleno inverno, e tendo Jason a seu lado.

— Vamos resolver isso — ela prometeu.

Jason ficou olhando para ela, hesitante, como se quisesse muito acreditar no que ela dizia.

— Annabeth e Rachel virão hoje à noite. Eu deveria esperar a chegada delas para contar...

— Tudo bem — disse Piper, e arrancou uma grama com os pés. Ela sabia que havia coisas perigosas reservadas aos dois. Teria de competir com o passado de Jason, e talvez não sobrevivessem à guerra contra os gigantes. Estava determinada, porém, a aproveitar aquele momento, enquanto ambos estavam vivos.

Jason a observou com cuidado. A tatuagem no antebraço parecia de um azul desbotado à luz do sol.

— Você está de bom humor. Como pode ter tanta certeza de que tudo acabará bem?

— Porque você vai nos liderar — ela disse, simplesmente. — Eu o seguirei a qualquer lugar.

Jason piscou. Depois, lentamente, abriu um sorriso.

— Dizer isso é muito perigoso.

— Eu sou uma menina perigosa.

— Nisso eu acredito.

Ele se levantou e limpou o short, ajeitando-se. Depois estendeu a mão para ela.

— Leo disse que quer nos mostrar algo no bosque. Você vem?

— Não perderia isso por nada — disse, aceitando sua mão e levantando-se do banco.

Por um momento, só continuaram de mãos dadas.

— Temos de ir. — Jason disse, balançando a cabeça.

— Eu sei — ela disse. — Só um minuto.

Ela soltou sua mão, depois pegou um cartão no bolso — era o cartão de visita prateado que Thalia lhe entregara, das Caçadoras de Ártemis. Atirou-o à fogueira e esperou que queimasse. De agora em diante, não haveria mais corações partidos no chalé de Afrodite. Aquele foi apenas um rito de passagem do qual eles não precisavam.

Do outro lado do gramado, seus colegas de chalé observavam desapontados, pois não viram nenhum beijo. E começaram a contar suas apostas.

Mas tudo bem. Piper era paciente, e podia enxergar várias boas possibilidades.

— Vamos — disse a Jason. — Precisamos planejar algumas aventuras.

LIII

LEO

Leo não se sentia tão animado desde quando oferecera hambúrgueres de tofu aos lobos. Quando chegou ao penhasco na floresta, virou-se para o grupo e sorriu, nervoso.

— Aqui vamos nós.

Evocou o fogo com uma das mãos e lançou-o contra a porta.

Seus colegas de chalé engoliram em seco.

— Leo! — gritou Nyssa. — Você é um manipulador do fogo!

— Sim, obrigado — ele disse. — Eu sei.

Jake Mason disse:

— Por Hefesto! Isso significa... isso é tão raro que...

A pesada porta de pedra se abriu e todos ficaram de queixo caído. A mão flamejante de Leo parecia algo insignificante diante de tudo aquilo. Mesmo Piper e Jason ficaram assombrados, e tinham visto muita coisa incrível ultimamente.

O único que não parecia surpreso era Quíron. O centauro franziu as sobrancelhas grossas e coçou a barba, como se estivessem prestes a caminhar por um campo minado.

Isso deixou Leo ainda mais nervoso, mas ele não podia mudar de ideia naquele momento. Seus instintos lhe diziam que deveria mostrar aquele lugar — pelo menos para o pessoal do chalé de Hefesto, e não poderia escondê-lo de Quíron e de seus dois melhores amigos.

— Bem-vindos ao bunker 9 — ele disse, do jeito mais confiante que pôde. — Entrem.

O grupo ficou em silêncio enquanto caminhava pelas instalações. Tudo estava exatamente como Leo deixara — máquinas gigantes, bancadas de trabalho, velhos mapas e esquemas. Só uma coisa havia mudado. A cabeça de Festus estava na mesa central, ainda com os arranhões e amassados de sua queda final em Omaha.

Leo se aproximou, com um gosto ruim na boca, e acariciou a testa do dragão.

— Sinto muito, Festus. Nunca o esquecerei.

Jason colocou uma das mãos no ombro de Leo.

— Hefesto trouxe-o para cá, para você?

Leo fez que sim.

— Mas você não pode consertá-lo, certo? — disse Jason.

— Não — respondeu Leo. — Mas a cabeça será reaproveitada. Festus virá conosco.

Piper aproximou-se e franziu a testa.

— O que você quer dizer?

Antes que Leo pudesse responder, Nyssa gritou:

— Gente, olhem isso!

Ela estava de pé ao lado de uma das mesas de trabalho, olhando alguns rascunhos. Diagramas de centenas de máquinas e armas diferentes.

— Nunca vi nada igual — disse Nyssa. — Há mais ideias incríveis aqui do que na oficina de Dédalo. Levaria um século apenas para fazer o protótipo de tudo isso.

— Quem construiu este lugar? — perguntou Jake Mason. — E por quê?

Quíron permaneceu em silêncio, mas Leo estava concentrado no mapa preso à parede que vira na primeira visita. Mostrava o Acampamento Meio-Sangue com vários galeões nas águas, catapultas montadas nas colinas ao redor do vale e pontos marcados indicando armadilhas, trincheiras e emboscadas.

— É um centro de comando para tempos de guerra — ele disse. — O acampamento foi atacado uma vez, certo?

— Na Guerra dos Titãs? — perguntou Piper.

— Não — disse Nyssa. — Além do mais, esse mapa parece *muito* velho. A data aqui é... 1864?

Todos se viraram para Quíron.

A cauda do centauro mexia, impaciente.

— O acampamento foi atacado muitas vezes — ele admitiu. — Este mapa é da última Guerra Civil.

Aparentemente, Leo não era o único confuso por ali. Os outros campistas do chalé de Hefesto se entreolhavam, franzindo a testa.

— Guerra Civil... — disse Piper — Você quer dizer a Guerra Civil americana, cento e cinquenta anos atrás?

— Sim e não — respondeu Quíron. — Os dois conflitos... de mortais e de semideuses... espelharam-se um no outro, como costuma acontecer na história ocidental. Observem cada guerra civil ou revolução da queda do Império Romano em diante: ao mesmo tempo sempre houve algum conflito entre semideuses. Mas *essa* Guerra Civil foi especialmente horrível. Para os americanos mortais, foi o conflito mais sangrento de todos os tempos... pior que as perdas nas duas Guerras Mundiais. Para os semideuses, foi igualmente devastador. Naquele tempo, este vale já era o Acampamento Meio-Sangue. E aconteceu nestes bosques uma terrível batalha que durou dias, com perdas incontáveis para os dois lados.

— Os dois lados — disse Leo. — Você quer dizer que o acampamento se dividiu?

— Não — respondeu Jason. — Ele quer dizer que havia dois grupos diferentes. O Acampamento Meio-Sangue estava de um lado do conflito.

Leo não tinha certeza se realmente queria uma resposta, mas perguntou:

— Quem estava do outro lado?

Quíron olhou para a bandeira do BUNKER 9, como se lembrasse o dia em que foi içada.

— A resposta é perigosa — ele avisou. — Algo que jurei às margens do rio Estige que nunca contaria a ninguém. Após a Guerra Civil americana, os deuses estavam tão horrorizados pelo preço pago por seus filhos que juraram: aquilo nunca mais se repetiria. Os dois grupos foram separados. Os deuses roubaram deles toda a vontade, e deixaram a Névoa o mais espessa possível, para certificar-se de que os inimigos jamais se lembrassem uns dos outros e jamais se encontrassem em qualquer missão. Assim os derramamentos de sangue seriam evitados. Este mapa é do período final dos dias negros de 1864, a última vez em que os dois grupos lutaram. Já estivemos muito perto de novos problemas outras vezes. A década de 1960 foi particularmente perigosa. Mas conseguimos evitar outra guerra civil... pelo menos até agora. Como Leo sugeriu, este bunker era um centro de comando do chalé de Hefesto. No último século foi reaberto algumas vezes, normalmente como esconderijo em tempos de muita agitação. Mas vir aqui é perigoso. Faz renascer velhas memórias, desperta antigos conflitos. Mesmo quando os titãs nos ameaçaram, ano passado, não achei que valeria a pena arriscar usar este local.

De repente, o sentimento de triunfo de Leo transformou-se em culpa.

— Mas, olhem, este lugar *me encontrou*. Isso tinha de acontecer. É uma coisa boa.

— Espero que tenha razão — disse Quíron.

— Eu tenho! — disse Leo, tirando o velho desenho do bolso e colocando-o sobre a mesa, para que todos pudessem ver.

— Aqui está — disse Leo. — Éolo me devolveu isso. Eu desenhei aos cinco anos. Esse era o meu destino.

Nyssa franziu a testa.

— Leo, é o desenho de um barco com giz de cera.

— Olhem — ele disse, apontando para o maior diagrama que havia na parede: a planta mostrava uma trirreme grega.

Lentamente, seus companheiros de chalé arregalaram os olhos ao compararem os dois desenhos. O número de mastros e remos, até mesmo as decorações nas velas e os escudos eram exatamente iguais aos feitos por Leo.

— Isso é impossível — disse Nyssa. — Esse desenho deve ter um século ou mais.

— *Profecia... Confusa... Luta* — leu Jack Mason nas anotações feitas no desenho. — É o diagrama de um barco voador. Olhem, esse é o motor principal. E o armamento... Por Hefesto! Balesta giratória, arcos de montaria, peças construídas com bronze Celestial. Isso seria uma incrível máquina de guerra. Chegou a ser construído?

— Ainda não — disse Leo. — Olhe para a figura de proa.

Não havia dúvida... a figura à frente do barco era a cabeça de um dragão. Um dragão bem especial.

— Festus — disse Piper.

Todos viraram o corpo e olharam para a cabeça em cima da mesa.

— Ele vai ser a nossa figura de proa — disse Leo. — Nosso protetor, nossos olhos no mar. Eu tenho que construir esse barco. Vou chamá-lo *Argo II*. E, pessoal, preciso de sua ajuda.

— *Argo II* — sorriu Piper. — Em homenagem ao barco de Jasão.

Jason parecia um pouco desconfortável, mas assentiu.

— Leo tem razão. Esse barco é exatamente o que precisamos para a nossa jornada.

— Que jornada? — perguntou Nyssa. — Vocês acabam de voltar!

Piper passou os dedos pelo velho desenho.

— Temos de confrontar Porfiríon, o rei gigante. Ele disse que destruiria os deuses e suas raízes.

— Na verdade — disse Quíron —, grande parte da Grande Profecia de Rachel ainda é um mistério para mim, mas uma coisa está clara: vocês três... Jason, Piper e Leo... estão entre os sete semideuses que farão parte dessa missão. Terão de confrontar os gigantes em sua própria casa, onde eles são mais fortes. E detê-los antes que Gaia desperte completamente, antes que destruam o Olimpo.

— Mas... — disse Nyssa. — Você não quer dizer Manhattan, certo?

— Não — respondeu Leo. — O Monte Olimpo original. Temos que navegar até a Grécia.

LIV

LEO

Foram preciso alguns minutos para explicarem tudo. E logo os demais campistas de Hefesto começaram a perguntar mil coisas de uma só vez. Onde estão os outros quatro semideuses? Quanto tempo demorariam para construir o barco? Por que nem todos podiam ir à Grécia?

— Heróis! — gritou Quíron, batendo um casco no chão. — Nem todos os detalhes estão claros por enquanto, mas Leo tem razão. Ele precisará de ajuda para construir o *Argo II*. Talvez seja o maior projeto do chalé 9, ainda maior que o dragão de bronze.

— Vai demorar pelo menos um ano — calculou Nyssa. — Temos tempo?

— Vocês têm seis meses, no máximo — disse Quíron. — Devem partir no solstício de verão, quando o poder dos deuses é maior. Além disso, não podemos confiar nos deuses do vento, e os ventos do verão são os menos poderosos, mais fáceis para navegar. Não ousem navegar depois, ou talvez não consigam deter os gigantes. Devem evitar viajar por terra, usando apenas o ar e o mar, e este é o veículo perfeito. Jason é o filho do deus dos céus...

A voz dele falhou, mas Leo entendeu que Quíron pensava no estudante desaparecido, Percy Jackson, filho de Poseidon. Que também seria ótimo para a viagem.

Jake Mason virou-se para Leo:

— Uma coisa é certa: agora *você* é o novo conselheiro-chefe. Essa é a maior honra que o chalé já teve. Alguém não está de acordo?

Ninguém disse nada. Todos os colegas de chalé sorriam para Leo, que quase notou a maldição que pairava sobre eles se quebrando, seu sentimento de desesperança desaparecendo.

— É oficial, então — disse Jake. — Você é o cara.

Pela primeira vez na vida, Leo ficou sem palavras. Desde que sua mãe morrera, vivera fugindo de um lado para o outro. Agora encontrara um lar e uma família. E também um trabalho a ser feito. E, por mais assustador que fosse, Leo não pensou em fugir, nem por um minuto.

— Bem — ele disse, finalmente —, se vocês me elegeram, devem ser mais loucos que eu. Então vamos construir essa supermáquina de guerra!

LV

JASON

JASON ESTAVA SOZINHO NO CHALÉ 1.

Annabeth e Rachel chegariam a qualquer momento para a reunião de conselheiros-chefe, e Jason precisava de um tempo para pensar.

Seus sonhos na noite anterior tinham sido piores do que ele gostaria de revelar... até mesmo para Piper. Sua memória ainda era enevoada, mas pequenas lembranças estavam voltando. A noite que Lupa o testara na Casa do Lobo, para decidir se seria o seu pupilo ou alimento para os demais. Depois, a longa viagem para o sul para... Ele não conseguia lembrar, mas tinha lampejos de sua antiga vida. O dia em que fizera a tatuagem. O dia em que fora erguido em um escudo e proclamado pretor. O rosto dos amigos: Dakota, Gwendolyn, Hazel, Bobby. E Reyna. Definitivamente, havia uma menina chamada Reyna. Ele não sabia exatamente o que ela significava em sua vida, mas a lembrança o fazia questionar o que sentia por Piper, e ele ficava imaginando se não estaria fazendo algo errado. O problema é que gostava muito de Piper.

Jason levou suas coisas para a alcova onde sua irmã dormia. Colocou a foto de Thalia de volta na parede e já não se sentia só. Olhou para a estátua carrancuda de Zeus, poderoso e altivo, que já não lhe parecia assustadora. Só o deixava triste.

— Sei que pode me ouvir — disse à estátua.

Mas ela não respondeu. Os olhos pintados pareciam observar Jason.

— Queria poder conversar pessoalmente com o senhor — disse Jason—, mas sei que isso não é possível. Os deuses romanos não gostam muito de interagir com os mortais, e... bem, o senhor é o rei. Deve dar o exemplo.

Mais silêncio. Jason esperava por algo... um trovão mais retumbante que o normal, um raio, um sorriso. Não, esqueça. Um sorriso seria algo muito assustador.

— Eu me lembro de algumas coisas — ele disse. E quanto mais falava, menos constrangido ficava. — Eu lembro que é difícil ser filho de Júpiter. Todos me veem como um líder, mas eu sempre me sinto sozinho. Imagino que o senhor sinta o mesmo no Olimpo. Os outros deuses questionam suas decisões. Algumas vezes o senhor faz escolhas duras, e eles criticam. E o senhor não pode vir me ajudar como os demais deuses fazem. Tem de manter certa distância, para que não pareça que está favorecendo ninguém. Acho que o que eu queria dizer...

Jason respirou fundo.

— Eu entendo tudo isso. Tudo bem. Vou tentar fazer o melhor possível. Vou tentar deixá-lo orgulhoso. Mas um pouco de ajuda seria bom, pai, uma orientação. Se existe algo que posso fazer... ajude-me a ajudar meus amigos. Tenho medo de levá-los para a morte. Não sei como protegê-los.

A nuca de Jason ficou arrepiada. Ele notou que alguém estava de pé às suas costas. Virou-se e encontrou uma mulher vestindo túnica preta, com uma capa de pele de cabra sobre os ombros e uma espada romana — um gládio — na mão.

— Hera— ele disse.

Ela baixou o capuz e disse:

— Para você eu sempre fui Juno. E seu pai já lhe mandou ajuda, Jason. Ele enviou Piper e Leo. Não são apenas sua responsabilidade, são seus amigos. Ouça o que eles dizem, e se sairá bem.

— Júpiter a enviou aqui para me dizer isso?

— Ninguém me envia a lugar algum, herói — ela disse. — Não sou uma mensageira.

— Mas me colocou nessa missão. Por que me trouxe a este acampamento?

— Acho que você já sabe — disse Juno. — Foi uma troca de líderes necessária. A única maneira de construir uma ponte onde não havia nenhuma.

— Eu não concordei com isso.

— Sei que não. Mas Zeus entregou sua vida nas minhas mãos, e estou ajudando você a cumprir o seu destino.

Jason tentou controlar sua raiva. Olhou para a camiseta laranja do acampamento, para as tatuagens no seu braço, e sabia que aquelas coisas não combinavam. Ele se tornara uma contradição... uma mistura tão perigosa quanto qualquer poção de Medeia.

— A senhora não vai me devolver todas as lembranças — ele disse. — Mesmo tendo prometido.

— Vou devolver pouco a pouco — disse Hera. — Mas você mesmo terá de encontrar o seu caminho de volta. Precisará dos próximos meses ao lado dos seus amigos, em sua nova casa. Ganhará a confiança deles. Quando eles embarcarem, você será o líder deste acampamento. E estará pronto para ser o pacificador entre dois grandes poderes.

— E se a senhora não estiver dizendo a verdade? — ele perguntou. — E se estiver fazendo tudo isso para causar mais uma guerra civil?

Era impossível ler a expressão de Hera... Surpresa? Desdém? Afeto? Provavelmente as três coisas juntas. Por mais que parecesse humana, Jason sabia que ela não era. Ainda era capaz de ver aquela luz cegante... a sua forma real, que tanto estrago fez à sua mente. Era Juno e Hera. Existia em muitos lugares ao mesmo tempo. E suas razões para fazer o que fosse nunca eram simples.

— Eu sou a deusa da família — ela disse. — Minha família ficou dividida por muito tempo.

— Fizeram isso para que não matássemos uns aos outros — disse Jason. — Parece uma razão bastante boa.

— A profecia diz que temos de mudar. Os gigantes se erguerão da terra. E só podem ser mortos com deuses e semideuses trabalhando juntos. E tais semideuses devem ser os sete mais destacados de sua época. E eles estão separados em dois lugares. Se continuarem distantes, não vamos ganhar a batalha. Gaia está contando com isso. Você deve unir os heróis do Olimpo, e deverão navegar juntos para encontrar os gigantes nos antigos campos de guerra da Grécia. Só então os deuses se convencerão a se juntar a vocês. Será a missão mais perigosa, a viagem mais importante de todos os tempos para os filhos dos deuses.

Jason olhou para cima novamente, para a estátua com o olhar fulminante do seu pai.

— Isso não é justo — disse Jason. — Eu poderia arruinar tudo.

— Poderia — concordou Hera. — Mas os deuses precisam de heróis. Sempre precisamos.

— Até mesmo a senhora? Pensei que odiasse os heróis.

A deusa abriu um sorriso seco.

— Eu tenho essa fama. Mas se quiser saber a verdade, Jason, sempre invejei os outros deuses por seus filhos mortais. Vocês, semideuses, podem caminhar pelos dois mundos. Acho que isso ajuda os seus pais deuses... mesmo o maldito Júpiter... a entender o mundo mortal melhor do que eu entendo.

Juno suspirou tão infeliz que, apesar da raiva, Jason quase sentiu pena dela.

— Eu sou a deusa do casamento — ela disse. — Não é da minha natureza ser desleal. Tenho apenas dois filhos, e eles são deuses: Ares e Hefesto... que são duas desilusões. Não tenho mortais para me ajudar, por isso costumo ser tão dura com os semideuses... Hércules, Eneias, todos eles. Mas também por isso eu ajudei Jasão, um mortal puro, que não tinha qualquer pai deus para guiá-lo. E por isso estou feliz que Zeus tenha entregue você a mim. Você será o meu campeão, Jason. Será o maior dos heróis e promoverá a união entre os semideuses, unindo o Olimpo.

As palavras de Hera o atingiram como sacos de areia. Dois dias antes, ele ficara aterrorizado com a ideia de liderar semideuses em uma Grande Profecia, partindo num barco para lutar contra gigantes e salvar o mundo.

Ainda estava aterrorizado, mas algo mudara. Ele já não se sentia sozinho. Tinha amigos e um lar para defender. Tinha até mesmo uma deusa que olhava por ele, e isso deveria contar para algo, mesmo que ela não parecesse muito confiável.

Jason precisava levantar e aceitar seu destino, como fizera frente a Porfiríon, sem qualquer arma nas mãos. Claro que parecia impossível. Ele poderia morrer. Mas seus amigos contavam com ele.

— E se eu falhar? — ele perguntou.

— As grandes vitórias exigem grandes riscos — ela admitiu. — Falhe, e haverá grande derramamento de sangue, o maior de todos os tempos. Os semideuses se destruirão. Os gigantes tomarão o Olimpo. Gaia despertará, e tudo o que construímos sobre a terra ao longo de cinco milênios será destruído. Será o fim para todos nós.

— Ótimo, que bom.

Alguém bateu à porta do chalé.

Hera colocou o capuz de volta na cabeça. Depois ofereceu a Jason o *gládio* em sua bainha.

— Fique com esta no lugar da espada que você perdeu. Vamos nos falar novamente. Você gostando ou não, Jason, eu sou sua madrinha, sou sua ligação com o Olimpo. Precisamos um do outro.

A deusa desapareceu quando as portas se abriram e Piper entrou.

— Annabeth e Rachel estão aqui — ela disse. — Quíron quer reunir o conselho.

LVI

JASON

O CONSELHO NÃO ERA NADA do que Jason imaginara. Para começar, acontecia na sala de recreação da Casa Grande, em volta de uma mesa de pingue-pongue, com um dos sátiros servindo nachos e refrigerante. Alguém levou Seymour, o leopardo, até ali, pendurando-o na parede. De tempos em tempos, um conselheiro atirava um petisco para ele.

Jason deu uma olhada em volta e tentou lembrar o nome de todos. Felizmente, Leo e Piper estavam sentados ao seu lado... era a primeira reunião deles como conselheiros seniores. Clarisse, a líder do chalé de Ares, tinha as botas postas em cima da mesa, mas ninguém parecia se importar. Clovis, de Hipnos, roncava num canto, enquanto Butch, de Íris, via quantas canetas podia colocar nas narinas dele. Travis Stoll, de Hermes, segurava um isqueiro aceso sob uma bola de pingue-pongue para ver se ela queimaria, e Will Solace, de Apolo, estava com a cabeça em outro lugar, mexendo na atadura que tinha no pulso. O conselheiro do chalé de Hécate, Lou Ellen, ou algo parecido, estava brincando de "agarrei o seu nariz" com Miranda Gardiner, de Deméter, embora Lou Ellen tivesse realmente, de forma mágica, desconectado o nariz de Miranda, que tentava colocá-lo no lugar.

Jason esperava que Thalia aparecesse. Ela prometera, afinal. Mas não a via em lugar nenhum. Quíron lhe dissera que não se preocupasse. Thalia muitas vezes ficava fora, lutando contra monstros ou em missões para Ártemis, e provavelmente chegaria logo. Mas ainda assim Jason se preocupava.

Rachel Dare, o oráculo, sentou-se ao lado de Quíron na cabeceira da mesa. Ela usava o vestido que era o uniforme da Clarion Academy, e que ficava um pouco estranho, mas sorriu para Jason.

Annabeth não parecia tão tranquila. Vestia uma armadura sobre suas roupas do acampamento, com sua faca ao lado e seus cabelos loiros presos num rabo de cavalo. Assim que Jason entrou, ela o encarou, parecendo esperar alguma coisa, como se tentasse extrair alguma informação com seu olhar.

— Vamos tomar posições — disse Quíron. — Lou Ellen, por favor devolva o nariz de Miranda. Travis, caso possa, por favor apague essa bola flamejante, e Butch, acho que vinte canetas são muitas para um nariz humano. Obrigado. Agora, como podem ver, Jason, Piper e Leo retornaram com êxito... mais ou menos. Alguns de vocês já ouviram parte da história, mas vou deixar que eles mesmos contem alguns detalhes.

Todos olharam para Jason. Ele limpou a garganta e começou a falar. Piper e Leo intervinham de tempos em tempos, com detalhes que ele esquecia.

Foram apenas alguns minutos, mas com todos olhando para ele parecera uma eternidade. O silêncio era pesado, e por conseguir fazer com que muitos semideuses hiperativos resistissem tanto tempo sentados, Jason viu que a história soara bem selvagem. Ele terminou com a visita de Hera, pouco antes daquele encontro.

— Então Hera esteve *aqui* — disse Annabeth. — Conversando com você.

Jason fez que sim.

— Vejam bem, eu não estou dizendo que confio nela...

— Isso é inteligente da sua parte — disse Annabeth.

— ...mas ela não está inventando essa história de outro grupo de semideuses. Eu vim de lá.

— Romanos — disse Clarisse, jogando um petisco para Seymour. — Você espera que a gente acredite na existência de outro acampamento de semideuses, fiéis às formas romanas dos deuses. E por que nunca ouvimos falar nada sobre isso?

Piper inclinou-se para a frente e disse:

— Os deuses mantiveram os dois grupos separados, pois sempre que eles se encontraram tentavam matar uns aos outros.

— Isso eu entendo — disse Clarisse. — Mas, ainda assim, será que nunca encontramos nenhum deles numa missão?

— Ah, sim — interveio Quíron, desanimado. — Vocês se encontraram, muitas vezes. E foi sempre uma tragédia. Os deuses têm feito o possível para apagar as memórias dos envolvidos. A rivalidade começou na Guerra de Troia, Clarisse. Os gregos invadiram Troia e queimaram tudo. O herói troiano Eneias escapou, e em algum momento conseguiu chegar à Itália, onde fundou o que depois se transformaria em Roma. Os romanos ficaram cada vez mais poderosos, rezando para os mesmos deuses, mas com nomes diferentes e personalidades um tanto distintas.

— Mais belicosos — disse Jason. — Mais unidos. Mais ligados à expansão, à conquista e à disciplina.

— Que horror — disse Travis.

Vários outros pareciam igualmente desconfortáveis com a descrição dos romanos, ainda que Clarisse tenha dado de ombros, como se para ela aquilo fosse algo normal.

Annabeth girava a faca na mesa.

— Os romanos odiavam os gregos. E se vingaram ao conquistar as ilhas gregas, que se tornaram parte do Império Romano.

— Eles não exatamente *odiavam* os gregos — disse Jason. — Os romanos admiravam a cultura grega e tinham um pouco de inveja. Por sua vez, os gregos imaginavam que os romanos fossem bárbaros, mas respeitavam seu poder militar. Então, durante os tempos romanos, os semideuses começaram a se dividir... em gregos ou romanos.

— E vem sendo assim desde então — supôs Annabeth. — Mas isso é uma loucura. Onde estavam os romanos durante a Guerra dos Titãs, Quíron? Por que eles não ajudaram?

Quíron coçou a cabeça.

— Eles ajudaram *sim*, Annabeth. Enquanto você e Percy lideravam a batalha para salvar Manhattan, quem você acha que conquistou o Monte Otris, base dos titãs na Califórnia?

— Espere — falou Travis. — Você disse que o Monte Otris ruiu quando vencemos Cronos.

— Não — disse Jason. Ele se lembrava de momentos da batalha. Um gigante vestindo armadura estranha e um capacete com chifre de carneiro. Lembrou-se de seu exército de semideuses escalando o Monte Tam, lutando em meio a hordas de monstros em forma de cobra. — Ele não ruiu simplesmente. Nós destruímos o palácio. E eu venci o titã Crios sozinho.

Os olhos de Annabeth pareciam carregados como os de um *ventus*. Jason quase podia ver seus pensamentos se moverem, tentando juntar as peças.

— Bay Area. Sempre nos avisaram que nós, semideuses, deveríamos nos manter longe porque o Monte Otris ficava por lá. Mas essa não era a única razão, certo? O acampamento romano... tem que estar em algum lugar próximo a São Francisco. Eu posso apostar que foi posto lá para que eles fiquem de olho no território dos titãs. Onde ele fica?

Quíron moveu-se em sua cadeira de rodas.

— Não poderia dizer. Honestamente, nunca tive essa informação. Lupa, que é quem faz o meu papel por lá, não é exatamente o tipo de criatura que passa informações com facilidade. E a memória de Jason também foi apagada.

— O acampamento fica sob um grande véu de magia — disse Jason. — E é fortemente vigiado. Poderíamos buscar por anos e nunca encontrá-lo.

Rachel Dare juntou as mãos e entrelaçou os dedos. De todas as pessoas naquela sala, era a única que não parecia nervosa com a conversa.

— Mas vocês vão tentar, certo? Vão construir o barco de Leo, o *Argo II*. E, antes de partir para a Grécia, viajarão ao acampamento romano. Pois precisarão da ajuda deles para confrontar os gigantes.

— Não me parece um plano muito bom — avisou Clarisse. — Se esses romanos virem uma embarcação de guerra se aproximando vão imaginar que se trata de um ataque.

— Você provavelmente tem razão — disse Jason. — Mas precisamos tentar. Eu fui enviado aqui para aprender sobre o Acampamento Meio-Sangue, para tentar convencê-los de que os dois acampamentos não precisam ser inimigos. Sou uma oferenda de paz.

— Entendo — disse Rachel. — Hera está convencida de que os dois acampamentos devem estar unidos para vencer a guerra contra os gigantes. Sete heróis do Olimpo... alguns gregos, outros romanos.

Annabeth fez que sim.

— Sua Grande Profecia... como é mesmo o último verso?

— E inimigos com armas às Portas da Morte afinal.

— Gaia abriu as Portas da Morte — disse Annabeth. — Ela deixará escapar os piores vilões do Mundo Inferior para lutar contra nós. Medeia, Midas... e vão surgir outros, tenho certeza. Talvez esse verso signifique que os semideuses romanos e gregos devam se unir, encontrar as portas e fechá-las.

— Ou talvez que lutarão uns contra os outros às Portas da Morte — disse Clarisse. — Não fala nada sobre cooperação.

Seguiu-se um silêncio enquanto os campistas pensavam no tema, preferindo a versão positiva.

— Eu vou — disse Annabeth. — Jason, quando construir esse navio, eu vou com você.

— Eu esperava isso — disse Jason. — De todo mundo, é de você que vamos precisar mais.

— Espere — disse Leo, franzindo a testa. — Por mim tudo bem, claro. Mas por que Annabeth?

Annabeth e Jason olharam um para o outro, e Jason viu que ela havia entendido, que enxergara a verdade perigosa.

— Hera disse que eu vim aqui por conta de uma troca de líderes — disse Jason. — Dessa forma, os dois acampamentos saberiam da existência um do outro.

— Sei... — disse Leo. — Mas e daí?

— Uma troca é uma via de mão dupla — disse Jason. — Quando eu vim para cá, minha memória foi roubada. Não sei quem eu era ou a que lugar pertencia. Felizmente, vocês me trouxeram aqui e eu encontrei um novo lar. Sei que não são meus inimigos. Mas, o acampamento romano... Eles não são tão amigáveis. Lá, quem não prova o seu valor... não sobrevive. Talvez não sejam tão legais com ele, e se souberem de onde ele vem, poderá correr sério perigo.

— Ele? — perguntou Leo. — De quem você está falando?

— Do meu namorado — respondeu Annabeth, com uma cara triste. — Ele desapareceu mais ou menos na mesma época que Jason apareceu. Se Jason veio para o Acampamento Meio-Sangue...

— Exatamente — disse Jason, concordando com ela. — Percy Jackson está no outro acampamento e, assim como eu, provavelmente não se lembra nem da própria identidade.

1ª edição	MAIO DE 2011
reimpressão	JUNHO DE 2025
impressão	LIS GRÁFICA
papel de miolo	PÓLEN NATURAL 70 G/M²
papel de capa	CARTÃO SUPREMO ALTA ALVURA 250 G/M²
tipografia	ADOBE CASLON PRO